ЭДУАРД
ТОПОЛЬ

СОБРАНИЕ СОЧИНЕНИЙ

Убийца на экспорт

•

Дюжина разных историй

•

Рассказы для серьезных детей и несерьезных взрослых

Москва
АСТ
1996

ББК 84(2-Рус)6
Т58
УДК 882-054.72-31 Тополь

Художник *А. Юдкин*

Тополь Э.

Т58 Собрание сочинений. Убийца на экспорт. Дюжина разных историй. Рассказы для серьезных детей и несерьезных взрослых.— М.: АСТ, 1996.— 576 с.
ISBN 5-88196-412-8.

В это издание включены романы «Убийца на экспорт», «Дюжина разных историй» и «Рассказы для серьезных детей и несерьезных взрослых» популярного писателя Э. Тополя. Его книги выходят во всем мире, многие из них стали международными бестселлерами.

Т 8820000000 ББК 84(2-Рус)6

ISBN 5-88196-412-8

От автора

Предисловие к сборнику

Пятнадцать лет назад я прилетел в США очень богатым человеком. В левой руке я держал пишущую машинку, у которой московский таможенник выломал букву «ф» — просто так, на прощанье, чтобы запомнил я, эмигрантская сволочь, запомнил свою географическую родину. А правой рукой я сжимал в кармане восемь долларов — всю свою наличность. И, прокрутившись пару месяцев по всем кругам нью-йоркского эмигрантского рая, направил свои стопы в редакцию «Нового русского слова». В то время это была, прямо скажем, совсем не та газета, что сейчас — она выходила не на пятидесяти страницах, как нынче, а на четырех, причем гигантские траурные сообщения о смерти есаулов, атаманов и ротных капитанов армии Его Высочества, занимали в ней всю первую страницу, делясь местом только с объявлениями типа «Похоронный Дом Джека Яблокова.Всегда есть места для новых эмигрантов!» То есть, после моего многолетнего сотрудничества в «Литгазете» и «Комсомолке» я, беря в руки эту газету, испытывал, признаюсь, некий дискомфорт. Но других русских газет в Нью-Йорке в ту пору не было и потому, соскребя с себя московский апломб, я отправился в «Новое русское слово», держа под мышкой свои отпечатанные без буквы «ф» очерки о Шереметьевской таможне и приключениях еврейского эмигрантского табора в Австрии и Италии. Задыхаясь от августовской духоты, я нашел на западе 56-й улицы глухую серую дверь с выцветшей табличкой, а за дверью крутую и темную лестницу. По этой лестнице спускался какой-то толстый и небритый мужчина в расстегнутой до пупа рубахе и в застегнутых, но не до конца брюках. «Простите, — сказал я ему. — Здесь находится «Новое русское слово»?» Мужчина остановился, почесал голый живот, вытащил из-под рубашки таракана (клянусь, не вру!) и сказал: «Да здесь, идите наверх». Позже я узнал, что это был знаменитый и энциклопедически образованный критик и библиограф, а тогда, проводив его и его таракана изумленным взглядом, я поднялся в редакцию. Там стояла покойная тишина дома для престарелых, в воздухе лениво плавала пыль и пахло лежалой бумагой, секретарша редактора что-то негромко тюкала на стареньком «Ундервуде», а единственный не очень старый сотрудник, почесывая марксовскую бороду, сидел за пустым столом, устремив в пространство взгляд, пронзительно тоскующий по алкоголю. Небрежно пролистав мою рукопись, он вернул мне ее и сказал, что материалы об эмигрантах их не интересуют. И я, автор семи художественных фильмов, спецкор «Комсомолки» и «Литгазеты», член Союза журналистов и Союза кинематографистов, ушел от этого молодого человека, как школяр, получивший двойку на приемных экзаменах.

Но, повторяю, никаких других русских газет в ту пору в Нью-Йорке не было, и через месяц я снова пришел в «Новое русское слово», теперь уже со статьей об украинских отказниках и рассказом «Моя кошка Джина Лоллобриджида». Бородача в редакции не было, я попал к замредактора, оставил ему свои рукописи и... через неделю они были опубликованы.

С тех пор, вот уже пятнадцать лет, я печатаю в «Новом русском слове» все, что пишу — романы, рассказы, статьи и очерки. Конечно, я не жил и не живу на газетные гонорары, но именно с легкой руки и на аванс нынешнего издателя газеты Валерия Вайнберга был тогда за восемь недель написан «Журналист для Брежнева». Потом в «Новом русском слове» было опубликовано «Чужое лицо», а в 1987, за два года до августовского путча, газета целиком напечатала «Завтра в России» — именно в то время, когда западный мир захлебывался от горбомании и ни одно издательство не хотело печатать роман, предсказывающий падение Горбачева. Я хочу думать, что в росте популярности «Нового русского слова», которое теперь превратилось в солидное современное издание с роскошным офисом на Пятой авеню, какую-то роль сыграли и мои публикации.

В эту книгу я собрал только часть из них — «Похищение невесты», «КГБ и море», «Две жизни Исаака Иткинда», «Чудеса бывают» и так далее. Но «Охота за русской мафией» еще нигде не публиковалась, это первая публикация.

Мне кажется, что несмотря на пестроту представленных тут жанров — от документальных очерков до мини-романа, — российскому читателю может быть интересно то, что в разные годы было написано в перерывах между работой над моими уже опубликованными в России книгами.

Как говорят в Америке, happy reading — счастливого чтения.

Дюжина разных историй

Охота за русской мафией

Все описанные здесь события произошли в действительности а главные герои этой истории — полицейский детектив Питер Гриненко и агент ФБР Бил Мошелло — названы своими подлинными именами Также своими подлинными именами названы почти все преступники, теперь уже мертвые Что касается преступников, оставшихся в живых, то well, автор решил слегка изменить их фамилии, чтобы не усложнять себе жизнь

Часть 1

ВОРЫ

16 сентября 1983 года, в полдень принимая очередной телефонный звонок, телефонистка ФБР на Федеральной Плазе в Нью-Йорке (Federal Plaza, 26 New-York) сказала абоненту — одну минутку! — и повернулась к старшему:

– Русский звонит! Включить запись?

— Русский? — удивился старший телефонист. — А что он хочет?

— Его английский ужасен, но он хочет «кому-то говорить про будущее преступление. По-русски».

— Так соедини его с контрразведкой.

— А как насчет записи? — спросила телефонистка.

Старший насмешливо улыбнулся. Чем меньше у человека должность в ФБР, тем большим политиком он себя воображает. Хотя от русских дествительно можно ждать чего угодно. Всего две недели назад они сбили корейский авиалайнер и угробили 269 пассажиров. А незадолго до этого этот палестинец, стрелявший в Папу Римского, признался, что прошел тренировку в СССР. Так что, конечно, русские — монстры. И, может быть, это как раз та ситуация, когда он должен на свой страх и риск, то есть без приказа начальства, включить звукозаписывающую аппаратуру. Ведь черт его знает, догадались ли там в контрразведке, с первой минуты включить магнитофон...

Но тут, спасая старшего от трудного решения, замигал сигнал прерванного разговора, и голос из контрразведки сказал в наушниках:

— Переведите этого русского на Квинс. 31-40.

— Сэр, неужели он действительно хочет предупредить преступление? — удивилась телефонистка, хотя обсуждать разговоры не в правилах ФБР

— Так он говорит, — ответили из контрразведки. — Но это не имеет к нам отношения, это что-то насчет ограбления.

— Все равно это впервые на моей памяти, чтобы русские звонили в ФБР предупредить преступление! — пробормотала телефонистка и набрала «31-40»

— Детектив Питер Гриненко, — прозвучал мужской голос.

— Это оператор с Federal Plaza. — У меня на линии один русский, контрразведка дала ваш номер. Вы говорите по-русски?

— Да, говорю.

— Но у меня в списке нет вашего имени... — сказала телефонистка, листая служебный справочник.

— Я не сотрудник ФБР. Я детектив нью-йоркской полиции, недавно назначенный сюда для специальных расследований.

— Ясно. О'кей, соединяю! Пожалуйста, мистер! Алло! Мистер! Черт! Он отключился! Извините, сэр...

— Ничего, — успокоил ее Гриненко. — Для русских это типично. Дайте мне контрразведку.

Через минуту, переговорив с агентом, который принял в контрразведке звонок русского, детектив Гриненко набрал телефон и сказал по-русски:

— Алло, могу я говорить с мистером Лисицким?

— Да... — осторожно ответил негромкий голос.

— Это детектив Питер Гриненко. Вы сейчас звонили в ФБР насчет какого-то преступления. Как я могу помочь вам?

— Это не телефонный разговор, — глухо ответил русский. — Это важное дело, но... Я не могу по телефону...

— Вы можете прийти к нам в офис. Это на Квинс-бульваре...

— Нет, нет! — прервал русский. — К вам я прийти не

могу! Но вы можете приехать ко мне. У меня маленький рыбный бизнес «Dreamfish»* на Варрак Стрит, Манхэттен.

— Вы сказали агенту контрразведки, что вашему бизнесу что-то угрожает. Это прямо сейчас?

— Я не могу вам сказать по телефону... Но это важно! Вы можете приехать?

— О'кей, мистер Лисицкий. Мы сейчас приедем, — и, положив трубку, Гриненко посмотрел на Била Мошелло, своего партнера в ФБР. Бил — 34 года, 85 килограммов, 1 метр 65 см — сидел за соседним столом, перечитывая полицейский рапорт о бегстве из штата Флорида двух взломщиков-цыган и делал вид, что его совершенно не интересует этот разговор. Тем более что он не понимал по-русски ни слова.

— Бил! — сказал Гриненко.

— Да... — отозвался Мошелло, не поднимая глаз от флоридских документов.

— Мы едем в центр города. Сейчас.

— Зачем?

— Ты же слышал. Какой-то русский сам позвонил предупредить о будущем преступлении. Но он боится говорить по телефону. Так что оторви свою задницу от стула и поехали!

— Ну... — протянул Бил и впервые посмотрел на своего партнера.— Перед тем как обещать ему приехать, ты мог обсудить это со мной. Верно?

Питер на секунду задержался с ответом. Уже не первый раз в их отношениях проскальзывает эта нота разногласия. Хотя полгода назад, в марте 1983, Бил сам перетащил Питера в ФБР из Organized Crime Control Bureau (Бюро контроля за организованной преступностью), где служат сливки сливок Нью-Йоркской сыскной полиции и где у Питера была репутация одного из лучших детективов по автомобильной преступности. Но тогда ФБР как раз

---

* «Dreamfish» — «Рыбная мечта» или «Мечтательная рыбка»

начинало охоту за красной мафией, и самым громким делом в то время было убийство в Манхэттене русского эмигранта Юрия Брохина, автора книг «Суета на улице Горького» и «Большая Красная машина: взлеты и падения советских олимпийских чемпионов». В первой книге Брохин рассказал о московских шулерах, валютчиках, картежниках и подпольных миллионерах, во второй — о коррупции в советском спорте. Хотя ни одна из этих книг не стала бестселлером, но обе удостоились рецензий в «Times Book Review» и дали Брохину возможность выступать экспертом по советской политике в «New-York Times», «Dissent» и «Jewish Digest». Когда 11 ноября 1982 Юрий Андропов, бывший глава КГБ, сменил в Кремле Брежнева, Брохин объявил своим друзьям, что в Москве он был близко знаком с сыном Андропова Игорем и садится писать книгу о личной жизни Андроповых. А через три недели, 6-го декабря, Брохина нашли мертвым в его квартире на Исете 47 стрит, в постели, с простреленной головой. Рядом, в тумбочке, лежали нетронутыми 15 000 долларов. Эти-то нетронутые $ 15 000 плюс репутация Брохина, как советолога, дали основания прессе тут же объявить, что тут замешана «рука Москвы». Нью-йоркская газета «Post» даже сообщила, что Брохин был другом болгарского диссидента, убитого агентами КГБ с помощью отравленного зонтика.

Таким образом, смерть принесла Брохину именно ту славу, о которой он жадно мечтал при жизни: журнал «Нью-Йорк» напечатал его огромный, на всю страницу портрет и большую статью с подзаголовком «Был ли писатель-эмигрант Юрий Брохин убит русской мафией?». Правда, основное название статьи вряд ли понравилось бы Юрию, статья называлась «Смерть дельца»...

По стечению обстоятельств, автор этих строк знал Брохина еще в Москве, по сценарному факультету киноинститута, где мы оба учились в 60-е годы (я на дневном отделении, а Брохин — на заочном). Правда, потом наши дороги разошлись: я стал работать в кино, а Брохин — в картежной суете улицы Горького, о чем впоследствии и написал свою первую книгу. И когда в 1979 году я эмигрировал в США, Брохин был тут уже давним жителем, он пригласил меня к себе, хвастал, что получил за первую книгу $ 40 000 (слегка приврал), но кормил настоящим американским стэйком и возил по Манхэттену в роскошном черном «Бьюике». «Только у двух русских есть такой «Бьюик», — сказал он гордо.— У Брежнева и у меня!» Поскольку это был первый «Бьюик», который я видел в своей жизни, я поверил. Тогда же я познакомился с его женой — красивой и тихой Таней, бывшей московской актрисой, которая работала секретаршей на радио «Свобода» и носила на шее маленький православный крестик.

Может быть, потому, что Юре нравилось демонстрировать именно мне, бывшему московскому сценаристу, свои американские успехи — у него было все, о чем может мечтать свежий эмигрант: квартира в Манхэттене, «Бьюик», литературный агент и красавица-жена — может быть, поэтому я не стал больше бывать у Брохиных. Не из зависти, а просто я не понимал, каким образом заурядный московский картежник стал известным американским писателем. Ладно, еще одно признание — русская красавица Таня Брохина была моим типом женщин и так нравилась мне, что я предпочитал не видеть ее, чем поедать глазами жену своего приятеля...

Через два года, в апреле 1981 я прочел в русской нью-йоркской газете траурное объявление о ее трагической смерти: Юрий Брохин нашел ее утонувшей в ванной. Среди сотрудников радио «Свобода» тут же пошли разговоры, что Таня умерла не случайно, что тут не обошлось без наркотиков и, может быть, чего похуже. Некоторые открыто предполагали, что Брохин убил Таню, чтобы получить страховку. Тем не менее я пошел на похороны. Худой, подтянутый, с развернутыми, как у Юла Бриннера, плечами в черном костюме, черноволосый, с мефистофельской бородкой, с большими и острыми темными глазами и с глубокой упрямой складкой над переносицей — Юрий был печален соответственно ситуации и отнюдь не выглядел убийцей.

— Прими мои соболезнования,— сказал я.

— Спасибо, что пришел. Останься на поминки, — ответил он.

Но что-то мешало мне пойти к нему в дом и пить водку в той самой квартире, где несколько дней назад в ванной Таня лежала мертвой.

Когда через полтора года уже не только русская газета, а нью-йоркские газеты сообщили об убийстве Брохина, я тут же вспомнил о загадочно-«случайной» смерти Тани и решил, что здесь разыгрался какой-то кровавый любовный треугольник.

Однако детектив Барри Друбин из 17-го участка, которому выпало расследовать убийство Брохина, был другого мнения. По записным книжкам Юрия он довольно быстро установил круг его знакомых: в этот круг входили, в основном, картежники, игроки на ипподроме и торговцы наркотиками и оружием. Как в Москве звание сценариста было у Брохина только прикрытием для подпольной «суеты на улице Горького», так в Нью-Йорке звание «писателя» прикрывало его другую деятельность. Но одно обстоятельство мешало Друбину быстро закончить это дело — почти все русские приятели Брохина, на которых в полиции были сведения об их преступной активности, отказывались давать показания по-английски, ссылаясь на плохое знание языка. Конечно, Друбин мог пригласить переводчика, но тут он вспомнил, — что в БКОП* есть детектив Питер Гриненко, русский по происхождению. А одно дело допрашивать людей через переводчика, и совсем другое — если допрос ведет профессиональный следователь на родном языке преступника.

Друбин позвонил Питеру, и 21 декабря Питер приехал

---

* БКОП — Бюро контроля за организованной преступностью.

на 54-ю улицу, к 17-му участку. Было 6.40 вечера, до первого интервью с каким-то русским оставалось 20 минут. припарковав свою «Тойоту» 69-го года среди полицейских машин, Питер перешел через Третью Авеню в деликатесный магазин. При его росте 178 см и стокилограммовом весе он ел не так уж много, но сейчас, после длинного рабочего дня, он чувствовал голод. Окинув взглядом витрину, он купил креветки, рисовый пудинг, бутерброд и кофе и с пакетом в руках вернулся в полицейский участок. Офис детективов был на втором этаже и почти пуст, если не считать Друбина, который ждал русского по имени Пиня Громов.

— Садись и ешь, я сейчас вернусь, — сказал Друбин Питеру и ушел искать фотографа для съемки этого Громова. Питер сел за стол, вытащил из пакета бумажную коробку с креветками и стал есть. Через минуту в офис вошел темноволосый остроглазый мужчина в сером костюме, лет 34 и с фигурой полнеющей, но еще помнящей спортивную тренировку. Он не постучал, как сделал бы русский эмигрант, а вошел, как свой, как сотрудник полиции. Но спросил:

— А Друбин здесь?

— Он сейчас придет,— сказал Питер.

— Вы тоже к нему? — и мужчина посмотрел на пакет креветок в руках у Питера.

— Да.

— Вы — Громов?

Питер усмехнулся:

— Разве я выгляжу русским эмигрантом? Детектив Питер Гриненко из БКОП. А ты?

— Вильям Мошелло, ФБР,— мужчина снова посмотрел на креветки.

— Хочешь? — Питер протянул ему пакет с едой.

— Я приехал из Квинса и...— сказал Мошелло. — После целого дня работы...

— Можешь ничего не объяснять. Если не любишь креветки, возьми бутерброд и рисовый пудинг. Бери, бери!

— Гриненко разломал бутерброд пополам и вручил Билу.

— Спасибо! — сказал Бил.

Через пару минут, заканчивая с креветками и пудингом, они уже знали друг о друге почти все.

— Все хотят русскую мафию, — говорил Бил.— Мое начальство, пресса и даже, я думаю, Президент Рейган. Но как я могу найти им красную мафию, если я один на всю эту ебаную комьюнити, а советских преступников хер знает сколько! Каждый день в аэропорту Кеннеди садится самолет с русскими эмигрантами — иди знай, кто из них будет Барышников, а кто — русский Гамбини. И — я не говорю по-русски. Если ты помогаешь Друбину, может ты и мне поможешь интервьюировать русских? У меня есть несколько интересных дел...

— Например?

— Ну, например, фальшивые русские золотые монеты прошлого века. Они подделывают их так, что не отличишь. Или — подделка автомобильных прав. Ты не поверишь — это у них целая индустрия. Что ты думаешь?

— Посмотрим...— неопределенно сказал Питер. У него было прекрасное положение в БКОП, а недавно его, как эксперта, даже приглашали выступить в Сенате на заседании специальной комиссии по борьбе с автопреступностью. И все-таки уже в январе 1983 года, то есть после месяца работы с Барри Друбиным и Билом Мошелло, Питер вдруг почувствовал, что теряет интерес к расследованию угона автомобилей. Дела, которыми он так увлеченно занимался 12 лет, вдруг показались ему рутиной, а обнаруженная где-нибудь в Пенсильвании очередная дюжина ворованных грузовиков стоимостью в пару миллионов долларов — грудой бездушного металла. Зато тут, в офисе Друбина и в ФБР у Мошелло, он заглянул в совсем другой мир — мир русской колонии, полный интриг, игры нервов, непонятных характеров и странной психологии, которая на языке профессионалов обозначается расплывчатым понятием «советская ментальнсть». В нее входило все — фанфаронство, хитрость, жадность, презрение к закону, жестокость, самоуверенность и вызывающая наглость. Тот самый Пиня Громов, на которого в полиции были данные, что в СССР он отсидел 6 лет за грабеж, а здесь торгует наркотиками, — этот самый Громов, развалившись в кресле во время интервью с Друбиным и Гриненко, хвастливо пригласил всех полицейских 17-го участка на бармицву своего сына...

И, может быть, потому, что эта ментальность была сродни образу той страны, из которой они приехали, Питеру показалось, что наглость русских — это личный вызов ему, Питеру Гриненко, американскому детективу. Потому что СССР не только оккупировал Афганистан, давил танками пражских и варшавских студентов и сбил корейский авиалайнер. Еще раньше, в годы русской революции, там, в России, коммунисты растреляли всех до единого мужчин-родственников Питера по материнской линии. Поэтому в марте 1983 Бил Мошелло через своего начальника Джеймса Морфи легко добился перевода Гриненко из полиции в ФБР для «специальных расследований русской криминальной активности», а проще говоря — для охоты за красной мафией. Сидя в своем кабинете на фоне американского флага и эмблемы ФБР, Джеймс Морфи сказал тогда Питеру Гриненк и Билу Мошелло:

— Примерно год назад Роберт Левинсон, один из лучших наших агентов, на основе криминальной статистики и данных контрразведки, высказал предположение, что КГБ намеренно накачивает еврейскую эмиграцию советскими перступниками. Но так ли это на самом деле? И если так, то сохраняют ли эти преступники связи с КГБ? Работают ли они по заданиям Москвы? Или просто выброшены из СССР для очистки страны? На все эти вопросы мы должны ответить. Точнее: вы должны ответить. Потому что смотрите, что они делают, эти русские — Афганистан, Ангола, Лаос, Куба, Никарагуа, а теперь уже и прямо в Нью-Йорке, на Брайтон Бич! Так что давайте, ребята, я верю —

вы сможете сделать это!

И поначалу казалось, что они действительно словно созданы быть партнерами — импульсивный здоровяк Гриненко, не знающий усталости и фонтанирующий детективными идеями, и остроглазый, аккуратный с адвокатским образованием Мошелло, умеющий схватить любую сырую и рисковую идею Питера, превратить ее в законно оформленное расследование и получить на это не только начальственное «добро», но и солидный бюджет.

Однако уже через пару месяцев жизнь стала подтачивать это, так быстро возникшее единство: многочасовые интервью и допросы русских, которые Питер вел на русском языке, как бы отодвигали Била на второй план и тем самым ущемляли его самолюбие. И хотя он боролся с этим чувством и не хотел признаваться в нем даже самому себе, эта мальчишеская уязвленность периодически прорывалась вот такими, как сейчас, взбрыками.

— Что я должен был с тобой обсудить? — сказал ему Питер. — Контрразведка передала нам этого yobaniy русского, который хочет сообщить о каком-то преступлении. Так что тут обсуждать?

— Yobaniy значит to be fucked, — тут же улыбнулся Бил с гордостью школьного отличника.

— Гуд! Ты делаешь успехи в русском, — сказал Питер.— Поехали!

* * *

— Бардак? — спрашивал Питер, ведя служебный «Плимут» из Квинса в Манхэттен.

— Whorehouse,— отвечал Бил.

— Bliad?

— Beach, whore.

— Mudack?

— Idiot, stupid.

— Viebat?

— «To fuck» в значении «наказать», «употребить». А

теперь ты скажи, — Бил открыл словарь русского мата и жаргона, составленный Монтеррейской лингвистической школой для агентов ФБР и ЦРУ, прослушивающих телефонные разговоры Советского посольства в Вашингтоне и других советских офисов в США. — Что такое «dristun»?

— Не знаю.

— Слабак, трус, бздун, — прочел Бил. — А теперь — «drochit»?

— Не знаю, — признался Питер.

— Мастурбировать, а также — дразнить, надоедать. А как насчет «zalupa»?

— Никогда не слышал такого слова...

— Видишь! А говоришь, что знаешь русский. Как я могу знать, о чем ты говоришь с этими русскими на интервью!

— Так езжай в Монтеррей и учи язык! — разозлился Питер, потому что действительно не всегда понимал, о чем говорят ему русские преступники-эмигранты, перемежавшие матом каждое второе слово. — Моя бабушка читала мне русские народные сказки, а не этот ебаный мат! Или ты думаешь она должна была учить меня как по-русски «to masturbate»?

— Очень просто, — сказал Бил. — Drochit.

* * *

Сэм Лисицкий, хозяин рыбного бизнеса «Dreamfish» на Варрак стрит, оказался пятидесятилетним, усатым и суетливым мужчиной с лицом, похожим на испуганную крысу. Он повесил на дверь своего supply store* табличку «Закрыто», отключил телефон и усадил гостей в крошечной задней комнате, где пахло рыбой и где стены были залеплены рекламой черной икры и семейными фотографиями, а кондиционер не работал. И он не предложил гостям даже стакан воды.

— Я работаю как вол, как лошадь! — говорил он

---

* Supply store — магазин — база снабжения

Питеру и поглядывал на молчаливо-нейтрального Била. — А ваш товарищ тоже говорит по-русски?

— Нет, он не понимает русский.

Но по лицу Лисицкого было видно, что он не поверил Питеру.

— Я работаю день и ночь, вы же знаете как мы приезжаем в эту страну — с одним чемоданом! Но, слава Богу, последние пару лет дела пошли лучше, и я скопил немножко денег и решил войти в ювелирный бизнес. Конечно, вы скажете — зачем мне такой риск? Рыба — это спокойно, а золото — сами понимаете! Но мой сын окончил школу — мальчику нужно идти в колледж? Он хочет быть адвокатом — я могу ему отказать? — и Лисицкий снова посмотрел на Била и объяснил ему: — Это же единственный сын! I have only one sun, you understand? А кто будет платить за колледж, из каких доходов? — и снова Питеру: — Короче говоря, я собрал тридцать тысяч, буквально последние деньги — клянусь! И нашел еще двух партнеров, и мы открыли маленький ювелирный магазин «Sorento Jewelers»* на 47 стрит и Пятой Авеню. Боже мой, будь проклята минута, когда я это сделал! Вы знаете, что случилось? Мои партнеры оказались сволочами. Сначала они на мои деньги стали закупать товар у всяких ювелирных фирм — вы знаете как это делается? Первый раз вы берете немного товара и платите наличными, а потом они дают вам золото в кредит сколько хотите, ведь им все равно, у них весь товар застрахован. Короче, мои партнеры набрали много ювелирного товара, а потом один все бросил и уехал в Чикаго. И там, пользуясь хорошей репутацией нашего магазина у кредиторов, открыл свой магазин. А второй сидит на 47-ой в «Sorento» и тратит мои деньги: покупает дорого, продает дешево и говорит: это чтобы завоевать клиентуру! Я ему говорю: Марат, я уже не хочу никакую прибыль, я хочу назад мои тридцать тысяч! А он говорит:

---

* «Sorento Jewelers» — «Сорентийские ювелиры».

если хочешь выручить свои деньги, нужно вложить еще десять. И что вы думаете? Я-таки идиот, я его послушал и вложил! И теперь он сидит там, как король, строит из себя большого бизнесмена и тратит мои деньги, а я не сплю по ночам. Вы понимаете?

— Нет, — сказал Питер, потея и теряя терпение от жары, запаха рыбы и болтовни этого Лисицкого. — Ты позвонил в ФБР и сказал, что готовится преступление. Твой партнер покупает дорого, а продает дешево — это глупо, но это не преступление. А где преступление?

— Будет! — сказал Лисицкий. — Ой, я даже не знаю как вам сказать!.. Они меня убьют!..— он выглянул в окно и понизил голос: — Вы понимаете, мне кажется: я знаю, что они задумали. Я слышал, что многие так делают, и я думаю, что они тоже. Они наймут грабителей, которые ограбят наш магазин, а потом получат большую страховку, вы понимаете? — и сам перевел Билу: — My partners. I think, they will make a set up, a roberry of our jewelry store. For insurance money. You understand? — и опять повернулся к Питеру: — Но я не хочу в этом участвовать, нет! Я хочу, чтобы вы знали: Сэм Лисицкий — честный эмигрант!

— Откуда вы знаете, что они готовят ограбление? — спросил Питер.

— Я так думаю! А как еще они могут отдать мне 40 тысяч, если они дорого покупают золото, а дешево продают? А? Я вас спрашиваю!

— Хорошо, — сказал Питер. — Пишите заявление, что подозреваете своих партнеров в подготовке преступления. Как их фамилии?

— Нет, нет! Вы что! — испуганно замахал руками Лисицкий.— Я ничего писать не могу! Они убьют меня! Я вас предупредил. Ради сына! Сэм Лисицкий честный человек! — тут Лисицкий показал на фотографию 18-летнего подростка и лицо его мгновенно высветилось и преобразилось.— Вы видите какой у меня мальчик? Когда он будет адвокатом, ой — мне уже не придется работать как лошадь...

— Так это все, что вы хотели нам сказать? — спросил Питер.

— А разве этого мало? — удивился Лисицкий.

Питер встал и сказал Билу:

— Пошли!

Бил достал из кармана пиджака фото двух цыган взломщиков, показал их Лисицкому и спросил по-английски:

— Вы знаете этих людей?

— Нет, — ответил Лисицкий. — Этих людей я не знаю.

— Никогда не видели?

— Нет. Никогда!

— А как насчет ограбления? Ты не хочешь нам написать об этом?

— Нет! Нет! — снова замахал руками Лисицкий. — No writing! I don't want to be dead! I have a son! Я не хочу быть убитым! У меня сын!

— Dristun! — сказал Бил.

— Что он сказал? — спросил Лисицкий у Питера по-русски.

— Я думаю, он сказал тебе по-русски, что ты дристун, трус... — усмехнулся Питер.

— О! — воскликнул Лисицкий. — Вы видите! Я так и думал, что он знает русский! — и радостно похлопал Била по плечу: — Ты знаешь русский, мой друг!

* * *

— Русское дерьмо! — ругался Питер по дороге в Квинсовский офис. — Сукин сын!

— Может все-таки заехать в это «Соренто»?— спросил Бил.

— Зачем? Что ты скажешь его партнеру? «Мы знаем, что ты хочешь устроить ограбление?» Он рассмеется тебе в лицо!

— Тогда мы просто потеряли время...

— Почему потеряли? Нас выебли! До тебя не дошло! Эта крыса выеб и тебя, и меня! Почему? Очень просто! Если полиция разоблачит это ограбление, как set up (подстроенное), то он чистый — он предупредил ФБР. А нет — так нет. И так, и так он получит свои деньги из страховой компании. Ты понял? Вот почему он нас позвал! И я чувствую себя так, будто меня обосрали!

— Что мне нравится в твоих русских, так это то, что они умней итальянцев, — философски сказал Бил. — Итальянцы тоже делают фальшивые ограбления, но никогда не звонят про это в ФБР.

Вдруг Питер ударил ногой в тормоз с такой силой, что «Плимут» юзом прокатил по асфальту, а сзади возмущенно заревел гудком какой-то грузовик.

— Что случилось? — воскликнул Бил, который чуть не вышиб головой переднее стекло.

Не обращая внимания на ругань водителя трака и гудки машин вокруг, Питер сказал:

— Я хочу, чтобы ты запомнил навсегда: эти засранцы русские преступники такие же мои, как итальянская мафия — твои. Усек?

— Усек, — сказал Бил.

— Теперь покажи мне фотографии... — успокоился Питер и тронул машину по направленю к Midtown туннелю. — что там насчет их?

— Двое русских цыган. Мужчина и женщина. Занимаются грабежом со взломом. Во Флориде ездили по богатым районам, стучали в какой-нибудь дом и, если никто не отвечал, взламывали дверь или окно и выносили все ценное. В Талахасси полиция их арестовала, а судья выпустил под залог $ 20 000 до суда. И — они смылись из штата. Федеральное преступление, 10 лет. Если мы их найдем, конечно.

— Легче легкого! — сказал Питер.

— Как?

— Просто. Нужно поехать на Брайтон и показать эти фото нашим русским «друзьям».

— Думаешь, они нам скажут?

— Один не скажет, второй не скажет, а третий... Если

эти цыгане грабят богатые дома, они должны где-то продавать эти вещи. А на Брайтоне есть все — мебельные магазины, ювелирные.

— Когда ты думаешь, мы можем туда поехать?

— Хочешь сейчас?

— Я знаю, чего я не хочу. Я не хочу приехать сейчас в офис и сказать, что нас выеб этот yobaniy русский. Этого я точно не хочу...

Он не успел договорить, как Питер резко бросил машину влево и , подрезая движение, развернулся перед самым входом в туннель.

— Куда ты? — изумился Бил.

— На Брайтон, — ответил Питер. — Куда же еще?

* * *

Сегодня бруклинский Брайтон Бич знаменит почти как парижский Монманртр, римская Пьяцца Навонна, Рыбачья Пристань в Сан-Франциско или Гринвич Вилледж в Манхэттене. Американские газеты называют этот район «Маленькой Россией», а его обитателей — русскими. По аналогии с американцами. Ведь в США все считают себя американцами, невзирая на свое итальянское, еврейское, ирландское, китайское и т.д. происхождение. Ну, а если вы приехали из России, то будь вы хоть киргиз, армянин или еврей — вы все равно русский. И сделать с этим ничего нельзя, хотя ситуация поначалу мне лично казалась даже обидной: в России никто нас за русских не считал и называли «жидами» и «евреями», а в Америке — никто не хочет считать нас евреями, а называют «русскими». Но с годами к этому привыкаешь...

По приблизительным данным, на самом Брайтон Бич Авеню и прилегающих к нему двух дюжинах улиц живет почти 100 000 русских эмигрантов. Если учесть, что первые четыре русские семьи поселились на Брайтоне в 1974 году, динамика роста этой колонии сравнима только с динамикой освоения Техаса или наплыва золотоискателей в Калифорнию во времена «золотой лихорадки». С той только разницей, что на брайтонском пляже нет ни золота, ни нефти. Все, что нашли там первые советские эмигранты в 1974, было — океанский бриз, дешевые квартиры и метропоезд «D», на котором за 50 центов можно было доехать до Манхэттена.

Конечно, настоящий историк скажет, что это было не первое открытие Брайтона. Что еще в начале века Брайтон был дачным местом нью-йоркских богачей, они строили здесь виллы и ездили сюда в экипажах и первых «Фордах». И что первый расцвет Брайтона описан у Айзека Башевица Зингера, Нила Саймона и других американских писателей. Все это так. В 20-40-е годы Брайтон был плотно заселен теми еврейскими волнами, которые выплеснуло в Америку из Европы сначала бегство от погромов времен русской революции, а потом — от гитлеровских концлагерей и газовых камер. Но уже в конце 50-х дети и внуки этих брайтонских евреев закончили школы и колледжи и переселились на Ист Манхэттен, в Голливуд, Бостон и прочие центры технического и торгового бума. В шестидесятые годы Брайтон захирел. Опустели и замусорились пляжи, закрылись десятки ланченетов, синагог, школ и аптек, и пожилые евреи массовым порядком бежали отсюда в другие районы Бруклина или еще дальше — во Флориду или Аризону. Первые русские эмигранты 70-х годов нашли на Брайтоне запущенные и грязные дома, где не хотели селиться даже нищие беженцы из Пуэрто-Рико и «лодочные люди» из Вьетнама. Здесь, в темных, с разбитыми фонарями улицах, можно было легко наткнуться на нож наркомана и шайку черных уличных грабителей. А на станциях сабвея и в разрисованных графитти вагонах поезда «D» стоял оглушающий запах мочи и марихуаны.

Но один фактор отличал Брайтон от анологичных районов верхнего Бронкса или Нью-Джерси. Океан. Когда после изнуряющего рабочего дня в такси или на швейной фабрике в душном и громыхающем монстре-Манхэттене вы приезжаете на Брайтон и выходите на конечной станции из вонючего вагона, соленый океанский бриз освежает вам легкие, а тишина лечит душу и, если закрыть глаза, то кажется, что вы снова — дома, на Черном море, в Одессе. Можно, как на знаменитом Одесском бульваре, спокойно посидеть у океана на скамейке широкого деревянного бордвока, можно встретить тут друзей, поговорить «за жизнь» и «восьмую программу» для родителей, и можно прогулять детей «на чистом воздухе». Конечно, для американцев, которые не имеют этой русско-еврейской манеры в любую погоду часами выгуливать детей, или для москвичей, которые с детства привыкли к запаху бензина и не могут спать без гудков машин за окном, в этом «брайтонском факторе» не было ничего соблазнительного. Поэтому эмигранты — москвичи и ленинградцы вселились в квинсовском Джексон-Хайтс и в манхэттенском Вашингтон-Хайтс. Но когда в 1978-1979 годах эмиграция из СССР достигла своего пика — 50 000 человек в год, то оказалось, что 60 % этих эмигрантов — одесситы. Одесситы, для которых брайтонский фактор перевешивал все остальные неудобства. Теснота и вонь в сабвее? Ладно, вы не ездили в советских автобусах и трамваях! Поезжайте в СССР, понюхайте! Запущенные грязные квартиры, обвалившиеся потолки и стены? А у вас есть руки? Хулиганы, наркоманы и грабители на темных улицах? А вы знаете такое выражение «Одесса-мама»? Не знаете? Это значит, что когда ваши американские грабители учились держать пипку в руках, чтобы попасть струйкой в унитаз, наши уже соплей попадали милиционеру в затылок...

Короче говоря, к 1982-83 годам, когда агенту ФБР Вильяму Мошелло и полицейскому детективу Питеру Гриненко было поручено выявить «русскую мафию», в районе большого Брайтона жили уже около 40 000 советских эмигрантов. Подавляющее их большинство, 99, если не больше, процентов, мало чем отличались от всех прочих эмигрантов, которые построили эту страну, — они вкалывали с утра до ночи за 4, 3 и даже за 2 доллара в час, они учили английский язык в сабвее по дороге на работу и стоя спали от усталости в тех же вагонах, когда возвращались с работы домой. Автор этих строк — в прошлом сценарист и автор семи художественных фильмов — красил в Манхэттене офисы за 5 долларов в час. А одесситы очистили Брайтон от пришлых хулиганов и наркоманов, открыли там свои рестораны «Одесса», «Приморский» и «Садко», продовольственные магазины «Националь» и «Белая акация» и даже русский книжный магазин «Черное море», где кроме книг продавались не одна, а сразу три русские газеты — «Новое русское слово», «Новый американец» и «Новости»! А в интервью, которое Эдвард Коч дал в то время автору этих строк по случаю открытия русской радиостанции в Нью-Йорке, знаменитый мэр сказал не без патетики: «Русские эмигранты своей энергией и умом продвигают нашу страну по пути прогресса, украшают ее и наш город. Я польщен, что вы здесь, друзья!»

А еще больше были польщены брайтонские домовладельцы, которые по случаю русского бума каждый год чуть ли не удваивали плату за квартиры. И русские платили: тот, кто много и упорно работает, тот — в Америке — рано или поздно начинает неплохо зарабатывать.

Но там, где люди делают деньги, всегда найдется кто-то, кто хочет эти деньги отнять. Эта банальная истина проверена поколениями эмигрантов и всеми нью-йоркскими комьюнити — итальянской, испанской, корейской, вьетнамской и т. д.

Не избежала этой участи и «Маленькая Россия» на Брайтон Бич.

* * *

— Нет! Я не знаю этих людей! — сказала, поглядев на фотографии цыган, пышная, как гамбургер, госпожа Люся Хавкер,хозяйка магазина «Антик», забитого мебелью из красного дерева, итальянскими инкрустированными столиками на колесиках, серебряной посудой, русскими самоварами, иконами, фарфором и хрусталем.

— Никогда их не видела? — спросил Бил.

— Нет. Никогда!

— Хорошо. Спасибо. Если вспомнишь, позвони нам, — сказал ей Питер по-русски, оставил свою визитную карточку и, направляясь к выходу по узкому проходу меж мебелью, добавил для Била по-английски: — Врет, сука. Я носом чую тут запах краденых вещей!

Они вышли на Брайтон Бич Авеню. Здесь, в десяти шагах от Атлантического океана, было градусов на десять прохладней, чем в душном Манхэттене. Золотое сентябрьское солнце медленно стекало в U-образные просветы меж домов. И то ли по случаю такой замечательной погоды, то ли по поводу того, что сегодня была пятница и приближался конец рабочего дня, Брайтон был полон людьми, как Пятая Авеню в обеденный перерыв. Правда, выглядели эти люди не так стильно, как посетители магазинов «Сакс» и «Лорд энд Тейлор», но зато они не спешили куда-то с такой безумной скоростью, с какой вечно спешат пешеходы на Пятой. Нет, здесь, под навесным путепроводом сабвея, публика двигалась вдоль тротуара не спеша, женщины демонстрировали друг другу свои пышные формы и ювелирные украшения, притормаживали у открытых овощных киосков, придирчиво выбирали помидоры, персики, виноград и прочие фрукты, ели сочные пирожки с капустой и вишнями у магазина «Белая акация», громко торговались по-русски с уличными продавцами джинсов и парфюмерии, и снова двигались дальше — к следующим лоткам, стойкам и столам с обувью, пирогами, детской одеждой и книгами. Как по праздничному базару. В воздухе стоял разноголосый гомон, окрики: — «Моня, куда ты пошел?!» — и хриплый голос знаменитого русского барда Владимира Высоцкого, кассетами и пластинками которого тоже торговали с открытых лотков. Потом, перекрывая все звуки над землей прогрохотал поезд сабвея, но на этот грохот никто не обратил абсолютно никакого внимания, словно это был пустой звук комара, сдуваемый океанским бризом.

В окне магазина «Белая акация» Питер купил два огромных пирожка с капустой. Заодно он показал продавщице фото цыган и спросил у нее по-русски:

— Ты случайно не знаешь этих людей?

— А ты что — полицейский? — саркастически улыбнулась продавщица.

— Да. Хочешь проверить мои документы?

Продавщица несколько секунд смотрела ему в лицо, пытаясь понять, разыгрывают ее или нет, потом, глянув на фотографии, быстро сказала:

— Нет, не знаю.

— О'кей. Спасибо. Если вспомнишь — вот моя визитная карточка.

— Они никогда не скажут. Это же замкнутый мир, — сказал на ходу Бил.

— Ешь! — Питер дал ему один пирожок и салфетку.

— Что это?

— Pirog с капустой! Моя прабабушка пекла такие, когда мне было пять лет!

Он с наслаждением съел пирожок и зашел в ресторан «Волна». Бил следовал за ним.

— Мест нет! Все занято! — Грубо остановил их в вестибюле огромный усатый и лысый грузин в фартуке и джинсах — не то вышибала, не то гардеробщик. За его спиной был виден длиный зал с пустыми столами. Официанты, сновавшие между кухней и залом, торопливо заполняли эти столы завернутыми в целлофан блюдами с салатами и батареями водочных, коньячных и винных бутылок. В глубине зала на небольшой сцене-помосте музыканты расставляли инструменты и натягивали крыши на стойки переносного шатра-хупы.

— Look like a wedding. Похоже на свадьбу...— заметил Бил Питеру.

— Close! Close! — сказал грузин, услышав английскую речь. И властно-пренебрежительным жестом махнул им на выход.— Out! Вон!»

— Мы из полиции, — ответил ему Питер по-русски и показал свой полицейский жетон. — Детектив Гриненко. Можно поговорить с тобой две минуты?

Усатый посмотрел на жетон, потом на Питера, потом опять на жетон и, наконец, снова на Питера. И спросил с испугом и грузинским акцентом:

— Уже по-русски научились говорить?

Питер невольно улыбнулся:

— Извини, друг! — и показал грузину фотографии цыган-взломщиков, спросил: — Ты знаешь этих людей?

— Нет. Не знаю, — тут же решительно сказал грузин.

— Посмотри хорошенько, — попросил Питер. — Это ресторан, сюда много людей приходит.

— Нет. НЕ знаю! — лицо у грузина враждебно замкнулось.

— Можно мы поговорим с вашими официантами?

Грузин повернулся к залу и громко сказал что-то по-грузински. Официанты, которые только что суетливо сновали между залом и кухней, испуганно замерли с подносами в руках.

— Что он сказал им? — спросил Бил у Питера.

— Он говорил по-грузински, не по-русски. А я только двуязычный. Но могу спорить: он велел им проглотить их языки, — и Питер дружески похлопал усатого по плечу: — О'кей, мой друг. Ты очень умный. Good bye! Возьми мою карточку, на всякий случай...

Потом они зашли в русскую булочную; и в огромный двухэтажный русский продовольственный магазин «МЕТРОПОЛЬ»; и в аптеку с русской вывеской «АПТЕКА»; и в кафе с вывеской «ICE CREAM» — «МОРОЖЕНОЕ» на бордвоке; и в вино-водочный; и в Real Estate Agency с табличкой « МЫ ГОВОРИМ ПО-РУССКИ»; и в страховое агентство «Lucky Brighton Beach Brokerage», и в русскую биллиардную. Но результат был везде один и тот же: «Не знаю» и «Никогда не видел».

— Засранцы!— устало ругался Питер, потея от злости и ходьбы.

— Я не понимаю, где все наши «druzja», — сказал Бил. — Мы не встретили ни одного из них.

«Druzja» или «friends» они называли тех русских приятелей убитого писателя Брохина, которых они интервьюировали в 17-м участке девять меяцев назад. А также — всех остальных русских преступников, которые попали в поле зрения полиции с тех пор. Мелкие и крупные кражи и ресторанные драки, подпольные игорные дома, проститутки — любой арест русского на Брайтоне, который совершала там местная полиция 60-го и 61-го участка, отзывался телефонным звонком в Квинсе, в «Russian Task Forse» (Русские силы), как стали называть в ФБР Питера и Била. И они тут же мчались по месту происшествия, принимали участие в допросах и интервью и тут же обзаводились фотографиями задержанных, а если могли — и парой десятков снимков из их семейных альбомов. Эти фотографии Бил любовно сортировал, снабжал подробной информацией и размещал в особой картотеке, которую завел с того момента, как ему поручили охоту за красной мафией.

— Смотри! — вдруг остановился Питер.

Бил посмотрел по направлению взгляда Питера. Напротив, через улицу, возле распахнутых дверей ресторана «Садко» происходило нечто, похожее сразу на фильмы в стиле ретро и на съезд гостей студии «51» в Манхэттене: роскошные «кадиллаки», «бьюики» и «линкольны» запрудили перекресток, из этих лимузинов выходили и не спеша, демонстрируя друг другу свои наряды, двигались к «Садко» пышнотелые дамы в высоких лайковых сапожках и в узких юбках, в соболиных и норковых накидках на обнаженных плечах и с перстнями, колье и серьгами, сверкающими подлинными бриллиантами. Этих дам сопровождали мужчины в разностильных костюмах, без галстуков и с воротниками рубашек, выпущенными поверх воротников пиджаков. Впрочем, на руках у мужчин тоже поблескивали перстни с настоящими бриллиантами. Издали Питеру и Билу показалось, что один из этих мужчин — Пиня Громов. Тот самый Громов, которого Питер первым интервьюировал в 17-м участке несколько месяцев назад.

Питер и Бил переглянулись и, не сговариваясь, перешли улицу.

Но Громов — если это был он — уже заходил в «Садко», обнимая за плечи худого подростка в черном костюме и на ходу пожимая руки каким-то приятелям.

— Что тут происходит? — спросил Питер по-русски у какой-то пышнотелой блондинки лет 23-х, отставшей от своего мужчины и поправлявшей молнию на тугой юбке.

— Бармицва, — ответила она и в упор посмотрела на Питера своими густо, как у Лайзы Минелли, подведенными глазами: — У тебя есть огонь?

В ее интонации была та громкая одесская напевность, которую легко принять за вызов. А в левой руке длинными пальцами с алыми ногтями она держала сигарету Marlboro. Бил, который не понимал по-русски, тем не менее первым чиркнул зажигалкой. Блондинка, прикуривая, нагнула голову и опустила глаза к язычку огня.

— Чья бармицва? У Пини Громова? — спросил Питер.

Блондинка вскинула свои подкрашенные накладные ресницы и выпустила дым прямо Питеру в лицо:

— У его сына. Ты знаешь Пиню?

Но Питер не успел ответить — высокий, светлоглазый, шарнирно-двигающийся парень лет 27, в бежевом замшевом пиджаке, черной рубашке апаш и с толстой золотой цепочкой на шее, вернулся к ним от дверей ресторана и нервно сказал блондинке:

— Алла, что происходит? Они тебя задевают?

— Нет. Я только прикурила, — спокойно ответила она и, сказав Питеру и Билу: «Спасибо, мальчики!» — взяла светлоглазого под руку и повела к ресторану.

Но и уходя, парень еще раз оглянулся на Питера и Била и смерил их угрожающе-ревнивым взглядом.

Тут к двери «Садко» подкатил очередной лимузин с гостями.

— Я думаю, все, кого мы ищем уже полгода, сегодня здесь. А если не все, то половина...— сказал Бил.

— Так пошли! — Питер кивнул на ресторан.

Но вышибала-гардеробщик с фигурой самбиста и перебитым носом боксера остановил их в двери.

— Мест нет! Только по списку!

— Мы приглашены, — сказал ему Питер по-русски.

— Кто вас пригласил? Что ты пиздишь? — вышибала презрительно смерил взглядом их обоих. На Питере и Биле были стандартно-серые пиджаки и никакого золота.

— Пиня Громов нас пригласил. Позови его, — сказал Питер.

— Он занят. Как ваши фамилии?

Питер вздохнул и вытащил свой полицейский жетон.

— Детектив Питер Гриненко и агент ФБР Бил Мошелло.

Боксер тупо уставился в полицейский жетон Питера, потом медленно перевел взгляд на Била. Бил уже держал в поднятой руке свое удостоверение ФБР.

Через час музыка в ресторане гремела так, что, казалось, тяжелая хрустальная люстра вот-вот рухнет вместе с потолком. Худая, вульгарно накрашенная певица носилась по маленькой сцене, как шальная, подпрыгивала, размахивала руками и микрофоном и кричала неожиданным для такой пигалицы глубоким и красивым сопрано:

«Ой, Одесса — жемчужина у моря!

Ой, Одесса — ты знала много горя!

Ой, Одесса — мой дальний милый край!

Цвети, моя Одесса, цвети и процветай!»

Под эту лихую песню гости Пини Громова плясали перед сценой не то рок, не то шейк, не то русскую «барыню».

Женщины трясли тяжелыми, как спелые дыни, грудями и еще более пышными бедрами. Мужчины, твистуя, не расставались с сигаретами и, кроме золотых перстней, посверкивали золотыми фиксами. Шарнирный парень в замшевом пиджаке прижимал в танце свою блондинку Аллу. А те, кто не танцевал, с аппетитом налегали на шашлыки, жареных цыплят, расстегаи, жирные свиные купаты, фаршированную рыбу, соленые помидоры, фаршированные кабачки, заливные языки с хреном, сыр с чесноком, мясной салат «оливье» и прочие русские, украинские и еврейские деликатесы.Водка, коньяк и шампанское исчезали в их глотках стаканами.

И только на самом дальнем от сцены столике, стоявшем у окна возле входной двери, было совершенно пусто — ни еды, ни выпивки, ни даже скатерти. Здесь в полном одиночестве сидели полицейский детектив Питер Гриненко и агент ФБР Бил Мошелло — оба зеленые от злости и голода. Официанты откровенно игнорировали их, даже не подходили к их столу. За окном, на улице уже зажглись вечерние фонари.

«Ты запоминай левую половину зала, а я — правую», — негромко говорил Питер Билу, и оба старательно пытались закрепить в своей памяти этот калейдоскоп лиц, связать его со своей картотекой. Порой им казалось, что они опознали кого-то из русских, что фотография вон того в синем костюме есть в архиве, а вот этот в белом свитере — разве не шел по делу об ограблении бензоколонки на Кони-Айленд?

Но на голодный желудок взгляды их невольно отвлекались на блюда с заливным поросенком, гусиным паштетом и прочими деликатесами. Наконец, Питер ухватил за руку пробегавшего мимо молодого уборщика посуды и сжал ее так, что тот охнул от боли.

— Сука, я тебя сколько раз просил позвать хозяина?— сказал ему Питер по-русски.

— Я говорил ему, клянусь! Но он занят...

Тут, словно из-под земли, перед столиком возникли пожилой мужчина в джинсах и боксер-вышибала.

— Яша, он тебе сделал больно? — участливо спросил мужчина в джинсах у молоденького официанта.

— Не очень...— трусливо ответил тот.

— Are you to make troubles here? — спросил мужчина по-английски у Питера и Била. — Вы собираетесь создать нам тут проблемы?

Музыка оборвалась, и люди стали оглядываться на них.

— Yes, we are! Собираемся! — усмехнулся Питер и добавил по-русски: — Ты кто тут? Хозяин?

— Да.

— У тебя есть проблемы дать нам еду? Или ты хочешь деньги вперед? Так я тебе заплачу, на! — И на глазах разом притихшего зала Питер вытащил из кармана пачку долларов и положил их на стол. — Возьми сколько хочешь и дай нам еду!

— Причем тут деньги? — покраснел хозяин. — У нас тут парти. Только для гостей. А вас нет в списке.

— Ебать твой список! Ты думаешь, если будешь держать нас голодными, так мы уйдем? Пиня Громов пригласил нас еще полгода назад. Позови его, он тебе скажет! — упрямо сказал Питер.

И теперь, когда уже весь ресторан, притихнув, вслушивался в этот разговор, потный Пиня Громов сам, без приглашения, подбежал к их столику.

— Пиня, если ты пригласил на свою парти полицию, так сам с ними разбирайся! — нервно сказал ему хозяин ресторана и тут же ушел.

— Ты нас узнаешь, Пиня? — спросил Питер.

— Конечно! Конечно! Сейчас все будет! Сейчас все будет! — суетливо запричитал Пиня Громов и тут же, как по волшебству перед столиком возникли сразу четыре официанта с чисто накрахмаленной скатертью, тяжелыми подносами и едой, водкой и шампанским.

— Боря! — позвал Громов своего сына. — Иди сюда,

сынок! Это мистер Гриненко и мистер Мошелло. Они специально приехали из Манхэттена поздравить тебя с бармицвой!

И Громов налил Билу и Питеру по полному фужеру водки.

И оркестр врубился с того такта, на котором прервался две минуты назад.

«Конфетки-бараночки!

Словно лебеди — саночки!

Ой, вы, кони залетные!..» — пела-кричала на сцене голосистая Любка, а зал, прихлопывая, танцевал так, что посуда звенела на столах.

* * *

— Нет, я эти морды никогда не видел! — хозяин ресторана внимательно разглядывал фото взломщиков-цыган. — Кто это?

— Их зовут Барко и Граппа. Gipsy. Цыгане, — сказал Питер.

— Нет, никогда не слышал! — и хозяин ресторана почти неуловимым жестом убрал со стола пустую бутылку «Столичной» и заменил ее полной, запотевшей, холодной.

— Ты хочешь споить нас? — усмехнулся Питер.

— Да ты что! О чем ты говоришь! — деланно возмутился хозяин, снова наливая им по полному фужеру водки. — Я же пью вместе с вами! А я на работе!

— Мы тоже...

— Shure! — и хозяин стукнул своим фужером об фужер Била.— For friendship! You speak Russian? За дружбу! Ты говоришь по-русски?

— No, I don't, — сказал Бил.

— Говоришь! Говоришь! — не поверил ему хозяин и снова чокнулся с ним: — For druzhba! Understand! Do dna! Drink to buttom! Po russki!

Они выпили — все трое и до дна.

— Are you o'key? — спросил Питер партнера.— Ты в

порядке?

— В порядке, не беспокойся! — хмельно сказал Бил и посмотрел на блондинку Аллу, которая танцевала неподалеку от них, но уже не с шарнирным парнем в замшевом пиджаке, а с кем-то другим. Впрочем, этот другой — широкоплечий, бородатый и с залысиной на макушке — тоже мощно вжимал ее в себя.

— Все в порядке, не беспокойся! — повторил Питеру хозяин ресторана, снова наливая всем по полному бокалу водки. — Just eat. Kushay! — и спросил Била: — You like Russian women? Тебе нравятся русские бабы?

— Never have one, — ответил Бил. — Никогда не имел ни одной.

— Хочешь? You want one?

— Shure. Why not? Конечно Почему нет?

— Я тоже. How much? — сказал Питер и перевел себя на русский: — Сколько стоит?

Хозяин внимательно посмотрел на них обоих, потом улыбнулся:

— Shutka. Just jocking.

— Мы тоже, — сказал Питер и одним движением разломил жареную курицу.

Хозяин подозвал Громова:

— Пиня! Посиди с гостями..

Громов тут же занял его место и поднял его бокал с водкой. «For America! — произнес он с пафосом.— For Greatest country in world! За самую великую страну! Do dna!»

Питер в упор посмотрел ему в глаза, но светлые глаза Пини Громова были чисты, как две фальшивые монеты.

Fuck you! — сказал Питер и залпом выпил свою водку.

Громов в замешательстве глянул на Била.

— To fuck значит yebat? Понимаешь? — трезво объяснил ему Бил. И чокнулся с его бокалом — Drink! Do dna! To America!

* * *

Но еще через час, после третьей бутылки водки, они все-таки захмелели. И даже Билу, который раньше чувствовал тут себя иностранцем и пришельцем с другой планеты, эти женщины, накрашенные, как проститутки, уже не казались вульгарными. И мужчины уже не выглядели неандертальцами, несмотря на их золотые и стальные фиксы.

«Речка движется и не движется

Вся из лунного серебра...» — томительно выводила певица душещипательный русский романс.

И в полумраке танцующего зала десятки хмельных голосов подпели ей:

«Если б знали вы как мне дороги

Подмосковные вечера !..»

Тут какой-то ком шума и суеты вспучился посреди зала, там послышался громкий мат и визг женщин. Хозяин ресторана, Пиня Громов и верзила-вышибала сразу нырнули в толпу танцующих и поволокли к выходу двух вцепившихся друг в друга молодых мужчин. Один из них — тот самый шарнирный в замшевом пиджаке — кричал широкоплечему и бородатому:

— Это моя жена, бля! Хули ты ее лапаешь! Я тебя сделаю, сука! — с его разбитой губы на замшевый пиджак стекали капли крови.

— Закрой рот, мудак! — тихо бросил ему бородатый, которого в обхват держали его приятели — высокий молодой мужчина с пышной черной шевелюрой и Пиня Громов.

— Mudack значит «дурак»? — спросил Бил у Питера.

— Выйдем! Выйдем на улицу! Хули ты бздишь? — говорил своему противнику Аллин муж.

— Да пошел ты в жопу, сопляк! — отмахивался от него бородатый и вернулся в зал.

Аллин муж порывался за ним, но хозяин ресторана и Громов удержали его:

— Саша, остынь, ты что — охуел? Тут полиция!

— Да ебал я полицию! Хули он мою жену лапает?!

— Ладно, иди умойся! Он больше не будет!

Саша ушел в туалет умываться, танцы возобновились, и Питер с Билом изумленно смотрели, как бородатый снова стал танцевать с Аллой, прижимая ее к себе большими сильными руками. При этом одна его рука всеми пятью пальцами демонстративно лежала на Аллиной ягодице, и Алла не высказывала по этому поводу никакого беспокойства. Скорей наоборот, сама прижималась животом к паху бородача.

Через минуту из вестибюля появился Саша — умытый и с пластырем на разбитой губе. Остановившись в двери, он взглядом нашел в полумраке фигуру своей жены, танцующей в обнимку с бородачом. Саша молча следил за ними, темнея лицом и играя желваками на скулах. Потом резко повернулся и вышел из ресторана.

— О-о! — сказал Бил и посмотрел в окно.

За окном, по освещенной уличным фонарем Брайтон 1-й стрит медленно проезжала дежурная полицейская машина с цифрой «60» на капоте.

Но Саша, не глядя по сторонам, решительным шагом пересек улицу прямо перед полицейским «Фордом» и сунул ключ в багажник своего красного спортивного «Понтиака» Однако то ли он спьяну выбрал не тот ключ, то ли замок заело, но багажник не открывался. Саша в остервенении стал стучать кулаком по замку и дергать ключ. Полицейские остановились рядом, заинтересованно наблюдая за ним из своей машины.

А Саша их не видел. Стукнув по багажнику еще раз, он повернул, наконец, ключ и рывком откинул крышку.

То, что увидели полицейские в багажнике красного «Понтиака», заставило их обоих открыть рты от изумления. Потом один из них тихо отворил дверцу полицейского «Форда», сполз со своего сиденья на мостовую и, прячась за машиной, медленно пополз вокруг нее, на ходу вынимая пистолет из кобуры.

Бил и Питер наблюдали за этим полицейским с искренним и хмельным любопытством.

А Саша тем временем копался в багажнике своего красного спортивного «Понтиака». Сначала из груды оружия, которое было в этом багажнике, он выбрал 3, 57 «Магнум», потом, взвесив его в руке, решил, что для такой оказии «Магнум» слабоват. И достал со дна багажника «Кольт» 44 калибра.

Но когда он выпрямился, то с двух сторон его головы, к обоим его вискам прикоснулись дула полицейских пистолетов калибра 38 мм, и один из полицейских сказал осипшим голосом:

— Брось это! Ты арестован!

— Отлично! — сказал, стоя у окна, Питер.

— Хорошая работа, — сказал Бил.

— Идиот! — сказал за их спинами Пиня Громов.

Надев Саше наручники, полицейские усадили его на заднее сиденье машины и вызвали по радио свой 60-й участок.

— Сколько он получит? Как ты думаешь? — спросил Питер у Громова.

Громов с деланным безразличием пожал плечами.

— Оружие. От восьми до пяти лет! — оживленно сказал Бил.

А танцы тем временем продолжались, как ни в чем не бывало, и бородатый продолжал обнимать блондинку Аллу за ее сочные ягодицы.

— Из-за этой пизды! — с досадой сказал Громов.

Бил выразительно посмотрел Питеру в глаза.

Но Питер сделал вид, что не понял его. И сказал Громову:

— Давай же выпьем За Америку.

— Пошел ты на хуй! — с досадой сказал Громов и ушел на кухню.

— I think he told you to go and fuck yourself. Я думаю, он сказал тебе пойти и ебать себя, — сказал Бил. — Не так ли?

— Точно, — улыбнулся Питер. — А теперь можно и напиться. Рабочий день закончен.

* * *

На следующий день, к вечеру, они ехали в Бруклин, на угол Артиллерийской улицы и Флатбуш Авеню, в бруклинскую Central Booking — Тюрьму Предварительного заключения. Конечно, они могли приехать туда и утром, потому что Central Booking — это та оранжерея, где нежные фрукты зреют иногда быстрей, чем на самой плодородной почве Калифорнии. Но они решили действовать наверняка и дали себе несколько лишних часов...

Обогнув 84-й полицейский участок, они оказались на пыльной автостоянке, забитой старыми и новыми полицейскими машинами и машинами, реквизованными у преступников. Здесь же был спортивный красный «Понтиак», знакомый им по вчерашнему инциденту. С трудом найдя место для своего серого «Плимута», они запарковались и по наружной металлической лестнице поднялись на второй этаж, к массивной и глухой двери, над которой нависал объектив телекамеры. Бил требовательно нажал звонок и доложил в микрофон:

— Специальный агент ФБР Бил Мошелло и полицейский детектив Питер Гриненко.

Послышался характерный щелчок автоматического замка, и они толкнули дверь. Прямо перед ними был длинный широкий проход меж двумя залами, разделенными друг от друга невысокими стенами-перегородками. Слева, в «малом вестибюле» сидели на скамейках только что доставленные сюда наркоманы, торговцы наркотиками, проститутки, воры и прочие преступники. Они еще не остыли после ареста и поэтому их руки в стальных наручниках были прикованы к вмурованной в стене перекладине Дальше по проходу было служебное помещение, где этих свежеарестованных фотографировали в фас и в профиль, и где дежурный сержант принимал у полицейских документы на прием всей этой публики. А справа, в «большом вестибюле» сидели преступники, уже принятые и оформленные. Эти тоже были в наручниках, но уже поостыли и вели себя спокойней — ждали, когда их сунут в одну из четырех камер, отделенных от этого зала стальной решеткой.

Нью-Йорк, как известно, не самое тихое место в мире, и потому его Central Bookings никогда не пустуют, а бруклинская — тем более. В камерах тут редко сидит меньше чем по 50 человек в каждой, а чаще всего четыре камеры забиты сверх лимита, и новоприбывшим приходится дожидаться свободного места часами.

Заплеванные полы. Вонь немытых тел и пота. Мат на всех языках мира. Тошнотворный настой дыхания морфинистов, кокаинистов и курильщиков гашиша и марихуаны. Бесцеремонные охранники. Крики наркоманов, физически страдающих от отсутствия наркотиков. И — типажи, встречи с которыми вы старательно избегаете всю жизнь и которые представлены тут во всех цветах кожи — черные, белые, желтые. С разноцветной татуировкой, с грязными косичками и совершенно бритоголовые...

В такой обстановке тонкие души, как нежные фрукты, созревают очень быстро.

— Тебе звонили из офиса Эрика Сейгела, ассистента прокурора, — сказал Бил дежурному сержанту.

— Насчет этого русского?

— Да.

— Как его имя? — спросил сержант, отвлекаясь от экрана маленького черно-белого телевизора, на котором бейсбол прервался очередным выпуском новостей.

— Алекс Лазарев.

— Вы хотите взять этого засранца? — в сержанте было не меньше 130 кило, его черное лицо лоснилось от пота, а в глазах были красные прожилки усталости и раздражения.

— Это зависит... Сначала мы хотим с ним поговорить.

— О'кей. Подпишите тут и тут... — сержант дал Билу и Питеру «книгу выписки» и крикнул через стенку дежурному охраннику: — Гораций! Вытащи этот кусок русского дерьма из второй камеры!

Два гиганта-охранника — оба черные и увешанные ключами, наручниками и дубинками — подошли к решетчатой стене второй камеры, и один из них стал открывать замок, а второй сказал в глубину камеры:

— Эй! Русская свинья! Я тебе говорю! Иди сюда! Быстрей!

В глубине камеры, с пола поднялась мужская фигура, отдаленно напоминающая вчерашнего молодцеватого парня в модном замшевом пиджаке. Однако теперь не только его пиджак был похож на половую тряпку, но и лицо. Осторожно переступая через ноги матерящихся и полусонных сокамерников, он вышел из камеры.

Охранник надел ему наручники и привел к сержанту, возле которого стояли Бил и Питер.

— О'кей, — сказал сержант.— Теперь он ваш. Можете отправить его назад в Россию. Я имею в виду — как мой личный подарок этому ебаному убийце Андропову.

Было видно, что, несмотря на усталость, сержант не прочь потрепаться со свежими людьми. Тем более, что по телику все еще шли новости, а не бейсбол, — там показывали какую-то очередную демонстрацию у здания ООН.

— Я не думаю, что Андропов примет его обратно... — сказал Бил.

— Эй, парень! — тут же оживился сержант в предвкушении дискуссии и кивнул на телевизор. — Смотри! Тут мы сражаемся за свободу эмиграции из России, а тут — ты видишь, что мы получаем! — он ткнул пальцем в Лазарева. — Кому нужно это говно? Мало нам своего дерьма? — и сержант широким жестом показал на преступников вокруг себя.

— Ты не собираешься баллотироваться в Конгресс? — спросил у него Питер.

— Ты думаешь, я могу? — польщенно улыбнулся сержант.

— Безусловно!

— Спасибо. Я подумаю, — сказал сержант. — Но серьезно, парень! Иногда я думаю — они там не умеют читать в Европе. Они смотрят издали на нашу леди Свободу и читают: «Дай мне всех твоих преступников, наркоманов, гангстеров и прочих пиздорванцев». Но как мы можем быть лидером человечества — с этим дерьмом?

Получив Лазарева, Питер и Бил провели его в глубину коридора и по внутренней лестнице спустились в 84-й участок. Здесь была будничная суета, типичная для любого нью-йоркского полицейского участка — трезвон телефонов, топот ног, какие-то арестованные подростки и проститутки. Заглянув в несколько комнат, Питер и Бил нашли одну пустую и завели в нее Лазарева. Сняли с него наручники, посадили за стол и Питер сел напротив, сказал ему в упор по-русски:

— О'кей, Алекс. Во-первых, я должен сказать тебе о твоих правах. Ты имеешь право не говорить со мной и не отвечать на вопросы. Тогда ты вернешься в камеру и будешь ждать суда. И я тебе обещаю, что ты получишь все, что тебе положено по закону Абсолютно! Ты преступник, ты еще не гражданин нашей страны, и мы можем выебать тебя на всю катушку Поверь мне: ни один адвокат не вытащит тебя из тюрьмы раньше чем через три года! Ты понял? Я не знаю, будет ли твоя жена ждать тебя три года — это не мое дело! но, с другой стороны, наша система — не советская. В Америке у тебя всегда есть шанс, даже тут. Если ты согласишься сотрудничать с нами, мы вытащим тебя из этого дерьма прямо сейчас. А потом мы договоримся и с Районным Прокурором о твоей судьбе. И теперь твой выбор. Или ты идешь обратно в камеру, или — согласишься сотрудничать, и мы тебя забираем отсюда. Решай. Но имей в виду: когда я говорю «сотрудничать», я имею в виду — прямо сейчас, с этой минуты! Итак?

Лазарев молчал, опустив голову.

Это была длинная пауза, но они не чувствовали жалости

к нему. Вчера в багажнике его «Понтиака» было 28 стволов оружия, а сколько оружия он продал до этого и кому — один Бог знает. Нет, они не почувствовали жалости к этому русскому.

Из коридора послышались громкие шаги полицейских которые вели новых арестованных.

Лазарев поднял голову и сказал по-английски:

— Заберите меня отсюда.

* * *

— Это же цыгане, у которых одевается весь Брайтон! Их там каждая собака знает! — возбужденно говорил Алекс Лазарев, держа в одной руке фотографии цыган-взломщиков, а в другой — вилку с огромным куском стейка. Они сидели в ресторане «Marriot-Hotel» с роскошным видом на весь Бродвей, залитый огнями рекламы, и Алекс — побритый и принявший душ в номере, который они сняли для него на эту ночь, — все не мог прийти в себя от такой резкой перемены: из заплеванной камеры Central Booking в сияющий шиком театральный центр Нью-Йорка. По расчетам Питера и Била, такой бросок должен был сразу показать этому Алексу, что он сделал правильный выбор и примкнул к сильной стороне. И они не ошиблись: Алекс, чувствуя себя, как заново рожденный, изливал на них информацию с такой скоростью, что Питер вынужден был перебивать его.

— Подожди, Алекс. Что значит — «одевается весь Брайтон»?

— Ну, очень просто! — снова шарнирно, с апломбом дергался Лазарев. — У них товар — pizdets! Из лучших магазинов и за полцены! Или дешевле! Моя жена купила у них лисью шубу за триста долларов. Натуральную!

— А что значит «каждая собака знает»?

— Ну, это такое выражение. Все их там знают Но, конечно, вам не скажут. Еще бы! Если я у вас купил что-то из-под полы, разве я покажу на вас полиции?

— О'кей. Где они живут?

— На Брайтон Пятой стрит. В сером угловом доме, на западной стороне. Я не знаю номер дома, но жена знает, я могу спросить...

— Нет Забудь об этом. Ни у кого не спрашивай. И вообще, запомни: никогда и ни у кого ничего не спрашивай. Ты понял почему?

— Чтобы меня не заподозрили?

— Правильно. Теперь скажи нам: ты еврей?

— Наполовину У меня отец русский, а мать еврейка.

— И ты сидел в России в тюрьме. За что?

— Откуда вы знаете, что я сидел? — изумился Алекс.

— Ну, ты очень долго думал о нашем предложении там, в Central Booking...

— Так вы поняли, почему я согласился? Не потому, что я боюсь вашей тюрьмы! Я сидел в русской тюрьме! Три года. Вот где полный pizdets! Конечно, там нет черных, но поверь мне...

— Можно не объяснять. Я знаю, почему ты согласился. Из-за Аллы. Но если ты сидел там в тюрьме, то как же КГБ дало тебе разрешение эмигрировать?

— Ты хочешь — честно?

— А как ты думаешь — для чего мы тебя взяли из Central Booking?

Алекс залпом допил свой джин и посмотрел на сияющий огнями Бродвей и на поток машин, кативших в темноту тридцатых улиц.

— О'кей,— сказал он негромко. — Я был в лагере в Салехарде. Ты знаешь, где Салехард. Это выше полярного круга, в Сибири. Три года я там кайлом тундру ковырял, бля! Да... И за день до освобождения, когда я уже все, pizdets, домой собираюсь, — меня бац — дергают в спецчасть, к «куму». Ну, к начальнику. И они мне говорят: «поздравляем с освобождением, вот твой паспорт», открываю, а там записано: национальность «еврей». И — выездная виза. Я говорю: вы что? Какой я еврей? Я никуда не хочу ехать! А они говорят: «Не поедешь на Запад, поедешь в Сибирь еще дальше. Мы тебе срок намотаем». А для них это просто — там же законов нет, прямо в лагере добавляют три года, как за нарушение лагерного режима, и — pizdets!

— What is pizdets? Что такое «пиздец»? — спросил Бил у Питера.

— А все остальное ты понял? — сказал ему Питер.

— Ну, мне нравится как оно звучало... — ответил Бил.

— Pizdets you can not translate, not possible. Это невозможно перевести, — сказал Алекс Билу по-английски. — Это женский половой орган, но в разных значениях. Иногда это «прекрасно», а иногда — «нет»

— Well, the same in America, то же самое в Америке, — сказал Бил.

Питер повернулся к Алексу:

— О'кей, какое они тебе дали задание?

— Кто?

— КГБ. Какое они тебе дали задание, когда отпустили сюда?

— Вы шутите? — спросил он по-английски. И снова перешел на русский: — О чем ты говоришь? Они же не идиоты! Если бы они дали мне задание! Я бы в первый же день пришел к вам и доложил, и — все: я уже герой! Я слышал, что они обожглись на этом в Израиле. Они отпускали евреев в Израиль, но сначала брали с них подписку, что те будут шпионить. А те приезжали в Израиль и тут же бежали в Мосад докладывать.

— А кто убил Брохина?

— Клянусь, не знаю!

— Только не ври!

— Клянусь матерью! Но я вам скажу: Брохина мог убить кто угодно. Ведь он занимался чем хотите — наркотики, иконы, бриллианты, карты. Но он был пижон — он хотел, чтобы все думали, что он писатель!

— Это мы знаем. Next. У нас есть информация, что Пиня Громов торгует наркотиками. Что ты знаешь об этом?

— Конечно, торгует! Биг дил! Все это знают.

— Хорошо. А кто еще?

— Вам всех назвать?

— А как ты думаешь?

* * *

Операция по аресту цыган была разработана в начале октября, когда уже начались осенние дожди. За несколько дней до этого супер (завхоз, смотритель) серого углового дома на Брайтон Пятой стрит — старый поляк с сигаретой, словно приклеенной к нижней губе, — с первого взгляда опознал этих цыган по фотографиям и сказал, что снимают квартиру № 5-А с тремя спальнями на пятом этаже. При этом легкость, с которой супер согласился последить за жильцами, объяснялась вовсе не его гражданским или американским патриотизмом и не расовым предубеждением против цыган, а куда более прозаично: по его словам, к этим жильцам постоянно, с утра до ночи ходят гости — русские эмигранты, которые при входе никогда не вытирают ноги. «Из-за этих ебаных посетителей мне приходится десять раз в день мыть полы в фойе и лифте!»

Но полностью довериться суперу Питер и Бил не могли. Разве не мог этот супер стукнуть цыганам о появлении ФБР и получить с них за это пару сот долларов? Поэтому Питер сказал суперу, что ничего особенного в их интересе к этим цыганам нет, ФБР проводит интервью со всеми новыми эмигрантами. Но если у них сейчас гости, то мы придем в другой раз...

Через несколько дней, получив из Флориды ордер на арест сбежавших от суда преступников и на обыск их квартиры «в связи с возможностью нахождения там украденного имущества», Питер и Бил еще раз осмотрели дом, в котором эти цыгане жили. Это был большой, шестиэтажный и густозаселенный дом. Суета жильцов в коридорах и лифтах и постоянное пребывание в квартире цыган русских посетителей исключали проведение операции в дневное время. Если это профессиональные взломщики, то, скорей всего, они вооружены. И неважно, что один из преступников — женщина. У цыган именно женщины делают всю основную работу — рыскают в поисках объектов грабежа, взламывают двери или окна, проникают в дома и квартиры и выносят из них все ценное. А мужчины обычно «на стреме» — сидят в машинах и ждут добычу.

Судя по количеству ограблений — семнадцать в одной только Флориде — этот Бакро Асланов и его жена Граппа были решительной парой и могли оказать вооруженное сопротивление. Поэтому Питер и Бил решили брать их в четыре утра, спящими и — сразу обоих. Супер, который моет пол в вестибюле дома по десять раз в день, может легко проследить, когда уйдет от них последний посетитель.

Все это Бил и Питер изложили в рапорте начальнику отдела и получили «добро» сформировать три бригады: одну штурмовую для захвата преступников в их квартире, и две — для дежурства на крыше и под окнами, если преступники попытаются сбежать по пожарной лестнице. ФБР, как и всякая правительственная организация, является огромной бюрократической машиной, регламентирующей каждый шаг своих сотрудников, но для того, кто знает, как эта машина работает, порой открываются почти неограниченные возможности. Бил с его юридическим образованием умел кормить эту машину именно теми бумагами, которые проходили по ее шестеренкам — то есть, со стола одного начальника на стол другого и так далее до финансового отдела — без сучка и задоринки. На правильно оформленных бумагах начальству было легко и даже приятно ставить свои резолюции, тем более что речь шла об охоте за красной мафией. Эти резолюции открывали перед Питером и Билом доступ к специальным фондам, которые значатся в ФБР под кодовыми названиями «Титул 4», «Титул 3» и так далее. Так, по «четвертому титулу» в распоряжение Била и Питера были отпущены деньги для вербовки Алекса Лазарева, а теперь к их услугам были уже шесть агентов ФБР — пять мужчин и одна женщина — для ночного налета на квартиру цыган. Женщина — Мэри Эллен Бикман — была нужна для обыска Граппы Асмановой, а девятый член команды приглашен из Эмиграционной службы — Питер и Бил подозревали, что эти цыгане вообще нелегальные эмигранты.

Впрочем, эти несколько тысяч долларов на проведение операции по аресту цыган, были peanuts (орешки, семечки), по сравнению с теми расходами, которые предстояли Билу и Питеру в будущем. Очень скоро, когда масштабы их акций расширятся и выйдут к тем границам, на которых русские гангстеры кооперируются с итальянскими мафиози, Питер и Бил получат доступ и к титутлу № 3, и даже еще выше. ФБР. — это серьезная организация, и при встрече с серьезным противником она готова к серьезным расходам из специальных фондов, отпущенных ей Конгрессом и Президентом США. И хотя в те дни Президент еще не присвоил этому противнику звание «Империи Зла» публично, но в таких организациях, как ЦРУ и ФБР, уже знали, куда дует ветер, с какой силой и на какие суммы. И по мнению руководства, «русская мафия» на Брайтоне была не последней картой, которую мог в любой момент разыграть с ними хитроумный и опытный московский противник...

Однако вернемся в октябрь 1983 года. В те дни будущие операции еще были скрыты от Питера и Била пеленой осенних дождей, и именно в эту погоду Питеру приходилось почти ежедневно наведываться в сырой и продуваемый атлантическим ветром Брайтон, в шестиэтажный угловой дом на Брайтон 5-й стрит, к ворчливому суперу-поляку. Поскольку Бил взял на себя всю бумажную работу (и преуспевал в этом отлично!), Питеру, который бумажную работу терпеть не мог, досталась черновая часть «полевой работы». А супер то болел, то сообщал, что уже третий день не видит Граппу Асманову, а то — что Бакро только что уехал куда-то на своем «вэне».

И, проклиная дождь, этих fucking русских эмигрантов

и свою работу, Питер снова тащился в служебном «Плимуте» в Квинс и сообщал Билу, который сидел в чистом и теплом офисе, что операцию придется отложить.

Именно в один из таких «пустых» и дождливых вечеров, когда Питер только вернулся в офис из Бруклина, на его столе зазвонил телефон. Он машинально снял трубку:

— Детектив Гриненко.

— Добрый вечер, — сказал незнакомый мужской голос. — Вы говорите по-русски?

— Да, говорю.

— Меня зовут Натан Злотник, я страховой агент, — перешел на русский звонивший. — Вы меня не помните, конечно, но вы были у нас в офисе на Брайтоне недели три назад. Вы показывали нам фотографии. Мне и моему партнеру...

— О! — сказал Питер. — Почему не помню? Страховое агентство «Lucky Brighton Beach Brokerage». Да?

— Правильно, — удивился голос. — Вы оставили свою карточку и сказали, что, если у нас будут проблемы...

— Конечно. Я помню. И теперь у вас есть проблемы, но это не телефонный разговор? Да?

— Да, — подтвердил голос. — А откуда вы знаете?

— Потому что все русские не доверяют телефону! Так что приезжайте сюда...

Они приехали вдвоем — два партнера, Натан Злотник и Виктор Пильчук. Им обоим было по сорок лет, они были хорошо одеты и неплохо говорили по-английски. Но они выглядели испуганными, у Злотника был синяк на лице, а то, что они рассказали, возмутило даже агентов, не имеющих отношения к поискам русской мафии.

— Три месяца назад один наш клиент, его зовут Натан Родин, открыл ювелирный магазин на Лонг Айленде, во Франклин Сквер. И он пришел к нам за страховкой, и мы дали ему очень хорошую страховку на хороших условиях. Тем более что это его первый магазин, и человек недавно приехал — ведь мы должны помогать друг другу, правильно? О'кей, и что вы думаете? Сегодня он приходит к нам в офис и говорит, что мы должны кому-то на Брайтоне 10 000 долларов и не отдаем, и что нас хотели за это убить, но он поручился, что мы отдадим деньги, и вот он пришел за деньгами. Мы говорим: какие деньги, о чем ты говоришь, мы никому ничего не должны! Он говорит: как хотите, я вас предупредил, но если вы не отдадите деньги, то теперь и у меня будут неприятности, поскольку я за вас поручился. И ушел. А через два часа вернулся и с ним — еще один, здоровый, как шкаф. Они зашли в офис, закрыли двери и сказали, что мы должны им 10 000 долларов, потому что они только что отдали эти 10 000 тем, кто хочет нас убить. Мы говорим: — Ты что, Натан? Какие десять тысяч? Кому вы отдали? Такого не может быть! — Тогда этот второй, шкаф, говорит: — Значит, я вру? — И бьет меня кулаком в лицо так, что я падаю со стула. И они говорят, что дают нам три дня и что, если через три дня мы не дадим им 10 000 долларов, они убьют наших детей...

— Что? Ваш собственный клиент? — не поверили своим ушам сотрудники ФБР. Они видели в Нью-Йорке немало вымогателей и рэкетиров, но чтобы хозяин ювелирного магазина бил своего же страхового агента и вымогал у него деньги? Это было что-то новое даже для опытных агентов ФБР.

Пока страховые агенты излагали свои показания на бумаге, Питер набрал на компьютере имя Натана Родина. Но в Информационном центре ФБР, куда стекаются данные обо всех арестах в стране, Натан Родин не значился. Иными словами, этот Родин был чист — его никогда не арестовывали, не допрашивали и даже не интервьюировали в полиции.

Тем временем Бил извлек из сейфа их собственный архив — несколько альбомов с фотографиями русских «друзей». Он положил альбомы перед Злотником и Пильчуком, и не прошло и пяти минут, как на одном из фото они опознали второго вымогателя — действительно огромного, как шкаф, Давида Шмеля, 37 лет, на вэлфере, домашний адрес: 122,

Брайтон 9-я стрит, был арестован 14 апреля по подозрению в ограблении квартиры на Кони-Айленд авеню, но выпущен за недостатком улик.

— Видите! Это бандиты! Вы должны немедленно дать нашим детям охрану! — сказал Натан Злотник.

— Какую охрану? — не понял Питер.

— Телохранителей. Провожать их в школу и обратно...

Бил и Питер с трудом успокоили их: никто не будет убивать ваших детей, это стандартная угроза всех вымогателей, пошли вниз, тут по соседству есть бар, вам нужно выпить по дринку.

В баре ресторана «Red Lobster» («Красный Краб»), после третьего дринка Злотник и Пильчук слегка оправились от страхов и согласились позвонить Натану Родину, попросить у него отсрочки платежа — не через три дня, а через пять. На самом деле, Питеру и Билу нужно было: а) немедленно, пока эти Злотник и Пильчук еще «горячие», вовлечь их в операцию по разоблачению вымогателей, б) иметь для Большого Жюри хоть какую-нибудь улику против преступников, хоть пленку с телефонным разговором.

Но Родин оказался не простым орешком — он не стал обсуждать по телефону никаких подробностей, а прервал разговор в самом начале:

— Встретимся — поговорим!

— Только не через три дня, а через пять! — попросил Злотник.

— Хорошо, — сказал Родин и дал отбой.

Питер еще крутил пленку на начало, когда Бил уже отстучал на своей пишмашинке:

«Правительство подтверждает, что нижеследующее является точной и дословной записью телефонного разговора между Натаном ЗЛОТНИКОМ и Натаном РОДИНЫМ 7-го октября 1983...»

Но когда Питер перевел ему разговор Злотника с Родиным, Бил разочарованно сказал:

— И все! Но это ничто!

И тут вдруг позвонил поляк-супер из Бруклина и сказал, что цыгане — и Бакро, и Граппа — только что приехали домой.

— Я решил вам сам позвонить, — сказал поляк, — потому что в такой дождь они вряд ли уже куда-нибудь опять поедут, и к тому же этот Бакро хромает.

Бил и Питер переглянулись. Похоже, что поляк прав — этих цыган нужно брать сегодня. Они отпустили огорченных и все еще бледных страховых агентов, обзвонили остальных членов бригады захвата, назначили им явиться на Брайтон Пятую стрит в 3.00 утра, и, надев под пиджаки пуленепробиваемые жилеты, спустились лифтом в гараж. Еще через пару минут серый «Плимут» вынырнул из подземного гаража стеклянно-черного одиннадцатиэтажного куба, что рядом с магазином «Alexader's». Свернув на Квинс Бульвар, он снова помчался сквозь дождь из Квинса в Бруклин.

* * *

Вильям Мошелло родился в 1949 году в Бостоне, штат Массачуссетт. У него с детства была отличная память, и он хорошо учился в школе, потом окончил Юридический факультет и там же, в Бостоне, стал работать в небольшой адвокатской фирме и в суде, куда его постоянно назначали в качестве бесплатного Народного адвоката для защиты мелких преступников. Иными словами, перед ним было довольно ясное и спокойное будущее, потому что толковые молодые адвокаты, которые начинают как ассистенты районных прокуроров или как адвокаты в криминальных судах, потом легко открывают свою частную практику, специализируясь в одной из самых интересных и доходных областей адвокатуры — криминалистике. Но, по словам самого Била, после года работы в суде его уже не прельщала перспектива всю жизнь защищать преступников. Он насмотрелся на них на предварительных, до суда, беседах, и в ходе судебных заседаний, и решил, что эту публику не стоит защищать даже за большие деньги. Так — во всяком случае, в то время — объяснял Бил себе и друзьям свой странный для молодого адвоката поступок: он — сам! — пришел в бостонское управление ФБР и спросил, нужны ли им адвокаты.

Но сегодня автор этих строк имеет возможность предположить иную, более глубокую и интимную причину перехода Вильяма Мошелло в ФБР. Дело в том, что, как выяснил Бил недавно, он был не родным, а усыновленным ребенком. И хотя сам Бил совершенно не помнит своего сиротства до этого усыновления, но разве нельзя объяснить переход Била из адвокатуры в ФБР давно забытым, но затаенным в подсознании страхом ребенка, оставленного родителями? Именно этот страх одиночества и встречи с миром один на один навсегда отвратил Била от работы в одиночку. А повышенная, как у всех сирот, потребность в семье привела — после ухода из-под крова приемных родителей — в самую, как ему казалось, сплоченную и мощную семью во всем мире — ФБР.

Подписав контракт (интересно, что даже ФБР clearance не докопался в то время до факта усыновления), Бил был тут же направлен в Вирджинию, в Академию ФБР, где 13 недель вживался в свою новую семью — проходил физическую, боевую и техническую подготовку. И это было приятно — снова чувствовать себя не одиночкой, а — в команде, в бригаде. Пусть тяжелые физические тренировки, пусть стрельбы, маршброски, стенография, шифрование — все это одно удовольствие, если вокруг друзья, братья. И даже то, как во время учебного штурма автобуса, «захваченного преступниками», восковая пуля какого-то шутника навылет пробила Билу правую щеку, оставив небольшой шрам на всю жизнь, Бил и по сей день с удовольствием вспоминает, как он материл своих друзей, когда они на том же автобусе возили его в госпиталь...

Однако, ФБР оказалась не совсем той семьей, о которой мечталось. Да и не может быть семьей полувоенная, полубюрократическая организация, в которой любой произвол начальства легко оправдать (или прикрыть) ссылкой на секретность и государственную необходимость. По словам Питера Гриненко, проработавшего 22 года в полиции и из них 10 лет — на ФБР и внутри ФБР, разница между службой в полиции и службой в ФБР заключается в том, что если в полиции ты в конфликте со своим сержантом и он хочет с тобой расправиться, то ты можешь пойти качать права к лейтенанту. А если ты не согласен с решением лейтенанта, ты идешь к капитану. А если и капитан против тебя, ты идешь к инспектору. А если и инспектор не хочет тебя защитить, ты идешь в свою организацию, в профсоюз. Но в ФБР ничего подобного нет. Если ты не угодил своему непосредственному начальнику, то пусть он будет хоть трижды дурак и пять раз не прав — тебе крышка, тебя могут завтра перебросить из Нью-Йорка в любую дыру — в Пуэрто-Рико, на мексиканскую границу, куда угодно! И ты даже пикнуть не имеешь права!...

Бил Мошелло два года проработал в Олбани так называемым «полевым агентом». «Это когда ты молодой и глупый, — объясняет он, — и тебе и таким, как ты, говорят: о'кей, нужно вышибить эту дверь и арестовать того, кто там заперся. И ты прешь башкой вперед и можешь в любую минуту получить пулю в лоб.»

Видимо, Бил был не так уж плох в этой работе, если через два года его перевели в Нью-Йорк и вскоре сделали «специальным агентом по расследованию криминальной активности в русской колонии» или, говоря проще, поручили найти «красную мафию». Однако эта незаурядная и интересная с профессиональной точки зрения работа, подкрепленная к тому же специальными фондами по титулу № 4 и № 3, имела один недостаток — Бил снова оказался один. Не было той братской бригадной взаимовыручки, как при рейдах-налетах на нелегальные игорные и публичные дома или тайные склады наркотиков. И потому, когда в 17-м полицейском участке Манхэттена Бил случайно встретил

Питера Гриненко, он тут же почувствовал в нем не только потенциального партнера, но — наконец! — того, кого ему, может быть не хватало всю жизнь. Старшего брата. Мне кажется, что любой пацан при одном взгляде на Питера скажет: да, именно такого старшего брата я хочу иметь! Крупный, высокий, двести с лишним паундов, с крепкой челюстью, со светлыми глазами, живой, энергичный, уверенный в себе, щедрый (сразу же поделился сэндвичем!) и к тому же — полицейский детектив! Можно ли представить себе того, кто не захотел бы иметь такого старшего брата?

Впрочем, заиметь старшего брата вовсе не означает постоянно выказывать ему свою любовь или дружбу и послушание. Наоборот, где, как не между братьями, чаще всего возникает соперничество и скрытая борьба амбиций, темпераментов и самолюбий? Даже при, казалось бы, полном и равном партнерстве...

Иными словами, если бы в ту дождливую октябрьскую ночь 1983 года, когда Бил Мошелло и Питер Гриненко дежурили в Брайтоне на 5-й стрит, кто-то спросил у Била, хочет ли он поменять партнера, он бы категорически отказался. Но и сидеть рядом с этим партнером в машине, слушая его храп, тоже было выше всяких человеческих сил!

Бил толкнул Питера локтем в бок.

Питер встряхнул головой и сказал, не открывая глаз:

— А? Что?

— Ничего. Ты храпишь.

— Ну и что? Ты можешь храпеть в мое дежурство... — проворчал Питер и повернулся боком, устраиваясь поудобней.

— Fuck you! Я не могу храпеть! — вспылил Бил. — Если я не могу храпеть, я не храплю!

Питер приоткрыл один глаз и спросил:

— Ты уверен?

И тут же уснул опять, оставив Била наедине с дождем.

А вокруг, за темными окнами этого fucking Брайтона, в теплых и сухих постелях спали тысячи, сотни тысяч людей.

Даже русские эмигранты, даже преступники спали сейчас в тепле и комфорте, прижимаясь во сне к своим горячим женам и любовницам и не слыша ни дождя, ни этих гулких, как выстрелы, ударов атлантического прибоя по брайтоновским пляжам...

Бил включил радио. Радиостанция «10-10 WINS. Все новости — круглосуточно!» бодро сообщила, что Канада выслала еще двух советских шпионов; советский лидер Андропов отверг новое предложение Рейгана о сокращении стратегического вооружения и увеличил снабжение Сирии тактическими ракетами СС-21; а в Южной Корее коммунисты совершили покушение на президента страны...

Под эти сводки с фронтов холодной войны Питер заворочался, почесал шею, спросил сонно:

— Который час?

Тут в глубине улицы, в темноте и ряби дождя показались фары машины. Судя по ее скорости, водитель явно искал незнакомый адрес. Когда машина приблизилась и попала под свет уличного фонаря, Бил узнал машину Мэри Эллен Бикман, бывшей монашки, а ныне агента ФБР. Он посмотрел на часы. Было 2.55 a.m..., это начинали съезжаться члены их бригады.

На их удачу через полчаса дождь прекратился, и к четырем утра все заняли свои места: после того, как супер по звонку Питера открыл им входную дверь, два человека поднялись на крышу, двое стали внизу под пожарной лестницей, еще двое остались при входе, а Питер, Бил, Дэнни Сэндрофф из Эмиграционной службы и Мэри Бикман поднялись на пятый этаж, к двери квартиры 5-А. Питер и Бил вдвоем тащили тяжелую кувалду для вышибания дверей.

Супер на кувалду не обратил внимания, а вот, посмотрев на их мокрые следы на полу, сокрушенно покачал головой. Вот как рассказывает Питер Гриненко о дальнейших событиях.

— В четыре утра мы постучали в дверь, но ответа не было. Стучим снова и сильней, я кричу по-русски: «Откройте дверь, это полиция!» — никто не отвечает. Соседи выглянули из других дверей, увидели нас и снова закрылись. Я бью кулаком по двери и кричу: «Police! ФБР! Я знаю, что вы там, и я вышибу эту сраную дверь, если вы не откроете!» Но они не отвечают, хотя я чувствую, что там за дверью, кто-то стоит. Ты, наверно, никогда не делал арестов, поэтому ты не знаешь это чувство — ты не видишь человека, но кожей чувствуешь, что он там. О'кей, и тогда я взял эту кувалду и шарахнул по двери так, что замок погнулся. И тут я слышу, как он там кричит на очень плохом английском:

— I open! I open!

Тогда я, не знаю почему, перевожу ему на русский:

— Открывай дверь!

А он мне тоже переводит себя на русский:

— Я открою! Я открою!

Но я уже погнул замок, и теперь он там возится и не может открыть. И тогда я опять бью этой штукой и мы врываемся в дверь. И теперь я хочу, чтобы ты понял одну вещь. Когда ты делаешь такие вещи, когда ты вот так врываешься в дверь в темноте кого-то арестовать, ты никогда не знаешь, что тебя ждет. Может быть, это совсем не опасно, а, может, в следующую секунду ты получишь пулю из-за двери. Поэтому ты держишь свой gun (пистолет) двумя руками, и твоя главная задача: закрыть всех. И, конечно, из-за этой опасности ты немножко возбужден, и ты кричишь, нет — ты орешь: «Freeze! Замри! Ты арестован! You are under arrest! Всем лечь лицом вниз!»

Но этот Бакро, который открывал дверь, вместо того, чтобы лечь на пол, хватает руками штаны своей пижамы, спускает их и показывает мне шрам у себя в паху и кричит:

— У меня шов! Я имел операцию!

А я кричу ему по-русски:

— Мне насрать на твою операцию! Ложись на диван лицом вниз!

Короче, мы надели им наручники — Бакро и еще одной

молодой женщине, его дочке, которая была там с ним. И только после этого мы оглядели эту квартиру, и— мы не поверили своим глазам! Конечно, мы знали, что у них должны быть ворованные вещи, которые они продают русским эмигрантам за полцены. Но это были не просто какие-то врованные вещи. Это было как настоящий Gucci, Sacks и Lord & Teylor — вместе. Там вдоль стен стояли стойки с одеждой из лучших магазинов и с магазинными ценниками. Там были полки с ювелирными изделиями и тоже с магазинными ценниками. И там были меха, золотые часы, ковры, серебряная посуда, хрусталь и очень дорогие сувениры. И там была бронзовая ручка с бриллиантовым кольцом на пальце. Я снял это кольцо, и тут эта цыганка, арестованная, подбегает ко мне и говорит: «Это мое кольцо!» — Я говорю: «Do you speak English?» — Она говорит: «No!» — Я говорю по-русски: «А как тебя звать?» — Она говорит: «Мария» — А почему тут на кольце написано по-английски: «To Joan with love. Jhon» — Она говорит: — «Это мне мой американский друг дал!» — Я говорю: «Конечно!..»

И тут, в тот момент, когда я с ней разговаривал, а все остальные разошлись по другим комнатам, где тоже было — как в магазине, я вдруг слышу ужасный крик Мэри Бикман из спальни. Я бегу туда с пистолетом и, когда врываюсь, вижу: Мэри стоит над диваном-софой, над горой подушек и орет от ужаса, а под этими подушками, в диване лежит голая Граппа, жена Бакро — цыганка килограммов на 200. Как она туда втиснулась — непонятно, все тело выпирало из ящика, как тесто, и выглядело как монстр.

Короче говоря, там было столько ворованных вещей, что мы не могли их забрать в своих машинах, а должны были арендовать еще пять «вэнов». И потом, когда специалисты подсчитали, оказалось, что мы изъяли вещей на 5,5 миллионов долларов. Но это было только начало — одно из первых дел, или, как говорят русские, zakuska к делу Натана Родина, Давида Шмеля, Сэма Лисицкого и его партнеров по ювелирному бизнесу.

Часть 2

АФЕРИСТЫ И ГРАБИТЕЛИ

Мендель Асаф знал, что он уже стар и что пора закрывать свой бизнес и уходить на покой. Сколько лет они с женой мечтали уехать на старости лет из Нью-Йорка во Флориду, купить скромный домик в Порт Шарлотт или, еще лучше, в Форт Лотердейл, как это делают все их соседи-сверстники в Форест Хилл. Они и денег скопили на дом, ну, если не на дом, то на кондоминиум — 72 000 долларов. Конечно, это не так много, другие куда больше сколачивают, но что вы хотите от хозяина маленького скобяного магазина (hardware store), когда-то эта ужасная картеровская рецессия, а то — странная рэгономика, над которой смеются все газеты? И хотя Рейган обещает, что вот-вот начнется подъем, но пока... пока никто ничего не строит, а если люди не строят дома, то какой может быть доход у скобяного магазина?

Ладно, они бы уехали во Флориду и с этими деньгами. В конце концов, когда такая рецессия, то самое время покупать дом или кондо. Но год назад жена стала жаловаться на боли в груди и три месяца назад, в августе пошла, наконец, к врачу, а врач сделал рентген и позвонил Менделю в магазин — из Квинса в Лонг-Айленд позвонил: «Мистер Асаф, вы не могли бы зайти ко мне завтра утром?» Короче — рак. И хотя у них есть медицинская страховка, но, конечно, не стопроцентная, кто может платить пять тысяч в год за стопроцентную страховку? Иными словами, о какой Флориде теперь говорить, когда дай Бог, чтобы этих сбережений хватило на операцию, лекарства и врачей!

Поэтому Мендель Асаф не закрывал свой бизнес, а, как говорил когда-то по-русски его отец, «tianul liamku» — тянул лямку в надежде, что, может быть, и вправду , люди вот-вот начнут строить новые дома и обновлять старые, и он сможет-таки заработать еще пару долларов. Конечно, ездить из Квинса аж на Лонг-Айленд во Франклин Сквер и сидеть там целый день в магазине, где пахнет краской, клеем, пластиком и прочей химией — небольшое удовольствие. Но с недавних пор во Франклин Сквере явно намечается какое-то оживление, Мендель Асаф чуял это своим старым еврейским носом. Во-первых, недалеко от его скобяного магазина на Hempstead Turnpike открылся новый ювелирный магазин «Milano Jewelers» («Миланские ювелиры»), а когда люди начинают открывать ювелирные магазины, то это первый признак подъема, правильно? К тому же хозяином «Milano Jewelers» оказался совсем не итальянец, как может показаться из названия, а приятный, молодой и энергичный русский эмигрант, с которым Мендель познакомился в ланченете и с которым они теперь каждый день болтают за ланчем о том, о сем — о медицине, политике, рэгономике и, конечно, о России, откуда родители увезли Менделя в 1920 году, когда ему было восемь лет.

А во-вторых, несколько дней назад появился и первый признак оживления в бизнесе. И вестниками этого оживления оказались, как ни странно, тоже русские эмигранты. Как раз перед ланчем приятная молодая пара — муж и красавица-жена — остановили свой «Шевроле Эмпала» возле его магазина и, оставив в машине своего приятеля, зашли в магазин к Менделю купить батарейки для фотоаппарата и зонтик от дождя. Они говорили между собой по-русски о каком-то доме за 150 000 во Freeport, и еще об одном доме за 170 000, и в руках у них были эти проспекты из Freeport Real Estate Agency, и Мендель не удержался — заговорил с ними по-русски: уж не собираются ли они покупать этот дом? Услышав, что он говорит по-русски, они ужасно удивились и обрадовались: да, они хотят купить дом в этом районе, тут так красиво, тихо — прекрасное место для детей и вообще для жизни. Правда, они видели только Freeport, а, наверно, имеет смысл посмотреть и другие районы, прежде чем на что-то решиться. Конечно, агент по продаже домов предлагал провести их по всей округе, но вы же знаете этих агентов — чтобы продать дом, они вам такое расскажут! Правда?

И молодая женщина доверчиво заглянула Менделю в глаза. Она была так красива, эта женщина — короткая стрижка, высокие брови, большие карие глаза, стройная фигурка, атласная кожа — что старый Мендель вдруг сказал, сам удивляясь своей инициативе:

— А хотите, я покажу вам эти места? Я тут все знаю...

Они еще продолжали благодарить его, когда он уже запер магазин, пригласил в свою машину эту красавицу Фаину, ее мужа Мишу и их приятеля Леонида и целый час возил их по окрестностям, показывал и дорогие районы, и места подешевле, и школу, и пляжи, и торговые центры, и дома, выставленные на продажу. Молодые люди обсуждали между собой достоинства и недостатки этих домов — близко от школы, но далеко от океана; дорого, но зато какая красота! — и все время спорили, понравится или не понравится этот дом Фаининому брату. И к концу поездки Мендель разобрался, что Фаина и Миша — недавние эмигранты и своих денег на покупку дома у них нет, но через пару недель должен прилететь из СССР старший брат Фаины, который привезет фамильные драгоценности, и этих драгоценностей вполне хватит на покупку дома. Только дом нужно выбрать заранее и наверняка, потому что у брата дети, которые должны идти в школу, ведь уже сентябрь...

Через неделю Фаина, Миша и Леонид заехали снова, сказали, что заскочили просто так, по дороге во Фрипорт, где они хотят снова посмотреть тот самый первый дом, а потом еще несколько домов во Франклин Сквер. Брат звонил Фаине из Москвы, сказал что у него уже есть билеты на 1-е октября, спрашивал, нашли ли они дом, а они еще ничего не решили, и потому они спешат, спасибо вам за прошлый раз, мы теперь тут сами прекрасно ориентируемся...

Мендель пожелал им удачи, и удача им действительно улыбнулась — 6 октября, в четверг, эти милые Фаина и Миша появились у Менделя опять и сказали, что брат Фаины благополучно прилетел в Америку с семьей и фамильными драгоценностями. Часть этих драгоценностей — роскошное золотое ожерелье с бриллиантами — они привезли Менделю и спросили за сколько, по его мнению, они могут его продать.

— Так вы бы зашли на 47-ю улицу, там вам оценят, — посоветовал им Мендель.

— Мы заходили. Они оценили в 30 000, но мы уверены, что нас хотят надуть. Брат сказал, что меньше чем за 70 000 он не отдаст. Может быть, вы можете оценить, чтобы нам знать, как правильно торговаться?

— Ну, я не специалист, — сказал Мендель, — но здесь по соседству есть ювелирный магазин!..

— Очень хорошо! — сказала Фаина. — Сделайте нам одолжение, возьмите это и оцените. А нам сейчас некогда, брат ждет на станции под дождем...

— Вы хотите оставить мне это бриллиантовое ожерелье? — изумился Мендель.

— А почему нет? — удивилась Фаина. — Вы приличный человек. Мы заедем к вам завтра. Или — послезавтра. Не беспокойтесь, мы вам доверяем!!

И они уехали. Эти молодые наивные русские эмигранты, уехали, оставив Менделю коробочку с тяжелым золотым ожерельем, усыпанным бриллиантами. «Хорошо, что вы попали на приличного человека», — подумал Мендель, запер магазин на пятнадцать минут раньше обычного и, сжимая в кармане коробочку с ожерельем, пошел к своему новому другу в его магазин «Milano Jewelers». Натан как раз тоже собирался закрываться.

— Как ты думаешь, сколько это может стоить? — сказал

ему Мендель и открыл коробочку.

Натан вставил в глаз увеличительное стекло, внимательно осмотрел ожерелье и сказал:

— Сто пятьдесят тысяч.

— Ты шутишь! — испугался старый Мендель.

— Ты хочешь продать? Я тебе дам 150 000. Сейчас же.

— Спасибо. Я подумаю... — Мендель забрал ожерелье, положил в коробочку, вернулся в свой магазин, но уже не стал его открывать, а сел в свой старенький Oldsmobile и поехал домой. Он думал весь вечер, и он думал всю ночь. А весь следующий день он с нетерпением ждал появления Фаины и Миши. Но они появились только к концу дня перед самым закрытием.

— Ну что, господин Асаф? Вы нам что-нибудь узнали?

Мендель положил на прилавок коробочку с ожерельем и сказал:

— Знаете что? Я могу купить у вас эту вещь.

— Неужели? — удивилась Фаина. За сколько?

— Я даю вам 70 000. Как вы хотели.

Фаина неуверенно посмотрела на мужа. Старый Мендель от волнения втянул живот и задержал дыхание. Если они согласятся, то он может быть спокоен — он с женой-таки уедет во Флориду!

— Я думаю — да, — сказал Миша Фаине.— Только нам нужно быстро, ты же знаешь. Если мы сегодня не заплатим downpayment, мы упустим этот дом. Как скоро вы можете заплатить , мистер Асаф?

— О, я могу сегодня! Сегодня пятница, мой банк открыт до восьми. Если вы поедете со мной в Квинс...

— Нет, сейчас мы не можем, у нас тут встреча с хозяином дома. Но мы можем заехать к вам вечером. Какой у вас адрес?

Мендель записал им свой домашний адрес в Форест Хилл и спросил, держа руку на коробочке с ожерельем:

— А это вы сейчас заберете?

— Зачем? — сказал Миша. — Это уже ваше. Мы же

договорились!

И они опять уехали, эти доверчивые молодые русские.

«Но хорошо, что вы попали на приличного человека», — думал Мендель по дороге в Квинс. И немножко ругал себя — наверно — они согласились бы и на 60 тысяч, зря он так поторопился. Но — дело сделано! И — неплохое дело! Старый Мендель не упустил свой шанс! Он запарковал свой Olds на стоянке у Cemical банка, взял из багажника свой старый портфель и вошел в банк. Было 7.30 вечера, и банк был почти пуст.

— Вы уверены, что хотите взять сегодня все 70 000 — спросил у него молодой кассир.

— Да, — твердо сказал Мендель. — Я хочу мои деньги.

Кассир чуть пожал плечами:

— Какими купюрами?

— Сотнями.

Кассир ушел в заднюю комнату, принес семь пачек сотенных купюр, трижды пересчитал их и вручил Менделю. «Боже мой, — подумал Мендель, складывая деньги в портфель, вот за эти семь пачек зеленых бумажек я проработал всю жизнь!»

В тот же вечер он вручил эти деньги Фаине и Мише, Которые так спешили поехать заплатить downpayment, что даже не выпили с ним и его женой чашку кофе.

А на утро, грея в кармане такую прибыльную покупку, Мендель поехал во Франклин Сквер. Теплая солнечная погода была под стать его настроению. Октябрьская золотая листва стелилась вдоль Long Island Express Way и Hempstead Turnpike, падала на лобовое стекло и подлетала под колеса машины. И золотое колье было у него в кармане. «Golden day, zolotoy den!» — думал старый Мендель сразу на двух языках. Золото само приплыло к нему в руки, за 150 000 можно и жену спасти от рака, и уехать во Флориду, где всегда такая золотая, такая теплая погода...

Но, как назло, «Milano Jewelers Store» оказался в эту субботу закрыт. То ли Натан заболел, то ли вспомнил о своем еврействе и не стал работать в субботу. Короче говоря, Менделю пришлось ждать до понедельника. А когда, наконец, в понедельник он пришел в «Milano Jewelers» к своему русскому другу, тот, взглянув на ожерелье, сказал:

— Что ты мне принес? Это же липа.

— What do you mean «lipa»?

— Это подделка. Ты что? Хочешь меня надуть? Это же другое ожерелье!

Три часа спустя полицейский детектив 112-го участка Квинса уже говорил по телефону с «Russian Task Forse», ФБР.

— Натан? Хозяин магазина «Milano Jewelers?» — переспросил его Питер Гриненко.

— Да.

— Его фамилия Родин? Ему 33 года, и он живет на Staten Ieland? Так ?

— Да. Ты его знаешь?

— Я с ним еще не встречался, но могу сказать тебе: он не только оценивал это ожерелье, он послал тех жуликов к старику, чтоб они его надули!

— Ты уверен?

— А как ты думаешь они нашли этого Менделя? Случайно? Ехали по Long Island и остановились как раз возле скобяной лавки, где говорят по-русски? Приезжай сюда с этим стариком...

Но и дважды посмотрев весь фотоархив Била и Питера, плачущий и разом сгорбившийся Мендель Асаф ни на одной фотографии не опознал этих «милых и наивных» Мишу, Фаину и Леонида.

«Well...— сказал детектив из 112-го участка.— Я ничего не могу предъявить этому Родину. Он взял себе адвоката — хороший адвокат, Джеф Реслер, ты его знаешь? — И этот Реслер заявляет, что Родин никогда не видел этих жуликов, и что в первый раз мистер Асаф показал ему другое ожерелье».

— Это было это ожерелье! То самое! Я никогда не выпускал его из рук! — сказал старый Мендель, глядя убитыми глазами на Била и Питера. — Пожалуйста, поверьте мне! Это были все наши деньги. Как я теперь заплачу за операцию жены?

— Мы верим вам, — сказал ему Бил. — Мы попробуем найти их. Давайте запишем как они выглядят...

Когда старик ушел, они позвонили Алексу Лазареву и попросили его приехать к ним завтра утром, в 10.00.

— Постараюсь, — сказал Алекс.— Я только что поменял квартиру, переехал с первого этажа на третий. А лифт не работает, таскаю вещи на себе, как ишак. Это у вас срочно?

— Очень.

— О'кей, я буду.

* * *

Выпить или, говоря по-русски, obmyt — обмыть новую квартиру Саша Лазарев был просто обязан. Иначе, никакого счастья в этой квартире не будет. Конечно, официальная партия по поводу новоселья состоится только в следующую субботу, но и сегодня, после всей этой работы по переселению, раздавить бутылку водки с друзьями, которые помогли таскать мебель, как говорится, сам Бог велел. Тем более, что Алла накупила в «Белой акации» и в «Метрополе» закуску — соленые огурцы, грибочки, заливного судака, гурийскую капусту, баклажанную икру и прочие деликатесы.

После первой бутылки «Finlandia» Саша повеселел, после второй с нетерпеливым желанием поглядывал на любимую жену, а после третьей открыто сказал друзьям, что все, водки больше нет и потому им пора выметаться. А как только они ушли, сразу повел жену в новую спальню, на широкую, как стадион, новую кровать, которую Алла сама выбрала на Ocean Avenue в русском мебельном магазине. По обе стороны кровати стены спальни были украшены огромными зеркалами.

Через двадцать минут, когда Алла разомлела под мужем и стонала уже в полный голос, Саша, полный водки и мужской силы, начал спрашивать ее в ритме мощных своих ударов:

— Ну?.. Тебе хорошо, бля?.. Тебе нравится?.. Или Марк тебя лучше ебет?.. Говори!.. Кто тебя лучше ебет?.. Я или Марк? А?

Тут Алла вместо того, стобы похвалить мужа, вдруг возмутилась, сбросила с себя и выскочила из кровати. Но Алекс схватил его, повалил на пол и попробовал овладеть силой. Короче говоря, они поссорились. Алла заперлась на кухне, а Саша бил кулаками в кухонную дверь и кричал жене, что она блядь и не имеет права ему не давать, потому что он ее муж. А Алла кричала через дверь, что она не для того ехала в Америку, чтобы ее тут обзывали блядью, и что она уже вызвала по телефону полицию, и что на этот раз его уже точно посадят, потому что у него в квартире пять пакетиков героина. На что Саша сказал, что имел он эту полицию в гробу, и, если Алла немедленно не откроет, то он выбьет эту ебаную дверь и сделает ее в рот и прочие отверстия. На что Алла сказала: «Только попробуй! Я тебе отгрызу его вместе с яйцами!» — и в порядке предупреждения стала бросать в дверь фужеры и тарелки.

И тут раздался настойчивый звонок в дверь.

Алекс выскочил в прихожую: «Кто там?»

— Police! — сказали за дверью по-английски.— Open the door!

Это были Сашины друзья, которые недавно ушли, но, достав в ресторане «Садко» бутылку водки, решили вернуться и распить ее с Сашей. Они были уверены, что Саша узнает их по голосам и и оценит их шутку. Но Саша не оценил. Пробежав из прихожей к кухонной двери, он спросил у жены:

— Ты что, сука, правда полицию вызвала?

— Конечно, вызвала! Пусть тебя посадят, кретин! —

крикнула из-за двери Алла, которая никакого звонка не слышала, потому что продолжала бить посуду.

А звонок в прихожей уже трезвонил без остановки.

Саша в панике заметался, увидел открытое окно и.. выпрыгнул с него с разбега, совершенно забыв, что он только несколько часов назад переехал с первого этажа на третий.

Очевидцы рассказывают, что он упал на мостовую Брайтон 3-й стрит в двух метрах перед бампером патрульной машины, проезжавшей тут с дежурным объездом. Что полицейские с трудом успели затормозить, а один из них, подойдя к Саше, лежавшему в шоке и с поломанными ногами, узнал его и удивился:

— Это ты? Опять? Ты же только неделю назад вышел под залог...

Потом полицейский посмотрел наверх, на окно, из которого выпал Саша, увидел в этом окне фигуру полуголой Аллы и спросил у Саши:

— Кто это?

— Моя жена... — простонал Саша.

— Она тебя выбросила в окно?

— Нет. Я сам выпрыгнул.

— От такой красотки? — удивился полицейский и сказал своему партнеру. — Эти русские психи. Вызывай «скорую помощь».

* * *

Питер и Бил сидели в госпитале, в палате Саши Лазарева, и Бил читал Саше описание примет ювелирных аферистов, сделанное Менделем Асафом. Но Саша отрицательно покачал головой:

— У нас на Брайтоне таких нет. Это залетные.

И поморщился от боли и неудобной позы, потому что обе ноги его были в гипсе и подняты на растяжках.

— А Натана Родина ты знаешь?

Алекс снова покачал головой:

— Нет.

— А Давида Шмеля?

— Кто же не знает Давида? Но Давид «Шкаф» вам ничего не скажет даже под пыткой. Он «вор в законе» и шесть раз сидел в России в тюрьме. Он дикий человек.

— Это мы знаем. Интересно, как вы все проехали сюда? — спросил Бил, имея в виду, что эмиграционные власти не впускают в США бывших уголовников.

Саша пожал плечами:

— Проехали. Ты думаешь, я декларировал, что я сидел в тюрьме? Что я — идиот?

— А почему ты испугался полиции? — спросил Питер — Даже если бы пришла настоящая полиция? Ты же теперь работаешь с нами, зачем прыгать в окно?

— Потому что я идиот! Я был пьяный и все забыл!

— Я тебе не верю. Ты врешь. Что-то было другое, почему ты испугался полиции. Между прочим, вчера вечером было ограбление на Авеню U.

— Я тут ни при чем. У меня есть свидетели — я весь вечер мебель таскал.

— А ты знаешь, что любого из вас можно депортировать из страны за то, что вы скрыли свое пребывание в тюрьме?

Саша пожал плечами. Теперь, когда у него поломаны ноги, какой депортации ему бояться?

— Well, — сказал Питер. — А если завтра к Давиду, или к Пине Громову или к любому из вас придут гэбэшники и станут вас шантажировать? Мол, они подбросят нам документы о ваших прошлых делах в России? Как ты думаешь, Давид согласится на них работать?

— Ну, смотря что они попросят... — сказал Алекс

Выйдя из госпиталя, Бил сказал Питеру:

— Ты понял? Теперь КГБ уже не нужно учить Ли Освальдов в Москве. Теперь у них для такой работы полно тут своих людей.

— Мне плевать на Освальдов, — сказал Питер. — Все,

что я хочу — это защитить таких людей, как этот старый дурак из скобяного магазина. Нам не нужны тут русские, которые будут наебывать наших стариков! Верно?

* * *

Но поскольку ни один из осведомителей не опознал по приметам аферистов, надувших старика Асафа, Билу Мошелло и Питеру Гриненко оставалось разыграть последнюю карту — Натана Родина. Когда Родин позвонил страховым агентам Злотнику и Пильчуку, они согласились уплатить ему дань. Правда, не десять тысяч, а пять — Бил и Питер научили их, что так естественней. Церемония замирения и передачи денег была назначена на 6 вечера в ресторане «Золотой обед» на Квинс-Бульваре прямо напротив здания Квинского суда и в нескольких кварталах от офиса ФБР. Но Родин не обратил на это соседство никакого внимания. Как сказал Бил Злотнику и Пильчуку, «он так голоден на деньги — он приедет за ними куда угодно, даже к нам в офис!». Так что проблема была не в том, чтобы заманить Родина в ловушку, а в тех, кто должен был исполнять роль приманки, то есть — в Злотнике и Пильчуке. Они оба трусили до неприличия, потому что Родин сказал им, что он приедет с Давидом Шмелем. Билу и Питеру пришлось потратить несколько часов в баре «Red Lobster» на моральную подготовку этих страховых агентов к встрече с вымогателями. Потом, поднявшись в офис, Питер и Бил отвели их в пустую комнату, раздели до пояса и липкой лентой приклеили каждому к бедру по «Наягре» — портативному магнитофону с двумя крошечными микрофонами, которые крепятся на груди и спине. «Наягра» обладает двумя скоростями, при замедленной скорости одной кассеты хватает на три часа записи, но запись получается не совсем качественной, а при нормальной скорости — на полтора часа, и качество записи первоклассное.

— Не бойтесь! — говорил Питер русским страховым агентам — В ресторане вас будут охранять два наших агента, я вас с ними сейчас познакомлю. У них будет микрофон и передатчик, и я буду слышать в машине весь ваш разговор. Если я почувствую, что что-то идет не так или вам грозит опасность, я дам нашим агентам команду вмешаться. Сразу! Я обещаю! Так что — stay cool, не бойтесь!

— I am afraid nothing! Я ничего не боюсь! — храбро заявил бледный Злотник.

— Конечно! — сказал ему его партнер. — Поэтому ты вчера застраховал свою жизнь на десять миллионов.

Но все прошло нормально. Родин и Давид «Шкаф» приехали вместе на новеньком синем «Шевроле», запарковались на платной парковке и, сопровождаемые издали мощным объективом фотокамеры Питера, прошествовали в «Золотой обед». Родин оказался худым черноволосым мужчиной среднего роста в модном плаще, а Давид — широкоплечим пожилым «шкафом» килограммов на 140 с крупными руками, тяжелой плохо выбритой челюстью и косой челкой. На его плечах была черная кожаная куртка, а на бычьей шее — толстая золотая цепь. Было очевидно, что он в этой игре — дубина, взятая для устрашения.

Они зашли в ресторан, хмуро поздоровались за руку со Злотником и Пильчуком, заказали пиво, креветки и стейки — все за счет страховых агентов.

— Ну! — требовательно сказал Родин, едва официантка поставила перед ними стаканы с холодной водой — Вы принесли?

— Конечно, — ответил Злотник. — Как обещали. Только я хочу сразу договориться на будущее: больше никакого битья!

— О чем разговор! — сказал Родин и протянул руку за деньгами: — Давайте!

— Нет, подожди, Натан! — вмешался Пильчук. — Так дело не делается. Все-таки мы вам даем немаленькие деньги, и хотим какие-то гарантии.

— Какие ты хочешь гарантии? — хмуро уставился на

него Давид.

Тут официантка принесла им пиво и креветки, и Пильчук умолк.

— Можешь говорить при ней, — сказал Родин Пильчуку. — Она все равно ни хера по-русски не понимает!

— Ну, я не знаю, какие гарантии... — сказал Пильчук, пока официантка расставляла на столе пиво и еду. — Но подумай сам, Давид! Ты приходишь к нам в офис, мы тебя не знаем, а ты сразу бьешь нас по морде. Ну, так же тоже нехорошо!

— Ну, он больше не будет, ну! — нетерпеливо сказал Родин.

— Нет, Натан, я хочу от него услышать, — сказал Злотник. — Он меня бил, пусть он мне и скажет.

— Ладно, Давид, скажи ему, — велел Родин Давиду.

— Фули я должен ему говорить? Больше не буду? — спросил Давид терзая стейк золотыми зубами. — Шо я — ребенок?

Но Родин вспылил на своего партнера:

— А шо такое? Шо ты — не можешь сказать людям, шо больше не будешь их бить? Шо ты из себя целку строишь?

— О'кей. Не буду, — недовольно выдавил из себя Давид. — Как дите, бля!

— Есть! — сидя в машине, воскликнул Питер и ткнул локтем Била. — Они хорошо работают, эти страховые агенты!

— И второе, — сказал тем временем Пильчук Родину. — Ты же понимаешь, Натан, если за каждый удар в морду мы будем платить по пять тысяч, то мы через неделю вылетим в трубу. Сегодня один придет и даст в морду, завтра — другой, послезавтра третий. Ты знаешь, сколько у нас в Брайтоне клиентов?

— Я вам обещаю: вы платите деньги, а мы вам даем протэкшэн! Ну! — и Родин снова протянул руку за деньгами.

— Good! Отлично! — прокомментировал Питер. — Это

все, что нам нужно.

Но Злотнику и Пильчуку, видимо, понравилась их игра. Пильчук посмотрел на своего партнера как будто еще в сомнении, и тот сказал Родину:

— Ты понимаешь, Натан, это же пока только слова. А завтра к нам приходит... ну я не знаю кто, ну тот же Пиня Громов. И что я ему скажу? Что мы уже платим тебе и Давиду?

— Да, — сказал Родин.

— Мы можем так сказать?

— А почему нет?

— А если он на это положит? С прибором? — спросил Злотник.

— На меня еще никто не ложил, бля! — Давид выставил на стол оба своих пудовых кулака.

— Нет, ну я фигурально... — отшатнулся Злотник.

— Значит так, братцы, — сказал Родин страховым агентам. — Хер с вами, давайте я вам объясню. Вы думаете мы кто — звери? Пришли и схватили вас за горло — давайте деньги! Нет. Весь Брайтон под контролем у серьезных людей, и я перед ними за вас поручился. Я им сказал, что вы будете платить без выебонов, понятно? И если вы платите, то можете быть спокойны — никто не имеет права вас и пальцем тронуть. А если тронет, то эти люди укоротят им руки. Ясно?

— Ясно, — сказали страховые агенты.

— Нет! — застонал в машине Питер. — Names! Имена!

А в ресторане Родин, требуя деньги, в третий раз положил на стол открытую правую ладонь. Но на этот раз — молча, что было уже выражением не столько нетерпения, сколько угрозы.

Злотник достал из кармана тонкий почтовый конверт.

— Что это? — удивленно спросил Родин, а Давид «Шкаф» снова положил на стол свои кулаки и вперился взглядом в Злотника.

— Чек, — сказал Злотник — Понимаешь, мы не успели

в банк, он уже закрылся. Но это те же деньги, можешь не сомневаться.

И он вытащил из конверта и положил перед Родиным и Давидом банковский чек. На чеке с титулом LUCKY BRIGHTON BEACH BROKERAGE Inc. было написано «To: Mr. Natan RODIN» и крупно выведена сумма «$ 5,000.00 — FIVE THOUSAND DOLLARS». Ниже стояли подписи Злотника и Пильчука.

Родин посмотрел на Давида, а Давид на Родина.

Потом они оба еще раз посмотрели на чек.

Пауза так затянулась, что Питеру стало не по себе, а супружеская пара, которая сидела в ресторане напротив русской компании и обсуждала стоимость туристических туров в Европу, вдруг почему-то сунули правые руки — мужчина под пиджак, а женщина — под кофту.

Но, как и предполагали Питер и Бил, магическая власть цифры «$ 5,000.00» пересилила осторожность.

— Хер с вами! — сказал Родин и, забрав со стола чек, положил его к себе в карман. — Только в следующий раз чтобы были наличные! Ясно?

— Само собой! — сказали страховые агенты. — О чем разговор?

— Pizdets! — радостно воскликнул в машине Питер Гриненко и победно шлепнул рукой об руку.

— They got the check? Они взяли чек? — догадался Бил.

А в ресторане «супружеская пара» облегченно перевела дух, заказала себе еще по пиву и продолжила обсуждение своей будущей европейской поездки.

Родин и Давид встали, за руки попрощались со страховыми агентами, ободряюще похлопали их по плечам и вышли из ресторана. Когда их «Шевроле» отчалил от парковки, Питер и Бил вошли в ресторан и обняли страховых агентов:

— Отличная работа! Молодцы! Всем по дринку!

— Питер, — сказал Злотник. — Я весь мокрый Целиком. До яиц.

— Вы знаете, во что они влипли? — радостно сказал Бил. — С этим чеком это уже не просто вымогательство! Это федеральное преступление — от пяти до семи лет!

— Тогда они нас точно пришьют! — убито сказал Пильчук.

— Ни хера! — сказал ему Питер — Ничего не бойся! Вы герои! Вы еще будете давать против них показания в суде!

— Мы? — испугался Злотник. — Никогда!

Но Питер только отмахнулся, сказал:

— У нас будет только одна проблема в суде. Я не знаю как перевести это выражение «положить с прибором». То put down with apparatus? Это не имеет никакого смысла по-английски.

— The hell with English! — воскликнул Бил и радостно хлопнул Питера по плечу. — We did it, partner! There is Russian mafia on Brighton Beach! Родин сам сказал это, и у нас это есть на пленке!»

— А как ты понял? — удивился Питер. — Он же говорил по-русски.

* * *

Можно по-разному относиться к вербовке осведомителей среди преступников. Можно считать, что этически это не очень «кошерно», и можно стать в позу и требовать, чтобы каждое преступление было наказано по букве закона. Но жизнь сложнее принципов и не укладывается в самые пухлые уголовные и гражданские кодексы. Если, простив преступнику малое преступление, вы можете с его помощью предупредить большое, связанное с гибелью людей, — что вы предпочтете? К тому же главной задачей Питера и Била было не ассистировать полиции в расследовании того или иного преступления, а выйти на «русскую мафию» или любой иной вид организованной преступности в среде русских эмигрантов.

В те годы многим уже стало ясно, что цунами международного терроризма, обрушившееся на Запад, явление не случайное. Хотя об этом еще не говорилось на дипломатическом уровне, но газеты уже открыто писали, что за спиной палестинских, итальянских, немецких, шведских, японских и прочих террористов стоят тренировочные лагеря Чехословакии, Польши, Болгарии, Кубы и СССР, деньги и оружие КГБ. Одна за другой начали выходить книги-исследования, посвященные терроризму, и общий вывод этих исследований можно было уже в 1984 году прочесть, скажем, в книге «Месть» Джорджа Джонаса.

«Советский блок... который организовал, тренировал, вооружал и частично финансировал террористов, мало интересовался их повседневной деятельностью. Особенности их идеологии и то, соответствует ли она коммунистической доктрине, были безразличны тем, кто стоял за спиной террористов. От них не требовали соблюдения партийных принципов. Советские органы безопасности использовали террористов для того, чтобы разрушить и дестабилизировать западные демократии... КГБ правильно рассчитал, что, снабдив всем необходимым, в том числе и учителями, достаточное количество экстремистов и предоставив им действовать по своему усмотрению, он создаст разрушительную силу, которая ни в надзоре, ни в инструкциях нуждаться не будет и которая, без сомнения, породит в мире хаос... Эта концепция была по-своему гениальной, так как давала возможность Советам подрывать основы либерально-демократических институтов Запада.»

К концу семидесятых годов в Кремле ясно видели, что их «гениальная концепция» работает или, как позже любил выражаться Михаил Горбачев, «процесс пошел»: Европа была деморализована и оглушена терроризмом, взрывы в аэропортах и крупных магазинах, похищения самолетов с пассажирами и туристических кораблей в море стали почти будничными новостями, и даже руководители западных правительств опасались за свою жизнь. Эта нестабильность, хаос, страх порождали уже не только политические кризисы (Испания, Турция, Италия), но и социально-экономические

(Федеративная Германия, Франция и т.д.).

Конечно, кому-то может показаться, что все это не имеет никакого отношения к нескольким сотням тысяч евреев, которые бежали из СССР, едва кремлевские правители открыли эмиграционную щелочку. Более того, кто-то наверняка скажет, что, проводя параллель между террористами и эмигрантами, автор компрометирует тысячи честных людей.

Должен, однако, пояснить, что автор и сам — один из тех эмигрантов. Зимой 1978-79 я катил с 10-тысячным потоком советских эмигрантов через Австрию и Италию, и от Вены до Рима наш поезд охраняли от арабских террористов австрийские солдаты с автоматами и овчарками, а, не доезжая до Рима километров сто, нас — во избежание арабских террористических акций — пересадили на автобусы и окольными путями повезли в Остию и Ладисполи, пригороды Рима, где мы прожили несколько месяцев в ожидании разрешения на въезд в США. И вот тогда, собирая материал для книги об эмигрантах, я обратил внимание на довольно заметное количество уголовников в нашем стане. Многие из них сами говорили мне то, что позже Питер Гриненко и Бил Мошелло услышали от Алекса Лазарева и других преступников: выходя из советских тюрем и лагерей, они получали паспорт с записью «национальность — еврей» и короткий ультиматум: «Или уезжай в эмиграцию, или мы намотаем тебе новый тюремный срок». Будучи журналистом, я тут же написал об этом статью под названием «Как КГБ отомстило Американскому Конгрессу». Я писал, что, фаршируя нашу эмиграцию профессиональными преступниками, КГБ не только пытается скомпрометировать борьбу Запада за свободную эмиграцию евреев из СССР, но и намеренно засылает в США дестабилизирующие силы, которыми сможет манипулировать в будущем. Поскольку статья была написана по-русски, я показал ее одному переводчику в HIAS — еврейской организации, которая уже больше 100 лет занимается помощью эмигрантам. Сегодня этот переводчик руководит крупнейшей еврейской организацией США, но, видимо, уже тогда у него был свой взгляд на эту проблему, он сказал мне:

— Может быть, ты прав. Может быть, среди вас есть преступники, убийцы или даже агенты КГБ. Но если ты опубликуешь эту статью, кто-то в Америке перестанет ходить на демонстрации в защиту советских евреев, кто-то перестанет жертвовать деньги, а какой-нибудь чиновник обрадуется и срежет въездную квоту. И тысячи еврейских детей останутся там, откуда ты сбежал, и где, как ты знаешь лучше меня, вот-вот могут начаться погромы. Нет, я не рекомендую тебе печатать эту статью. Но это уже не Советский Союз, решай сам!

Подавив авторское тщеславие, я спрятал статью на дно чемодана. Хотя не переставал брать интервью у «русских гангстеров» и даже побывал у «крестного отца» русской мафии в Италии — Леонида Баткина, позже убитого. Иными словами, примерно в одно и то же время я — в Италии, внутри потока эмигрантов, агент ФБР Роберт Левинсон — в США, на основе секретных разработок контрразведки, и Питер Гриненко и Бил Мошелло — на своей следственной практике — все пытались решить один вопрос: есть ли за отдельными профессиональными преступниками-эмигрантами «рука КГБ» или организация, которой эта рука манипулирует сегодня или будет манипулировать завтра?

Ответить на этот вопрос Гриненко и Мошелло могли только одним способом — завербовав среди русских преступников-эмигрантов как можно больше коллаборационистов и осведомителей. Одним из них — и куда более серьезным, чем неуравновешенный Алекс Лазарев, — мог стать Натан Родин, аферист, вымогатель и хозяин ювелирного магазина в Лонг-Айленде. По всем соображениям, ему просто некуда было деться от сотрудничества с Питером и Билом, ведь против него у них был полный набор улик:

показания жертв вымогательства, магнитофонная пленка с отличной записью, фотографии и чек на $ 5 000 с собственноручной подписью — чек, который банк остановил по просьбе Злотника и Пильчика. То есть, это было безусловно выигрышное дело. А с другой стороны, рассуждали следователи, что произошло? Один русский эмигрант — страховой агент Злотник — получил по морде от другого эмигранта. Это неприятно, но если такой ценой можно найти и обезвредить аферистов, которые надули старика Менделя Асафа на 70 000 долларов и довели тем самым его жену до инфаркта, то игра стоит свеч. А уж начав сотрудничать с ФБР, Родин выведет их и на тех «серьезных людей», которые, как он сказал Злотнику и Пильчуку в ресторане, «контролируют Брайтон».

Однако Натан Родин оказался орешком куда более крепким, чем Алекс Лазарев. Помолчав с минуту над фотографиями его встречи со страховыми агентами и выслушав сделанное ему предложение, он сказал:

— Я не знаю никаких ювелирных аферистов. Старик Мендель Асаф действительно два раза приносил мне бриллиантовое ожерелье. Но первый раз это были настоящие бриллианты, а второй раз — липа.

— Ты хорошо подумал? Ты сядешь в тюрьму за вымогательство.

— Это еще вопрос. Пять лет назад, в СССР, Злотник взял 10 000 рублей и не отдал. Эти 5 000 долларов — его долг.

— На пленке ясно слышно, что вы угрожаете ему и обещаете протэкшэн в обмен на деньги.

— То была шутка. Точнее — без этих угроз он бы не отдал мне долг.

— Вряд ли жюри поверит, что это шутки.

Родин поднял глаза и сказал в упор:

— То, о чем ты говоришь, невозможно. Я стукачом не буду. Pizdets.

В данном контексте это слово означало точка, period.

* * *

А назавтра, 11 октября 1983 года , днем в 4.10 в самом центре Манхэттена, на углу 47-ой улицы и 5-ой Авеню, произошло дерзкое ограбление ювелирного магазина «Sorento Jewelers». Средь бела дня два грабителя в масках и широких серых плащах вошли в магазин, когда там находились хозяин магазина Марат Оскольный и два посетителя — мисс Амелия Фирали и мистер Нияз Ариф Мирсун, иранцы, которые принесли Оскольному несколько крупных бриллиантов на продажу. Грабители закрыли за собой дверь, вытащили из карманов пистолеты и по-английски приказали всем лечь на пол. Но иранка с перепугу подняла крик, и тогда бандиты рукояткой пистолета оглушили ее и бросили, окровавленную, на пол. Рядом с ней они уложили ее спутника, связав его по рукам и ногам, а Марата Оскольного наручниками приковали к стойке. После этого опустошили все витрины с ювелирными изделиями, сейф и карманы иранцев и — исчезли, унеся золота и бриллиантов на 800 000 долларов. Только через два часа Оскольному удалось знаками и криком привлечь внимание продавца hot-dogs на улице, и тот вызвал полицию...

Уже через час после визита полиции в «Sorento Jewelers» Питер Ларкин, детектив 18-го полицейского участка в Манхэттене и однокурсник Питера Гриненко по полицейской академии, звонил в офис ФБР на Квинс-бульваре и со своим неистребимым ирландским акцентом просил Гриненко помочь допросить жертву ограбления Марата Оскольного и его партнеров. Но Гриненко тут же ошарашил Ларкина:

— Это не ограбление, это set up, подстроено!

— Откуда ты знаешь?

— Потому что мы ждем это ограбление уже несколько месяцев.

И Питер вкратце рассказал Ларкину о звонке Сэма Лисицкого.

— Well, — сказал Ларкин. — Я видел set up, и не один раз. Но set up делают тихо и так, чтобы никто не пострадал, кроме страховой компании. А тут мы имеем кровавую бойню, женщина в госпитале...

— Русский стиль, — сказал Питер. — Чтобы выглядело убедительно. Эти иранцы первый раз зашли к ним в магазин? Случайно?

— Нет, первый раз они были там вчера. Но вчера у этого Оскольного не было наличных денег купить их бриллианты, и он назначил им на сегодня, на четыре часа.

— Теперь ты понимаешь, почему ограбление было именно в 4.10? — спросил Гриненко своего друга.

* * *

«Итак, мы имели очень сложный и дорогой страховой случай, но это — ладно! Но еще мы имели женщину, которая действительно ограблена и находилась в больнице, а у нас — никаких улик против преступников, — вспоминает Питер Гриненко. — Один из партнеров, Сэм Лисицкий, приготовил себе алиби тем, что еще в сентябре предупредил нас об этом set up, второй — Марат Оскольный — сказал на первом интервью, что у него были трения с Лисицким и что этот Лисицкий мог подослать грабителей, а третий, Яков Камский, вообще в Чикаго. И мы знаем, мы чувствуем, что все это lipa, и что на самом деле этот магазин «Sorento Jewelers» был открыт с единственной целью — накачать в него побольше ювелирных изделий, ограбить и получить со страховой компании 800 000 долларов. Но что мы сможем сделать? Пока хотя бы один из партнеров не расколется и не скажет: «Да, я нанял грабителей, вот их адреса», мы — бессильны. А с другой стороны — на нас с Билом висит дело с этими аферистами, которые надули несчастного старика на 70 000, мы уже не можем ему в глаза смотреть, у него жена от огорчения инфаркт получила. А с третьей стороны — эти страховые агенты, которые ночей не спят в страхе, что Родин и Давид Шмель вот-вот придут их убивать. Но если мы выйдем сейчас на Grand Jury (Большое Жюри) за ордером на арест Родина и Давида — мы втягиваемся в суд, бумаги и всю эту бюрократию и теряем время. К тому же у меня все равно была надежда заставить этого Родина капитулировать. Рано или поздно. И тогда я позвонил Джефу Раслеру, адвокату Родина, и сказал ему, что его клиент влип на вымогательстве и чтобы ни Родин, ни Шмель даже не думали приближаться к моим свидетелям Злотнику и Пильчуку. А иначе я повешу на них нападение на государственных свидетелей. А этот Раслер меня знал — когда 12 лет работаешь полицейским детективом в Нью-Йорке, то знаешь многих адвокатов и многие адвокаты знают тебя. В начале семидесятых, когда я только начинал заниматься автопреступностью, Джеф Раслер был помощником районного прокурора, и мы с ним знакомы еще с тех пор! И я был уверен, что Джеф объяснит Родину, с кем он связался — не только с Гриненко, но и с ФБР.

Короче говоря, мы отложили дело по вымогательству и сконцентрировались на этом set up. Потому что это уже было слишком! Это уже было всерьез. Мы уже чувствовали, что за всеми этими разными и мелкими инцидентами стоят люди, которые начинают выходить на крупные дела — открывают ювелирные магазины на 47-й улице, в Лонг-Айленде, в Чикаго. Тут намечалась какая-то цепь. Поэтому мы не бросились сразу на таких мелких преступников, как Пиня Громов или Натан Родин, мы хотели зацепить их всерьез, заставить сотрудничать и через них нащупать организацию.

Но — как? Родин, а вслед за ним и Шмель, сотрудничать отказались. Алекс Лазарев лежал с поломанными ногами. А Сэм Лисицкий, эта крыса, свою игру сыграл, и его не вытащишь из норы ничем, он сидит в своем вонючем рыбном магазине и ждет, когда страховая компания отвалит им 800 000 долларов. Ведь как ты докажешь, что это именно тот set up, о котором он предупреждал? Это ограбление, да еще с кровью! И этот Лисицкий был так уверен в этом деле, что купил своему сыну спортивную машину — новенький красный «Понтиак», 16 тысяч долларов! А второй их партнер Яков Каменский вообще в Чикаго. А Марат Оскольный взял себе адвоката! Якобы для того, чтобы заставить страховую компанию платить за похищенные драгоценности, а на самом деле, чтобы оградить себя от полиции. Можешь себе представить — он сидит в этом «Sorento», как большой shut, обзванивает своих поставщиков, чтобы получить побольше документов на похищенные ювелирные изделия и сорвать побольше со страховой компании, а когда к нему приходит детектив, который расследует это дело, он отказывается разговаривать! Только через адвоката! Так они научились пользоваться нашей системой! А когда мы звоним его адвокату, который тоже такой большой shut с офисом на Парк-Авеню, так этот адвокат говорит, что мы своими интервью травмируем жертву преступления и заставляем страховую компанию сомневаться в кэйсе.

Ты понимаешь? Этот Оскольный нанял грабителей, грабители вынесли из его лавки товара почти на миллион долларов, и еще почти миллион он хочет сорвать со страховой компании, и при этом он берет адвоката, чтобы не проболтаться на допросах, а адвокат говорит нам, что его клиент — жертва преступления и что мы травмируем его своими вопросами! И — имеет право, такая у нас система, это не Советский Союз! Я — нью-йоркский детектив, и если ты не хочешь со мной разговаривать, ты можешь не разговаривать.

Короче говоря, у нас — тупик, dead end.

Иранцы никаких примет преступников не дают, потому что те были в масках, и единственное помнят, что у грабителей был акцент — итальянский, испанский, русский, китайский? — они не знают, они иранцы.

Ладно, мы сели на телефон и нашли в Чикаго этого их партнера Якова Камского. И Ларкин, детектив, который ведет это дело в полиции, говорит ему сесть в самолет и прилететь в Нью-Йорк на интервью. За наш счет. Конечно, заставить мы его не можем, но у него тут мать в Квинсе живет, и у него железное алиби, и он думает — почему не слетать к маме за чужой счет?

Короче, на следующий день , к вечеру мы уже встречаем этого Камского в аэропорту «Ла Гвардия». Он оказался респектабельным 50-летним мужчиной в хорошем костюме-тройке и в белой рубашке с галстуком. Выглядит как крепкий бизнесмен. И мы сразу везем его в 18-й участок и допрашиваем пять часов подряд. Без перерыва. Питер Ларкин, его партнер Хью Фланаген и Бил Мошелло — по-английски, а я по-русски и по-английски. Но этот Камский был fucking good и держался отлично. Он ничего не знает, он ни в чем не замешан, он в это «Sorento» денег не вкладывал, и ему плевать, что этот магазин ограбили. Да, полгода назад он начинал там работать с Оскольным, а потом решил работать сам на себя и уехал в Чикаго и открыл там свой магазин. Поставщики его знают, у него хороший кредитный record еще по магазину «Sorento Jewelers», и он себе более-менее зарабатывает на жизнь. Да, в СССР он сидел в тюрьме, но не по уголовному делу, а просто он был строительным инженером, а там на стройках используют заключенных, и у него был конфликт с каким-то пьяным заключенным, и тот полез в драку, и этот Камский его прибил. Так это было или не так — как мы можем проверить? А про тюрьму он специально сам сказал, потому что знал: кто-нибудь из его «друзей» нам рано или поздно все равно скажет. Но во всем остальном он — чист и ни в чем не замешан. Я ему говорю: у нас есть сведения, что это ограбление подстроено, чтобы сорвать деньги со страховой компании. А он говорит: я ничего не знаю, я уже три месяца живу в Чикаго. — Я говорю: а ты согласен пройти проверку на детекторе лжи? — Он говорит: нет проблем, пожалуйста!

И тогда мы прямо из 18-го участка едем в Полицейскую Академию на 20-й стрит и Второй Авеню. А уже 12 ночи.

Но мы договариваемся с дежурным экспертом по детектору лжи — там как раз дежурил отличный черный детектив, очень опытный, очень точный и всегда так спокойно и мягко разговаривает — и вот этот детектив сажает нашего Камского в кресло, в комнату, где все эти провода и приборы, и начинает его расслаблять и спрашивать, когда он сегодня проснулся, и что делал днем, и принимает ли он какие-нибудь лекарства. А потом выходит к нам и говорит, что не может проводить тест. Во-первых, потому что этот русский очень устал, а человек перед таким тестом должен быть в совершенно спокойном и нормальном состоянии. И, во-вторых, этот Камский, оказывается, принимает лекарства от сердца. А если человек на лекарствах, то все, тест на детекторе лжи проходить нельзя, потому что у него уже и давление крови не то, и пульс, и так далее.

Короче, мы выходим из Полицейской Академии, уже час ночи, и я говорю этому Камскому:

— Ты кушать хочешь?

Он говорит: да, хочу.

И мы все идем в ресторан — там же, напротив Академии — и заказываем еду и начинаем говорить. О России, об Америке, об эмигрантах. И я должен отметить — он хорошо образован, этот Камский. Он может говорить о политике, о кино, о музыке. И вот я смотрю на него, смотрю, как он ест нашу американскую еду, пьет наши дринки, говорит о наших политиках и кожей чувствую, что он нас — делает! Нас — четверых американских детективов! — этот русский делает, как котят! Он замешан в этом set up, Оскольный и Лисицкий открыли этот «Sorento Jewelers» специально, чтобы устроить set up! И даже на детектор лжи он согласился, потому что заранее знал: раз он на таблетках, то его или не допустят до теста или потом этот тест забракуют! Я это вижу — ты понимаешь! И вот я сижу лицом к лицу с преступником, а у меня ничего нет: ни одной улики! И мой весь опыт бесполезен. И я смотрю на него и думаю: может, эта работа не по мне? Может, я — ничто? Может, я хорош только по линии ебаных ворованных машин и траков, а против советских преступников я — дерьмо?

И тогда я сказал ему по-русски:

— Яков, я работаю детективом уже 12 лет. Может, я не самый лучший детектив, но я самый упрямый из всех, с кем ты встречался в своей жизни. Я никогда не остановлюсь. Конечно, если ты не сделал никакого преступления, тебе нечего беспокоиться. Но если я найду, что ты сделал это или любое другое преступление — я посажу тебя в тюрьму. И партнеров твоих посажу, можешь им передать. Поверь, я это сделаю. Я не остановлюсь и не брошу это дело. Никогда! Во-первых, потому что мне это интересно. А во-вторых, мне не нравится, что сюда приезжают множество советских и пользуют нашу fucking систему и в хвост, и в гриву.

И ты знаешь, что он мне ответил? Он ответил: — «Хорошо! Но я не совершал ничего преступного». — Я говорю: «О'кей». И тогда он говорит: — «Вы подбросите меня к моей маме?» — Ты понимаешь? Он был fucking хорош в эту ночь! Very good! Он прилетел в Нью-Йорк за наш счет, он ужинал и выпивал за наш счет, и мы — американский полицейский детектив Питер Гриненко и агент ФБР Бил Мошелло — мы на служебной машине ФБР отвезли его к его маме в Квинс, на Yellowstone Бульвар. Как шоферы...»

* * *

Питер Гриненко родился в 1945 году в Штутгарте, ФРГ Его отец, киевский архитектор, вывез из коммунистической России не только свою семью — жену, дочь, своего брата и отца, но и всех родственников жены — сестру, мать бабушку и прабабушку, чудом уцелевших от ленинских и сталинских репрессий. Когда Питер подрос, прабабка рассказала ему, как были расстреляны его прадед и дяди и как в 1926 году ее после нескольких месяцев отсидки в тюрьме, тоже повели на расстрел. Но когда ее уже поставили к стене, к ней вдруг бросился какой-то красный комиссар и стал обнимать и целовать ей руки. Оказывается, в 1919 году она подобрала на улице умирающего от голода еврейского парня, притащила в свой дом, полгода лечила и спасла от смерти. Потом он ушел и пропал, и вот, как выяснилось, стал красным комиссаром и увел ее прямо из-под расстрела, спас ей жизнь. Но все остальные мужчины в ее семье погибли от красного террора, который проводили большевики в России Поэтому, когда немцы в 1944 году стали отступать из России, вся семья Гриненко предпочла уйти с немцами, чем опять попасть под власть коммунистов.

Однако в Германии мужчинам семьи Гриненко не повезло: в 1947 году отец Питера со своим отцом и братом попали в железнодорожную катастрофу: поезд, которым они ехали на работу, наскочил на мину. Отец Питера и его дядя погибли, а дед был ранен. После этой трагедии почти все бабушки, прабабушки, тетки и кузины Питера переехали из Германии в США, а его мать решила попробовать счастья в Австралии. «Я в то время еще не мог возражать, мне было два года, — вспоминает Питер. — So мы поехали в Австралию. Мама, я и старшая сестра». Но когда ему исполнилось девять лет, они все же приехали в Нью-Йорк, и так Питер стал американцем. «Мы были очень бедные в то время, — говорил Питер, — и мы жили в Beford Styvasant, если ты знаешь, что это такое. Это бруклинские трущобы. Черные пацаны били меня каждый день, пока я не научился бить их. Но летом я уезжал к прабабушке в Spring Valley и там было хорошо. У нее был маленький сад, и она пекла мне пироги с капустой и рассказывала про Россию...»

После окончания школы Питер работал в разных местах — в магазине, в аптеке, в закусочной. Грузчиком, уборщиком, разнорабочим. В августе 1966 один его приятель сказал ему, что едет в Бронкс на тест — полиция проводит набор в полицейские. И уговорил Питера составить ему компанию. «Там было очень много народу, несколько тысяч человек, — вспоминает Питер. — Через месяц после теста мой приятель получил письмо, что он занял две тысячи какое-то место, а я — что я в первых четырех сотнях и меня готовы принять, если я сброшу десять паундов. Я уже тогда весил 210.»

Так Питер попал в полицию и прошел по всем ее ступенькам — от Полицейской Академии и работы уличным патрульным до Orginazed Crime Control Bureau, где стал ведущим экспертом по автопреступности.

Но теперь, в октябре 1983, этот «ведущий эксперт» и его партнер, специальный агент ФБР Бил Мошелло сидели над грудой счетов и других документов, изъятых из «Sorento Jewelers Store» и обзванивали всех поставщиков, у которых Оскольный и Камский когда-либо получили ювелирный товар. Что эти поставщики могут сказать о своих клиентах из«Sorento Jewelers» в Нью-Йорке и «La Vista» в Чикаго? Нет ли у вас проблем с ними? Нет ли попыток получить документы на товар, который им не отправляли?

На пятый день этой занудной работы менеджер одной ювелирной компании в штате Род-Айленд сказал им по телефону:

— У нас не было никаких проблем с «Sorento Jewelers», пока этот сукин сын не прислал нам чек на 15 000, который не прошел в банке. Но это, конечно, не то, что вы ищете.

— Вы заявили об этом в полицию? — спросил Питер.

— Нет, конечно. Разве полиция занимается такими делами? Я думал, что только гражданский суд...

— Это чек из штата Нью-Йорк, а вы в штате Род-Айленд. Таким образом, это межштатное почтовое преступление. Я вам рекомендую пойти в полицию, не откладывая. Если вы хотите получить свои 15 000, конечно. И сообщите мне имя детектива, к которому попадет это дело, — я с ним свяжусь.

Бил скептически выслушал этот разговор, и Питер пожал плечами: конечно, непокрытый чек это мелочь, но это лучше, чем вообще ничего. И в этот момент на его столе зазвонил телефон. Питер снял трубку. Знакомый голос сказал по-русски:

— Это Яков Камский из Чикаго. Я ничего не знаю про ограбление «Sorento Jewelers», но я могу организовать аналогичное ограбление своего магазина в Чикаго. Вас это интересует?

— Конечно, — сказал Питер. — Когда мы можем встретиться?

— Завтра я буду в Нью-Йорке у мамы. Вы помните — это 370 Yellowstone Бульвар. В семь вечера, о'кей?

Питер положил трубку и сказал Билу:

— Камский из Чикаго. Он может организовать ограбление своего магазина так, как было ограблено «Sorento». Как тебе это нравится?

— Еще как! — сказал Бил. — Он объяснил тебе, зачем он это делает?

— Я должен был спросить у него? — спросил Питер.

— Нет, — сказал Бил с невольной улыбкой.

* * *

Это была чистенькая, светлая и неплохо обставленная квартира с семейными фотографиями и видами Киева на стенах. Буфет с хрустальными бокалами и расписными тарелками, телевизор «Sony», кожаная софа, тумбочка с проигрывателем «JVC» и украинско-русскими пластинками, полированный вишневый стол с хорошими стульями. На софе украинские вышитые подушки — точно такие, какие были у прабабушки Питера в ее домике в Spring Valley. На кухне — посудомоечная машина, и микроволновая печка, а за кухней — дверь в спальню, и там тоже видна хорошая итальянская кровать, зеркальный трельяж. Поскольку Камские приехали в Америку три года назад, и мать пятидесятилетнего Якова была пенсионеркой на «восьмой» программе, было ясно, что ни такая мебель, ни квартира в таком хорошем доме не соответствуют ее пенсии.

— Я помогаю, — просто объяснил Камский. — Это же моя мама.

Питер невольно отметил, что ему это нравится. Воспитанный прабабушкой, бабушкой и мамой, он был в этом вопросе сентиментален.

— Я могу с вами сотрудничать, но при одном условии, — сказал Камский. — Вы меня больше не допрашиваете по ограблению Sorento Store. О'кей?

Питер и Бил переглянулись. Они уже обсудили между собой все мотивы, по которым он вдруг проявил такую инициативу, но не пришли ни к каким выводам. Или партнеры Камского имеют что-то против него, чего Питер и Бил не знают, или в обмен на сотрудничество в Чикаго он захочет от Била и Питера защиты здесь, в Нью-Йорке, по делу «Sorento Jewelers».

— Вы, конечно, думаете: зачем я это делаю? — сказал Камский. — Зачем мне затевать это ограбление в Чикаго? Я вам скажу зачем. Я хочу доказать вам, что не имею никакого отношения к ограблению «Sorento Jewelers». Вы понимаете.

— Sure,— сказал Бил по-английски.

— Konechno, — повторил Питер по-русски, хотя оба они ни на йоту не поверили в это объяснение. — Как ты будешь это делать?

— Сейчас я не могу вам сказать. Все в свое время.

— Well, один из вас уже сыграл с нами в такую игру. Ты думаешь, нас можно два раза наебать одним и тем же фокусом?

— Нет, — сказал Яков. — Я не собираюсь вас наебывать. Вы будете знать каждый мой шаг, и когда они придут грабить магазин, вы их возьмете. Так вас устроит?

— Так устроит, да. А кто будет грабить магазин?

— Сегодня я больше ничего не могу сказать. Сегодня я прилетел только решить с вами этот вопрос в принципе. Если мы договорились, то я начну это дело, — и Камский вопросительно посмотрел на них обоих.

— Давай, — сказал Питер.

Он не знал, в какую игру играет с ними этот Камский.

Но другой игры v них все равно не было. К тому же к концу рабочего дня, когда они вернулись в свой офис на Квинс Бульваре, на их столах лежало сообщение из полицейского участка во Франклин Сквер, Лонг-Айленд, о том, что там только что произошло ограбление ювелирного магазина «Milano Jewelers». Согласно полицейскому рапорту, два грабителя в масках вошли в магазин, затолкали хозяина Натана Родина и его свекра в заднюю комнату, наручниками приковали их к водопроводной трубе, а затем унесли ювелирных изделий на 280 000 долларов. Через два часа после ограбления Родин и его свекр сумели сорвать трубу и вызвали полицию.

Прочитав это сообщение, Питер присвистнул:

— Эти ребята уж слишком отчаянные! Или... Или здесь что-то не так. Но что?

Часть 3

СЕРЬЕЗНЫЕ ЛЮДИ

Это был один из тех редких в Нью-Йорке февральских дней, когда кажется, что уже — весна. Теплое солнце тянет людей на улицы, и во время ланча весь центр Манхэттена запружен праздношатающейся публикой — молодые банковские служащие, адвокаты, клерки, страховые агенты, сейлсмены, туристы. Все блаженно греются в солнечном тепле, пристраиваются на ступеньках Публичной библиотеки, Рокфеллеровского центра и Храма Святого Патрика со своими бутербродами и напитками или просто гуляют, улыбаются, шутят и глазеют по сторонам.

Именно в такой полдень на углу Парк-Авеню и 53-й улицы, перед роскошным 40-этажным зелено-стеклянно-стальным небоскребом остановился черный «Бьюик» с эмблемой ФБР на переднем стекле. Из машины вышел Питер Гриненко и Бил Мошелло. Хотя парковаться на Парк-Авеню запрещено, они спокойно оставили машину и вошли в вестибюль.

— Вы не собираетесь парковать машину? — удивленно спросил их один из дежурных-портье.

— Нет, пусть стоит, — небрежно ответил Питер.

— ФБР, — пояснил на ходу Бил и остановился перед дежурным, восседавшим за стойкой из светлого мрамора. Внутренняя панель этой стойки была в телеэкранах, и дежурный видел на них коридоры всех этажей и кабины всех лифтов. Поскольку время ланча заканчивалось, с улицы потекли в здание первые ручейки служащих.

— Адвокатская фирма «Thompson & Thompson»? —

спросил Бил у дежурного.

— Тридцать второй этаж, джентльмены, — ответил тот. — У вас назначена встреча?

— Да. ФБР, — и они прошли к лифту.

— Спокойно, — сказал ему Питер.

— Я спокоен, не бойся...

Но на самом деле они оба были возбуждены. За спиной было три месяца кропотливой и малоэффективной работы по вербовке осведомителей в русской колонии на Брайтоне, накоплению информации, расследованию нескольких мелких преступлений, не имеющих никакой связи с ограблением ювелирных магазинов «Sorento Jewelers» в Нью-Йорке и «Milano Jewelers» в Лонг-Айленде, раздражающие запросы из страховых компаний на доказательства set up этих грабежей, маловразумительные беседы с чикагским ювелирным торговцем Яковом Камским, настойчивые попытки 112-го полицейского участка Квинса закрыть дело ювелирных аферистов, как бесперспективное, и утомительные переговоры с Прокуратурой и Судом штата Rode Island по поводу этого несчастного чека Марата Оскольного на 15000 долларов. Хотя выписать чек, не имея денег в банке, и отправить этот чек своему кредитору в другой штат действительно является федеральным преступлением, прокуратура Род-Айленда очень неохотно занялась этим мелким делом и для начала просто послала Марату Оскольному письмо-предупреждение с требованием уплатить деньги кредитору. Но Оскольный проигнорировал не только первое письмо, но и второе, аналогичное. — «Ты видишь, — объяснил Гриненко помощнику род-айландского прокурора. — Эти преступники думают, что если они берут себе дорогого адвоката с Парк-Авеню, то они уже могут все! Не только устраивать мнимые ограбления, требовать денег со страховых компаний и отказываться разговаривать с американскими следователями, но и просто плевать на законы какого-то там мелкого штата Род-Айленд! Ты знаешь, как это звучит по русски? Polozhit s priborom. Это то, что они с вами делают. Они кладут на вас свой prick с яйцами!

На следующий день Federal Express доставил Гриненко ордер на арест Марата Оскольного, подписанный самим Федеральным судьей штата Род-Айленд. Питер шлепнул этот ордер на стол главного скептика всей этой затеи с чеком — своего партнера Била Мошелло. Бил посмотрел на ордер и воскликнул.

— Мы сделали это! Отлично! Поехали брать этого Оскольного, немедленно!

— Ты же знаешь, что он не хочет встречаться с нами без своего адвоката, — сказал Питер.

Бил посмотрел на Питера, и в его темных смышленных глазах тут же вспыхнули блики озорной догадки.

— Ты сукин сын! — сказал он с восторгом.

«Все-таки приятно, когда партнер понимает тебя с полуслова», — подумал Питер. Они позвонили адвокату Сиднею Томпсону-Младшему и сказали, что им нужно встретиться с его клиентом мистером Маратом Оскольным. «По какому вопросу? — спросил мистер Томпсон.» «По поводу ограбления его магазина. Это не займет много времени, у нас всего несколько вопросов».— «Только в моем офисе, — сказал Томпсон. — Договоритесь с моим секретарем о времени. Good bye».

Они сказали секретарю: «Завтра в час дня». — «Я должен согласовать с господином Оскольным», — возразил секретарь. — А если мистер Оскольный не сможет в это время?» — «Тогда послезавтра в это же время — в час дня».— «Хорошо я вам позвоню...»

Поднимаясь в лифте, Питер сам взглянул на свои наручные часы. Было ровно 12.59.

— Никаких разговоров с этим fucking адвокатом, ты помнишь? — напомнил он Билу их уговор.

— Не бойся. Я же сам адвокат. Я знаю, как разговаривать с нашим братом.

Двери лифта открылись, и они оказались в фойе фирмы

«Thompson &Thompson Attorneys Inc.», которая занимала тут весь этаж. Золоченая табличка сообщала, что «Thompson &Thompson Attorneys Inc.» основана в 1873 году. А судя по величине этого фойе и количеству натуральной кожи, хрома и мрамора в его отделке, мистер Томпсон-младший брал со своих клиентов не меньше 500 в час.

— Прошу вас сюда, джентльмены. В конференц-зал, — сказал им пожилой секретарь в сером костюме от Brooks Brothers и по длинному коридору повел их вдоль вереницы открытых и закрытых дверей в глубину офиса. За этими дверьми мерцали экраны компьютеров, слышались всплески телефонных звонков, ворчание факсов и телетайпов и приглушенные голоса сотрудников и клерков — нормальная обстановка крупной и респектабельной адвокатской фирмы. Конференц-зал оказался огромным, со старинной кожаной мебелью, с розовым ковром на полу, с роскошным видом на Panam Building за широкими окнами, с книжными стеллажами, заполненными томами юридических кодексов, с гигантским, как взлетная полоса, полированным столом для заседаний и с еще одним столом для главы фирмы. На стенах, оформленных под мрамор, висели три картины в строгих рамках, и по характерной композиции и рисунку любой посетитель, даже самый далекий от искусства, тут же понимал, что это Пикассо. Но и опытные взгляды Питера и Била не разглядели ни рядом с картинами, ни над ними никаких признаков защиты или сигнализации. Тем не менее в подлинности картин сомнений быть не могло — такие респектабельные фирмы не станут украшать конференц-залы копиями или подделками.

— Пожалуйста, садитесь, — сказал секретарь. — Мистер Томпсон и мистер Оскольный будут через минуту.

Бил подошел к окну, а Питер сел в кожаное кресло у стены и вытянул ноги.

Через минуту в двери появился молодой, высокий, с фигурой теннисиста адвокат. Гладко зачесанные волосы, холеное непроницаемое лицо и холодные светлые глаза за золотыми очками. Темный костюм, кремовая рубашка и галстук с бриллиантовой застежкой, а на правой руке — золотой «Ролекс». Следом за адвокатом вошел Марат Оскольный, тоже в темном костюме и при галстуке, затянутом чересчур на его толстой шее. Тяжелое лицо Оскольного было напыщено и замкнуто, как у Громыко на заседаниях ООН. Третьей вошла женщина лет тридцати, до того похожая на Оскольного, что и без представления было ясно, что это его дочь.

— Здравствуйте, господа, — быстро сказал Томпсон-младший, проходя к своему столу главы фирмы. А Оскольные сели неподалеку от него, в кресла у стены.

— Итак, — сказал Томпсон, обращаясь ко всем. — Вчера полицейский детектив мистер Гриненко и агент ФБР мистер Мошелло выразили желание встретиться с мистером Маратом Оскольным, моим клиентом, и задать ему несколько вопросов по поводу ограбления его магазина «Sorento Jewelers», которое случилось несколько месяцев назад. Поскольку все усилия полиции и ФБР отыскать грабителей оказались безуспешными и поскольку полные показания по этому ограблению мистер Оскольный уже неоднократно давал полицейскому детективу Ларкину, мы могли бы запросить специальное разрешение прокурора, подтверждающее необходимость допросов моего клиента, и без того травмированного случившимся несчастьем...

Тут Бил вздохнул и открыл было рот, чтобы перебить болтуна, но Питер резко повернул к нему голову, и Бил выдохнул воздух, не сказав ни слова. Конечно, этот Томпсон получает со своего клиента за время и чем больше он говорит, тем больше он потом сдерет с Оскольного. Но почему он, Билл Мошелло, должен слушать этот словесный понос? Интересно, а если бы он не пошел в ФБР, а продолжил свою адвокатскую карьеру, смог бы он защищать такое дерьмо, как этот Оскольный?

Впрочем, ладно, раз уж они с Питером договорились, он доиграет эту игру. В конце концов, после трех месяцев занудной работы они имеют право позволить себе поразвлечься. Особенно если иметь в виду, что вот-вот должна, наконец, закрутиться карусель и с Яковом Камским — Яков позвонил утром из Чикаго и сказал, что завтра он вылетает в Нью-Йорк на встречу с будущими грабителями его магазина.

— Однако учитывая нашу заинтересованность в скорейшем завершении нашего расследования, господа, — говорил тем временем Томпсон, — имея в виду, что страховая компания задерживает выплату страховки до конца этого расследования, мы пошли навстречу вашей просьбе. Можете задавать моему клиенту ваши вопросы. Пожалуйста.

Бил посмотрел на Питера. — «Ну как,— спрашивал его взгляд, — поехали?» — Питер кивнул.

— У нас нет вопросов к вашему клиенту, — сказал Бил, вставая. — У нас есть документ, который мы хотим вам показать.

И через весь огромный конференц-зал прошел к столу адвоката и положил перед ним прибывший из Род-Айленда ордер на арест Марата Оскольного.

Одновременно поднялся и Питер. Он вытащил из кармана стальные наручники и пересек зал поперек — к Оскольному.

— Вставай! — сказал он ему по-русски.

Оскольный, не поднимаясь, изумленно посмотрел на своего адвоката.

— Адвокат! — сказал Питер. — Скажи твоему клиенту, чтобы он встал!

— Вы... Вы... — растерялся адвокат. — Вы пришли сюда под другим предлогом. Вы мне соврали...

— Ты абсолютно прав, — заверил его Питер. — Мы наврали тебе. Но теперь этот преступник сидит, у нас есть ордер на его арест! — и уже по-русски снова сказал Оскольному: — Вставай, сука!

Оскольный встал, все еще глядя на своего адвоката.

Питер стал надевать ему наручники.

— Вы не можете это сделать здесь! — сказал адвокат.

— Мы не только можем, — сказал ему Бил с усмешкой, — но мы делаем это! Ты же прочел документ — это федеральный ордер на арест преступника, а если ты будешь лезть своим ебаным рылом и мешать нам исполнять наши обязанности, мы выдерем тебе ноги из твоей fucking задницы!

Действительно, никто, даже адвокат, не имеет права мешать полицейскому арестовать преступника на основании Federal Arrest Warrant, это уголовное преступление, и Томпсон, знающий законы, тут же испугался:

— Я не лезу! Я вам не мешаю!

А Питер, защелкивая наручники на руках Оскольного, сказал ему по-русски:

— Это хорошо, что ты пришел с дочкой. Ты хотел показать ей, что ты самый умный. Очень хорошо. Хоть один день, но ты посидишь в нашей тюрьме. Конечно, завтра он тебя вытащит под залог, но до завтра я тебя посажу. Как обещал. Пошли.

И не повернувшись к этому дорогому лощеному адвокату, повел арестованного из конференц-зала.

По дороге, в коридоре десятки лиц испуганно и изумленно высунулись из дверей всех кабинетов фирмы «Thompson & Thompson». Было совершенно очевидно, что с момента основания этой фирмы в 1873 году это был первый случай, чтобы их клиента вывели отсюда в наручниках.

Но это было еще не все, ведь они не зря назначили встречу с Оскольным на час дня. Было 1.04 пополудни, и сотни клерков, адвокатов, банкиров, секретарш и бизнесменов спешили после ланча занять свои рабочие места на всех этажах этого стеклянно-стального небоскреба. Лифты были забиты, а внизу, в беломраморном фойе, тоже была немалая и по-весеннему оживленная толпа. И сквозь эту толпу Питер Гриненко и Бил Мошелло вели арестованного Оскольного, красного от бешенства и с наручниками на руках. При виде этих наручников, люди ошарашенно смолкали и расступались.

— Теперь я знаю, как с тобой разговаривать, — сказал на ходу Питер Билу.

— Что ты имеешь в виду?

— Я видел, как ты говорил с адвокатом. Fuck через каждое слово. А ты ведь тоже адвокат.

Возле парадных дверей Оскольный сказал Питеру по-русски:

— Я таких, как ты, видал там, в Союзе

— А я — что? — тоже по-русски ответил ему Питер. — Я просто полицейский. Ты не хотел со мной разговаривать — и не разговаривай. Ты сейчас поедешь в тюрьму. Сначала тут, в Нью-Йорке, потом — в Род-Айленд. Может быть, не за set up «Sorento Store», но все равно посидишь немного.

На залитой солнцем Парк-Авеню Бил сел к рулю, а Питер открыл заднюю дверь служебного «Бьюика», характерным жестом полицейского положил свою тяжелую руку Оскольному на голову и толчком посадил его на заднее сиденье машины Прохожие кто оторопело, а кто с любопытством останавливались, глядя на эту картину.

— Положил я на это! — презрительно сказал Оскольный по-русски.

— Конечно! — с усмешкой отозвался спереди Бил. — S priborom?

И резко тронул машину. Его любимая радиостанция 10-10 WINS снова передавала новости, и одной из этих новостей было сообщение о том, что в Москве умер советский лидер Юрий Андропов, а новым хозяином Кремля стал Константин Черненко. Но к охоте за красной мафией в Нью-Йорке эта новость не имела никакого отношения. Хотя — кто знает?

* * *

Несколькими мелкими и рутинными делами, которые тоже казались не имеющими никакого отношения к ограблению ювелирных магазинов, были периодические просьбы American Express расследовать очередную «пропажу» каких-нибудь дорогих покупок или травел-чеков, которые участились среди русских эмигрантов. Выяснив, что American Express возмещает стоимость украденных вещей, купленных по кредитной American Express карточке, многие русские эмигранты вдруг стали жертвами уличных воров. И хотя заниматься этой мелочевкой Питеру и Билу было не очень интересно, но, с другой стороны, эти «жертвы» значительно пополнили их картотеку, а некоторые даже стали неплохими осведомителями. И когда Херб Голдстейн, сотрудник American Express, сообщил, что очередной русский подал в Лос-Анджелесе требование на возмещение украденных у него American Express Travel Checks на 10 000 долларов, Питер аккуратно записал все данные «потерпевшего»: Майкл Галанов, турист из ФРГ. Адрес, по которому он просит выслать деньги: c/o Mr. Leo Kaufman, 842 W 96 Str., apt. 6B, New York. При этом Херб Голдстейн попросил Питера побыстрей заняться этим случаем, поскольку мистер Галанов специально заходил в их офис в Лос-Анджелесе и настоятельно просил вернуть ему эти деньги до отлета в Германию.

Но телефон мистера Лео Кауфмана не отвечал ни утром, ни днем, ни поздно ночью. А еще через пару дней, как раз после ареста Оскольного, тот же Херб Голдстейн опять позвонил Питеру и сказал, что у него есть дополнительная информация по этому делу: только что ему звонили из Сан-Диего, из полиции, и сказали, что Майкл Галанов задержан там по подозрению в мошенничестве. При обыске у него обнаружена квитанция запроса American Express на $ 10 000.

— Какого типа мошенничество? — спросил Питер.

Ответ Голдстейна заставил его подпрыгнуть на стуле.

— Подмена бриллиантов, — сказал Херб. — Этот Галанов и еще двое русских — муж и жена — пытались продать там ювелиру фальшивое ожерелье.

— Что? — воскликнул Питер и через минуту уже

разговаривал с Сан-Диего, с полицейским детективом, который вел там это дело. Тот сообщил ему любопытные подробности.

Мистер Майкл Галанов, турист из ФРГ, с его нью-йоркскими друзьями Ларисой и Лео Кауфманами, путешествуя по Калифорнии, зашли в Сан-Диего в ювелирный магазин и предложили хозяину купить у них бриллиантовое ожерелье стоимостью в $ 50 000. Поскольку ожерелье явно тянуло тысяч на сто, ювелир под каким-то предлогом ушел в заднюю комнату магазина и позвонил в полицию. Потом вернулся и стал торговаться с хозяином ожерелья, при этом ожерелье несколько раз переходило из рук в руки, и когда приехала полиция, то на стойке уже лежало фальшивое ожерелье — точная копия того, которое аферисты предлагали ювелиру сначала. Их задержали, привезли в полицию и при обыске обнаружили второе ожерелье — подлинное И тогда сандиеговский детектив произвел небольшой фокус связался с управлением кадров городской полиции и выяснил, что среди городских патрульных полицейских есть полицейский русского происхождения. Через несколько минут этот полицейский уже прибыл в участок, где сидели задержанные аферисты, переоделся под бродягу и — с наручниками на руках и с магнитофоном в кармане — сел в камеру предварительного заключения. Сюда же, после фотографирования и перед допросом, посадили русских аферистов. Позже, когда этот полицейский переводил детективам запись на магнитофонной пленке, они получили большое удовольствие: русские, полагая, что во всем Сан-Диего никто их не понимает, не стеснялись в выражениях называли полицейских «мудаками» и «идиотами» и сговаривались насчет будущих показаний. Мол, они скажут что у каждого дорогого ювелирного изделия есть фальшивая копия, это для «протэкшэн» и описано в десятках книг а то, что эта копия оказалась на прилавке, — это просто ошибка, случайность, они собирались продать ювелиру подлинник. «Хули эти американские долдоны понимают!

Мы им запудрим мозги, как цыплятам!»

Но, хотя «запудрить мозги» полиции аферистам не удалось, из-под ареста их выпустили, поскольку фактически преступления не произошло: ведь они еще не получили денег за свое фальшивое ожерелье.

— Ты шутишь! — испугался Питер. — Ты их выпустил?

— Я не могу получить ордер на их арест, если нет преступления. Но могу прислать тебе их фотографии.

— Мне не нужны их фотографии! Я тебе без фотографий скажу, как они выглядят! — и Питер стал читать ему приметы аферистов, которые надули в Лонг-Айленде старика Менделя Асафа. Приметы совпали с точностью до цвета глаз красотки Ларисы Кауфман.

— Это они, — сказал сандиеговский детектив. — Нет сомнения.

— Так задержи их! Или они уже смылись?

— Они никуда не смоются — у нас их бриллиантовые ожерелья. Оба — и настоящее и фальшивое. Они поселились в гостинице «Motor Inn» и завтра придут ко мне с адвокатом, чтобы забрать эти ожерелья.

— Ты уверен?

— Абсолютно! Этот адвокат уже звонил мне, и я назначил им апойтмент на завтра, на 3 дня.

— О'кей. Сегодня к тебе вылетит детектив из 112 участка Квинса. У него будет ордер на их арест!

Но арестовать в Сан-Диего удалось только Майкла Галанова и Лео Кауфмана. Красотка Лариса Кауфман, которая так нравилась старику Менделю Асафу, за ожерельем не пришла. Тем не менее, Питеру казалось, что он не зря притормозил дело Родина и Шмеля о вымогательстве. Теперь, как только из Сан-Диего привезут Галанова и Кауфмана, Натану Родину уже никуда не деться: либо он сядет в тюрьму за обман старика Асафа, либо будет сотрудничать с ФБР.

* * *

Яков Камский прилетел в Аэропорт «Ла Гвардия» самолетом компании United Airline. Он был в теплом плаще, хорошем костюме и с «дипломатом» в руке. Пожилой, плотный, с крупным и усталым лицом, он выглядел бизнесменом, озабоченным своими будничными делами Идя вместе с другими пассажирами по длинному коридору в зал ожидания, он, как и обучили его Питер и Бил, смотрел только прямо перед собой — туда, где его встречали «друзья»: высокий сорокалетний брюнет с пышной и жесткой шевелюрой и плотный рыжий здоровяк — оба в кожаных куртках, которые так любят русские эмигранты Рядом с ними стоял темноволосый пожилой крепыш в Блейзере и джинсах.

Еще до появления Камского в зале ожидания десять сотрудников ФБР, которые прибыли в аэропорт вместе с Питером и Билом, идентифицировали этого крепыша — это был Марио Контини из Genovesse family,* одного из четырех основных кланов итальянской мафии в Нью-Йорке. А двух других Питер и Бил идентифицировали сами: рыжий здоровяк был Пиня Громов, мелкий торговец наркотиками, еще в сентябре Питер и Бил «гуляли» в ресторане «Садко» на бармицве его сына, а высокий брюнет с пышной шевелюрой был Вячеслав Любарский, известный на Брайтоне своей криминальной славой, но без криминального дела в полиции. Таким образом, Питер и Бил могли поздравить себя с первым успехом: связь русских криминальных кругов с итальянской мафией была налицо

Однако кроме этого визуального (и, конечно, закрепленного на фото- и видеопленку) контакта никаких других улик эта встреча Камского с «друзьями» не давала — еще вчера, во время телефонного разговора Камский категорически отказался прихватить с собой портативный магнитофон или

---

* Семьи Дженовьезе

хотя бы радиомикрофон. Он объяснил это боязнью разоблачения и оказался прав: «друзья» не только поздоровались с ним за руку, но и радушно обняли его при встрече. При этом Любарский многократно похлопал Камского по плечам, по бокам и по карманам. Потом, дружески приобняв, повел его из аэровокзала на автостоянку.

Агенты ФБР следовали за ними на расстоянии. А Питер и Бил держались еще дальше, поскольку их лица уже были известны на весь Брайтон-Бич. О чем этот Любарский, Контини и Громов говорили с Камским, никто из агентов не слышал.

На автостоянке Контини сел за руль новенького черного лимузина «Линкольн-Континентал», а Любарский, Громов и Камский — на заднее сиденье. При этом Камского Любарский и Громов посадили между собой.

Агенты ФБР встревоженно переглянулись, Бил и Питер тут же нырнули в свою машину.

Через минуту шлагбаум выпустил «Линкольн-Континентал» из автостоянки, лимузин влился в поток машин на Grand Central, потом перешел на Belt Park Way и поехал на юг в Бруклин.

Четыре машины с агентами ФБР следовали за этим лимузином, держа между собой связь по радио и поочередно сменяя друг друга на хвосте «объекта».

В Бруклине, сойдя с Belt Park Way на Coney Island Avenue, «Линкольн-Континентал» прокатил еще несколько кварталов и остановился. Контини, Любарский и Громов вышли из машины и повели своего чикагского «друга» к дверям респектабельного ресторана без всякой вывески. Агенты ФБР знали этот ресторан и понимали, что им туда заходить нельзя. Это был известный в Бруклине Итальянский клуб. Впрочем, через полтора часа Камский вышел из ресторана живой и невредимый и сел в подкатившее «такси». Еще через час, все в той же квартире на Yellowstone Бульваре, он, отослав свою маму к ее подругам, говорил

Питеру и Билу в полной панике:

— Я влип! Боже мой, как я влип! Вы видели их? Но вы еще не всех видели! Хорошо, сейчас я расскажу все по порядку. Все началось с этого Славы Любарского. Он «вор в законе» — настоящий убийца и сидел в России за грабежи сберкасс. И вот уже три месяца он заставляет меня сделать set up моего магазина. Но ему я еще мог пудрить мозги или сдать его вам. Но теперь, Боже мой! Вы видели, куда они меня привезли? В этом ресторане был Джулио Оливьерри, они привезли меня к нему. Вы знаете, кто это? Слава объяснил мне по дороге. Контини тоже из мафии, но по сравнению с этим Джулио он пешка. Или по-русски «шестерка». Как Пиня Громов при Любарском. А Джулио это «made man», то есть элита мафии. И он сказал мне коротко и ясно. Он сказал так: если ты не сделаешь это set up так, как мы говорим, то мы расквасим твою башку, как арбуз. — И я боюсь, Питер. Тут же не просто русские дела, тут настоящая итальянская мафия!

— Что они хотят?

— Они хотят, чтобы я накачал в магазин золота и бриллиантов на миллион долларов. И чтобы я взял себе самую дорогую страховку. И тогда они меня грабанут.

— А какая твоя доля?

— Двадцать процентов.

— Ты торговался?

— Я мог торговаться раньше, со Славой и Пиней. Но с этим Джулио какая торговля? Он сказал: «Мы даем тебе двадцать процентов. Точка». Понимаешь? Это они командуют парадом, не я. Они назначают ограбление, а я только пешка — доставляю ювелирный товар, складываю в свой сейф и, когда им удобно, они приходят и все забирают, ничем не рискуя. И плюс восемьдесят процентов от страховки. Ты понимаешь? За такой куш они кому угодно голову расквасят. Боже мой, на кой хер я с вами связался? Они меня просто убьют, если узнают!

— Ничего они не узнают, не бзди. Это Любарский

грабил «Sorento»?

— Я же вам сказал: я про «Sorento» ничего не знаю! Все, что я знаю, — что я влип. Я думал, что я подставлю вам Славу Любарского и Громова, и на этом все кончится! А оказывается! Все, мне пиздец!

— Успокойся. Когда все кончится, ты пойдешь на witness protection program, программу защиты свидетелей государственного обвинения. Ты знаешь, что это такое?

— О, Боже мой!

— А пока твоя задача — тянуть это дело. Мы тебе поможем иметь трудности с получением ювелирного товара. А они будут на тебя давить и угрожать, но чем больше у вас будет встреч, тем больше будет у нас доказательств для суда. И ничего не бойся, запомни: ни Джулио, ни Контини тебя пальцем не тронут до ограбления, потому что ты им нужен.

— Они сказали, что пришлют ко мне в Чикаго людей посмотреть, как устроена у меня сигнализация и сколько товара в сейфе.

— Отлично. Они назвали дату?

— Нет. Но они позвонят. Боже мой, что я наделал!...

* * *

Менделя Асафа Питер нашел на еврейском кладбище. Старик стоял у могилы жены и раскачивался в беззвучной молитве. Холодный мартовский ветер переметал кладбище последней, предвесенней поземкой. Но старик не ощущал ни холода, ни появления посторонних. Закрыв глаза, он продолжал раскачиваться и шептать губами слова молитвы.

Питер долго стоял рядом с ним и терпеливо ждал. Судя по табличке на могиле, жена Менделя Асафа умерла месяц назад. Питер не был уверен, что у старика есть деньги даже на памятник.

Наконец, в молитве старика возникла пауза, Питер сказал негромко:

— Мистер Асаф...

Старик повернул к нему свое небритое морщинистое лицо.

— Это вы? — сказал он негромко и показал на могилу. — Ты видишь? Она не пережила...

— Я думаю, мы нашли их, — сказал Питер.

В 112-м полицейском участке старик Асаф с первого взгляда опознал в Галанове «Мишу», мужа «Фаины», а в Лео Кауфмане — их «приятеля Леонида».

— А где Фаина? — спросил старик у Питера.

— Будет! — твердо сказал Питер. — Ее настоящее имя «Лариса». Мы найдем ее!

Старик посмотрел на него, качнул, как в молитве, головой взад и вперед и сказал негромко:

– Все-таки Бог есть... Спасибо, молодой человек

И после небольшой паузы спросил:

— И ты думаешь, я смогу получить назад свои деньги?

— Это я не могу обещать, — честно сказал Питер. — Понимаете, мистер Асаф, в глазах суда вы тоже будете не безгрешный. Если говорить формально, вы ведь тоже хотели их надуть — купить за 70 000 то, что стоит 150 000.

Старик пожевал губами, потом сказал:

— Я понимаю. Все равно это хорошо, что вы нашли их.

— Еще не всех. Но я посажу их всех четверых, я обещаю.

— Благослави тебя Бог, сынок!

Когда старик ушел, Питер сказал Билу:

— Я не знаю, найдем мы русскую мафию или нет. И, честно говоря, я на это положил с прибором. Но что я посажу этого мерзавца Родина — я клянусь!

— Ты же хотел его завербовать, — напомнил Бил.

— Я передумал.

— Я не знал, что ты настолько сентиментален, — заметил Бил.

* * *

Но к изумлению Питера и Била, даже на очной ставке

Галанова и Кауфмана с Натаном Родиным они заявили, что не знают и никогда не видели друг друга.

— Ты их нашел и спланировал всю операцию, ты, персонально! — наседали на Родина следователи в 112-м участке.

— Это ваше больное воображение, — спокойно сказал Родин.

— А где Лариса Кауфман?

— Я не знаю, о ком вы говорите.

— Знаешь!

— Вы это не можете доказать.

— Я докажу это! — взбешенно сказал ему Питер по-русски. — Но когда я докажу, я уже не буду предлагать тебе сотрудничать! Я посажу тебя на всю катушку! Бля буду!

— Blya budu... Blya budu...— Бил зашелестел словарем русского мата. Потом, найдя это выражение, изумленно посмотрел на Питера: — Are you going to be prostitute? Ты собираешься быть проституткой?

— Отъебись! — отмахнулся Питер и снова повернулся к Родину. — Это твой последний шанс, Натан. Поверь мне, я не посажу тебя за вымогательство у страховых агентов, я не посажу тебя даже за set up твоего магазина. Но за смерть жены этого старика Менделя я посажу тебя на всю катушку. Вы не будете приезжать сюда из этой ебаной России и отправлять на кладбище наших старух!

— Я не знаю, о чем ты говоришь, — пожал плечами Родин.

— I think you don't understand Russian. Я думаю, ты плохо понимаешь по-русски, — сказал Бил Питеру. — Он сказал тебе «ot'ebis». Это значит «fuck of, man!»

* * *

Но у них была еще одна карта — Лариса Кауфман. Вот что рассказывает по этому поводу Питер Гриненко. «Конечно, у нас был ордер на арест этой аферистки, а ее муж, который уже сидел под арестом, дал нам телефон своего адвоката. И мы могли позвонить этому адвокату и сказать ему, чтобы его клиентка сама сдалась в полицию. Но мы не хотели этого. Во-первых, потому что адвокат тут же предложит за нее залог, и она не просидит в тюрьме ни минуты. А я очень хотел, чтобы она хоть сутки просидела в американской тюрьме. Очень хотел! Я не ожидал, что она от этого расколется и выдаст нам всю русскую мафию, но признать знакомство с Натаном Родиным — на это можно было рассчитывать. А во-вторых, если она сама пойдет сдаваться в полицию, то перед этим она приведет свою квартиру в порядок, правильно? А мы этого не хотели. Мы хотели ее арестовать, посадить в тюрьму, и тогда суд дал бы нам ордер на обыск ее квартиры. И, может быть, мы бы нашли там что-нибудь интересное.

Короче говоря, мы решили подежурить возле ее дома на Весте 96-ой улицы. Рано утром Бил и два детектива из 112-го участка заехали за мной в Квинс, и мы поехали в Манхэттен, на 96-ю. А у меня есть дурная привычка: я не люблю таскать с собой пистолет. Только когда какое-нибудь специальное дело, тогда — да. И в то утро я просто забыл про этот fucking пистолет, а сел в машину и поехал.

И вот мы сидим в машине перед домом на углу 96-ой и Вест Энд Авеню. И какая-то молодая женщина выходит из подъезда, и мне показалось, что она похожа на Ларису Кауфман, но на ней кроссовки. Я говорю одному из детективов: на ней кроссовки, а русские бабы кроссовки не носят, но черт ее знает — может, это она. Ты хочешь пойти за ней? — Он говорит: «да». И мы вдвоем пошли за ней. А она идет и идет пешком — квартал за кварталом! И мы — два увальня-детектива — тоже давим за ней пешком. Десять кварталов, пятнадцать, двадцать! А тут весна, солнце, жара, мы взмокли от пота! Наконец, на 72-й и она заходит в «Аренду машин», берет машину на прокат, и как только она выходит из конторы в гараж за машиной, я бегу в офис, показываю свое удостоверение и говорю: «Ее фамилия, случайно, не Кауфман?» Они говорят: «Нет, ее фамилия

Смит.» Ну или что-то в этом роде. Я говорю «о'кей», и мы идем обратно. По жаре и вверх, к 96-ой. И я говорю: «Нет, я пешком не пойду!» И мы хотим поймать такси, но ничего нет. Вот такой fucking день — даже такси нет! И мы садимся в автобус и едем обратно. Возвращаемся на 96-ую улицу, выходим из автобуса, и этот детектив обходит автобус спереди и пересекает авеню, а я отстал, потому что хотел обойти автобус сзади, но автобус тронулся и весь поток машин тоже тронулся. То есть, тот детектив успел перейти через авеню и сел в машину к Билу, а я еще стою на этой стороне. А когда, наконец, переход открылся и я пошел, я вижу, что какой-то новенький бежевый «Мерседес-300» подъезжает к дому, за которым мы следим. И молодой черный парень с кустистой шевелюрой выскакивает из «Мерседеса» и кричит что-то наверх, на одну из террас этого дома. И я по его жестикуляции вижу, что он поддатый, на взводе, а он не видит меня, он стоит спиной ко мне и кричит что-то вверх, на балкон. Тут я подхожу к нашей машине и через окно говорю Билу: «Что тут происходит?» Он говорит «Я не знаю, он тут уже дважды приезжал и звал кого-то». Я говорю: «Я отойду и посмотрю со стороны». Потому что наша машина — темно-синий «Плимут» с четырьмя дверьми, любой, кто хоть когда-нибудь имел дело с полицией, понимает, что это полицейская машина. Особенно, если в ней сидят четыре таких шкафа, как мы. И вот я отхожу от Била и иду обратно до угла, а в это время черный парень садится в «Мерседес», доезжает до того же угла и паркует тут свою машину. Только не на той стороне, где я, а напротив. Тогда я останавливаюсь, расстегиваю пояс и начинаю поправлять трусы и рубашку и делать вид, что я не fucking мент. — Он смотрит на меня, видит, что я роюсь в штанах, выходит из машины с маленькой бумажной сумкой в руках, обходит свой «Мерседес» спереди и подходит к багажнику, что мне тоже показалось интересным — зачем идти к багажнику вокруг машины? А он открывает багажник и кладет туда эту сумку. Потом закрывает машину и идет обратно к дому и кричит женщине, которая выглянула с балкона:

— Ну спускайся же! Быстрей!

А это — молодая белая женщина, но лица мне, конечно, издали не видно.

И в это время на другом углу, на West End Awenue, притормаживает полицейская радиомашина с двумя полицейскими — женщиной и мужчиной. И тот черный парень видит их и тут же возвращается к своему «Мерседесу», открывает дверь, нагибается к водительскому сиденью, что-то достает и идет назад. И я вижу, что у него в руке пистолет и что он кладет этот пистолет под колесо машины, которая стоит позади его «Мерседеса». Но я еще не могу понять, зачем он это делает. Я только вижу, что он положил пистолет под колесо той соседней машины, и только тут вспоминаю, что я без пистолета! Я забыл этот fucking пистолет дома! И вот я стою там посреди улицы, и передо мной человек с пистолетом и явно под наркотиком, а я без пистолета! И он по-прежнему кричит той женщине:

— Быстрей, спускайся!

Тогда я медленно иду назад к нашей машине. Я знаю, что он заметил радиомашину, но я не хочу, чтобы он смотрел в нашу сторону, потому что он тут же опознает и в нас полицейских. И я очень медленно иду назад и думаю, как же мне привлечь внимание моего fucking партнера, который пиздит в машине с двумя детективами и не обращает ни на меня, ни на того парня никакого внимания? Окно нашей машины открыто, я стою недалеко и негромко зову:

— Бил...

Но он продолжает болтать и не слышит меня Я повторяю громче:

— Бил!

Но он все равно не слышит. И тогда я fucking кричу:

— Бил!!!

Он поворачивается:

— В чем дело?

Я говорю сквозь зубы:

— У парня пистолет. Перейди улицу к радиомашине и скажи, пусть полиция остановит его на каком-нибудь углу подальше отсюда. А я пойду назад. У него пистолет.

И в то же время я наблюдаю за этим парнем, а он продолжает говорить с бабой на балконе — мол, быстрей, спускайся. Но я уже понимаю, что теперь он может засечь меня в любой момент. И когда я пошел назад, этот fucking парень засек меня, я это кожей почувствовал. Я стал бежать к углу, но и он стал бежать к углу. Я бегу и думаю, что это глупо, потому что у меня нет пистолета, что я буду делать без пистолета? А Бил в это время бежит к полицейской радиомашине. Но я не хочу, чтоб они его брали тут, потому что Лариса должна была быть в этом ебаном доме. А если у этого черного есть оружие, то и у его бабы может быть оружие...

А он, этот черный парень, хватает из-под колеса машины свой пистолет, ныряет в «Мерседес» и отъезжает. Но за углом его уже ждет вторая патрульная машина и начинает преследовать. А детективы подхватывают на нашей машине Била, потом меня и мы тоже включаемся в погоню, а за нами еще мчится эта радиомашина. И погоня уже в эфире, что самое важное. И он, этот черный, понимает, что ему не уйти, что сейчас все полицейские машины будут тут. Он останавливает «Мерседес», выскакивает и бежит, и по дороге бросает пистолет в мусорную урну. Но патрульная машина уже там, два молодых полицейских хватают его, он сопротивляется, они скручивают его, надевают ему наручники и сажают на заднее сиденье. Потом выходят на радиосвязь и просят детектива, который может опознать его. А я уже здесь, мы подъехали, я говорю:

— Да, это он, поехали в участок!

И сажусь на заднее сиденье рядом с этим черным, а Билу кричу проверить «Мерседес». Но Бил сообразил: он сажает в «Мерседес» кого-то из полицейских, а сам с детективами из 112-го мчится назад, к дому Кауфман.

А я еду с этим черным в полицейский участок и вижу, что этот парень явно fucking психует.

Он наклоняется вперед и кусает молодого полицейского, который его брал. Я говорю:

— Что он делает?

Они говорят:

— Он кусается!

Тогда я схватил его за яйца, скрутил и говорю:

— А ну-ка меня укуси, так я оторву тебе яйца совсем!

Тут он сразу остыл. А я говорю этому молодому полицейскому:

— Почему ты разрешаешь кусать себя?

Он говорит:

— А я не знаю, что делать!

Я говорю:

— Ты видишь, что я делаю? Это то, что ты должен делать, когда он пытается тебя кусать. Ебни его! Ебни так, чтобы яйца лопнули!

И так мы приехали в 24-й участок. И когда они его выводили, он — даже в наручниках — брыкался и хотел лягнуть их ногами.

А в это время Бил уже вернулся к тому дому, и та баба, которая говорила с черным парнем, спустилась, наконец, вниз, но не одна, а с собакой. И он ей говорит: «Это ты говорила с тем парнем в «Мерседесе»?» Она говорит: «Да». Он говорит: «А это твой, что ли, «Мерседес»? Она: «Да, это мой «Мерседес».» Бил ей говорит: «Но у твоего друга пистолет». А она: «Это мой пистолет». Бил своим ушам не поверил: «Что?». Она ему говорит: «Это мой пистолет». Он ей: «Ну, тогда поехали в полицейский участок.» И оставил там дежурить двух детективов, а ее привез в полицию.

А я тем временем помог посадить этого парня в камеру наверху полицейского участка и спустился вниз. А там молодая полицейская, которая привезла сюда «Мерседес», рассказывает: «Мы открыли багажник, вытащили оттуда эту маленькую сумку, а в ней — два кило героина!»

И вот эта сумка и пакеты с героином лежат теперь на столе перед дежурным офицером, и один пакет порвался, и немножко героина рассыпалось по столу. Тут появился Бил и эта женщина с собакой, и я говорю ему: «Бил, кто она такая?» А он говорит: «Это ее пистолет». Я: «Что? Она в своем уме?» Он говорит: «Это ее парень, и она, наверно, хочет его выручить». Тут она сама подходит к дежурному офицеру и говорит: «Это мой пистолет». А я стою спиной к стойке, закрываю ей вид на пакеты с героином и говорю: «А как насчет героина?» Она: «И героин мой». Я говорю: «А в чем он был?» Она: «В сумке!» Тогда я отхожу, и она видит эту сумку и героин. Я говорю: «Это твоя сумка и твой героин?» Она говорит: «Да.» Но я еще не верю своим ушам, ведь два кило героина — это от 25 лет до пожизненного! Я говорю ей: «Ты уверена?» А она: «Абсолютно!» И — можешь себе представить? — слюнявит палец, макает его в рассыпанный на столе героин и слизывает языком!

Ну, а когда у вас в руках два кило героина, то вы должны вызвать людей из Прокуратуры и из Бюро по наркотикам и все такое. И они должны снять это все на видео. А пока ехала к нам Прокуратура, дежурный офицер спрашивает, кто произвел арест. В полиции за это дают кредит, благодарность, и, по правилам, арестовавшим офицерам является тот, кто был инициатором ареста. Тут молодая полицейская, которая вытащила героин из багажника, выступает вперед и говорит, что она была первой, кто по радио вызвал полицию. Конечно, она знает, что это Бил велел ей вызвать полицию, но Бил — агент ФБР и поэтому он не может в полиции получить credit за арест А им нужно выделить отличившегося полицейского. И вот она нахально заявляет, что она инициатор ареста. А я не хочу высовываться и брать это на себя, потому что это наркотики, и не просто наркотики, а два кило! То есть, полно потом хлопот с показаниями, а у нас своих дел по горло, у нас Яков Камский в Чикаго ждет гостей от Славы

Любарского, и Лариса Кауфман в бегах А, кроме того, арестовавший офицер должен сопровождать арестованных в Central Booking и, значит, быть при оружии. Поэтому я не хочу встревать в это дело. Но и этой нахалке не хочу отдавать credit. Поэтому я ей говорю: «Извини, кто сказал тебе, что нужно задержать этого парня?» Она говорит очень холодно: «Агент ФБР». Я говорю Билу: «Агент ФБР, кто сказал тебе, что у парня пистолет?» Бил говорит: «Полицейский детектив Гриненко». Я говорю ей: «Между прочим, это я — Гриненко. Это делает меня инициатором ареста, так?» Она говорит «Да...» Я говорю: «Но я не хочу credit за этот арест. Я считаю, что люди, которые рисковали своей жизнью, чтобы схватить преступника с пистолетом, — они должны получить credit за этот арест». И вот там стоят два этих молодых мента, и я говорю им: «Кто из вас двоих хочет этот арест?». Они смотрят друг на друга, а я говорю: «Вы взяли этого парня, вы и решайте между собой, кто из вас получит credit за арест».

Потом я выхожу к нашей машине, сажусь, а Бил, который все понял, говорит:

— Где твой пистолет?

Я говорю:

— Дома.

Он говорит:

— Ах-х, дома!..

Он любит это делать — как я что-то не так, то он показывает мне, что я кусок дерьма.

Я говорю ему:

— У меня нет при себе моего fucking пистолета и единственный в мире fucking человек, который это знает, это ты. Но если начальство узнает, что у меня нет при себе пистолета, во время операции, то ты будешь первый, кому за это влетит. Так что мы поняли друг друга. О'кей?

Он говорит:

— Я не скажу никому.

Я говорю·

— Тогда какого хера ты у меня спрашиваешь, где мой пистолет?

Короче, вот такой был тот день. Дежурить возле дома Кауфман уже не было смысла — слишком много шума и полиции. И мы позвонили ее адвокату и сказали, чтобы он посоветовал ей прийти в полицию и сдаться. И через три дня она сдалась. Но, конечно, сказала, что никакого Натана Родина не знает и никогда в глаза не видела.

* * *

Однако неудача с арестом Ларисы Кауфман — это было еще полбеды. Непредвиденная случайность — кого тут винить? Куда больней, если старательно и с таким трудом построенное здание рушится только потому, что кто-то поленился оторвать зад от своего теплого кресла...

Яков Камский не знал, когда ему ждать гостей-ревизоров от Контини и Оливьерри. Они могли приехать через три дня, могли — через пару недель, а могли и не приехать вовсе. Может быть, Любарский и Оливьерри только пугали Камского этими «ревизорами»? Поэтому ехать Питеру и Билу в Чикаго и сидеть там в ожидании неизвестно чего было нелепо. Но, с другой стороны, Камский очень трусил и просил, чтобы его охраняли во время визита гангстеров. К тому же, снять на видеопленку визит этих молодчиков и потом показать в суде, как они накануне «ограбления» проверяют в магазине систему сигнализации и содержимое сейфов, — разве можно мечтать о лучшей улике?

Бил связался с чикагским офисом ФБР и изложил им суть дела: посидеть на ювелирном магазине «La Vista» и, если появятся гости из Нью-Йорка, то снять их визит на видео и записать на магнитофон. Для таких многопытных ассов борьбы с преступностью, как чикагское ФБР, это было сущим пустяком, и выполнение операции поручили там специальному агенту Джорджу Набазному, который говорил по-украински, поскольку у него родители — украинцы. Но через два дня этот Набазный позвонил в

Нью-Йорк Билу и Питеру и сказал, что он не понимает Якова Камского ни по-русски, ни по-английски, и не напишут ли они сами разработку операции, чтобы он мог получить под это средства, людей и аппаратуру

Выругавшись, Питер и Бил позвонили Камскому, договорились с ним обо всех деталях операции, отправили Набазному разработку и успокоились. В конце концов, может быть, этот Джордж такой же любитель писанины, как Питер. А когда дело дойдет до оперативной полевой работы...

Камский позвонил в среду, 4 апреля, и сказал, что только что ему звонил Слава Любарский и велел ждать гостей сегодня после обеда. Питер тут же позвонил Джорджу Набазному в Чикаго. По их разработке, Джордж должен был сам, в роли продавца-ассистента, быть в магазине при Камском и «Наягрой», записать весь разговор гостей. А бригада агентов должна была с улицы, из машины снимать все видео- и фотокамерой. Джордж сказал Питеру, чтобы они не волновались, все будет о'кей. Питер положил трубку и уставился на детектива 112-го участка, который опять пришел с просьбой закрыть, наконец, это дело ювелирных аферистов, ведь Кауфманы и Галанов арестованы, а пришить к ним Натана Родина все равно не удалось. Так пора уже закрыть это дело и сбросить со своих плеч. Питер посмотрел на этого следователя, потом на Била. Бил индифферентно молчал, но его молчание было однозначным. В конце концов, говорило молчание, нужно посмотреть правде в глаза: ни завербовать этого Родина, ни уличить его в знакомстве с Кауфманами им не удалось. И если не закрыть это дело сейчас, оно повиснет и на них, и на 112-м участке как нераскрытое преступление. И повиснет неизвестно на какой срок, может быть — навсегда. А на кой черт это нужно, когда у них в руках аферисты, которые надули старика, и оба ожерелья — золотое и фальшивое. То есть, они могут выйти с этим делом на суд, как победители. Никому и в голову не придет, что тут был четвертый участник аферы.

Но Питер знал за собой это странное качество — упрямство Может быть, он обязан этим своим украинским, по линии отца предкам, поскольку украинцы знамениты упрямством, как ирландцы. А может — тем черным подросткам из Beford Styvasant, которые били его в детстве до тех пор, пока он сам не стал бить их в ответ. Как бы то ни было, но он чувствовал, как у него напряглись желваки на скулах и адреналин подскочил в крови. Однако служба в полиции научила его сдерживать эмоции. Он спросил у следователя 112-го:

— Ты помнишь наш первый разговор по этому делу?

— Да. И что?

— Я тебе сказал тогда, что это Родин организовал эту аферу?

— Ну, сказал. Но кого ебет, замешан Родин в этом деле или нет? У нас есть три преступника...

— Меня это ебет! — перебил Питер. — Этот кусок дерьма придумал всю операцию, навел жуликов на Менделя Асафа, давал им распоряжения и выеб этого старика так, что его жена уже в могиле! И ты хочешь, чтобы он вышел чистым из этого дела?

— Но мы не можем доказать даже, что он был знаком с этими аферистами!

— Я докажу это!

— Как?

— Еще не знаю..

Хотя на самом деле именно в этот момент у него родилась одна идея. Действительно, как он раньше не подумал об этом! Ведь все, что им нужно, это какой-нибудь документ, подтверждающий связь «Milano Jewelers Store» в Лонг-Айленде с квартирой Кауфманов в Манхэттене.

Через час в центральном офисе New-York Telephone на Третьей Авеню, у молодого клерка по имени Оскар Миллер Питер получил копии телефонных счетов Лео и Ларисы Кауфман (96-я улица, Манхэттен) и Натана Родина (Staten

Island). К огорчению Питера, New-York Telephone хранит телефонные счета своих абонентов только полгода, но Питер не отчаивался — в конце концов, эта афера произошла полгода назад, в октябре.

С толстой пачкой фотокопий телефонных счетов Питер вернулся в офис ФБР на Квинс-Бульваре и засел за работу Но уже через час разочарованно выпрямил спину — во всех телефонных счетах Кауфманов отсутствовал телефон Родина, а в счетах Родина — и в домашних и в рабочих — не было звонков Кауфманам. Родин звонил куда угодно — в Квинс, в Бруклин, в Пенсильванию, в Канаду, в Сан-Франциско, во Флориду и еще в десятки мест. Но он никогда — ни из дома, ни с работы — не набирал номер Кауфманов — (212) 874-32-15. Правда, именно в октябре он дважды набирал (212) 874-98-22, и судя по трем первым цифрам, это та же подстанция, но мало ли куда он мог звонить в Верхний Манхэттен? И, тем не менее, Питер уже без всякой надежды, а просто так, сам не зная зачем, набрал этот номер — 212-874-98-22.

— Извините, — сказал «автоматический» голос, — номер, который вы набрали, отключен.

Он сидел и тупо слушал повторение этого смертельного приговора своей «светлой» идее, когда на соседнем столе зазвонил телефон Била. Бил куда-то вышел, Питер снял трубку. Это звонил Камский из Чикаго. Он был в истерике. И, как все истерики, начал с ледяным спокойствием:

— Питер? Я звоню вам последний раз. Просто поставить вас в известность, чтобы вы забыли мой телефон. Я вас не знаю. Никогда не знал и знать не хочу!

— Подожди, что случилось?

— На хуй! Гуд бай! — выкрикнул Камский и дал отбой.

Fucking идиот, подумал Питер и набрал телефон магазина «La Vista» в Чикаго. Никто не снимал трубку так долго, что он уже собрался дать отбой и звонить Джорджу Забазному. Но вдруг Камский ответил:

— Да! Да! Ну, что нужно?

— Яков, что случилось?

— А то случилось, что нас могли убить, зарезать, — ни хуя это никого из вас не колышет! Я вас теперь знать не знаю!

— Подожди, эти «гости» были?

— Были! Конечно, были! Два итальянских бандита! Только что ушли! Два часа душу мне вынимали!

— Что ты имеешь в виду? Как это вынимали душу? А где Забазный? Дай мне поговорить с ним.

— Сейчас! — Издевательски воскликнул Камский. — Не было тут ни хуя никакого Забазного и вообще никого! Я и моя жена! Понимаешь? Я, моя жена и два бандита! Все! Они могли нас убить, зарезать — никакого ФБР, никого! Вот ваша защита! Лучше б я связался с КГБ!

Питер не мог поверить своим ушам и даже не стал успокаивать Камского, а просто сказал:

— Извини, я позвоню тебе через час.

Он положил трубку, сел на свой стол и обвел взглядом большой офис ФБР, полуопустевший к концу рабочего дня. Что он тут делает? Что он делает в этой бюрократической машине, где чем больше ты исписываешь бумаги и меньше работаешь — тем лучше для твоей карьеры. Конечно, смерть жены Менделя Асафа — это не его вина и не вина ФБР. Но если бы эти итальянские гангстеры пришили Камского или его жену — чья бы это была вина? Забазного, или его Питера? Конечно, Питера — ведь это он завербовал Камского, а потом бросил, положился на Чикагское ФБР. И вообще, они с Билом по крохам собирали этот case, они полгода мостили дорожку к русской мафии, они уже нащупали связи русских преступников с итальянской мафией, и вдруг... Да никому это тут не нужно, они тут забили на это!

В этот момент появился Бил. Он шел из глубины офиса, от лифта и нес пакет с едой и какие-то бумаги, которые ему на ходу вручил его начальник. Этим пакетом с едой он еще издали махнул Питеру:

— Я купил креветки, сэндвич и рисовый пудинг. Что ты хочешь!

Питер молчал.

— Вчера Рейган подписал директиву о борьбе с терроризмом, поддерживаемым иностранными государствами,— сказал Бил, кладя на свой стол пачку бумаг с грифом «Секретно» и пакет с едой. — Двадцать шесть федеральных и разведывательных агентств и организаций получили большие фонды и полномочия. Шеф дал мне материалы по терроризму в Европе. Ты не поверишь — там уже есть не только арабские, немецкие и итальянские террористы, но и русские. Например, вот этот, Ефим Ласкин... — тут Бил положил Питеру на стол большую фотографию какого-то русского террориста и стал читать его «послужной список» — в каких терравтах он замешан и в каких европейских странах. Но Питер не слушал своего партнера. Он вытащил верхний ящик своего стола и высыпал из него в пластиковую сумку свои личные вещи — фотографии, сувениры, биппер, фотоаппарат, пленки.

— Что ты делаешь? — удивился Бил.

Питер стал снимать свои вещи с подоконника — кофеварку, фигурку Феликса Дзержинского, парадную фуражку советского милиционера, купленную тоже на Брайтон Бич.

— Эй, что ты делаешь? — забеспокоился Бил.

— Я ухожу.

— Почему?

— Потому что наша система — действительно дерьмо! Ее может ебать каждый, кто хочет — русские, китайцы, сандинисты! Все, кто хочет! Никого это не ебет! И никакие директивы не помогут!

— Что случилось?

— Ничего! Твой fucking коллега в Чикаго даже не появился в «La Vista», когда там были эти гангстеры. Так я лучше вернусь в полицию к ворованным тракам. По крайней мере, там я не буду подставлять людей под нож или пулю.

У Била отвисла челюсть, но нужно отдать ему должное — он не стал вникать в подробности. Он сказал только:

— Ты можешь сделать мне последнее одолжение?

— Какое?

— Пошли к Морфи.

— Зачем? Это твой начальник, ты с ним и разбирайся.

— Будет лучше, если ты ему сам про это расскажешь. Please, — попросил Бил.

Питер понял его. Одно дело, когда один агент ФБР жалуется на нерадивость другого, это внутреннее дело конторы и это легко замять. А другое — когда посторонний, из полиции детектив ткнет вас в такого замечательного агента, как этот Забазный, и скажет: вот так вы тут работаете!

Питер, заколебавшись, положил свою сумку на копии телефонных счетов Родина и Кауфманов и пошел с Билом в кабинет Джеймса Морфи, начальника Бруклин-Квинсовского Отдела ФБР. И не потому, что не мог отказать Билу в «последнем одолжении», а потому, что сам хотел крови этого Забазного.

Но даже он не ожидал того, что случилось. Буквально за двадцать минут, двумя телефонными звонками судьба Джорджа Забазного была круто изменена. Он перестал быть сотрудником Чикагского управления ФБР, а получил новое назначение — в Пуэрто-Рико. ФБР продемонстрировало Питеру и Билу не только, что это серьезная организация, но и что к охоте за красной мафией оно относится бескомпромиссно.

Слушая, как Бил пытается по телефону смягчить Якова Камского, Питер стоял над своим столом и думал, что он никогда не перейдет из полиции в ФБР. Ни за что! А на столе перед ним, под сумкой с его вещами и рядом с фотографией какого-то европейского террориста Ефима Ласкина лежали телефонные счета Родина. Две строчки в октябрьском телефонном счете были им подчеркнуты с час назад — 3-го и 6-го октября звонки по телефону (212) 874-98-22. Питер снял телефонную трубку и набрал «О».

— Оператор, — ответил молодой мужской голос.

— Это ФБР, детектив Питер Гриненко. Ты можешь мне помочь? У меня есть номер (212) 874-32-15, который принадлежит мистеру Лео Кауфману, 842 West 96 Street. Ты можешь мне сказать, как давно у них этот номер?

— Одну минуту, сэр...

Питер видел, как Бил, голубиным голосом воркуя по телефону с Камским, скосил глаза в его сторону и прислушивался к его разговору с оператором.

— Три месяца, сэр, — сказал Питеру оператор.

— А какой там был номер до этого?

— Одну секунду, сэр...

Это была очень длинная секунда. Может быть, самая длинная в жизни Питера. Потом оператор сказал:

— Раньше их номер был 874-98-22.

— Спасибо, — сказал Питер. — Это все, что мне нужно.

И, положив трубку, вытащил из сумки свою кофеварку и другие вещи.

* * *

Ноги у Алекса Лазарева срастались плохо. Врачи объясняли это тем, что Алекс очень нервничает, и думали, что это он беспокоится по поводу фантастических больничных счетов. Но Алекса мало беспокоили медицинские счета, он знал, что оплачивать их он все равно не будет. А нервничал он потому, что был уверен: пока он лежит в больнице с поломанными ногами, его любимая жена спит с заклятым врагом Марком Гольдиным. И когда Алла приезжала в больницу на его красном спортивном «Понтиаке» и привозила ему куриный суп с лапшой и жареную баранину, Алекс, с аппетитом уплетая домашнюю снедь, приставал к ней с вопросами:

— Как часто ты спишь с этим ебаным Марком, а? Каждый день?

— Да не сплю я ни с каким Марком, отстань от меня! — нервно отвечала Алла.

— Спишь, бля! Еще как спишь! Я по глазам вижу, что спишь!! — уверял ее Алекс. — Имей в виду, я тебе устрою сюрприз! Я приду из больницы, когда ты меня и ждать не будешь! И если я вас застану!..

— Так снова выпрыгнешь в окно! — усмехалась Алла.

— Я не выпрыгну в окно, бля! — злился Алекс. — Я вас выброшу в окно! И тебя, суку, и его!

— Ты опять начинаешь? Идиот! Сдохни тут, я не приду к тебе больше! Мудак!

— Сама ты мудачка! Проститутка!

— Псих ненормальный! Дебил! — и Алла уходила из палаты на своих высоких ногах, так покачивая округлыми бедрами, что Сашины соседи по палате невольно вздыхали, а Алекс потом неделю не спал, дергался в койке, и терзал зубами подушку, мысленно представляя дикие сексуальные сцены с участием своей жены и этого бородатого ебаря Марка Гольдина в спальне Сашиной квартиры на Брайтоне, в его красной спортивной машине или на ночном брайтонском пляже. А через неделю Алла снова приезжала с домашним обедом, еще более сексуальная, чем раньше, и все повторялось сначала. И Алекс снова метался по койке, скрежеща зубами и дергая растяжки, на которых висели его поломанные ноги в гипсовых шинах. Немудрено,что при этом кости ног не срастались, а, наоборот, смещались.

И все-таки Алекс сдержал свое обещание. Как только он начал ходить на костылях, он ухитрился утром, еще до завтрака выйти из больницы, взять такси и приехать домой. Здесь он первым делом придирчиво осмотрел и любовно огладил свой красный «Понтиак», который был запаркован на улице перед его домом, потом своим ключом открыл парадную дверь, проскакал на костылях через вестибюль к лифту и поднялся на третий этаж. Здесь, приложив ухо к двери своей квартиры, Алекс прислушался, но ничего подозрительного не услышал, кроме громкой мелодии детской передачи «Сезам-стрит». Алекс вставил свой ключ в дверь, открыл ее и вошел в квартиру, стуча костылями. Но никто не слышал этого, потому что в гостиной гремел телевизор. Зато Алекс сквозь шум телевизора сразу услышал те звуки, которые мерещились ему в больнице каждую ночь. Он услышал доносившийся из спальни ритмичный скрип кровати, купленной когда-то в русском мебельном магазине на Ocean Avenue. И — протяжные, расслабленные стоны своей жены Аллы. И — хлесткие удары тело о тело, и мощное хриплое дыхание своего врага Марка Гольдина.

Закрыв глаза, Алекс стоял в гостиной и слушал. И когда уязвленная душа его наполнилась этими звуками сверх своей емкости, Алекс прошел на костылях в кухню, взял кухонный нож и, держа этот нож в зубах, поскакал на костылях в спальню.

Там, в кровати, спиной к Саше стоял на коленях Марк Гольдин, голый и потный от своей тяжелой мужской работы, а на его плечах и в ритм его мощным ударам пружинили стройные ноги Сашиной жены Аллы. Два больших настенных зеркала отражали ее вытянутое в постели тело с подложенными под зад подушками, открытым ртом и закрытыми от кайфа глазами.

Алекс подскакал на костылях к кровати, отбросил правый костыль, перехватил рукой нож и, когда любовники увидели его в последний миг в зеркале, с размаху ударил Марка ножом по спине. Но именно этот миг инстинктивного испуга спас Марку жизнь — нож не вошел в тело, а полоснул Марка по всей спине, разрезав кожу от шеи до копчика.

Алла дико закричала, Марк, заливая кровью постель и свою любовницу, скатился с кровати и на четвереньках поскакал к двери, а Алекс бил костылем увертывающуюся от его ударов жену, постель, залитую кровью и спермой, и эти красивые зеркала на стенах.

* * *

Митч Миллер, тридцатилетний ассистент квинского районного прокурора, который готовил для суда обвинение против русских ювелирных аферистов, посмотрел на телефонные счета Родина и Кауфмана и пришел в полный востор. Он так возбудился, что бегал по своему кабинету с этими счетами в руках и выкрикивал.

— Это гениально! Вы его достали! Вы сделали этого засранца! О, Боже, у меня оргазм от этого дела! Расскажите мне снова, как вы доперли до этого? Как ты догадался спросить про замену номера телефона?

Он садился в свое кресло листал телефонные счета, снова вскакивал, а потом выбежал с этими счетами из кабинета и вернулся через пару минут, сияя еще больше.

— Босс считает, что это слабый аргумент для обвинения, но я его уговорил, и мы можем выйти на Большое Жюри Я знаю, как я построю это дело!

— Я тебе не нужен — сказал Питер

— Что?

— Ты же сам сказал, что Прокурор считает нашу позицию слабой Значит нужно, чтобы Бил, ФБР представлял это дело А не простой полицейский детектив Гриненко

Смышленному Митчу понадобилось меньше секунды, чтобы понять и подхватить эту идею

— Точно? Ты прав! Бил!

Но Бил отказался наотрез

— Ни за что! — и повернулся к Питеру — Ты сделал это дело, ты должен представлять его Большому Жюри

Однако Миллер не уступал.

— Перестань, Бил! 26 человек жюри с утра до ночи слушают полицейские рапорты Они устают от них А это дело требует особого внимания Жюри должно с самого начала настроиться, что это будет что-то необычное. Иначе они ничего не поймут Если я скажу «вот полицейский детектив Гриненко с подробностями дела» — они заскучают. Ты понимаешь? А если это ФБР — другое дело! Они знают, что это будет в газетах, они знают, что это нечто особое!

— Но почему я должен брать себе его заслуги? — сопротивлялся Бил.

— Потому что нам нужно выиграть это дело! — сказал Питер. — Мне положить с прибором на мои заслуги! Я не за заслуги с тобой работаю. Мы должны посадить этого Родина, и мы — партнеры! Если я считаю, что ради успеха ты должен выступить на Большом Жюри, и если Митч так считает, то что тут выебываться?

— Бил, — сказал Митч и снял очки, что было признаком полной серьезности, — мне нужны все карты в этой игре! Все!

— Разве я не пошел с тобой к Морфи, когда ты меня попросил? — добавил Питер.

И — Бил вышел на Большое Жюри вместо Питера. Питер даже не зашел в зал, а стоял в коридоре, в толпе знакомых и незнакомых полицейских детективов, которые привели в Большое Жюри своих свидетелей по своим делам. Он не слышал, как ассистент Прокурора Митч Миллер представил 26-ти членам жюри дело о подмене бриллиантового ожерелья от самого его начала в октябре 1983 года. Он не слышал показаний пострадавшего Менделя Асафа. Он не слышал объяснений специального агента ФБР Била Мошелло о ходе расследования и о том, как он, Бил Мошелло, по телефонным счетам установил связь аферистов Кауфманов с ключевым аферистом Натаном Родиным. И он не слышал Оскара Миллера, клерка из Телефонной К°, который подтвердил, что три месяца назад у Кауфманов был именно тот телефон, по которому звонил Родин. Но он ясно слышал, как все 26 членов жюри вдруг стали аплодировать Билу Мошелло за такое остроумное разоблачение связи Родина с преступниками!

Аплодисменты членов Большого Жюри — это вещь

почти неслыханная в судебной практике. Полицейские, болтавшие в коридоре, изумленно прислушались и спросили у Питера:

— Это твое дело?

Но в это время сияющий Митч Миллер и красный от злости Бил Мошелло уже выходили из зала. Они получили обвинение Натану Родину.

— Поздравляю! — сказал Питер Билу. — Ты отлично сработал!

— Fuck you! — сказал ему Бил и прошел мимо.

* * *

Старик Мендель Асаф уже давно перестал ходить на ланч в соседний ланченет. Теперь он привозил свой бутерброд из дома и ел его у себя в магазине в полном одиночестве. Во-первых, потому что не хотел ловить на себе эти насмешливые и жалеющие взгляды посетителей ланченета, которые как бы говорили: «Смотрите, вот старый идиот Мендель, которого какие-то приезжие русские надули на 70 тысяч!» Во-вторых, он не хотел встречаться там с этим мерзавцем Натаном Родиным, который как ни в чем не бывало по-прежнему приходил в ланченет и нагло болтал со всеми, заигрывал с официанткой и рассказывал анекдоты насчет Андропова и Рейгана. Хотя все знали, что этого Родина недавно ограбили, но никто не называл его идиотом и не жалел — все знали, что рано или поздно он получит хорошую страховку. А в третьих, как ни странно, но последние несколько недель в магазине-таки стали появляться покупатели. Не то с приходом весны люди стали строить дома, не то действительно заработала рэганомика. И Мендель не закрывал магазин даже на обеденный перерыв.

Но сегодня утром ему позвонил из Нью-Йорка этот детектив Питер Гриненко и спросил:

— Вы собираетесь быть в ланченете в обеденный перерыв?

— А что? Я вам нужен? — спросил Мендель.

— Просто будьте там, — попросил Питер.

И старик пришел в ланченет ровно в 12.00 и купил, как раньше, бутерброд и коку с лимоном, и сел за маленький столик, на двоих, столик возле двери. Но никто не обращал на него внимания, даже этот мерзавец Натан Родин сделал вид, что не заметил его, только громче обычного смеялся своим собственным шуткам, сидя в компании окрестных бизнесменов и сейлсменов.

В 12.15 за окном ланченета остановился серый «Плимут», который старик узнал с первого взгляда. Из «Плимута» вышли двое, которых Мендель тоже узнал с первого взгляда. Первым делом они оглядели стоянку машин возле ланченета, увидели ту машину, которую искали — новенький темно-синий «Шевроле» — и уже спокойной и даже ленивой походкой вошли в ланченет.

Старик опустил на стол руку с сэндвичем и замер.

Гриненко и Мошелло пересекли зал и подошли к столику, за которым спиной к ним сидел этот Натан Родин. При их приближении компания местных бизнесменов смолкла, а Питер положил руку Родину на плечо. И сказал по-английски:

— Мистер Родин, вы арестованы. Вставай, bliad!

Хотя в ланченете наступила полная тишина, но последние слова Питера не понял никто, кроме Родина и Менделя. Однако это уже не имело значения.

Родин встал.

— У вас есть ордер на мой арест? — спросил он по-английски с варварским акцентом.

— Конечно! Для такого дерьма, как ты, у нас есть все! — Питер, не церемонясь, надел ему наручники. — Пошли, засранец! Твой обед кончился!

И повел Родина к выходу. Но, проходя мимо старика Менделя, остановился:

— Привет, мистер Асаф. Как поживаете? Вам нравится ваш ланч?

— Да... — произнес старик, глядя в упор на Родина и на наручники у того на руках. — Это лучший ланч в моей жизни. Спасибо, сынок.

— О'кей. Всего хорошего, — сказал Питер и толкнул Родина к выходу. — Idi, suka!

Старик отложил сэндвич и вышел за ними. Он не мог отказаться от удовольствия посмотреть, как этого мерзавца в наручниках будут сажать в машину. Потом он подошел к Билу, который сел за руль.

— Мистер Мошелло, как вы думаете; теперь я могу получить от Прокуратуры то ожерелье, которое я купил? Я имею в виду — настоящее?

— Это хороший вопрос, — Бил поскреб в затылке. — Я думаю, что можно попробовать. Но нужен хороший адвокат. Позвони мне, я подумаю кого вам порекомендовать.

— Спасибо...

Старик отступил, давая им возможность отъехать, а потом еще долго стоял на месте, глядя вслед серому «Плимуту», который укатил по Hempstead в сторону Нью-Йорка.

* * *

Митч Миллер оказался прав — уже назавтра, 11-го июня 1984 г., то есть еще до суда над Родиным, газета NEWSDAY сообщила:

«Четыре советских эмигранта привлечены к суду за мошенничество и продажу поддельных «семейных драгоценностей», сообщил вчера Районный Прокурор Квинса Джон Сантукки. Жертва обмана обратилась в полицию и, после длительного расследования, четверо аферистов были задержаны и находятся сейчас под стражей...»

Но даже и двое суток пребывания в Central Booking не склонили Натана Родина к сотрудничеству с Питером и Билом. А на третий день он вообще вышел на свободу под залог в $ 10 000 Причем ему даже не пришлось искать эти

$ 10 000 — Bail Bandsman* легко одолжил ему эту сумму, как одалживает их всегда такого рода преступникам. Впрочем, Питер и Бил уже и не рассчитывали на услуги этого Родина — в те дни они считали эту карту битой и отыгранной.

Будущее, однако, покажет, что они ошиблись...

А пока они занимались Яковом Камским в Чикаго и мелкими «текущими» делами. С Камским удалось восстановить сотрудничество, да ему и деваться было некуда — ни от мафии, ни от ФБР. Итальянцы и Любарский постоянно звонили ему в Чикаго, вызывали в Нью-Йорк, в Итальянский клуб и требовали отчета по заполнению сейфа «La Vista» драгоценностями. Но драгоценности поступали медленно и совсем не в том количестве, как им хотелось. Камский оправдывался тем, что после ограбления «Sorento Jewelers» в Нью-Йорке и «Milano Jewelers» в Лонг-Айленде поставщики ювелирного товара потеряли доверие к русским и не хотят давать ему золото в кредит. К тому же, эти ФБР-шники Бил Мошелло и Питер Гриненко все еще обзванивают ювелирные фабрики, ищут сведения о хозяевах «Sorento Jewelers» и постоянно дергают на допросы то его, то Сэма Лисицкого, то Марата Оскольного.

И все это было правдой. Боясь, что мафия установит слежку за Камским, Питер и Бил решили «засветить» свои встречи с ним и для камуфляжа приглашали к себе на интервью то Марата Оскольного, то Сэма Лисицкого, а иногда даже устраивали им очные ставки. Толка от этого не было никакого, разве что Марат Оскольный и Сэм Лисицкий все больше уверялись в своей неуязвимости, и это отражалось на поведении Оливьерри и Контини. Камский говорил, что в Итальянском клубе Питер и Бил уже стали предметом насмешек. «Хорошо! Очень хорошо!» — отвечал Питер. Но записать на магнитофон разговоры о подготовке ограбления Камский наотрез отказывался. А Питер и Бил

* Компания, которая дает ссуду на уплату судебных залогов.

не настаивали, они видели, что при каждой встрече с Камским Любарский и Контини старательно обнимают его похлопывая по всем карманам

Таким образом, дело топталось на месте: у ФБР не было улик против итальяно-русской банды, а в Чикаго, в сейфе «La Vista» не было достаточно золота для задуманной бандитами операции. Впрочем, Питер и Бил рассчитывали, что, мешая Камскому заполнить этот сейф драгоценностями, они спровоцируют нетерпеливых гангстеров на какой-нибудь неосторожный ход.

И — не ошиблись в своих расчетах На этот раз — не ошиблись.

Во время очередной встречи с Камским Пиня Громов вручил ему 150 000 долларов — для восстановления доверия у поставщиков ювелирных изделий и закупки в кредит золота и бриллиантов не меньше чем на миллион долларов.

Получив эти деньги, Камский в панике вызвал Питера и Била на квартиру своей матери. Он был белый, как скатерть на столе.

— Если мафия дает такие деньги, то это уже все! Они от меня уже не отстанут!

— Конечно, — сказал Питер. — Они хотят сорвать сразу два миллиона — один в товаре, а второй — на страховке Похоже, что наша операция приближается к концу

* * *

В пятницу, 8 июня 1984 года, в Нью-Йорке был dogs day, собачий день — царила рекордная жара, больше 90 градусов по Фаренгейту. Но на Брайтонском пляже океанский бриз освежал душу и тело, и сотни людей с утра заполнили побережье: загорали, купались в океане, играли в волейбол и строили со своими детьми песочные замки. Еще больше было народа на бордвоке — широком деревянном променаде вдоль пляжа. Здесь прогуливалась и сидела на скамейках пожилая публика, и повсюду была слышна русская, еврейская и английская речь Питер и Бил — в джинсах и легких рубашках — медленно шли по бордвоку, здороваясь со своими знакомыми. Теперь, после года работы в русской комьюнити они знали тут многих, и еще больше людей знали их и имели их визитные карточки Питер и Бил останавливались у многолюдных компаний, потом свернули к Брайтон-Бич авеню и посетили страховых агентов Злотника и Пильчука в их офисе Lucky Brighton Brokerage, и вышибалу-грузина в ресторане «Волна», и швейцара ресторана «Садко», и магазины «Националь» и «Белая акация», где Питер, как всегда, купил пирожки с капустой. А также — новые бизнесы, открывшиеся совсем недавно: ресторан «Арбат», магазин кавказских сладостей «Баку», рыбный магазин и еще одну новую русскую «аптеку». Судя по этому буму и густому потоку покупателей, которые фланировали по Брайтон-Бич авеню от одного магазина к другому, с сентября прошлого года русская колония в Нью-Йорке не только увеличилась, но и стала хорошо зарабатывать

А вместе с этим росла преступность.

Всем, с кем Питер и Бил встречались, они показывали фотографии двух новых русских аферистов, которые в центре Манхэттена за фальшивый бриллиант выменяли у одной богатой иранки два текинских ковра стоимостью в 170 000 долларов. И интересовались подробностями ограбления радиомагазина на Coney Island Avenue И дракой в ресторане «Одесса» И еще десятком крупных и мелких преступлений, сведения о которых почти каждый день поступали в ФБР не только из 60-го полицейского участка на Брайтоне, но и из других русских колоний в Лос-Анджелесе, Бостоне, Сан-Франциско и Филадельфии

— Похоже, мы не даем вам скучать, — говорили им русские эмигранты. И охотно делились своими новостями и заботами: жаловались на лендлордов, которые повысили квартплату на 25 процентов; спрашивали, как им протестовать и есть ли у них право не платить повышенную плату; и сообщили по секрету об очередной сенсации

Брайтона: Марк Гольдин, которого Саша Лазарев застал со своей женой и полоснул ножом, не заявил на Сашу в полицию, «потому что, между нами, этот Марк такой же бандит, как Лазарев», а лежит у себя дома со спиной, распоротой от шеи до копчика. А владельцы магазинов интересовались у Питера и Била, заплатили ли страховые компании страховку хозяевам ограбленных ювелирных магазинов в Манхэттене и Лонг-Айленде. И тут Бил, опережая Питера, с удовольствием поделился с ними «конфиденциальной информацией»: да, Натан Родин получил со страховых компаний 280 000 долларов, а Оскольный и Лисицкий, хозяева «Sorento Jewelers Store» вот-вот получат свои 800 000.

— Не может быть. В это нельзя поверить! — возмущались люди.

Питер и Бил обменялись взглядами. Бил сказал русским:

— Вы думаете, мы врем?

— Нет! Мы вам верим! Но эти ограбления — чистая липа! Все это знают!

— Well, может быть это lipa, — уже заодно говорили Питер и Бил. — Только как доказать?

— Но ведь так любой может нанять тут пару бандитов и сделать себе ограбление! — обращались люди к Питеру по-русски. — Вы видите, какая у вас система? Жулики делают миллионы, а честный человек должен работать за пять долларов в час!

— Если вам не нравится наша система, зачем вы сюда приехали? — спрашивал Питер.

— Нет, мы не в этом смысле! Но надо же навести тут порядок!

Позже, когда они ехали в Квинс, Питер спросил у Била:

— Ты думаешь, что-нибудь выйдет из этого вранья?

Бил пожал плечами:

— Посмотрим...

И включил радио. Радиостанция 10-10 WINS сообщила, что сегодня в центре Манхэттена жара достигла 99°F; в

Афганистане Советы бомбили Кандагар и разбрасывают с самолетов мини-игрушки; в России академик Андрей Сахаров, сосланный в Горький, шестой день держит голодовку; в Италии прокуратура объявила покушение на Папу Римского акцией КГБ, направленной на подрыв польской «Солидарности»; а в Лос-Анджелесе стало известно, что Советы отказались принимать участие в Олимпиаде.

Несмотря на жару, холодная война была в самом разгаре.

* * *

Они приехали на Квинс-Бульвар в 5.15, запарковались в подземном гараже, поднялись лифтом на шестой этаж в небольшой вестибюль офиса ФБР и обнаружили там Якова Камского. Он сидел с закрытыми глазами в кресле возле стеклянной будки дежурного секретаря. Казалось, что его тяжелое лицо стало еще тяжелее и обвисло от усталости и отчаяния.

— Что-то случилось? — быстро спросил у него Питер по-русски:

— Да, — сказал Камский, вставая.

— Что?

— Я не могу больше этого выдержать! Они звонят мне двадцать раз в день, торопят, пугают — я не могу спать по ночам! Нужно что-то делать! Они же дали мне такие деньги! Они меня убьют, если я буду тянуть с set up!

— Так дай нам разрешение прослушивать твой телефон.

— Уже поздно. Они звонили сегодня целый день, каждый час, я не брал трубку. А жена говорила им, что не знает где я, мол — ушел куда-то по бизнесу. Так они дали ей номер своего телефона и сказали, чтобы я позвонил сегодня вечером или они завтра же приедут в Чикаго и оторвут мне яйца.

— Ты согласен позвонить им отсюда, и чтобы мы записали разговор? — тут же спросил Питер.

— Я согласен на все! Только давайте кончать этот кошмар!

Питер повернулся к Билу, чтобы перевести ему, но Бил опередил его.

— Я думаю, нам следует пойти вниз в бар «Red Lobster», — сказал он.

И Питер и Яков Камский с изумлением посмотрели на него — разве он понимает по-русски?

В баре они подняли Камскому настроение тремя бокалами джина с тоником и объяснили ему задачу .

— Если мы пойдем к прокурору и скажем, что тебя принуждают сделать ограбление собственного магазина, судья скажет: где доказательства? Они дали тебе 150 000? Это не доказательство! Нужно, чтобы на пленке было ясно слышно: ты не хочешь это делать, а они заставляют!

— А если они не будут говорить об этом по телефону?

— Ты должен их разозлить, понимаешь? Так разозлить, чтобы они забыли осторожность. И это не будет трудно, вот увидишь. Раз они дали тебе 150 000 — они уже горячие! Говори что хочешь — что ты не можешь ничего делать, пока ФБР сидит у тебя на шее, что мы приехали в Чикаго тебя допрашивать, что ты нас боишься...

Допив по четвертому дринку, все трое снова поднялись на шестой этаж, в офис ФБР. Бил и Питер подключили к телефону магнитофон, и Питер надел наушники.

— Давай! — сказал он Якову.

Яков положил на стол бумажку с номером телефона, снял с себя пиджак, повесил его на вешалку, сел перед телефоном, откинув голову к спинке стула, закрыл глаза и громко выдохнул воздух. Потом открыл глаза, решительно снял телефонную трубку и набрал номер.

Бил посмотрел на часы.

* * *

Правительство подтверждает, что нижеследующее является точной и дословной записью телефонного разговора

между Яковом КАМСКИМ, Вячеславом ЛЮБАРСКИМ т/и/к* «Слава», и Марио КОНТИНИ 8 июня 1984 примерно в 18.10 по телефону номер (718) 459 — 3140, находящемуся в офисе Федерального Бюро Расследований в Квинсе, Нью-Йорк.

Характер звонка: исходящий.

ЯКОВ — Яков Камский.

СЛАВА — Вячеслав ЛЮБАРСКИЙ, т/и/к «Слава».

МАРИО — Марио Контини.

ЯКОВ (по-русски}: Привет Слава?

СЛАВА (по-русски): Да.

ЯКОВ: Как поживаешь?

СЛАВА: Подожди. Марио пошел запарковать машину.

ЯКОВ: А что это за телефон?

СЛАВА: Автомат.

ЯКОВ: Ясно. Мы можем говорить?

СЛАВА: Да.

ЯКОВ: Значит так: Агенты ФБР приехали ко мне из Нью-Йорка. Бил Мошелло и еще один...

СЛАВА: Этот ебаный переводчик Питер. Ну так что? Это все дерьмо. Они болтаются по Брайтону каждый день.

ЯКОВ: Что ты говоришь «дерьмо»! Они давят на меня! Мошелло допрашивает меня насчет Оскольного!

СЛАВА: Подожди, вот Марио. Поговори с ним.

ЯКОВ (по-английски): Да, Марио.

МАРИО (по-английски): Что случилось?

ЯКОВ: Я провел весь день с агентами ФБР. Я чувствую, что я влип в большие проблемы. Они спрашивают обо всем. Они спрашивают меня о Марате Оскольном и Сэме Лисицком. И где я взял эти 150 тысяч. Ты понимаешь?

МАРИО: Кхм... Кхм...

ЯКОВ: Они задавали сотни вопросов! Целый день! С

* Т/и/к — так же именуемый как.

одиннадцати утра до трех тридцати. Я приехал к своему адвокату. Мы сели, и он говорит: — Я хочу знать правду, ты замешан в «Соренто» с Оскольным или нет? — Понимаешь, Марио?

МАРИО: Я понимаю. Ладно, пока.

ЯКОВ: Алло!

СЛАВА (по-русски). Слушай меня! Они не хотят с тобой больше говорить!

ЯКОВ (по-русски): Они не хотят со мной говорить? Так пошли они в жопу! И ты вместе с ними! Вы говорите только о деньгах, а когда у меня проблемы!..

Питер утвердительно закивал головой и покрутил рукой в воздухе: мол давай еще! Закручивай!

Яков усмехнулся, слушая Славу.

СЛАВА: Какие у тебя проблемы? Ты не отвечаешь за «Соренто». И 150 000 от Пини — это проблема?

ЯКОВ: А ты кто? Ты главный адвокат в Америке? Или ты главный прокурор? Они давят на меня, это значит — у них что-то есть.

СЛАВА: У них нет ни хера! Это все говно! Какие у тебя планы?

ЯКОВ: Мои планы...»

Яков в затруднении посмотрел на Питера.

ЯКОВ: ...Я еще не закончил с моим адвокатом.

СЛАВА: Ты никогда не закончишь.

ЯКОВ: А что ты от меня хочешь?

СЛАВА: Ты знаешь, что мы хотим. Вот Марио, он тебе скажет.

Питер опять покрутил в воздухе рукой, словно заводил мотор машины. Мол, жми на него! Но Яков боялся Марио и разговаривал с ним совсем иным тоном, чем со своим русским приятелем Славой.

МАРИО (по-английски): Яков.

ЯКОВ (по-английски): Да.

МАРИО: Слушай, мы тут отвечаем за сто пятьдесят кусков.

ЯКОВ. Я понимаю Хорошо

МАРИО. Ни хера хорошего' Я тебе говорю это уже выше моих сил!

ЯКОВ: Я что я могу поделать, Марио? Скажи мне Ты же умный.

МАРИО Нет; это ты умник' И мы еще увидим, какой ты умник! И не беспокойся — я не дурак, и мой босс не дурак, поэтому он мой босс. Но ты беспокойся только по поводу ФБР, ни о чем больше!

ЯКОВ Слушай, Марио, я же понимаю Вас колышат только деньги, а я должен беспокоиться сам о себе

МАРИО Нет, меня не колышат деньги! Мне насрать на оеньги! Ты занимайся ФБР И не беспокойся обо мне и моем боссе. Ты беспокойся о том, чтобы быть живым в тюрьме, вместо того, чтобы мертвым лежать в гробу!

Яков посмотрел на Питера: это то, что нужно или еще нет? Питер в сомнении покачал головой — мол, это неплохо, но не очень конкретно.

ЯКОВ О'кей. Послушай, Марио.

МАРИО. Ты говоришь «о'кей»? Я тебе гарантирую· ты будешь у меня в ногах валяться, на коленях' Запомни мои слова!

ЯКОВ Марио

МАРИО Я из-за тебя попал в жуткий переплет! Важные люди замешаны в этом деле! Очень важные и хорошие люди! И теперь я из-за тебя должен краснеть!

ЯКОВ. Марио, ты неправ Слушай.

МАРИО Может быть, я неправ но я дал тебе уйму времени и теперь ты неправ.

ЯКОВ О'кей, что я должен делать теперь? Идти и сунуть свою голову в петлю?

МАРИО Яков, дай мне сказать тебе кое-что Я позволил тебе проволынить эту неделю знаешь почему? Я хотел, чтобы ты подумал, что, может, я был идиотом в ту ночь, когда ты приехал в аэропорт и сказал «Ах, ФБР у меня на хвосте!» Но мы знаем это ебаное ФБР пятьдесят лет! Ты что думаешь — мы дети? Мы умней тебя! Ты умник, но мы умней! Так что теперь тебе придется бздеть из-за того, что мы у тебя на хвосте, а не это сраное ФБР. Ты теперь должен оглядываться каждый ебаный день!!!

Питер и Бил удовлетворенно закивали головами, их губы расплылись в довольной улыбке.

ЯКОВ: О'кей, Марио.

Но Марио уже завелся и распалялся все больше и больше.

МАРИО: Поверь мне, ты думаешь, что выеб нас? Мы выебем тебя! И я не хочу тебя тут видеть, я хочу видеть мои деньги! Только мои ебаные деньги! И я не шучу!

ЯКОВ: Но ты должен... Ты должен кое-что сделать за эти деньги...

МАРИО: Нет. Это ты должен кое-что сделать, не я.

ЯКОВ: Да, я должен сделать мою часть, а вы должны сделать вашу часть...

Питер и Бил оба замерли от восторга, как застывает во время охоты гончая собака, учуяв, наконец, близкую добычу. Было ясно, что неправильный английский Камского не портит дело, а, наоборот, помогает разъярить Марио.

МАРИО: Но ты не сделал свою часть, мой друг. Ты только засераешь нам мозги — вот что ты делаешь!

ЯКОВ: Нет! Нет! Послушай, Марио, не выводи меня из себя!

МАРИО: Не выводить тебя из себя?! Ах ты сука! Ты думаешь, мы дети? Слава был в аэропорту, когда ты приехал туда с агентами ФБР. Ты думаешь мы спим? «Ах, мое давление крови! Ах, моя жена в коме! Ах, агенты ФБР в меня вцепились!

ЯКОВ: Но это правда!

МАРИО: Слушай. Из-за тебя мой босс вздрючил меня, а его вздрючил его босс. И он может сказать: пошли этих русских на хер! Но я тебе гарантирую: ты еще приедешь сюда и будешь сосать его член! И я хочу, чтобы босс моего босса это видел! И знаешь почему? Потому что потом я тебя прикончу. Я изобью тебя до смерти, бля буду! И знаешь за что? За то, что хорошие люди, настоящие люди потратили на тебя время. Хорошие люди, не дерьмо, а настоящие люди, которые отсидели в тюрьме по десять-пятнадцать лет!..

Питер закивал головой, а Бил поднял большой палец, давая понять Камскому, что теперь они получили то, что нужно.

ЯКОВ: О'кей Марио. Слушай меня. Я прямо сейчас отправляюсь за товаром. Правда. Следующий понедельник, я буду в Нью-Йорке. Я позвоню вам из аэропорта, и мы начнем работу. Но вы должны все приготовить.

МАРИО: Да уж постарайся! И перестань засерать нам мозги!

ЯКОВ: Послушай, Марио. Через что я прошел сегодня с этим ФБР... Поверь мне, я никому не пожелаю!

МАРИО: Мой друг, это не проблема! Вот когда ты получишь срок в десять-пятнадцать лет, вот тогда... Когда ты будешь звонить Славе?

ЯКОВ: В понедельник утром, в восемь часов. Я прилечу первым рейсом.

МАРИО: О'кей.

ЯКОВ: Гуд бай.

МАРИО: Бай.

Яков положил трубку и откинулся на стуле. Он был мокрый от пота — не только рубашка, но даже волосы на голове.

— Все в порядке! — сказал Питер.

— Теперь мы можем идти к прокурору! — сказал Бил. — Теперь это то, что нужно!

— Теперь I am a dead man, конченый человек! — сказал Камский.

* * *

Любарский и Громов были арестованы в ресторане «Садко», Марио Контини у себя дома, а Джулио Оливьерри

— во время парковки его «Кадиллака» у Итальянского клуба. Не было ни эффектных кинопогонь, ни перестрелок Только Марио Контини ругался по дороге в бруклинскую Central Booking:

«Боже мой, какой я идиот! Зачем я связался с этими русскими!»

А в Central Booking тот же черный сержант, который когда-то выдал Питеру и Билу Алекса Лазарева, теперь встречал их, как давних знакомых, и сообщил с гордостью.

— Привет! Из-за вас я теперь учу тут русский язык. Я уже знаю bliad, suka и yebiona mat!

— Вот тебе еще пару учителей, — сказал Питер, кивнув на Любарского и Громова.

Но, конечно, через три дня все четверо гангстеров вышли до суда из Central Booking под залог каждый в 250 000 долларов. Предвидя это, Питер и Бил назавтра после ареста Любарского и К° увезли Якова Камского, его жену и сына в Rode Island, в небольшой городок, где нет ни одного русского эмигранта. Там у FBI была квартира для witness protection program*

Однако торжествовать победу или хотя бы считать операцию законченной было рано. Во-первых, Камский еще должен был выступить в суде главным свидетелем обвинения против Любарского, Громова, Контини и Оливьерри, чего он страшился больше смерти, ведь ему предстояло, как он говорил, выступить сразу против двух мафий — русской и итальянской! А во-вторых, с точки зрения Питера и Била, никакой русской мафии они еще не раскрыли, а только, может быть, приближались к ней. Точнее — рассчитывали приблизиться через Любарского, хотя прекрасно понимали, что Любарский это не Алекс Лазарев, и даже не Родин Пребывание в Central Booking этого Любарского не сломает. Таких тертых и матерых преступников, как Любарский, склонить к сотрудничеству с FBI могла только тюрьма

---

* Программа защиты государственных свидетелей

«Attica» в Нью-Джерси или «Rawway» в Нью-Йорке, известные своими жесткими порядками. Да и то — если срок пребывания Любарского в тюрьме будет нешуточный.

Обо всем этом Питер и Бил довольно откровенно говорили с Яковом Камским, которого должны были теперь по очереди охранять и беречь от депрессии, свойственной всем, кто уходит на witness protection program. Вырванные из привычного круга жизни, оторванные от своей работы, друзей, родственников и потерявшие даже свое имя и фамилию, эти люди все равно боятся мести преступников и очень часто впадают в депрессию и отчаяние даже раньше, чем им удастся выступить в суде.

Камский не был исключением из этого правила. Скорей, наоборот — почти с первого дня пребывания в Род-Айленде он стал паниковать, психовать, пить водку и обвинять Питера и Била в том, что они сломали ему жизнь.

— Разве не ты первый позвонил нам и сказал, что можешь организовать ограбление своего магазина? — напомнил ему Питер.

— А разве не ты сказал мне еще раньше, что никогда не бросишь это дело и посадишь меня в тюрьму? — сказал Яков.

— Если ты замешан в преступлении...

Они сидели на пустынном пляже, спорили, пили водку, закусывали солеными огурцами и шашлыками, и Камский постоянно возвращался к одному и тому же — FBI сломало ему жизнь, использовало и теперь выбросило в никуда. Как он будет тут жить?

— Ты будешь жить, — разозлился однажды Пит. — Ты и сегодня жив только благодаря нам. Ты думаешь, мы не знаем, почему ты позвонил нам в тот первый раз? Потому что ты меня испугался? Ни хера подобного! Любарский был у тебя в этот день! Вот почему ты нам позвонил! Это он грабанул «Sorento Jewelers», и ему это так понравилось, что он приехал к тебе в Чикаго. И тебе некуда было деться, потому что ограбление «Sorento» — ваша общая афера.

Твоя, Сэма Лисицкого, Марата Оскольного и Любарского. И не вздумай юлить по этому поводу перед прокурором или в суде. Имей в виду: если они хоть раз поймают тебя на вранье — все, ты тут же слетишь с protection program. Был у тебя Любарский в тот день?

— Был... — уныло сказал Камский.

— Он тебе угрожал, шантажировал?

— Не только угрожал. Он забрал золота на 40 000 долларов.

— Он был с оружием?

— Он всегда с оружием. Я не знаю, сколько людей он убил, но что он стрелял в людей и сам был ранен, это точно. Он дикий человек.

— Значит, это он бил ту иранку пистолетом по голове?

— Наверно. Я там не был. И таких людей вы выпускаете до суда на свободу!

— Под залог! — напомнил Питер.

— Ужас! — сказал Камский. — Я не знаю, как я доживу до суда! Я умираю каждую ночь...

Однако ускорить суд над Любарским было не во власти FBI. А только во власти случая...

* * *

Неожиданным результатом прогулок Питера и Била по Брайтон Бич и раздачи там визитных карточек стал поток в ФБР русских анонимных писем. Питер, который выучил русский в разговорах с мамой и бабушкой, но никогда не учился ни читать, ни писать по-русски, с большим трудом разбирал витиеватые русские строки и, чаще всего, бросал эти письма недочитанными — там не было ничего, кроме сплетен по поводу бывшего коммунистического прошлого соседей по дому или «незаслуженной» пенсии партнеров по шашкам на брайтонском бордвоке.

Однако этот лист бумаги, выскользнувший из очередного конверта, не нуждался в особых усилиях для прочтения. На листе из ученической тетради был простейший рисунок и несколько слов, написанных печатными буквами. Рисунок изображал человеческую фигуру так, как ее рисуют двухлетние дети: кружочек — голова, длинная палочка — туловище, и руки-ноги — четыре палочки, торчащие в разные стороны. При этом на каждой части тела были написаны фамилии: голова «Агрон», туловище — «Пузырецкий», и на ногах еще четыре имени. А под рисунком подпись из двух слов: РУССКАЯ МАФИЯ.

Питер и Бил рассматривали этот рисунок, когда на столе у Била зазвонил телефон. Бил снял трубку и через несколько минут от изумления округлил глаза. Потом, даже не прикрывая трубку ладонью, сказал Питеру:

— Натан Родин. Плачет и умоляет помочь ему.

— Плачет? — удивленно переспросил Питер.

— Хочешь послушать?

— Нет. Что случилось?

— Он не хочет говорить по телефону. Но умоляет встретиться. И действительно плачет в трубку!

Питер пожал плечами:

— О'кей, можем встретиться...

И уже в машине, по дороге на встречу с Родиным в ресторане «Sharaton» возле аэропорта «Ла Гвардия», дополнил:

— Только ничего ему не обещай! Никакой защиты! Что бы ни сказал этот засранец — мы не хотим иметь с ним дело. Ты понял?

— Конечно, — усмехнулся Бил. — Если кто-то ему угрожает, он может обратиться в полицию. Верно?

Однако на Родина действительно было жалко смотреть. Человек, который безжалостно отнял у старика Асафа все сбережения его жизни, который приказал своему ассистенту избить русских страховых агентов и дважды отказался сотрудничать с Питером и Билом, — этот самый Родин теперь судорожно комкал в руках ресторанную салфетку, беспрестанно курил и умолял слезным голосом:

— Вы достали меня! Вы меня достали, я сдаюсь! А теперь

— спасите!

— Что случилось? — спросил Питер.

— Только вы можете меня спасти, больше никто! Пожалуйста! Я готов на все!

— Короче! Что случилось?

— Ко мне пришел человек. Я его знаю еще по России. Убийца. Ему сказали, что я получил страховку — 280 000 долларов. И он хочет половину. А у меня нету, клянусь! Вы же знаете, что я ничего не получил! Но он дал мне три дня срока. Или — он убьет моего сына и взорвет мой дом. И он сделает это, сделает, я его знаю! Он связан с террористами!

— Кто это!

— Вы его не знаете.

— Кто? Как его звать?

— Его звать Слава.

Питер и Бил переглянулись.

— Любарский? — спросил Бил.

— Вы знаете его? — удивился Родин.

— Как тебя, — сказал Питер, он уже все понял. Наживка, брошенная наобум на Брайтон Биче, нашла-таки рыбу! Любарскому срочно нужны деньги, чтобы выплатить залог, и он пришел за этими деньгами к Родину, потому что... потому, что это он «грабил» магазин Родина «Milano Jewelers»! Он пришел за своей долей!

Однако Питер не подал виду, а сказал холодно:

— Слава такой же мерзавец, как ты. Пошли отсюда, Бил! Если один русский бандит убьет другого, мне на это насрать! Пошли отсюда!

— Питер! Бил! — Родин униженно схватил их за руки. — Не меня он убьет! Если бы меня — хуй с ним! Моего ребенка! Сына! Ему два года! Я сделаю все для вас, все! Я много знаю, клянусь!

Но Питер вырвал у Родина свою руку и встал:

— Мне ничего от тебя не нужно! Ты сам вымогатель и убийца. Ты убил жену старика Менделя, ты вымогал деньги у страховых агентов и бил их, и ты должен сидеть в тюрьме!

Точка!

— Я сяду! Сяду, клянусь! Только ребенка спасите, Питер! — Родин схватил его за полу пиджака. — Любарский убьет его! Откуда у меня такие деньги? Вы не знаете его! Он настоящий убийца!

— А мне по хуй твой ребенок! Что ты мне теперь ребенка суешь? Пусти, мне надо в туалет!

И, обменявшись взглядом с Билом, Питер ушел в туалет. Пока его не было, Бил «позволял» Родину уговаривать себя. И минут через пять сказал:

— О'кей, я тебя понимаю. Но без партнера я ничего не могу. А ты же видел его. Он очень зол на тебя. Особенно — за старика Менделя и его жену. Но я попробую уговорить его. Я ничего не обещаю, но попробую...

Питер дал им на разговор еще минуту-полторы, а потом вышел из туалета и с хмурым лицом пошел через зал к столику Родина и Била. Но Бил поднялся и пошел ему навстречу, перехватил его в центре зала и отвел в сторону. Издали Родин видел, что Бил о чем-то говорит Питеру, а тот отрицательно качает головой и решительно отмахивается руками. Но потом Питер поостыл, словно в сомнении покачал головой и вместе с Билом вернулся к столу, сказал Родину:

— О'кей, ради твоего ребенка я посмотрю, что я смогу сделать. Но имей в виду: если ты хоть раз откажешься сотрудничать, я тут же брошу это дело! И тогда иди в полицию и пусть они спасают твоего ребенка! Ты понял?

— Понял! Понял! Спасибо!

— И плюс — ты будешь свидетельствовать в суде против Любарского, что он тебе угрожал. Будешь или нет?

— Б... буду...— с трудом вымолвил Родин.

— И расскажешь правду про ограбление своего магазина. Да или нет?

— Да...

— О'кей, а теперь посмотри сюда, — Питер положил перед Родиным лист бумаги с фигурой человечка и фамилиями, подписанными возле головы, рук и ног. — Ты знаешь этих людей? Только честно!

— Честно — не знаю, — сказал Родин.

— Но ты слышал о них?

— Да...

— От кого?

Родин посмотрел ему в глаза. И сказал еле слышно

— От Любарского.

* * *

— Я хочу, чтобы вы сделали Любарского, как вы сделали меня! — Родин, абсолютно голый, стоял на стуле в ФБР, в офисе начальника Била.

Питер, пригнувшись, липкой серебристой лентой туго приклеивал портативный магнитофон «Наягру» прямо под пахом Родина.

— Убери яйца! — приказал он.

Родин послушно сдвинул рукой свои гениталии в сторону. Питер еще раз обмотал его левую ногу липкой лентой и вывел от магнитофона два провода с микрофонами — один Родину на живот, второй — на спину, в район поясницы.

— Ты думаешь, он сможет так ходить? — скептически сказал Бил.

— А ты можешь придумать лучшее место? — огрызнулся Питер.

Они оба были на взводе. Вот уже четвертый день они подставляют Любарскому этого Родина, но Любарский не клюет. Конечно, Родин мог просто позвонить Любарскому и сказать: «Я готов дать тебе деньги». Но это не могло не вызвать у Любарского подозрений. Никто в этом мире сам деньги не отдает, а в уголовном мире — тем более. И такой тертый волк, как Любарский, да еще с петлей предстоящего суда на шее, должен быть втройне осторожен. Он мог сразу учуять западню. Поэтому Питер и Бил решили ждать, когда Любарский сам выйдет на Родина. В конце концов он дал Родину три дня сроку, и эти три дня истекли позавчера.

Любарский, которому позарез нужны деньги, не мог не прийти за ними к Родину. Вопрос был только в том — куда и когда? Родин не мог круглые сутки таскать «Наягру» у себя под пахом. К тому же, «Наягра» дает качественную запись только в течение полутора часов, а потом нужно менять пленку и батареи.

Обсудив все варианты, Питер и Бил пришли к выводу, что второй раз к Родину Любарский не придет — побоится засады. А «Milano Jewelers Store» в Лонг-Айленде Родин на эти дни закрыл. Оставалось третье место — автомастерская, которую Родин недавно купил с тремя своими родственниками в Манхэттене, на Весте 19-ой стрит. Нет ничего подозрительного в том, что Родин каждый день появляется здесь на час-полтора, ведь это его новый бизнес. Любарскому это место могло показаться наименее опасным — тут всегда многолюдно и, к тому же, два выхода на 19-ую улицу и на 10-ое Авеню. Поэтому каждый день, ровно в 12.00 Родин, «заряженный» уже включенной «Наягрой», приезжал сюда, на своем «Шевроле» и примерно час слонялся по мастерской и обсуждал со своими родственниками партнерами текущие дела. А Питер и Бил еще заранее, до его приезда проникали в эту мастерскую через третий, никому, кроме хозяев, неизвестный ход со двора 18-ой стрит И к моменту появления Родина занимали свой пост под крышей мастерской, в маленьком и давно заброшенном навесном кабинетике, узком, как стакан. Здесь, в пыли, августовской духоте, гари отработанных газов и в грохоте пневматических инструментов, они лежали по два часа, не спуская глаз с ходившего по мастерской Родина и держа в руках телекамеру и ружья с оптическим прицелом. Любарский мог появиться в любой момент, а в том, что он вооружен, у них не было сомнений Да и у Родина за поясом пистолет — они в этом не сомневались, ведь Родин знал, кому его подставляли, и с того момента, как Питер приклеивал ему «Наягру», до прибытия в мастерскую Родин оставался один

Но три дня дежурства не дали никаких результатов, если

не считать, что вчера, во время пребывания Родина в мастерской, кто-то позвонил туда, попросил Родина к телефону, но, когда он взял трубку, там уже были гудки отбоя.

Конечно, это мог звонить кто угодно, но Питер и Бил были уверены — это Любарский. И, значит, он появится сегодня. Сегодня или завтра.

Питер приклеил микрофоны к животу и к пояснице Родина и приказал:

— Надень штаны и пройдись!

Родин оделся и прошелся по кабинету, косолапя левой ногой, как циркулем.

— Прямо ходи! Прямо! — приказал Питер.

— Да у меня там уже рана! Три дня ношу! — сказал Родин.

— Fuck you! — жестко сказал Питер. — И ебать твои раны! Хочешь жить — носи! И ходи прямо! Ты понял?

Бил посмотрел на часы и сказал:

— О'кей, комрады. Пора.

* * *

Любарский вошел в мастерскую через распахнутые ворота гаража буквально на третьей минуте появления там Родина. Скорей всего, он просто сидел на улице в машине, наблюдая издали, как Родин подъехал сюда на «Шевроле», и тут же пошел за ним. Но теперь, в воротах гаража, Любарский остановился, привыкая к резкому переходу от августовского солнца на улице к тенистому и пыльному помещению бывшего склада, приспособленного под автомастерскую.

Бил локтем тронул Питера.

— Я вижу, — сквозь зубы сказал Питер, включая видеокамеру.

Оба лежали на полу, в «стакане» навесного кабинетика, Бил держал фигуру Любарского на мушке своего ружья. И почти забытое чувство commandos, чувство братства с партнером, которое так возбуждало и грело его в первые годы работы в ФБР, во время налетов на притоны и склады с наркотиками, — вернулось к Билу в эту минуту. Он видел, что Любарский, шагая в глубь мастерской, к Родину, держит руки в карманах пиджака.

Два вооруженных русских бандита сходились посреди грохота пневматических инструментов, меж разобранных «Camaro» и «Volvo», под которыми возились механики, и каждый из этих бандитов мог в следующий миг вытащить пистолет и открыть стрельбу.

Бил чувствовал, как его кровь пузырится адреналином и любовью к партнеру, которого он прикрывал сейчас дулом своего ружья. Да, конечно, вот уже год у них идет какая-то скрытая борьба за лидерство, и он не может удержать себя от постоянных подначек Питеру и от злости на то, что Питер заставил его выйти на Grand Jury с теми телефонными счетами, и что русские звонят Питеру, а не ему, и что вся эффектная, полевая часть работы — на Питере, а ему, Билу, досталась работа канцелярской крысы.

Но сейчас вся эта ерунда ушла, словно ее волной смыло.

Бил держал на мушке Любарского, но знал, что хоть краем глаза он должен видеть и Родина. Потому что в одном Питер прав — этот Родин такая же сволочь, как Любарский. Они оба прикатили сюда из этой ебаной России не для того, чтобы работать, как его родители и родители Питера, а для того, чтобы грабить, вымогать, обирать и убивать.

Любарский стал медленно вынимать руки из карманов, и Бил, разом вспотев, почувствовал, как палец стал мягко нажимать на курок.

Но Бил сдержал и палец, и дыхание.

А Любарский вытащил из карманов пустые руки и усмехнулся своему «другу» Родину.

И Родин вытащил из-под полы пиджака пустую руку и протянул ее Любарскому.

Они обменялись рукопожатиями.

— Лучшие друзья! — сказал Питер, держа в прицеле фигуру Родина.

Бил закрыл на секунду глаза и перевел дыхание. Он почувствовал, как пот стекает с его век. И еще — что он не ошибся тогда, в прошлом году, выбрав себе в партнеры Питера Гриненко. Они — хорошая команда, это бесспорно или, как говорят русские в таких случаях, huli tut sporit!

Оба — и Бил и Питер — не слышали, о чем говорят Родин и Любарский, но видели, как Родин то вел Любарского в глубь мастерской, поближе к грохоту воздушного пистолета, с помощью которого механик вывинчивал из старой «Camaro» проржавевшие гайки и болты, а то — подальше от этого механика, к месту потише.

— С-с-сука! — сквозь зубы выругался Питер по-русски, когда Родин, резко жестикулируя, снова повел Любарского в грохот пневматических инструментов.

Бил знал, что он имеет в виду. Конечно, этот мерзавец Родин играл свою роль так, как они ему велели: под напором угроз Любарского якобы нехотя соглашался добыть ему часть денег. Но он не хотел, чтобы «Наягра» записала весь его разговор с Любарским. Как только Любарский переставал требовать деньги и заводил речь о делах, не имевших отношения к фальшивому ограблению «Milano Jewelers», Родин уводил его в грохот, чтобы заглушить разговор.

Но Бил и Питер уже ничего не могли с этим поделать. Они должны были только лежать здесь в пыли, духоте и шуме и держать в прицелах своих ружей обе эти фигуры — Родина и Любарского. И как только Любарский опускал руку в карман пиджака, их пальцы напряженно замирали на курках.

Через десять минут Питер и Бил почувствовали, что вспотели до нитки, до корней волос.

Через двадцать минут — что похудели каждый на десять паундов, нестерпимо хотят пить и что даже приклады их ружей стали мокрыми от пота.

Через двадцать пять — что пальцы свело судорогой, локти и шеи онемели, а глаза почти ничего не видят.

На двадцать девятой минуте Родин проводил Любарского к выходу, и Любарский ушел.

Питер и Бил в изнеможении брякнулись лицом в пол.

* * *

Прочитав перевод разговора Любарского с Родиным, судья Бруклинского Федерального Суда признал, что пребывание Любарского на свободе до суда нежелательно даже под залог в 250 000 долларов. И выдал Питеру и Билу ордер на арест Любарского и содержание его до суда в тюрьме. После этого Родин прямо из офиса ФБР в Квинсе позвонил Любарскому и сказал, что сегодня вечером у него будут деньги — правда, не вся сумма, а часть. Где Слава хочет их получить?

— Ресторан «Эль Греко», в шесть часов, — сказал Любарский.

* * *

Команда, которая должна была брать Любарского, была небольшой — Питер, Бил и еще шесть агентов FBI. Они приехали в Бруклин, на Neptun Avenue, к «Эль Греко» в 5.30, и двое, изображая супружескую пару, пошли в ресторан ужинать, а четверо остались поодаль в своих машинах. Питер и Бил были в двух кварталах от них и держали с ними связь по радио. А Родин должен был приехать в 6.05, чтобы Любарский видел, что он один, и не волновался.

В 5.50 к «Эль Греко» подъехал серый «Мерседес», но из машины никто не вышел, пока не появился «Шевроле» Родина. И только когда Родин, не оглядываясь по сторонам, прямиком вошел в ресторан, задняя дверца «Мерседеса» открылась, из нее вышел Любарский и, оглянувшись, пошел в ресторан следом за Родиным. А водитель «Мерседеса» остался за рулем. Это сразу усложнило операцию, потому что — по плану Питера и Била — Любарский должен был приехать за деньгами один, и арестовывать его собирались сразу, как только он выйдет из ресторана.

Но, оказывается, это было только началом сложностей. Едва за Любарским закрылась дверь, как к ресторану подкатил черный «Линкольн-Континентал», из которого вышли Марио Контини и Пиня Громов. Оба проследовали в ресторан к Родину, и Пиня Громов заказал себе чаю.

Изумлению Питера и агентов ФБР не было предела. Зачем Марио и Пиня явились сюда? Выжать из Родина еще денег для Славы Любарского? Это было нелепо — особенно, со стороны Контини, представителя старого мафиозного клана Дженевьезе, известного своей осторожностью. Позже, уже в тюрьме, во время допроса Марио хватался за голову и признавался Питеру в своей глупости. «Да, я такой идиот! И теперь меня убьют, потому что мой босс приказал мне: держись подальше от этих русских! А я нарушил приказ! Знаешь, почему? Слава сказал мне, что этот Родин занимается вымогательством у русских, используя мое имя. И я пришел сказать ему, чтобы он этого не делал. Вот и все, клянусь! Слава меня просто надул! Он показывал меня Родину, чтобы напугать его еще больше. Вот зачем он меня позвал туда! Он использовал меня! Слушай, я тебе скажу: мой босс прав, эти русские — опасные люди! У них нет принципов, у них нет религии, у них нет ничего! Зачем вы пускаете их в Америку?

Однако как бы то ни было, появление Контини и Громова в «Эль Греко» и наличие у Любарского шофера меняло всю операцию. Питер и Бил подъехали поближе к ресторану и стали ждать. Родин приехал в ресторан чистый — без магнитофона, без микрофона и — без денег. Сидя за столиком напротив Любарского, Контини и Громова, он объяснял взбешенному Любарскому, что деньги ему еще не принесли, но принесут через пару часов в его Body Shop в Манхэттене. Поэтому долго сидеть в ресторане он не может.

По предложению Питера и Била, Любарский должен был отпустить его и назначить новую встречу сегодня вечером или завтра утром.

Нервничая, агенты сидели в машинах и не спускали глаз с дверей ресторана Ведь вместо одного Любарского им предстояло арестовывать четверых. Даже если у Контини нет оружия, то у Любарского оружие есть наверняка, а у его шофера и Громова — вполне вероятно Между тем, вокруг шла обычная жизнь — по улице катили машины, по тротуарам шли бруклинские мамаши с младенцами в колясках, подростки катались на роликовых досках, а на углу остановился фургон ICE CREAM с характерной мелодией, зазывающей юных покупателей мороженого

Наконец, из «Эль Греко» вышел Родин У него было лицо человека выскользнувшего из смертельной опасности Словно не веря в свое спасение и боясь получить пулю в спину, он бегом пробежал к своей машине, дергающейся рукой с трудом попал ключом в замок, резко взревел мотором и умчался, проскочив под желтый светофор

Через минуту из ресторана вышли Любарский, Контини и Пиня Громов Пожав друг другу руки, они разошлись по своим машинам Любарский к своему «Мерседесу» где в открытом окне был виден не то его шофер, не то приятель, а Контини и Громов — к «Линкольн-Континентал» Первым тронулся «Мерседес» и, как только он миновал фургон ICE CREAM с окружившими его подростками и мамашами с детьми, две машины отчалили от тротуаров и настигли его на следующем углу Четверо мужчин разом выскочили из этих машин и с пистолетами в руках бросились к окнам «Мерседеса»

— Не двигаться! Вы арестованы!

Бил держал пистолет у виска Любарского, а пистолет Питера оказался у головы не то его шофера, не то приятеля И когда он, медленно поднимая руки, повернул к Питеру свое лицо, Питер узнал его

Это был Ефим Ласкин, известный европейский террорист

и убийца, за которым охотились полиции Австрии, Франции, ФРГ и Италии.

— Но это не конец истории «Sorento Jewelers», — сказал Питер Гриненко. — Конец был через пару недель, когда мне вдруг позвонил Сэм Лисицкий. Он позвонил мне днем, как и в тот самый первый раз. Но на этот раз я его еле слышал. У него был ужасный голос. У него был голос мертвого человека. Он ничего не хотел говорить мне по телефону, он только умолял меня срочно приехать. Честно говоря, я думал, что это ловушка. Но я поехал. Туда же, в его рыбный магазин «Dreamfish». Сэм выглядел ужасно. Просто убитый человек. Как после инфаркта. Я говорю:

— В чем дело, Сэм?

А он ставит передо мной на стол русскую водку, икру, рыбу, все так хорошо накрывает, но руки у него дрожат и голос тоже. Я был в тюрьмах, я видел сотни сломленных людей, но чтобы человек выглядел так ужасно...

— Я не могу это больше выдержать, — он говорит. — Они меня зарезали! Просто зарезали!

— Кто?

— Я не могу тебе сейчас сказать. Может быть, потом, после.

— О'кей. А что случилось?

— Ты помнишь, я тебе говорил про моего сына? Мальчик кончил школу, поступил в колледж, в хороший колледж, в Нью-Джерси. И я купил ему машину. Ты помнишь?

— Помню. Ты купил ему спортивную машину. Кажется, «Понтиак»?

— Да, я купил ему красный «Понтиак». Дети любят красное, и что ты хочешь — это же единственный сын, как я мог ему отказать? Мальчик живет в Нью-Джерси, в общежитии. Ему нужна машина приезжать к родителям?

— Сэм, что случилось? Он попал в аварию?

— Хуже. Ты слушаешь радио? Вчера мне позвонили эти люди. Ты думаешь, если ты арестовал Любарского и Пиню

Громова, так ты уже вышел на русскую мафию? Таки я тебе скажу — нет! Ты еще не видел серьезных людей. Это страшные люди. Боже мой, это вообще не люди! И они требуют с меня деньги. Много денег! Очень много! Я говорю: вы что? Откуда у меня деньги? Это несерьезно! Так они позвонили мне вчера и говорят: включи радио и послушай последние известия, передают каждые десять минут. Я говорю: что такое? при чем тут радио? А они уже дали отбой. Ну, я включаю радио, и что я слышу? «Сегодня утром молодой русский эмигрант убит в своей красной спортивной машине «Понтиак». Боже мой! У меня инфаркт! Я мертвый!

— Это Алекс Лазарев. У него тоже был красный «Понтиак». Его убили вчера...

— Но я же не знаю! Я думал это мой сын, и я умер перед радио. Где убили? Как? Когда? Я звоню в колледж, в общежитие, но пока мне нашли моего сына — полдня прошло! Я поседел... Вот какие эти люди. Ужас!

И тогда, говорит Гриненко, я подумал: ты прав, Лисицкий. Я проработал полицейским детективом в Нью-Йорке 22 года. Я имел дело с итальянской мафией и с преступными бандами корейцев, китайцев, пуэрториканцев и так далее. И я могу сказать, итальянские бандиты хотя и знамениты, но на самом деле они примитивны. Тебе не нужен интеллект, чтобы сказать: «Отдай мне твои деньги или я тебя убью!» Корейские и прочие oriental мафии отличаются железной внутренней дисциплиной. Пуэрториканцы жестоки. Но из всех преступников русские — самые опасные. Они умны, образованы, изобретательны и наглы. Если они выбрали жертву — они уже не отпустят. Позвонить отцу единственного сына и, пользуясь смертью другого бандита, сказать ему: «включи радио, это тебе предупреждение!» — такое могут сделать только русские. Поэтому я вытащил из кармана тот листок бумаги с нарисованным человечком и шестью фамилиями. И я положил этот листок перед Сэмом Лисицким и сказал:

— Кто из них тебе звонил?

Но Сэм еще боялся сказать. Он говорит:

— Я не могу сказать, вы сами должны их найти

И тогда я крикнул ему·

— Сука! Если вы приехали сюда убивать друг друга — можете убивать! И пусть убивают ваших детей! Пусть! Мне насрать! Только когда они убьют твоего сына — не звони мне! Не смей звонить! Забудь мой номер!

Тогда... Well, тогда он дрожащим пальцем показал мне одну фамилию на этом рисунке. Но этот человек — это уже совсем другая история...

Убийца на экспорт

РОМАН

УБИЙЦА НА ЭКСПОРТ

Ранним апрельским утром 1992 года по 87-му хайвэю катил на север от Нью-Йорка маленький серый грузовичок с запыленным номером. В его кузове лежали старая машинка для стрижки травы, складная лестница, грабли, садовые ножницы и прочий садовый инструмент, а в кабине сидели двое — плотный, с бычьей шеей, тридцатипятилетний водитель в джинсовой куртке поверх свитера и худощавый, лет сорока, с острым профилем пассажир в пиджаке и бейсбольной кепке. Оба ели гамбургеры, которые водитель купил в «Макдоналдсе», проезжая Янкерс.

Минут через двадцать после выезда из города грузовичок свернул под указатель «Scarsdale» и углубился в безлюдные зеленые улицы, больше похожие на парковые аллеи.

Водитель посмотрел на часы.

— Доедай, мы у цели, — сказал он по-русски своему пассажиру, который не столько ел, сколько с любопытством озирался по сторонам. Вокруг были настоящие поместья — каждый двор как парк, а в глубине — двухэтажный или трехэтажный особняк, плавательный бассейн, стриженые газоны, детская площадка, теннисный корт и гараж на пару машин.

— Это как наше Рублево под Москвой, что ли? — спросил пассажир.

— Ну, вроде... — усмехнулся водитель.

— Живут же люди! А почему заборов нет?

— Потому что это Америка! Не Россия! — высокомерно сказал водитель и, проезжая мимо очередной каменной арки, сбавил скорость, проговорил негромко: «Здесь, Ник. Слева. Только не крути головой!»

А еще через двести метров остановил машину, с озабоченным видом вышел из машины и открыл капот двигателя. Держа в руке тряпку, свернул пробку радиатора и тут же резко отстранился от выброса пара. «Shit!» — выругался он по-английски. «Николай, поди сюда!» Пассажир подошел.

— О'кей, слушай, — водитель опять посмотрел на часы. — Через пару минут из этого двора выедет синий «Торус». Это домработница отвалит в магазин за шопингом. И тогда — твое время. Только спокойно, без суеты. Войдешь во двор, там, в глубине — дом. Но он тебе не нужен. Тебе нужна оранжерея, она справа, в парке. В оранжерее — баба. Она слегка чокнутая и у нее эта болезнь — мультипал склерозис, хрен его знает, как это по-русски. Ну — когда руки дрожат...

— Паркинсон?

— Наверно. Короче — чтоб никакого шума, но со следами насилия. Ясно? Трахни ее в зад или куда хочешь, а потом... Ну, сам понимаешь. Только не увлекайся. На все — сорок минут, пока домработница будет в магазине.

Николай внимательно посмотрел ему в глаза.

— И...?

— И придешь сюда, я тут буду. Я объеду блок и буду здесь, — водитель вдруг занервничал под взглядом Николая. — Что ты зыришься? Нам гарантировали, что бабы по твоей части. Или нет?

— По моей, по моей,— успокоил его Николай. И огляделся. Японский бог, он — в Америке! Он в Америке уже 16 часов, и это не каменные джунгли, как ему с детства внушали еще в детдоме, а — заповедник! Пахнет лесом, свежей землей, цветущей липой, скошенной травой и еще чем-то. Ландышами? И птицы поют, и черные белки скачут меж деревьев по солнечным пятнам. Рай! Не зря еще вчера в аэропорту он, проходя таможенный досмотр, понял, что принял правильное решение. В 15.20 он вышел из прокуренного самолета «Аэрофлота» и в потоке потных пассажиров, тащивших в каждой руке по огромной сумке сверхлимитного багажа, оказался в зале таможенного контроля. Кроме поролоновой куртки и небольшой сумки у него ничего не было. Потому что только эмигранты и потенциальные беженцы везут в Америку горы барахла — от простыней и подушек до стирального порошка. Но именно из-за этого их часами трясут и мурыжат сотрудники таможни, уже ошалевшие от наплыва беженцев из бывшего СССР. А он молча предъявил молодой чернокожей таможеннице свою спортивную сумку, декларацию с прочерками «не болел... не имею...» и паспорт с туристической визой. И тут же — белозубая улыбка и «Thank you, Mister Umansky. Welcome to America!»

Это ему понравилось.

Черт возьми, не успел перешагнуть границу, а уже назвали «мистером»! Он даже оглянулся на эту «белоснежку» — может, трахнуть ее вечером? Жаль, что он ни слова не знает по-английски! Ладно, с «белоснежками» он потом разберется. У него в запасе целых две недели! Так, во всяком случае, ему сказали в Москве. «Две недели — и два зеленых куска в кармане», — сказали ему. «Сколько персон убрать?» — спросил он. «Одну, — сказали ему. — И вся поездка — за счет фирмы! Идет?» «Политика?» — спросил он. «Нет, бытовуха. Едешь?»

Он не стал торговаться. В России стоимость ликвидации стартует от пяти тысяч рублей, то есть от пяти долларов. Правда, это цена за мелкую сошку типа уличных коммерсантов или соседа по коммунальной квартире. А устранение крутых бизнесменов куда дороже. Но выше пятисот долларов ставок нет, во всяком случае — он о таких не слышал. Потому за заказ аж на две тысячи он, конечно, должен был им в ножки поклониться. Что он и сделал. «Спасибо!» — сказал он. — «Ерунда! — сказали ему. — Свои же люди!»

И в этом было все дело. «Своими людьми» были его бывшие начальники, которые два года назад, сразу после упразднения в Первом управлении КГБ Исполнительного Отдела «В» (мокрые дела), создали частную фирму «Нарцисс» по охране валютных магазинов, защите от рэкета и прочим деликатным операциям. Они не могли послать сюда лишь бы кого. Ведь не в Сибири надо было кого-то шлепнуть, а в Америке! Нет, в такую командировку они могли отправить только своего, проверенного многолетней работой сотрудника. Который, в случае провала, даже под пыткой не назовет хозяев. И не потому, что так им предан, а потому, что именно у них в сейфе хранится его личное дело с перечнем его прошлых заслуг перед КГБ — ликвидации трех известных и девяти неизвестных диссидентов. И еще кой-кого...

Но такие мудрые и опытные начальники — на нем, Николае, они и прокололись. Он принял решение и потому вчера в аэропорту, еще раз оглянувшись на аппетитную таможенницу, шагнул из таможенного зала к двери в Америку с тем ознобом в животе и груди, как идут на первое свидание и на первое убийство. И — эти двери тут же разошлись перед ним, автоматически распахнулись, и это тоже оказалось приятно, ага, пустячок, а приятно!

Однако за дверью оказалась не Америка, а толпа русских евреев, которые держали над головами картонные таблички с надписями: «Шварц, мы здесь!», «Роза, с приездом!» и т п. И не успел Николай сделать двух шагов, как плечистый 35-летний мужик, державший над головой табличку «Уманский», шагнул к нему навстречу. Значит, первый вариант отпал, отметил про себя Николай. Но не огорчился, а протянул руку встречавшему:

— Привет. Николай Уманский.

— Натан, — коротко сказал тот, пожал ему руку жесткой, как клешня, рукой бывшего боксера, буркнул «Пошли!» — и двинулся к выходу из аэровокзала.

Николай следовал за ним, держа глаза на короткой шее атана, мощной, как гранитная колонна. «Н-да, шейка», — одума[illegible] он, но тут же спохватился — о чем он думает!

Нужно забыть про все это! Ведь он принял решение! Он — в Америке! Он — в Нью-Йорке! Офуеть можно!

Впрочем, пейзаж при выходе из аэровокзала тоже не соответствовал шику, который он ожидал. Никаких небоскребов, а только голое заасфальтированное пространство с несколькими плоскими зданиями слева и справа и полупустынная автостоянка впереди. Правда — теплый и солнечный апрельский день, а в Москве еще снег

— А где же Нью-Йорк? — спросил он.

— Будет, — сухо сказал Натан и посмотрел на часы — Уже четыре, пошли быстрей. Надо до трафика проскочить

Не обращая внимания на красный свет светофора Натан перешел дорогу к автостоянке, нажал брелок от ключей, и тут же белый «Бьюик» отозвался коротким гудком Как вскрикнул. А Натан искоса глянул на Николая, ожидая удивления. Но Николай только усмехнулся — эти брелоки уже не новость в Москве. Нахмурившись, Натан сел за баранку и требовательно протянул Николаю правую ладонь

— Документы! Деньги! И вообще — все из карманов!

— Зачем?

– Без разговоров! Тебе же сказали в Москве все мои приказы выполнять без разговоров Или — тут же полетишь назад! — и Натан опять посмотрел на часы — не то чтобы показать Николаю свой золотой «Ролекс», не то намекая, что может отправить его назад тем же самолетом на котором тот прилетел.

Расставаться с документами не хотелось но поколебавшись секунду — ведь у него в запасе две недели, Николай отдал паспорт, авиабилет и все свои сорок долларов

— Больше ничего нет? Точно? — Натан сложил его вещи в пластиковый пакет

Николай порылся в карманах и выгреб несколько смятых русских сторублевок. Натан забрал и эту мелочь

— Часы снимай!

— Как же я без часов?

— Обойдешься! Ну!

Николай мысленно признал, что Натан действует грамотно. И это его успокоило — профессионалу всегда легче иметь дело с профессионалом, по крайней мере знаешь правила игры. Между тем Натан взвесил на ладони его часы, сказал: — Ого! — потом перевернул их и аж присвистнул: — Ни фига себе! — Николай отвернулся. Он знал, что нельзя было брать с собой эти часы, но и оставить их дома он тоже не мог — на задней крышке было выгравировано: «За Кабул. «Альфа». 1981.»

— Так ты из «Альфы»? — Натан завел машину. — Это которая Амина хлопнула?

Николай промолчал.

— Ну идиоты! — Натан крутнул головой. — В Америку посылать человека с такими часами на руках! Ну, не мудаки, а? — И, сунув пакет в карман джинсовой куртки, сказал примирительно: — Все отдам, не бзди. Завтра перед вылетом.

— Перед вылетом куда?

— Куда! Домой! Куда! — передразнил его Натан, ведя машину к выезду со стоянки. — А ты думал — в Майами, что ли? Утром сделаешь дело и к двум часам мы снова здесь. На самолет и — домой! Чтоб духа твоего здесь не было!

Николай запаниковал. Как же так? Ему сказали «две недели», а оказывается, у него времени — только до завтрашнего утра! И все документы у этого еврея! Он опять посмотрел на бычью шею Натана. Конечно, в России он бы и думать не стал, каким приемом свернуть эту шею, руки сами нашли бы решение, но в том-то и дело, что он уже не в России, а тут. И тут нужно выбросить из головы все профессиональные рефлексы. Н-да, задача!

Миновав дорожные развязки и указатели, они выскочили на какое-то гудящее от машин шоссе, и Натан еще прибавил газу. Мелькали гигантские рекламные стенды — «Toyota», «SONY», «Finlandia», голая — чуть не на полкилометра — баба в солнечных очках. Потом слева, поверх деревьев и крыш Николай увидел — как в мираже

— знакомые по фото и кино очертания американских небоскребов.

— Манхэттен! Клево? — усмехнулся Натан, держа скорость на 80 миль в час.

— Ничего... — Николай с трудом сдержал улыбку. Во-первых, потому что этот Натан прокололся — хвастун он, хоть и профессионал.

А во-вторых, вид серебристых небоскребов и ощущение полета машины по широченному шоссе еще раз подтверждали, что он принял правильное решение.

— А где же Нью-Йорк? — спросил он как можно небрежней.

— Так это и есть Нью-Йорк! Манхэттен, Квинс, Бруклин — пять районов у нас. «Боро» называются. Впрочем, тебе это ни к чему, ты их не увидишь.

— Почему?

— А потому! Чем меньше ты увидишь Америки, тем меньше сможешь в Москве физдеть о своей поездке. Дошло? — и Натан свернул под знак «Triboro Bridge».

Ночь они провели в мотеле «Motor Inn» на западном берегу Гудзона. Единственное место, куда Натан свозил Николая перед этим, был магазин SYMS, огромный, как ангар для Ту-134, и забитый мужской и женской одеждой настолько, что даже если запустить в него московскую публику, они за день тут всего не расхватают. В «СИМСе» Натан переодел Николая во все американское — костюм, туфли, рубашку, носки. И даже бейсбольную кепку купил ему аж за $ 2,99! А пакет с советской одеждой выбросил в мусорный ящик. — Чтобы тут этим советским дерьмом не светился! — коротко объяснил он Николаю. Но за ужином, когда они ели свиные ребрышки в китайской забегаловке рядом с мотелем, Натан разговорился:

— Ты не обижайся, Николай. Приехать в Америку и ничего не увидеть — я тебя понимаю. Но, думаешь, мне охота терять тут вечер? Я этой китайской жратвы на дух не переношу — объелся в первый год эмиграции, когда баранку крутил, в такси. Нам бы с тобой сейчас соляночки съесть — нашей, брайтоновской, в «Садко».

Николай молчал. Китайские свиные ребрышки были недурны, а по солянке он не скучал, потому что последние шесть месяцев сиднем просидел охранником в валютном ресторане на Трубной, где и солянку, и другие русские блюда делали по старинным рецептам петровских поваров.

— Но на Брайтоне теперь советских туристов до хера! А светиться мы не можем, у меня инструкция, — продолжал Натан. — Так что доедай и пошли спать. В Москве уже три часа ночи, тебе выспаться нужно перед работой.

— А где работа? Какая?

Натан внимательно посмотрел ему в глаза.

— Не нравится мне, что ты вопросы задаешь. За день — шестой вопрос. И эти часы на руке... Ты правда из «Альфы»?

Николай мысленно обложил себя матом. Какого черта он нервничает? Все равно то, что он задумал, не делают на ночь глядя, да еще без денег и документов. Нет, выспаться нужно, что правда то правда!

И через час, в мотеле, под храп Натана и гул соседнего моста имени Джорджа Вашингтона он действительно уснул. Спокойным и глубоким сном профессионала, который знал, что храп Натана на соседней кровати — притворный...

— Есть! — тихий возглас Натана прервал мысли Николая, и он увидел, как из каменной арки выехала синяя машина, свернула налево и, миновав стойку с почтовым ящиком, покатила прочь по тенистой зеленой улице.

— Все! Пошел! — приказал Натан.

«Сука, — подумал Николай, — как собаку спускает». И усилием воли заставил себя осадить вскипевший в крови адреналин и разжать, расслабить свою мышечную систему. Потому что он не имел права начать свою жизнь в Америке с этого. Ведь он принял решение. Но черт возьми — как он сможет так жить? Не пуская в дело ни рук, ни ножа, ни пистолета? Вчера этот Натан забрал у него документы, деньги и часы — считай, ограбил! — а он, словно фрайер, все отдал и не пикнул. И так — жить? Это как голым ходить по улицам!

— Фули ты стоишь? — нетерпеливо сказал Натан. — Пошел!

«Интересно, сколько он имеет за каждое такое дело и сколько перепадает в Москву моим полковникам?» — подумал Николай — «Десять кусков? Двадцать? Не меньше, конечно — за меньшее они бы не стали мараться». Но грамотно все, продуманно, чисто — утром вместо белого «Бьюика» Натана на стоянке перед мотелем был этот грузовичок с садовым инструментом и с ключами в замке зажигания. А через сорок минут Натан помчит его в аэропорт и — гуд бай, Америка! Если на месте убийства окажется какой-нибудь свидетель или останутся отпечатки его пальцев — человека с его приметами нет ни в одной картотеке мира, даже московской».

— Ну-у!!! — хрипло и уже с угрозой повторил Натан и сунул руку под свитер.

— А кто эта баба? Русская? — расслабленно спросил Николай, игнорируя этот жест. И правда, может, его прислали из Москвы по заказу нью-йоркской русской мафии для внутренней, русской разборки?

— А тебе-то что? — вспылил Натан. — Фули ты время тянешь?

— У меня же сорок минут, — Николай усмехнулся. — Мы за сорок минут дворец Амина взяли. Так русская она?

— Нет! Не русская! Иди уже! Или на нерусскую у тебя не встанет?

Николай невольно рассмеялся:

— Шутник ты, Натан! Ну, шутник!.. — и расслабленной походкой направился к каменной арке.

Он родился в 1950 году в сибирской республике Коми, в зоне, в больнице женской колонии. Он не знал ни своего отца, ни матери, которая от него отказалась, и до пяти лет не видел ни одной детской игрушки. Вместо материнского лица над его записанным матрацем всегда была решетка окна, а за окном — сторожевая вышка охраны. В четыре года он еще не говорил, но зато уже хорошо знал значение всех матерных слов, которые вольные дети усваивают только к тринадцати. Он не должен был выжить, но он выжил потому, что ему разрешали целыми днями рыться на помойке у лагерной кухни — там он обсасывал рыбьи кости и жевал картофельные очистки. В пять лет его впервые вывезли из зоны, но не на свободу, а в «вольный» детдом. Так подросшего волчонка переводят из одного питомника в другой. Здесь, от воспитателей, которые открыто уносили из детдома все продукты, положенные детям, он впервые услышал рифмованное слово. Но не «В лесу родилась елочка», а «Комсомольцы просят мяса, пионеры — молока. А Сталин им отвечает: хуй сломался у быка!» Чтобы выжить, он и другие детдомовцы по ночам опустошали соседние колхозные дворы — воровали кур, гусей, поросят и съедали их наспех — сырыми. теплыми, с кровью. Так к девяти годам в нем сложился характер насильника и убийцы, а в 12 лет за эти «хищения социалистического имущества» он опять попал в зону. И оттуда — в семнадцать — в школу КГБ, который, оказывается, именно по этим признакам «врожденного убийцы» выделил его среди других подростков и приспособил к делу: в шестидесятые годы в стране началось диссидентское движение, и Исполнительному отделу КГБ срочно понадобились кадры для его ликвидации. А потому, закончив школу ГБ, Николай избивал и «мочил» диссидентов, сионистов, крымских татар, адвентистов седьмого дня и самиздатчиков. Потом был Кабул, Московская Олимпиада, Вильнюс, Приднестровье и «переквалификация» в борцы с рэкетом. Но к сорока годам волчья жизнь обрыдла ему, стала давить, как удавка, и даже месть этим фраерам за их иные, семейные жизни уже не приносила ему ни кайфа, ни успокоения.

И теперь он уходил от всего этого. Сегодня, сейчас судьба давала ему редкий шанс разом вырваться из тех особых пут криминального и гэбэшного мира, которыми он был связан с рождения и распутать которые может в России только смерть от ножа или пули Он вошел под каменную арку американского рая в Скарсборо и почти вслух засмеялся О да, товарищи московские полковники! Он не упустит этот шанс — ни за два зеленых куска, ни за десять! Сейчас он обогнет этот плавательный бассейн, пересечет этот двор-парк потом — соседский, потом выйдет на какую-нибудь улицу и пойдет куда глаза глядят — в новую жизнь, американскую! В конце концов, у него есть руки и он неплохой механик, он проживет И хрен с ними, с документами и деньгами, даже из-за них не стоит начинать новую жизнь с мокрого дела. Он скажет в полиции, что его обокрали. Ага! Его обокрали! Это смешно.

Угрожающий собачий рык и взлай заставили его отпрянуть от кустов, изгородью отделявших этот двор от соседнего. Там, за кустами, две черные оскаленные псиные пасти с белыми клыками и красными от злобы глазами роняли слюни в ожидании его крови и мяса.

— Мать вашу! — сказал он им, повернул в другую сторону и тут увидел Ее

Она — пожилая блондинка с тростью во вздрагивающей руке — вышла из оранжереи, приветливо говоря ему что-то по-английски. Николай не понял, конечно, ни слова, но попробовал знаками объяснить ей, что хочет только пройти через ее двор на соседнюю улицу. Она закивала, как будто поняла, а потом жестами стала зазывать его в оранжерею Он в растерянности огляделся. За живым забором из кустарника продолжали рычать два черных дога, за воротами наверняка торчит этот Натан, а тут — эта баба Честно говоря, она понравилась ему с первого взгляда — приветливая и еще совсем не старая леди, первая американка, которую он увидел в своей жизни. Стройная фигура, длинная юбка в обтяжку, попка — просто класс, и грудка торчит под мужской рубашкой. И на руках белые перчатки, перепачканные землей. За что они хотят ее убить?

Между тем американка вошла в свою оранжерею и обернулась, снова зазывая его следовать за ней.

Он последовал.

В оранжерее, увешанной горшками с какими-то вьюнами и цветами, было тепло, даже жарко. Женщина подошла к длинному столу с ящичками рассады, сдвинула пару и Николай увидел телефон.

— Please, — сказала она Николаю. — You сап call your mechanic.

Это до него дошло. Она думает, что у него испортилась машина и предлагает ему позвонить механику.

— No, — сказал он чуть ли не единственное английское слово, которое знал. И перешел на русский, стал говорить, что ее хотят убить, но он не знает за что. Может, это ее муж хочет от нее избавиться? Он видел такое в кино. Ведь у нее «паркинсон», а у него, наверно, молодая баба. Вот он и заказал замочить ее. — Ponimaesh? Kh-h-h! — и Николай для наглядности выразительно чиканул себя ладонью по горлу, а потом ткнул в американку пальцем. Мол, тебя — к-х-х! — Муж, наверно! Понимаешь? Кто же еще?

Но женщина ни черта не понимала, только внимательно смотрела на него своими зелеными глазами, а потом спросила:

— You are not going to kill me, are you? Would you take money?

Это слово он знал. «Мани» ему не помешают. Тем более что он их заработал, честно предупредив ее о смертельной опасности.

— Мани — о'кей! — сказал он. — О'кей мани!

Женщина открыла ящик стола, но вытащила из него не деньги, а пистолет. И направила его на Николая.

— Fuck me first, — сказала она. — Do you underst...

Но договорить она не успела, конечно. Потому что Николай был с семнадцати лет выдрессирован реагировать на пистолет, не думая.

И буквально в следующее мгновение этот пистолет отлетел в сторону, а эта дура с болезнью Паркинсона, зелеными глазами и упругой кукольной попкой лежала на деревянном полу оранжереи — лицом вниз и с завернутыми за спину руками.

А Николай лежал на ней, ища глазами, из чего бы сделать ей кляп, и умоляя себя и Бога не заводиться. Только не заводиться! Только не давать волю этому пьянящему кайфу преодоления сопротивления жертвы, которая будет сейчас визжать, рыдать, кусаться и биться в его руках, как поросенок, как курица, как хорек или кролик. Господи, как они все любят свои куриные жизни! Они всегда сопротивляются и тем самым заставляют его звереть до того, что он вынужден их убивать. Да, они, они сами, а не он, всегда были виноваты в том, что он с ними делал...

Но какого черта эта американка не кричит и не вырывается? И что она шепчет? — «Do it! Yes! Do it to me» — Он не понимал ни слова, тем более что английское «do it» похоже по звучанию на русское «дуй», но он чувствовал, как ее задница вдруг заиграла под ним и заелозила, втираясь в его пах.

«Сейчас я тебе вдую!» — успел подумать он, теряя контроль над собой, а все дальнейшее уже было неостановимо — его руки рывком перевернули на спину ее легкое белое тело и буквально разломили ее ноги.

Но краем сознания, уже затуманенного похотью, он опять отметил, что она не сопротивляется, наоборот, помогает ему расстегнуть штаны и даже сама потянулась к его ширинке, восклицая:

— Give it to me! Give it to me! Please!

Может, она действительно с приветом? И откусит сейчас! — испуганно подумал он, но и эта мысль уже опоздала, потому что страстная и жадная работа ее языка уверила его в том, что она в своем уме и умении.

Это было дико ему, нелепо и непонятно — оказалось, что не он имел ее, а она — его. Правда, сначала и по запарке он еще по русской манере всаживал и долбил скважину под аккомпанемент ее стонов — Yes!... Yes!... Do it! — но через несколько минут они уже приспособились друг к другу, вошли в синхрон, и не столько он всаживал, сколько она поддавала, а потом и вообще оказалась на нем — сама взлетела на него и помчалась вскачь, несмотря на свой «паркинсон», который делся неизвестно куда, испарился, что ли?

Господи, что это была за скачка! И передом, и задом, и на боку, и вприсядку!

Но он не сдавался! Нет, как он мог уступить этой первой в его жизни американке, да еще с «паркинсоном»? И когда она обессиленно падала на него, истекая в очередном оргазме, он больно крутил ее маленькую белую грудь, подминал под себя ее холеное тело и опять засаживал и долбил скважину, матерясь с любовным садизмом Но американка не понимала его грязных ругательств.

— Are you German? — спаршивала она. — Or Hungarian?*

А он не понимал, о чем она спрашивает и приказывал.

— Ne pizdi! Do it! Rabotay!

От их скачки дрожал деревянный настил пола оранжереи, падали и разбивались горшки с цветами

Она не обращала на это внимания.

— You are great, you know? — шептала она страстно. — You are the greatest! I did not have sex for years! My husband is not touching me.. O, God! You are God, you know? You are God!**

— Ne pizdi, suka! Rabotay!

— I'll go with you, I swear! I'll give you all I have! I'm rich! Would you take me with you?***

---

* Ты немец, венгр?

** Ты великолепный! Ты самый лучший! У меня не было секса уже шесть лет! Мой муж не прикасается ко мне. О Боже! Ты Бог! Ты божественный!

*** Я пойду с тобой! Я дам тебе все, что имею! Я богата! Ты возьмешь меня с собой?

— Do it, suka! Do it!

И она — «дула, как она «дула»! Даже когда он захрипел, кончая, она продолжала яростно обтесывать его клинок, выжимая из него последнюю силу.

А потом, когда этот клинок выпал из нее, она благодарно вылизала его. Николай не привык к такому обращению.

— Ладно, ладно! Дорвалась! — сказал он по-русски с напускной грубостью. — Не ебут вас тут, что ли?

Он встал и стал натягивать брюки. А она... Она вдруг стала перед ним на колени и — голая, распатланная, в пыли — сказала:

— Thank you! Take me with you! Please! I'm begging you! I have a house in Arizona. Take me there or kill me! Please! I can not stand it here any longer!*

— Подожди, не пизди, — сказал он по-русски, не поняв, кроме «thank you», ни слова из ее пылкой речи. — Имей в виду: тебя хотят убить. Понимаешь? Твой муж, наверно, или я не знаю кто. Я-то тебя не трону, конечно. Но они могут вызвать другого. Шпацирн? К-х-х! Тебя! — он показал на нее пальцем и опять выразительно чирканул ладонью под своим подбородком. Потом отшвырнул ногой ее пистолетик и вышел из оранжереи. Пусть она ни хера не поняла из того, что он ей сказал, все равно он был горд собой — впервые в жизни он не убил свою жертву, а, наоборот, она сама сказала ему на прощанье «сэнк ю»!

Он шел к каменной арке выхода, улыбаясь и уже беззаботно думая об этом Натане. Теперь, когда он сумел НЕ убить, он сможет получить с этого Натана и свои документы и деньги.

Он прошел уже полдороги до арки, позолоченной сияющим американским солнцем, когда за его спиной прозвучал негромкий хлопок. Он рефлекторно отпрыгнул в кусты и упал плашмя, потому что и на этот звук был

* Спасибо. Возьми меня с собой. Умоляю! У меня дом в Аризоне. Возьми меня отсюда или убей! Я не могу тут!..

тренирован с семнадцати лет. И так он лежал, вжавшись в землю и вслушиваясь в райскую тишину Скарсдейл.

Но никто не стрелял в него и вообще больше не было слышно ни звука.

Он поднялся на четвереньки, осторожно выглянул из-за куста, а потом — пригнувшись, зигзагом и короткими перебежками — вернулся назад, к оранжерее.

Она лежала на пороге оранжереи, одетая и лицом в землю — словно пыталась его догнать. В ее правой руке был пистолет, а из-под ее левой груди медленно вытекала на землю густая алая кровь.

— Зачем?.. Боже мой!.. — сказал он с мукой.

Когда он вышел на улицу, Натан чуть не сбил его своим грузовиком.

— Быстрей, сука! Садись! Фули ты там мудохался час?!

Он сел в кабину, и Натан дал газ, спросил нетерпеливо:

— Ну? Все в порядке?

Николай тупо смотрел прямо перед собой.

— Ты ее сделал или нет? — крикнул Натан.

— А? — спросил Николай.

— Ты что — оглох, падла?! Я спрашиваю: ты сделал ее или нет?

— Сделал... — кивнул Николай.

— Ну так и скажи! Фу... — Натан облегченно выдохнул. — Вот, бля, народ присылают! Час с инвалидкой мудохался! А еще из «Альфы»! Понятно, что у вас там порядка нет!

Николай посмотрел на него тяжелыми остановившимися глазами, и Натан занервничал:

— Ну ладно, ладно! Я пошутил. Что ты зыришься, как Ельцин на Горбачева?

Он вывел машину на хайвэй и погнал на юго-восток.

Слева и справа мелькали бензоколонки Sunoco, Texaco и Exxon, плоскокрышие магазины и рестораны с яркими рекламными вывесками-щитами, а потом все это разом кончилось, и шоссе пошло через лес. Такого густого леса и такой пышной зелени Николай не видел в России. На каждом метре земля словно выпирала из себя деревья и кусты в удвоенном, нет — в утроенном количестве. И вообще, всего в этой Америке было через меру — на перекрестках не одна бензозаправочная станция, а три, на каждой улице не один ресторан, а десять, а в каждом магазине любых товаров не один вид, а сто. Эту страну словно распирало от силы, скорости, перепроизводства и сексуальной жажды. Николай вдруг схватился одной рукой за живот, а другой зажал себе рот. Он захрипел, а его тело задергалось в рвотных движениях.

— Ты чего?— изумился Натан.— Ты первый раз, что ли?

— Гамбургер твой... — промычал Николай сквозь пальцы. — Останови, бля!..

Натан прижался к обочине, Николай выскочил из машины и, сгибаясь от рвотных порывов, побежал в лес.

— Ну, слабак! — сказал Натан, когда фигура Николая скрылась за деревьями.

Нервно поглядывая в зеркальце заднего обзора, он закурил.

Мимо проносились легковые машины и тяжелые траки — от их скорости воздушная волна ударяла по его грузовичку и качала его. Потом за деревьями проклацали колеса поезда. А Николая все не было. Пять минут... восемь... Натан уже смотрел только в зеркало заднего обзора, потому что патрульная полицейская машина могла появиться на шоссе в любой момент.

— С-с-сука! Присылают же фраеров! — не выдержал он, наконец, швырнул сигарету и пошел искать этого мудака.

— Эй, Николай! Ты где? — крикнул он, входя в густой лесной кустарник. — Эй, Нико...

Жесткий, как топорище, удар ребра ладони по его бычьей шее оборвал этот зов. Натан еще тихо оседал на подгибающиеся колени, когда второй такой же удар по сонной артерии отключил его полностью.

Николай нагнулся над ним, вытащил из-за пояса

«Магнум», а из карманов пакет со своими документами и увесистый кошелек. Рукоятка «Магнума» хорошо улеглась в его ладони, удобно. А дуло словно потянулось к голове лежавшего в отключке Натана. Но в последний момент он усилием воли отвел эту руку.

— Ладно, живи! Сегодня я добрый! — сказал он и швырнул «Магнум» подальше в кусты. Потом пересчитал деньги в кошельке — около семисот долларов.— Имей в виду,— сказал он почти бездыханному Натану, — ты мне еще тринадцать сотен должен! — И, сунув кошелек себе в карман, пошел из леса к гудящему от машин шоссе. Там он сел за руль грузовичка, дал газ, доехал до первого пересечения с какой-то другой дорогой, свернул и помчался, сам не зная куда.

Он понимал, что должен скорей избавиться от этой машины, бросить ее, пересесть на поезд или в автобус, но скорость и прекрасное шоссе с летящими по нему американскими машинами пьянили ему голову.

* * *

На следующий день в нью-йоркском офисе «Nice, Clean & Perfect Agency Inc.»*, что на пятой Авеню угол 44-й стрит, появился неожиданный визитер. Он вручил секретарше маловыразительную визитку, что-то насчет «Импорт-Экспорт Интернэшинал», и с сильным не то германским, не то славянским акцентом попросил передать ее боссу. Секретарша с сомнением посмотрела на посетителя. «Nice, Clean & Perfect» отличается от аналогичных агентств повышенной респектабельностью и ради этого держит в «Нью-Йорк Таймс» большое — аж на три инча — объявление:

BEST HOUSKEEPERS
& NANNIES FROM EUROPE

Наши домработницы и няни из Финляндии, Швеции и Германии работают в лучших домах Беверли Хиллс, Род-

* Приятно, чисто и совершенно.

Айленда, Коннектикута и Силвер Спринг, штат Аризона. Трудолюбивые, с европейским образованием и манерами. Отличные рекомендации, проверенные биографии.

По этой ссылке на Беверли Хиллс и Силвер Спринг любому ясно, что клиентура агентства — даже не средний класс, а адвокаты, хирурги, кинозвезды и преуспевающие бизнесмены. Ни один из них не явится в агентство с улицы. А когда они звонят в «Nice, Clean & Perfect» из своих аризон, с ними разговаривают долго и обстоятельно, выясняют все требования к будущей работнице и — если клиент того стоит — незамедлительно присылают ему рекламную брошюру агентства. В брошюре помимо сведений о преимуществах европейских нянь и работниц — они будут говорить с вашими детьми по-французски, по-немецки, по-шведски или как вы еще хотите, или готовить вам французские и шведские обеды — помимо всей этой рекламы сообщается, что Агентство принадлежит Биллу Лонгвэллу, бывшему детективу «Интерпола», имеющему давние связи с полицией всех европейских стран. А потому гарантирует полную и тщательную проверку биографии вашей будущей работницы.

Именно это ставило бизнес Лонгвэлла выше всех конкурентов — миллионеры и Калифорнии, и Коннектикута были готовы платить top price, самую высокую цену, лишь бы знать, что их слуги действительно проверены полицией, а няни у их детей имеют подлинные дипломы европейских университетов. Так что Агентство Билла Лонгвэлла не знало случайных визитеров, а потому секретарша с сомнением посмотрела на этого залетного посетителя. Синий костюм от Cianni Versace, галстук от Gucci, лакированные итальянские туфли, а на руке два перстня из платины. Бр-р-р. Так одеваются только вчера разбогатевшие плебеи и актеры, играющие чикагских гангстеров 30-х годов. И духи «Agasy» — днем??!

Но и отбрить такого нувориша самостоятельно секретарша не решилась.

— Я не уверена, что мистер Лонгвэлл здесь, — сказала она и прошла в кабинет Лонгвэлла.

К ее изумлению, едва бросив взгляд на эту визитку, толстяк Лонгвэлл вскочил с кресла, метнулся к двери и сам пригласил посетителя в свой кабинет. При этом секретарша, которая знала Лонгвэлла не только с девяти утра до пяти вечера, но и — раз в неделю — с пяти вечера до полуночи, сразу ощутила панику и в глазах, и в жестах своего шефа

И интуиция не подвела ее — гость не провел у Билла и пяти минут, как она услышала по селектору:

— Джоан, отмени мою поездку на Западное побережье

— Что? — не поверила она своим ушам.

— Я сказал отмени мой завтрашний полет в Лос-Анджелес и всю поездку! — нетерпеливо сказал голос Билла и тут же отключился.

В налаженной работе Агентства это было неслыханно С момента открытия своего бизнеса в 1986 году Лонгвэлл регулярно, не реже, чем раз в месяц, сам, лично обзванивал своих клиентов и выяснял, довольны ли они новой домработницей, а затем и навещал их, что требовало от секретарши титанических усилий по составлению расписаний этих поездок, поскольку далеко не все клиенты соглашались на эти визиты Но Лонгвэлл был настойчив и никогда не отменил ни одной из этих поездок Он поднимал свои двести семьдесят фунтов мяса, жира и костей, упаковывал их в самолет и летел в Лос-Анджелес, в Аризону и даже в Орегон. «Репутация моей фирмы мне дороже, чем те комиссионные, которые я получаю от этих женщин»,— объяснял он эти поездки и своей секретарше, и хозяевам очередного роскошного особняка в Беверли Хиллс, которым он устраивал настоящий допрос: «Не разленилась ли ваша домработница? Не дерзит ли? Не опаздывает ли после уикендов? Не завела ли себе хахаля? Ходит ли в церковь? Много ли смотрит телевизор?»

После этого Лонгвэлл с разрешения хозяев увозил домработницу на час-полтора в какой-нибудь соседний

«Макдоналдс» и проводил с ней отдельную беседу. Какие отношения царят в семье, где работает эта женщина? Не вмешивается ли она, упаси Бог, в семейные проблемы? Помогает ли хозяйке веселей переносить частые отлучки мужа в деловые поездки? Ну, и так далее. Одиноким европейским женщинам, приехавшим на заработки в Америку, эти беседы казались стандартной беседой хозяина с работницей, за которую он отвечает репутацией фирмы. Ни они, ни даже личная секретарша Лонгвэлла, которая считала, что знает о Билле все, не подозревали об истинной цели этих вояжей Лонгвэлла.

Нужно ли говорить, что идеальных семей не бывает или — почти не бывает? Что в богатых семьях жены зачастую ревнуют своих мужей к их секретаршам, ассистенткам и т.п.? Что мужья сплошь и рядом тяготятся своими престарелыми женами, а молодые жены — старыми мужьями, и даже дети — подчас — своими богатыми родителями?

Буквально через пару месяцев после того как домработница из «Nice, Clean & Perfect Agency» приступала к работе, Лонгвэлл знал все о ее хозяевах. Теперь ему оставалось только бросить наживку и подсечь улов. Обычно это происходило во время его второго или третьего визита, когда хозяин или хозяйка — в зависимости от того, на кого он нацелился — принимали его уже как своего хорошего знакомого. Посасывая легкий дринк, Билл наводил разговор на свою прошлую работу в Интерполе и со смехом замечал, что у него до сих пор есть в Европе пара знакомых, «из тех, знаете, которые умеют чисто и аккуратно избавить жену от мужа или, наоборот, мужа от жены. Конечно, это стоит приличных денег, «but nothing is free now, you now, за все надо платить, особенно — за свободу». При этом Билл пристально смотрел в глаза клиенту и — тут же переводил разговор на другую тему.

Тот, кто клевал на наживку, звонил обычно Биллу на второй или третий день после этого разговора. Если же клиент не звонил, Билл никогда больше не навещал его и не напоминал о себе, а продолжал получать только свои 10 процентов от зарплаты домработницы. Но если клиент (или клиентка) звонил, то Билл считал, что очередные 200 тысяч долларов у него в кармане. Потому что все дальнейшее было рутиной:

— встреча с клиентом (нервным и потеющим от страха),

— короткое и спокойное изложение вариантов выполнения заказа (несчастный случай, автоавария или убийство при ограблении),

— и цена: $ 200 000, только наличными и все деньги вперед.

Конечно почти все клиенты останавливали свой выбор на несчастном случае, но судьба никогда не следовала их выбору. Наоборот, если муж просил ухлопать жену а автокатастрофе, то она погибала при оказании сопротивления грабителю. А если жена просила утопить ее мужа в плавательном бассейне его любовницы, то он попадал в автокатастрофу. Таким образом, клиенты всегда имели возможность уверить себя в том, что они вовсе не убийцы. Да, они заплатили Лонгвэллу, но Бог опередил его...

Правда, никто из них почему-то не просил Лонгвэлла вернуть деньги и никто не шел в полицию с повинной.

Кстати, о полиции. Поскольку Билл Лонгвэлл действительно был когда-то агентом Интерпола, то с полицией он не шутил и, конечно, понятия не имел, кто, как и когда выполнял столь рискованные заказы. Больше того, он и не хотел этого знать! Единственной его заботой было оставить в абонентном ящике 9 почты на 43-й стрит конверт с половиной полученного гонорара и короткую информацию о заказе. И все.

И вдруг — этот визит.

— На какой срок у него виза? — нервно спросил он у посетителя.

— На месяц. Посольство всегда дает визу с запасом, даже если летишь на два дня.

— А на какое число билет?

— Он может улететь в любой день. Билет с открытой датой.

— У него есть деньги?

— Семьсот с чем-то долларов. Те, что он взял с кошельком Натана, когда отключил его, — посетитель не очень грамотно говорил по-английски и у него было тяжелое «г».

— А ты уверен, что он выполнил заказ?

— И еще как! Первый класс! — Посетитель положил на стол свежий дневной выпуск «Нью-Йорк Пост». На первой странице был крупный заголовок «Смерть в Скарсдэйл» и фото женского трупа на пороге оранжереи. — Полиция считает, что это не убийство, а самоубийство после полового акта. То есть, даже без насилия!

— Но тогда это совсем глупо! Выполнить заказ, за который он мог получить две тысячи, а взять только семьсот и сбежать! За такую чистую работу ему можно было даже добавить! И главное, у меня есть новый заказ! Ты уже сообщил в Москву?

— Еще бы! Они теперь встречают каждый рейс из Нью-Йорка, а мои ребята дежурят тут, в аэропорту. Но я не думаю, что он там появится.

— Н-да... — Лонгвэлл постучал пальцами по крышке стола. — Что мы имеем? В Москву он не полетит. А тут — куда ему деваться? Он знает английский?

— Откуда? Русский валенок!

— Вот это самое ужасное. Семь сотен он спустит за несколько дней, а потом захочет что-то украсть и погорит на ерунде. А у него документы твоего Натана. Кто получал по почте мои заказы? Ты или он?

— Натан, конечно. Неужели я буду заниматься такими мелочами? Он получал твои пакеты, восемьдесят кусков отдавал мне, а двадцать был его бюджет на выполнение заказа.

— Значит, как только полиция возьмет этого Николая, они выйдут на Натана! — ужаснулся Билл и забегал по кабинету. — Это ужасно! Я влип! Боже, как я влип!

— Сядь, — приказал гость. — Сядь и успокойся. — Они от Натана ничего не узнают.

— Это я уже слышал пять лет назад! — почти закричал Билл. — «Никто ничего не узнает!» И — нате вам! Нет, если полиция возьмет твоего Натана, он запоет у них в первый же день!

— Покойники не поют.

— Что?

— Покойники не поют, — повторил посетитель. — Натан вчера ночью утонул в Канарси. Это стоило 10 кусков, поэтому я сюда и пришел. Ты должен принять участие в расходах. Эти десять кусков, плюс я держу людей в аэропорту Кеннеди, плюс еще всякая мелочь... С тебя пятьдесят тысяч.

— Но это несправедливо! Прокол произошел на твоей стороне. И ты еще хочешь заработать на этом!

Лицо посетителя замкнулось, словно на него надели маску. Он покрутил платиновое кольцо на руке, потом сказал холодно:

— За пять лет ты получил ровно четыре миллиона. А я на двадцать процентов меньше. И неизвестно, сколько мне будет стоить найти этого засранца. Ты будешь платить свою долю расходов или...?

— Буду! Конечно, буду! — испуганно сказал Билл Лонгвэлл. — Но вы должны найти его раньше полиции!

— Попробуем, — уклончиво сказал посетитель. Его звали Зиновий Блюм, а меж своих Зяма Блюм, Король Брайтона. И весь Брайтон знал, что он не любил давать пустых обещаний.

* * *

Машина была бежевая, старая и большая — «Плимут». Николаю сразу не понравилось и то, как она стоит на прибрежном откосе — все четыре двери нараспашку, и то, что пятилетний пацан лазает в ней, а мать его — ноль внимания, загорает, сука, на пляже с книжкой в руках. Но что он мог ей сказать? Если бы еще по-русски, то он, может, и сказал. А как сказать «Смотри, чтобы твой пацан с тормоза не снял случайно!», когда он ни одного из этих слов по-английски не знает?

Поэтому Николай лег неподалеку на теплый валун, нависающий над морем, снял пиджак и рубаху, сунул их под голову и стал загорать, поглядывая сверху на пацана и машину. Ну, а если честно — то не столько на пацана, сколько на его мать, конечно. Потому что мать — такая клевая рыжая телка, каждая грудь по пуду, лифчик только на сосках держится, а задница — как у молодой кобылы и уже загорелая, хотя всего-то конец апреля.

Николай, еще когда шел по тропе над пляжем, увидел эту задницу и чуть не споткнулся. И пошел на нее, как бык на красный лоскут, только через минуту опомнился, что это же не Подлипки и не Клязьма, а Бостонский залив. И красиво, падла — как в кино! Когда в Москве пошли западные фильмы, он нагляделся всяких американских пейзажей, но кто ж не знает, что в кино все врут! Разве мог он представить тогда, что сам окажется в этой красоте — чаши пустынных пляжей в окружении гранитных валунов и на фоне офигительных яхт и скайтеров, шастающих по зелено-синему заливу на досках с разноцветными парусами. На взлобье высокого берега — роскошные особняки, дачи, рестораны, пиццерии, «мерседесы», «линкольны». Йодный запах океана, а в гаванях — рыбачьи катера с решетчатыми ловушками на крабов, а в чаше одного из пляжей, как жемчужина в раковине, эта загорелая задница!

И он — здесь! Он прибыл сюда еще вчера и почти случайно. Когда в грузовичке Натана кончился бензин, он загнал его с дороги в лес, снял номера и сунул их ребром в землю, присыпал прошлогс дней листвой и пошел по шоссе на северо-восток — просто так, наобум, лишь бы двигаться.

Через двадцать минут рядом остановился грузовик с надписью «KRAFT», и черный гигант-шофер крикнул ему что-то из кабины. Николай не понял ни слова, но залез в кабину и сказал:

— Сэнкью, мистер.

Черный посмотрел на него с удивлением, но тронул машину и они поехали. В кабине гремел джаз, на джаз налезали какие-то голоса из крошечной рации. Негр опять что-то спросил у Николая, но Николай только беспомощно улыбнулся: «Не понимаю». — Тут негр стал перечислять какие-то названия, а Николай из всего перечня уловил только одно знакомое слово «Бостон» и ухватился за него, закивал: «Бостон! Ага! Бостон!»— Через полчаса он знал, что негра зовут Гораций, что он из Миллуоки и что на следующей развилке он пересадит Николая на трак-грузовик, идущий в сторону Бостона, а сам попилит в Канаду, в Монреаль.

И к вечеру, сменив два грузовика, Николай, с головой, раскалывающейся от пяти часов бесплатной практики в английском, оказался на перекрестке 95-ой и 128-ой дорог, под указателем с надписью «Pebody». К этому времени он уже придумал себе легенду, что добирается в Бостон к сестре, которая почему-то не встретила его в аэропорту, и четко усвоил, что Америка — страна доверчивых фраеров, которые и подвезут, и угостят сэндвичем и кофе, и поверят каждому твоему слову, даже если не поймут его, и еще дадут тебе на прощанье свой телефон и адрес.

Переночевал он в мотеле «Motor Inn» — точно таком, как вчерашний возле Нью-Йорка, и это стоило аж двадцать долларов!

Но зато никто не спрашивал у него документов, а просто он отдал двадцатку и получил ключ от комнаты, в которой был телевизор, душ, мыло, чистое белье, библия и залетный запах морского ветра.

А утром он вернул ключ и пошел на этот морской запах и, съев по дороге два куска пиццы по «доллар-твэнти», к полудню был уже здесь, в этом райском заливе.

Конечно, надо было решать, что делать, где-то и как-то устраиваться, но пока у него были деньги, он откладывал эти заботы Он ушел от Натана, у него есть документы и он никого не убил. Он чист в этой стране, а его виза истекает лишь через месяц. Можно позагорать на пляже, подышать океаном и поглазеть на эту роскошную задницу Надо бы и туфли снять, чтоб ноги подышали

Он не заметил, как уснул под теплым солнцем а проснулся от всплеска воды и истошного женского крика

— Хэлп! Хэлп! Джонни!!!

Он рывком сел на камне, и ему хватило мига, чтобы понять, что случилось. Этот пацан-таки сдернул ручку тормоза и машина скатилась с откоса, рухнула в воду и теперь быстро тонет передком вниз. И в машине — этот шкет! А эта жопастая дура бегает вдоль берега и орет скайтерам «Хэлп!»

Он вскочил, пробежал по валуну к обрыву и, не снимая ни брюк, ни туфель, прыгнул в воду

Ледяная вода обожгла разгоряченную кожу, но ему некогда было думать об этом, он только успел в нырке сбросить туфли и тут же направил свое тренированное тело вперед, к тонущей машине, но перед самой машиной вынырнул, потому что вода в этом красивом заливе оказалась такой грязной — руки своей не увидишь.

«Плимут» был справа от него, и теперь торчал из воды одним лишь багажником. Николай схватил воздух и снова нырнул, целясь в заднюю дверцу машины. Сраные капиталисты, надо же так воду испоганить! Не видать ни черта! И дыхалка кончается..

Но он успел нащупать этого пацана, схватил его за волосы и, оттолкнувшись от машины ногами, дернул мальчишку наверх, как выдергивают морковку из грядки.

А еще через минуту он сидел над этим пацаном на пляже, на песке, и делал ему искусственное дыхание по всем правилам каким выучился еще в московской школе КГБ.

Рядом стояла толпа скайтеров, а жопастая мать мальчишки молилась своему американскому Богу·

— God! Save him! Save him! Pleas! I'll do anything!*

После шестого принудительного вдоха мальчишку вырвало водой прямо в лицо Николаю, и он задышал, а мать бросилась перед ним на колени и стала рыдать:

— Johnny, sorry! Johnny, excuse me!

А по склону откоса уже катили вниз машина полиции, техничка с лебедкой и микроавтобусик местного телевидения с надписью «North Shore TV News».

Через час в доме пятилетнего Джонни и его матери Лэсли Николай, сидя босиком и в просторных лэслинских джинсах, увидел себя по телевизору — как на пляже он пытался уйти от фотографов и телеоператоров, как Лэсли догнала его, схватила за руки и стала целовать их и как ведущая теленовостей, стоя рядом с ними, говорила что-то насчет «рашен хироу». Но все это было мурой, а вот туфли было жалко. Правда, эта рыжая Лэсли сказала, что как только высохнут его брюки (она сунула их в стиральную машину, потому что они были в разводах какой-то морской мути), она поедет и купит ему «шуз», туфли — «хау мач ит кост?». Он вспомнил, что Натан заплатил за эти туфли полсотни, но пожалел Лэсли и сказал на пальцах, что тридцать. «Thirty, — перевел его Джонни и стал учить Николая английскому: — Сёти! Сэй ит: сёти!»

Тут техничка приволокла ее «Плимут», Лэсли воскликнула: «Oh, my God!» и выскочила во двор.

Николай и Джонни вышли за ней.

С первого взгляда Николай понял, что никуда она не сможет поехать ни сегодня, ни завтра: вся машина была по руль в морской тине и грязи. Густая черная жижа сочилась из-под капота

— O, my God! — снова сказала Лэсли, села на ступеньку крыльца и заплакала.

— Sorry, mam, — сказал ей молодой водитель «технички», отцепляя трос. — Sixty dollars. Cash only.

---

* Боже, спаси его! Спаси его! Я все сделаю, только спаси!

— I don't have cash. Check... — всхлипнула Лэсли...

— No, mam. Cash only. — Жестко сказал водитель и перестал отцеплять трос.

— Момент! — вдруг сказал ему Николай — Момент!

И, изумляясь сам себе, вернулся в дом и вытащил из своего пиджака, висевшего на стуле, кошелек с деньгами.

Пользуясь садовой поливалкой и лампой-переноской, они закончили мыть машину лишь к полуночи, но ведь нельзя же было оставить эту грязь до утра — все бы засохло.

Лэсли вкалывала не меньше Николая — мыла кабину, а он занимался только двигателем, и где-то за полночь, когда она вытерла сиденья сухой тряпкой, он сел за руль и, волнуясь, как на экзамене, повернул ключ зажигания. Но двигатель завелся тут же, с полуоборота и замурлыкал, как сытый кот.

— Хуррэй! — закричала Лэсли негромко, поскольку окна спальни Джонни были совсем рядом. — Ю а'грейт, Ник! Сэнк ю! Ду ю вона трай? Драйв ит! Кэн ю драйв аутоматик?

Он вдруг обнаружил, что различает слова — не кашу из звуков, как раньше в разговоре с водителями грузовиков, а отдельно каждое слово и даже как бы в русских звуках. Вот что значит иметь дело с учительницей — Лэсли произносила каждое слово отдельно и внятно, как на уроке в школе, где она вела второй класс. Хотя не столько по ее словам, сколько по жестам он понял, что она хочет, чтобы он попробовал машину на ходу.

Он никогда не водил «автоматик», и его левой ноге было сиротно без педали сцепления. А когда он перенес правую ногу с тормоза на педаль газа, машина не тронулась, сколько он ни газовал.

Лэсли засмеялась:

— Вэйт! Хир вы а'! — и перевела ручку скоростей на букву «D».

Тут машина дернулась, он испуганно ударил ногой по тормозу, а Лэсли, стукнувшись головой о стекло, опять засмеялась:

— Донт ворри! Ай эм о'кэй! Гоу! Драйв ит!

Через минуту он понял, что вести «автоматик» проще пареной репы, а еще через пару минут они выехали из ее темной улицы с одноэтажными домами на широкое шоссе вдоль пляжей. Лэсли повернулась к нему:

— Ю а' а гуд мэн, ю ноу? Ю сэйв ми Джонни энд ю сэйв май кар. Нау из май торн. То зэ бич!

— Zachem? Why? — по русски спросил Николай, удивляясь, как он понял, что она хочет, чтобы он свернул к пляжу.

— Бикоз! — сказала она — Мэйк э торн...

Он сбавил скорость и медленно свернул на каменистую площадку над пляжем, залитым ночным прибоем. Сияющая лунная дорожка уходила вдаль по темному заливу, и там, вдали, были огни Бостона.

— Грэйт! Торн ит оф! — сказала Лэсли и сама перевела ручку скоростей на «parking», и выключила двигатель.

Стало совершенно тихо, только снизу доносились всплески ленивых волн.

— Нау... — сказала Лэсли и посмотрела ему в глаза. — Ай вона мэйк лав ту ю. Кэн ай?

И, не дожидаясь ответа, поцеловала его в губы.

И от этого поцелуя он закрыл глаза.

Он, Николай Уманский, профессиональный убийца, «врожденный садист» и насильник, закрыл глаза и поплыл от первого поцелуя этой рыжей американки Лэсли.

Потому что таких теплых, мягких и нежных губ он не знал в своей жизни. Может быть, так нежно матери целуют своих детей?

— Но! Ю донт мув. Ю донт мув этолл! — приказала она, удерживая его руки и не давая ему шевельнуться И, откинув спинку сиденья, медленно раздела его, целуя своими полными губами каждый сантиметр его плеч, груди, живота и даже ног.

Он лежал с закрытыми глазами, не шевелясь и не

двигаясь, и только ощущая совершенно неизвестное ему прежде блаженство не насилия, не траханья, не секса, а — любви. Лэсли любила сейчас его тело, каждую его часть — любила его живот, лобок, пах, мошонку и вознесшийся в космос пенис. Она не дрочила его пальцами, как московские проститутки, не сосала и не заглатывала, а именно любила, голубила своими губами, языком, небом.

Он забыл свой утренний кобелиный восторг по поводу размера ее зада и сисек, он даже не заметил, когда она разделась, а только ощутил, как она накрыла его своим теплым и мягким телом — как мать накрывает одеялом ребенка.

И как ребенок ощущает материнскую грудь приоткрытыми губами, так он ощутил вдруг губами ее сосок, и открыл губы, и принял грудь, и засосал ее совсем по-детски, испытывая — наконец-то! — то теплое блаженство ребенка, которое обошло его при рождении 43 года назад в Коми АССР, в лагерной больнице.

И вдруг — импульс хрипа и слез, неожиданный даже для него самого, сотряс его тело. Словно из пещерной глубины его души изверглось все звериное, дикое, кровавое, злое, садистское — то, на чем держалась его профессия и его проклятая жизнь.

— Вотс ронг?* — испугалась Лэсли и замерла на нем.

Он не отвечал.

Расслабившись под ее мягким и теплым телом, он беззвучно плакал.

И она, американка, баба с совершенно другой планеты, каким-то общеженским чутьем угадала, что это хорошо, что пусть поплачет.

— Итс о'кэй, — сказала она. — Итс о'кэй, Ник. Ю кэн край....

Она высушила губами его слезы, а потом опять поползла по его телу вниз, снова целуя каждый миллиметр его тела.

---

* Что не так?

Две неделя спустя белый «Линкольн-Континенталь» Билла Лонгвэлла мчался из Манхэттена в Бруклин. Как многие американцы, Джон был патриотом своей страны и ездил только на американских машинах. Он миновал «близнецов» — два серебристых куба Международного Торгового Центра, один из которых после недавнего взрыва террористами был еще окружен машинами ремонтников, потом нырнул в Баттери-туннель, потом выскочил на мост-виадук, свернул на Бэлт-парк-вэй и погнал на юг вдоль серебристого Гудзона.

Стоял роскошный майский день, по Гудзону плыли нефтеналивные баржи, паромы с туристами и спортивные яхты. За ними в солнечном мареве парила маленькая зеленая Статуя Свободы.

Под указателем «Ocean Park Way» белый «Линкольн», накренясь на скорости 60 миль в час, вышел с шоссе, промчался вниз по авеню еще три квартала и свернул налево под виадук сабвея-надземки, похожего на клавиши гигантского ксилофона. Но здесь Биллу пришлось сбавить скорость — по мостовой, лежавшей под опорами надземки, машины и пешеходы сновали, не соблюдая никаких правил движения: автомобили парковались и разворачивались как хотели, а люди переходили улицу где им вздумается, или вообще останавливались посреди мостовой — просто поговорить.

На тротуарах стояли лотки с русскими матрешками, косметикой, дешевой обувью, кассетами, коробками конфет, банками с русской икрой.

А вывески магазинов, написанные хотя и по-английски, звучали странно: «GASTRONOM STOLICHNY»? «CAFE ARBAT», «PIROGI», «WHITE ACACIA», «RESTAURANT PRIMORSKY», «ZOLOTOY KLUCHIK», «GASTRONOM «MOSCOW»...

Перед Биллом был знаменитый Брайтон — район, заселенный русскими эмигрантами, но Биллу некогда было любоваться этой экзотикой. Он опустил стекло в окне и нетерпеливо спросил прохожего, тащившего тяжелые сумки с овощами:

— Excuse me. Were is «Sadko» restaurant?

— Gavari pa russki! — прозвучал странный ответ.

— Restaurant «Sadko»

— Ah! «Sadko»! — мужчина поставил свои сумки на мостовую и показал за угол: — Za uglom! Understand?

— Thanks, — Билл тронул машину и тут же ударил ногой по тормозу, а рукой — по гудку, потому что две толстые бабы устроили совещание прямо перед капотом его машины.

Однако через пару минут, гудя, тормозя и дергая машину короткими рывками, он все же добрался до двери с вывеской «Restaurant SADKO», оставил свой «Линкольн» под знаком «NO PARKING» и вошел в ресторан. Здесь, в крошечном тамбуре-вестибюле, ему тут же преградил дорогу верзила-«дормэн» лет сорока с косой челкой, двумя стальными зубами и татуировкой на левой руке.

— Zakryto! Clouse!

— It's o'kay, — сказал ему Билл — I need to see Mr. Blum. — Мне нужен мистер Блюм.

— Ego net. No Blum.

Но Билл был уверен, что верзила врет.

— Bullshit! Tell him: my name is Bill Longwell. No! Give him my card, — и Билл, усмехнувшись, дал ему свою визитку.

Верзила неохотно взял визитку и в сомнении посмотрел на Лонгвэлла. Совсем как пару недель назад секретарша Лонгвэлла смотрела на мистера Блюма в приемной «Nice, Clean & Perfect Agency». Однако Билл, бывший агент «Интерпола», хорошо знал такие лица.

— Come on! — властно сказал он. — Do it!

Верзила, выражая фигурой сомнение, скрылся за зеркальной дверью зала ресторана.

Билл достал из кармана платок, вытер вспотевшую шею и огляделся. Стены вестибюльчика были увешаны выцветшими плакатами с лицами эстрадных певцов и певиц.

— Welcome. Zachodi! — прозвучал голос верзилы, и в открытую теперь настежь дверь Билл увидел полутемный и прокуренный зал. Посреди зала, за столиком, сидели Зиновий Блюм, какой-то рыжий бородач лет 35-ти и еще двое мужчин. Они играли в карты, а на столе перед ними были пепельницы, полные окурков, и пачки долларов. При виде стремительно приближающегося Билла Блюм предупредительно поднял палец:

— One moment!

Затем он открыл свои карты и в досаде швырнул их на стол.

— Shit! — выругался он и повернулся к Биллу: — What happened? Take a seat.

— Я должен поговорить с тобой один на один! — по-английски сказал Бил.

— О'кей, — Блюм жестом отпустил своих партнеров. — Садись.

Билл сел и, как только трое картежников удалились в глубину ресторана, положил перед Блюмом сложенную вчетверо газету. На ее лицевой стороне была видна фотография.

— Что это? — спросил Блюм...

Билл ткнул пальцем в фотографию.

— Смотри. Это твой человек. Николай Уманский. «Русский герой».

— Неужели?! — весело изумился Блюм и взял газету.

Действительно, на фотографии, на фоне какого-то пляжа, стоял босой и полуголый Николай Уманский со спасенным им мальчишкой и его матерью. Большая статья под названием «Russian Hero Save a Boys Live» подробно описывала это героическое спасение.

— Что это за газета? — спросил Блюм.

— «North Shore News». Маленькая местная газетенка под Бостоном. Выходит раз в неделю.

— А как ты ее нашел?

— Очень просто. Все наши газеты публикуют полицейскую хронику, особенно — местную. Две недели назад, как только ты ушел от меня, я заказал в «клипс-сервис» всю такую хронику, связанную со словом «Russian». И, на всякий случай, все, что будет опубликовано про персону по имени «Umansky». Это же Америка, Зиновий, у нас все на компьютерах. Час назад я получил эту газету, позвонил в редакцию и выяснил, что твой герой живет у этой мисс Лэсли Шумвэй. А ее адрес дала мне справочная: 22 Пайн стрит, Марблхэд. Райское место, кстати. Там высадились первые британские пилигримы. Ты будешь вызывать человека из России для этой работы? Или сам справишься?

Блюм внимательно посмотрел на Билла. Его лицо замкнулось, он сказал холодно:

— Это не твое дело, — потом покрутил перстень на руке: — Тебе это будет стоить еще десять косых. Или — нового заказа.

— Что ты имеешь в виду?

— Прошлый раз ты сказал, что получил новый заказ.

— Да. Но в такой ситуации...

— Решай, — сказал Блюм. — Или еще десять косых за этого Уманского. Или мы делаем эту работу сами, а ты даешь мне новый заказ. Как?

Николай и его учитель английского пятилетний Джонни ехали верхом по лесной тропе, посыпанной древесной щепой и стружкой специально для конных прогулок. Малыш отлично сидел в седле, словно родился в нем, что почти так и было, поскольку его дед и бабка держали на северной окраине Марблхэда конюшню с дюжиной своих лошадей и еще дюжиной чужих, за постой которых им неплохо платили. А Николай болтался на лошади без всякого шика и постоянно терял стремена, отчего Джонни заливисто хохотал на весь лес. Но Николай все равно чувствовал себя английским принцем. Джонни показывал на деревья, небо, облака и говорил: «sky», «clouds», «there are clouds in the sky», а Николай повторял за ним с жестким русским «р» и «з», но малыш, как истинный сын своей матери — школьной учительницы, терпеливо исправлял:

— No! Not «zer ar», silly boy! Say: «there a'»... — Нет, не «зер ар», глупый мальчик! Скажи: тсэ а'...

— Ю а' силли, нот ми! — обижался Николай.

— Oh, good! You speak good English! Repeat after me: there a'...

И вообще, у них с Джонни с первого дня сложились прекрасные отношения. Поскольку в детстве у Николая не было никаких игрушек, он теперь запоем играл с Джонни его фантастическими самолетиками, кораблями, монстрами и «супермэнами», которые трещали и стреляли лазерными лучами, водой и цветными желе. А во-вторых, Николай был прекрасным предлогом для Джонни часами смотреть телевизор — Лэсли считала, что детские передачи — лучшие учителя английского, в них на все лады и десятки раз повторялись одни и те же песенки и считалки.

Короче, жизнь у Николая была — лучше не загадаешь! С восьми утра и до трех дня, пока Джонни был в детском саду, а Лэсли учительствовала, он возился по дому — поливал и стриг траву во дворе, укрепил забор, починил гаражную дверь и желоба водостока на крыше, а в подвале обернул теплоизоляционной ватой трубы отопления, которые шли от котла совершенно голыми, из-за чего у Лэсли нагорало зимой под тысячу долларов за солярку. А кроме того — кухарничал: готовил борщи, гуляши и капустные солянки по рецептам того самого ресторана, в котором последние полгода просидел охранником... Благо, продуктов в этой Америке — завались, в магазинах полки ломятся. Когда Лэсли первый раз привезла Николая в супермаркет ему просто плохо стало. И не потому, что он не представлял себе ТАКОЕ количество продуктов — сыров, колбас, мяса, овощей, фруктов, круп, рыбы, напитков, булок, джемов, сластей, приправ, кефиров и так далее, а из-за смертельной обиды, почему у них все есть — чистое, мытое, свежее, красивое и навалом, а в России — нет. Why? Ведь люди такие же! Ни лицом, ни глазами, ни фигурами — ничем они не лучше наших, русских. Ну — ничем абсолютно! Взять хотя бы эту Лэсли — ну, школьная учительница. И все. А у нее машина, домик, участок. Правда, дом от родителей. Но ведь у русских учительниц есть родители, а домов от них — нет.

Хотя, если честно, такой учительнице Николай в России не встречал. Если днем, при Джонни она была — само Его Величество Просвещение, читала сыну (и Николаю) невинные сказки про Питера Пэна и Винни Пуха и с мужеством Жанны д'Арк ела русские борщи и макароны по-флотски, говоря Николаю «сэнк ю, итс риали гуд!», то по ночам она обращалась в бешеную и развратную любовницу. Конечно, Николай еще в России слышал, что нет баб развращенней школьных учительниц, но там ему не пришлось их попробовать, это был не его круг. Зато здесь, под Бостоном...

Лэсли всегда тщательно мылась на ночь и заставляла Николая бриться и принимать душ перед постелью, а затем ее жаркий, жадный и верткий язык вылизывал его всего — от ушей до анального отверстия. О, анальное отверстие — это было ее коронкой! Когда ее язык добирался до этой заветной точки и начинал там свои томительно-вращательные движения, Николаю казалось, что эррекция вздымает его под облака, и он рвался к главному блюду — всадить, утопить свою возбужденную плоть в ее влажно-горячей расщелине.

Но Лэсли не спешила с главным блюдом, о нет. Она ложилась на Николая валетом — так, чтобы ее рот принял его в себя до корня, и даже дальше, до горловых хрящей. И когда ее нижние губы оказывались как раз над его ртом...

Как это произошло? Как и почему он впервые взял губами эти мягкие теплые створки?

Если бы в юности, в лагере, в зоне кто-нибудь сказал ему, что он будет целовать, лизать и высасывать ЭТО (и день ото дня это будет нравиться ему все больше!), то за такое оскорбление Николай просто обязан был бы убить.

В русском языке, при всех его великих писателях от Толстого до Чехова, даже нет слова, обозначающего этот сексуальный изыск. Как, впрочем, нет и массы других слов для названия любовных ласк даже самого обыденного характера. Например, невозможно сказать «I want to make love to you» без употребления грязных слов.

За две недели жизни у Лэсли Николай, привыкший видеть в сексе только удовлетворение похоти или то, что по-русски называется коротким и мрачным словом «yeblia», вдруг открыл совершенно иные, известные ему вершины и глубины секса. И оказалось, что то, что он всегда считал главной и единственной целью — засадить и отхарить, было хотя и важным, но последним делом, блюдом на закуску.

Зато когда они заканчивали с целым курсом лэслиных блюд, как он угощал Лэсли такой закуской! Это уже была его коронка, не ее! Он доводил ее этой коронкой до слез, до стона, до хрипа, до крика о пощаде. Но он не знал в этом пощады, нет! Терзая ее сладкую грудь и разламывая ее пудовые ягодицы, он чувствовал себя русским богатырем, вооруженным могучей палицей в сражении с чужеземной силой. И привычные, грязные слова аккомпанировали каждому его удару: «Вот те, bliad! Вот те, kurva! Так те хорошо, paskuda?»

Лэсли заучивала эти слова совсем не ругательно, а как-то нежно, любовно. И вообще, кайф жизни Николая у Лэсли был не только и не столько в сексе, а в том удивительном состоянии райского покоя и домашности, который царил и в ее одноэтажном домике, и вокруг него в этих зеленых и сонных городках-поселках вдоль Бостонского залива. Словно не было в мире ни Москвы с ее холодами, чеченской мафией и ожесточенной нищетой, ни Боснии, ни прочих мерзостей. То есть они были, конечно — раз в день на пятнадцать минут в программе иностранных теленовостей, но виделись отсюда, из Нового Света, как в перевернутый бинокль, как что-то очень далекое, на другой планете. А все остальное время люди были заняты сами собой — своей работой, семьей, детьми, машинами, яхтами, травой на участке. Как марсиане...

И он. Николай Уманский, стал теперь одним из них. Он и думать забыл о своей прежней жизни, о своей папке в гэбэшном сейфе и всех тех диссидентах, адвентистах и самиздатчиках, которых он... Да что там вспоминать! То была его работа, но в другой, совершенно нездешней жизни. А теперь, здесь он, блаженствуя, ехал верхом на спокойной кобылице Риски, повторяя за учителем Джонни английские слова и думая о том, что Лэсли, кажется, непрочь выйти за него замуж, он это нутром чует. Да и как тут не чувствовать этого, когда она и ночью, и днем — вся его, без остатка. А ему о такой жизни и не мечталось — сдобная американская баба, и этот пацан замечательный, и дом, и машина! Только расписаться с Лэсли — и он уже американский гражданин, и сможет работать где душе угодно — хоть на конюшне у Лэслиных родителей, хоть автомехаником в любой мастерской. Да, повезло вам, Николай Иванович, подфартило так, что душа поет...

— Someone is waiting for us, — сказал Джонни, сворачивая с лесной просеки на Пайн стрит, к своему дому.

— Самван из вэйтинг фор ас, — автоматически повторил Николай и только в следующий миг увидел за кустами, возле дома Лэсли этот маленький желтый миниавтобус с надписью «Construction» и двух жлобов, которые стояли у его открытого капота. Один из них — рыжий бородач, а лица второго Николай не видел, но оба они были не американцы — это Николай опознал с первого взгляда, хотя, казалось бы, все на них было американское — и куртки джинсовые, и даже кроссовки.

И холодные судороги сжали Николаю желудок, он резко пригнулся, словно в него уже выстрелили, и рухнул с лошади.

— What happened, Nick? — Что случилось?— испугался Джонни. — Are you o'kay?

— Т-с-с, Джонни! Тихо! — сказал Николай задушенным

голосом, взял под узцы коня Джонни, повернул его и торопливо повел обеих лошадей назад, в лес, оглядываясь сквозь кусты на этот грузовичок и двух мужчин возле него.

— Why? What's happened? — спрашивал Джонни.

— Т-с-с! Потом! Лэйтэ! — Николай еще не знал, как объяснить мальчишке, что случилось, а только спешно и даже как-то трусливо-спешно уводил пацана подальше в лес, который узкой полосой тянулся вдоль западной окраины Марблхэда прямо к конюшне джонниного деда. Страх, и не просто страх за себя, нет — впервые в жизни он ощутил холодный и трусливый страх за жизнь кого-то другого — этого Джонни и его матери. Что делать? Конечно, н может отвести Джонни к его деду и взять у того карабин — у старика штук пять охотничьих карабинов просто на стенах висят. Но дальше-то что? Вернуться и пристрелить этих паскуд, которые приехали по его душу? И что? И сесть, за это в американскую тюрягу — ради этого он сюда приехал? А если даже не сесть а сбежать — то куда? Назад в Россию путь заказан. И вообще — устраивать перестрелку перед домом Лэсли?

Но как же быть, Николай Иванович? Если эти суки узнали его адрес, они уже не слезут отсюда. А он не может подставлять им ни Лэсли, ни этого пацана. Не для того он спасал его, черт возьми!

— Nick, what's happened? Tell me! — настаивал Джонни.

Но Николай отмалчивался. Господи, что за сучья жизнь! Только-только он начал жить, как человек, и — кранты! И даже пацану нельзя объяснить, что случилось...

* * *

Лэсли приехала в отцовскую конюшню по его телефонному звонку. Убедившись, что за ней нет хвоста, Николай вышел из-за конюшни и подошел к ее «Плимуту». Как он и просил по телефону, она привезла в пакете его пиджак с документами и деньгами. Но лицо ее было отчужденно-замкнутым.

— Can you tell me what happened?

Может ли он сказать ей, что случилось? Нет, конечно. Он просто должен уйти.

— Но. Ай хэв ту гоу. Совсем. Фор эвер. Сорри.

— You are paskuda, — вдруг сказала она.

— Ес. Ай эм.

— You are bliad!

— Ес.

— Kurva!

— Ес.

— I love you!

— Сори. Ай хэв ту гоу, — он повернулся и пошел прочь, потому что больше не мог этого выдержать.

— Nick! — крикнул Джонни.

Николай заставил себя не оглянуться. Чем резче он оборвет все, тем лучше для них. Когда эти брайтонские жлобы подвалят к ним, чтобы узнать, где он, Лэсли и Джонни отошьют их самым натуральным образом и с такой злостью, что тем уже не будет смысла возвращаться к ним снова. Может, они еще посидят на этом доме, покараулят или вернутся сюда через пару недель, а то и через месяц, но трогать Джонни и Лэсли им будет ни к чему, без толку. Николай Уманский — «paskuda, bliad, suka» — ушел, бросил их, исчез неизвестно куда.

Он вышел на хайвэй и поднял руку проносившемуся мимо грузовику. И хотя этот грузовик промчался, не остановившись, он был уверен, что рано или поздно кто-нибудь подберет его. Америка добра.

Но Америка оказалась не добра и не зла, а — безразлична. Он простоял на дороге полтора часа, а потом пошел по обочине на запад, за заходящим солнцем, и ни одна из сотен машин, которые проносились мимо, даже не притормозила рядом с ним. Это разозлило его — он еще не знал, что в этой стране у каждого есть, как правило, лишь один шанс. Он был уверен, что за каждым поворотом дороги Америка будет подставлять ему себя, как Лэсли или та американка с «паркинсоном». И он шел по обочине, согревая себя сигаретами и злостью. Злость на Россию, на брайтонских жлобов и вот теперь — на Америку. Какого хрена ни одна американская сука не хочет его подобрать? Эй вы, факинг американс! Да остановитесь же кто-нибудь, мать вашу в три креста!

Нет, летят мимо...

В ту ночь в окрестностях Бостона было зарегистрировано, среди прочих, несколько странных преступлений. В Пибоди и Линфилде кто-то разбил витрины супермаркета «Star» (Звезда). В Берлингтоне были с корнем вырваны из тротуара автоматы газеты «Boston Globe», которая в этот день поместила на первой полосе фотографию Ельцина. В Ньютоне был не то ножом, не то отверткой изуродован огромный портрет Ленина на рекламном щите водки «Российская», который гласил «Now that the party's over, let the party begin!» — «Теперь, когда с партией покончено, начнем вечеринку!» А на рассвете, в Дэдхэме полицейский патруль арестовал четырех черных подростков, вооруженных ножами и пытавшихся ограбить русского туриста, спавшего на тротуаре возле ночного бара « Sunset». Хотя одному из грабителей этот турист сломал руку, полиция сочла это самозащитой, и русский был на патрульной машине доставлен к автобусной станции, откуда по совету полицейских отбыл первым же автобусом.

* * *

Автобус шел на северо-запад, в Баффало, этой вечной бросовой яме погоды у границы с Канадой. Проспав пять часо. в мягком кресле, Николай проснулся и обнаружил за окном серую пелену дождя, которая затягивала скоростное шоссе, леса, цветные рекламные щиты и очертания окрестных плоскокрыших городков. Куда он едет? На кой shit ему какое-то Баффало и вообще вся эта новая маята, когда в райском Марблхэде остались баба и пацан, которые его любят и которые стали его семьей? Всего две недели назад он открыл для себя, что, оказывается, истинный кайф жизни вовсе не в том, чтобы гужевать, гудеть, зикать, кирять, кантоваться и бросать палки по пьяни или силком. Оказывается, играть с пятилетним пацаном в «Морской бой» или даже просто ждать кого-то к обеду — уже радость! А если этот «кто-то» еще и хорошая баба, то — о чем говорить! Накормить ее вкусной едой, а ночью сделать ей такую любовь, чтобы утром она пела на кухне, готовя ему кофе — что еще нужно в жизни? Строить коммунизм? Завоевывать афганистан? Свергать Ельцина? Да пошли они все!..

Но как же он мог отдать это все , бросить и сбежать? Он, Уманский, который дважды зону прошел, а потом еще школу ГБ, а потом Афган и Приднестровье, — слинял перед какими-то жидами-эмигрантами с Брайтона? Да в гробу он их видел!

Он огляделся. В автобусе было восемь пассажиров — шесть черных баб и пара смуглых студентов с рюкзаками — испанцы или кубинцы. Они не то спали в обнимку, не то целовались взасос, а потом ушли в конец автобуса, исчезли там за узенькой дверью, и буквально через секунду оттуда стали доноситься гулкие и все учащающиеся удары, которые немедленно привели черных баб в веселый восторг. Затем студенты появились из-за дверцы, он — усталый, с опущенными плечами, а девчонка сияла, как новая монетка, и влажным язычком облизывала свои красные губки. Черные бабы зааплодировали и, пока эта молодая пара шла на свои места, похлопывали парня по спине: «You are good! You are really good! Are you taking orders?»

«Туалет там, что ли?» — подумал Николай и прошел в конец автобуса, открыл узкую дверцу. Действительно, там оказалась крохотная, как пенал, кабинка с красивым унитазом и раковиной умывальника величиной с ладонь. Удивляясь, как эта пара смогла втиснуться сюда да еще трахаться тут с таким гулким азартом, Николай заперся в тесной кабинке, чтобы пересчитать свои деньги. Но, оказалось, что пересчитывать нечего. У него оставалось семь долларов и горсть мелочи. Он умылся под краником, вернулся на свое место и с трудом дождался очередной остановки. Сиракьюс. Билет до Нью-Йорка стоит 41 доллар, а до Бостона 38. Он подошел к телефону-автомату, снял трубку и нажал кнопки так, как учил его Джонни: сначала цифру «1», потом «617», а потом семизначный номер. «Pleas, deposit two dollars and forty cents for the first three minutes». — Тут же сказал автоматический женский голос, отчетливо чеканя каждое слово. Он ссыпал два доллара и сорок центов в прорезь для мелочи.

— Thank you,— сказал тот же голос и тут же сменился веселым голосом Джонни: — Hello!

Николай повесил трубку. Все в порядке. Пока все в порядке. Теперь нужно вернуться в Бостон и разобраться с этими ребятами Натана

— Mister, are you coming?* — сказал ему водитель баффальского автобуса.

— Но, сэнк'ю.

Водитель поднялся в автобус, закрыл двери и отчалил. А ведь знал, сука, что у Николая билет до Баффало, но — никакой реакции, не хочешь ехать — не езжай, ты свободный человек в свободной стране, и всем тут на тебя чихать.

Николай вышел из-под козырька автовокзала и пошел сквозь дождь к гудящему машинами скоростному шоссе. Но не успел он голоснуть и второму траку, катившему на восток, как рядом остановилась патрульная машина, и молодой черный полицейский, ленясь выйти под дождь, крикнул ему из окна:

— Hey, get out of here! (Эй, отвали отсюда!)

— Ай эм рашен турист!

— So what? Get out or I'll lock your ass up! (Вали отсюда,

---

* Мистер, вы едете?

или я суну твою задницу в тюрягу!)

Но это же свободная страна! И он хочет вернуться в Бостон!

— Ай хэв гоу Бостон! — сказал Николай.

— Fucking idiot, — проворчал полицейский. — Do you really want me to lock up your ass? (Идиот, ты что? Хочешь, чтобы я взял тебя за жопу?)

Николай посмотрел ему в глаза. Однако в шоколадных глазах полицейского не было никаких эмоций, кроме превосходства силы и власти. Что ж, он не станет связываться с этим негром. Если нельзя голосовать машинам, он пойдет пешком. Николай повернулся и пошел прочь от полицейского — на восток, по обочине дороги. Но через несколько шагов услышал сзади:

— Stop! Don't move! You are under arrest!

«Бля, — подумал Николай, поднимая руки. — Привязался же, сука!»

Крепкий захват запястья, выверт руки вниз...

О, как просто он мог приемом боевого самбо кинуть этого негра через бедро и заодно ударом каблука сломать ему коленную чашечку! Но нет, он покорно расслабился, дал надеть себе наручники. Да и что он такого сделал? За что его мордой в полицейскую машину? И что этот негр ищет в его карманах? Ведь документы он бы и сам отдал...

Полицейский открыл его паспорт, сличил фотографию с оригиналом.

— You visa expires in a week. Where are you going? (Твоя виза кончается через неделю. Куда ты направляешься?)

— Бостон. Ту май систер.

— But you have a ticket from Boston. To Buffalo. (Но у тебя билет от Бостона. В Буффало.)

— Ай гоу Бостон.

— So take the bus. Where is your money? (Так поезжай автобусом. Где твои деньги?)

— Но мани, — сказал Николай. — Ай вок. Пешком. Ногами, понимаешь, сука. Ай вок ту Бостон пешком. О'кэй?

— Absolutly not! — сказал полицейский, расстегивая наручники и возвращая Николаю документы — You cannot walk to Boston.

— Вай? — изумился Николай.

— Becouse it's America, not Russia. You have to pay for the road, and all lands are privite here. If you cross it, you'll be arrested or even killed. Understand? Now get out of my sight! — Потому что это Америка, не Россия. За дороги нужно платить, и вся земля частная. Если ты пересечешь, тебя арестуют. Или кокнут. Понял? А теперь вали с моих глаз!

— Бат хау ай гоу Бостон? (А как же я попаду в Бостон?)

Но полицейский уже уехал, обдав его фонтаном воды с грязью.

Николай стоял под дождем, совершенно потрясенный. Ни хрена себе свободная страна, если никуда нельзя пойти пешком! Факинг капиталисты — все только за деньги! Даже дороги!

Ночью он мыл посуду в корейском ресторане «Golden Mandarin»* , что рядом с автобусной станцией. На кухне была жуткая духота, запах корейских приправ спирал дыхание, а руки разъедало какой-то едкой мыльной дрянью. Три плотных корейца в грязных халатах колдовали у плиты над чанами с едой, и один из них, самый молодой — хозяин ресторана — вкалывал больше всех и весело кричал Николаю по-русски:

— Хэй, епеный по голова! Бистро работай, бистро!.. Хэй, твой глаза косой, на кошка не наступай!.. Хэй, твой жопа с ручкой! Неси чистый посуда, кушать будем! — и со смехом переводил свои ругательства другим корейцам.

Он оказался бывшим студентом Университета Лумумбы и компенсируя, видимо, свои московские унижения, взял Николая на работу за два доллара в час, еду и возможность демонстрировать корейцам свои познания в русском мате.

---

* Золотой мандарин.

Впрочем, выбора у Николая все равно не было — к ночи полиция выгнала из автовокзала всех бездомных, и Николай, спасаясь от дождя, зашел в ближайшую забегаловку-ресторан, твердо решив из семи своих долларов потратить на еду только три. В ресторане головокружительно пахло жареной говядиной, но на три доллара Николаю насыпали в тарелку только два больших черпака риса с каким-то соевым соусом, на что Николай выматерился по-русски. И тут же услышал восхищенный ответ:

— What? Ти русски? Are you Russian?

Через час он уже мыл на кухне посуду, а утром Чу Бьен отвез его и остальных своих рабочих в какую-то конуру в не то китайском, не то корейском квартале, где в полуподвале обшарпанного кирпичного дома старая кореянка держала общагу корейских нелегальных эмигрантов: в трех крохотных комнатках стояли двухэтажные койки-нары, и на них посменно спали восемнадцать человек, оплачивая этот приют по пять долларов за сутки. Впрочем, на полу, на циновках можно было спать за три доллара, и у этой кореянки можно было купить дешевые контрабандные сигареты и пиво...

Жизнь на дне и жизнь на вершине имеют одно общее качество: и там, и там денег катастрофически не хватает, а потому и на дне, и на вершине люди работают по четырнадцать и даже по шестнадцать часов в сутки, выжимая себя до немочи и до кругов перед глазами. И никакие профсоюзы не регламентируют рабочий день ни миллионера, ни уличного мойщика машин. Разница только в том, что на вершине за час зарабатывают суммы с нулями, а на дне — без нулей. Но при этом миллионер, заработав за день всего пару тысяч долларов, чувствует себя нищим и несчастным, а нищий, заработав за день двадцатку, чувствует себя миллионером и идет гудеть в пивной бар.

Чтобы собрать полсотни на билет до Бостона, Николаю нужно было проработать не меньше недели, однако чем больше он думал о возвращении к Лэсли, тем ясней становилось, что вернуться просто так и сказать «Хай, ай эм бак!» (Привет, я вернулся!), — он уже не может. А если ребята Натана еще и дежурят там, то тем более.

Что же делать? Без денег — ни вырваться из этой сиракьюсской западни, ни купить оружие, чтобы разобраться с Натаном. А заработать несколько сотен мытьем посуды просто невозможно. Оставалось одно: грабануть что-то или кого- то. И сколько ни говорил себе Николай, что тут, в Америке, этого нельзя делать, что здесь он не знает самых элементарных правил и может влипнуть на первом же шагу, что даже местные тут прокалываются, и каждый день по телеку показывают арестованных грабителей банков, почтовых отделений и ювелирных магазинов, — мысли его все равно возвращались к обдумыванию вариантов. Взять банк? Но нужно оружие и машина, чтобы смыться. Ювелирный магазин? То же самое плюс надо иметь концы, куда девать добычу. Ограбить прохожего? Но в этой стране и безработные ездят на машинах, и даже Лэсли, школьная учительница, не имела дома наличных, а держала все свои деньги в банке. Оставалось одно: блатонуть ресторан, в котором он работал. Место было доходное, живое, рядом с автостанцией, и два раза в сутки у хозяина собиралась приличная наличность, по прикидке Николая — под тысячу долларов. Эти деньги Чу Бьен относил в банк — в семь утра он уносил туда бумажный пакет с ночной выручкой, а в восемь вечера, перед закрытием банка — пакет с дневной. И хотя банк был буквально через дорогу, Чу всегда сопровождал кто-нибудь из корейцев. Но это Николая не смущало, он мог легко справиться и с тремя, отключить их прямо на улице, у светофора, отнять пакет с деньгами и... Вопрос был в том, где взять машину для отрыва?

Николай стал следить за потоком транспорта в восемь утра и в семь вечера и к концу третьей недели уже имел план действий. Ясно, что утром проводить операцию нельзя —

светло и полно машин, все едут на работу, не оторвешься. А вечером... К сожалению, даже в семь вечера еще совершенно светло. Но поток машин пореже. То есть, можно схватить пакет с деньгами, ринуться к ближайшей машине, проезжающей перекресток, выбросить из нее водителя и — деру. Правда, может оказаться, что водитель успеет защелкнуть дверцу машины. Но если купить игрушечный пистолет (у Джонни игрушечные пистолеты и автоматы выглядели лучше натуральных) и если погулять вокруг ресторана, чтобы изучить все улицы и выбрать маршрут отрыва...

Жизнь, однако, опередила Николая. В два часа ночи, когда поток клиентов обычно пресекался, за стеклянной дверью «Golden Mandarin» остановился мотоцикл, и два молодых черных парня в масках-чулках вбежали в ресторан. Один из них — высокий верзила в пиджаке и с двумя «Береттами» в руках кричал: «Everyone lie down! On the Root! Down!» — «Всем лечь на пол!», а второй — маленький и безоружный — тут же перемахнул через стойку к кассе, боксерским ударом послал Чу в нокаут и стал выгребать из кассы деньги, засовывая их в коричневый бумажный пакет.

Николай и два повара-корейца лежали на влажном кафельном полу кухни, возле тарелки с кошачьей едой, и через открытую в зал дверь Николай видел черного верзилу с двумя «Береттами» навскидку и пританцовывающего от нетерпения так, словно ему нужно было немедленно пописать. «Come on, man! Come on!» — торопил он своего партнера, водя «Береттами» по залу. Карманы его пиджака топорщились коричневыми бумажными пакетами, взятыми, видимо, только что в предыдущем ограблении, а за стеклянной дверью и окнами ресторана ритмично рокотал мощный мотор мотоцикла «Хонда».

В момент, когда верзила снова сказал что-то своему партнеру, Николай взял кошачью тарелку и сильно, как фрисби, метнул ее через зал. Тарелка ударилась в окно, и витринное стекло осыпалось с жутким звоном. Черный грабитель резко повернулся и, стоя спиной к кухне, стал палить в темноту за окном из обеих «Беретт». Николай в два прыжка оказался у него за спиной и обрушил на его шею, в основание затылка сокрушительный, как колуном. удар локтем. Даже сквозь грохот выстрелов было слышно, как хрустнули у негра шейные позвонки. Николай перехватил один из пистолетов из руки падающего бандита и повернулся с ним к его партнеру. Тот тут же поднял руки и залепетал:

— Don't kill me, man! Don't kill me! — Не убивай меня! Не убивай меня!

Николай нагнулся над распластанным на полу верзилой и вытащил из карманов его пиджака два толстых бумажных пакета. Потом, отступая, дошел до двери, открыл ее спиной, вышел из ресторана, сел на тарахтящий мотоцикл, сунул пакеты и пистолет за пазуху и, еще не веря своей удаче, откинул подножку мотоцикла и дал газ.

Ночная Америка приняла его ликующую душу и сердце, стучавшее в ритме «Хонды».

Удачи, как и беды, никогда не ходят в одиночку. Через час на обочине пустого ночного шоссе он увидел мигающие красные огни какой-то машины и одинокую женскую фигуру возле нее. Он сбавил газ и притормозил. Фара мотоцикла высветила «Вольву-240», открытый багажник, спущенное заднее колесо, какие-то инструменты возле него и слезы на глазах женщины-испанки.

— Мэй ай хэлп? — галантно и почти как натуральный американец предложил ей помощь Николай, не вставая с седла.

— No. Thank you. I'm waiting for police. (Нет, спасибо. Я жду полицию)

— О'кэй, — сказал Николай, понимая, что она его просто боится. И повернул руль к шоссе, чтобы уехать.

— Momento! — сказала испанка.

Он вопросительно повернулся. Теперь, когда она увидела, что он уезжает, ей стало еще страшней остаться тут одной.

— Are you German? — спросила она.

— Йес, — соврал Николай.

— Can you change that God damn tire? I can't turn the nut. — Вы знаете как поменять это чертово колесо? Я не могу повернуть гайку.

Николай не понял и половины, но по ее голосу и жесту было ясно, что она просит о помощи. Он выключил двигатель «Хонды», встал с мотоцикла и подошел к заднему колесу «Вольвы». Слава Богу, что эта дурочка не смогла открутить гайки — она пыталась снять колесо машины, даже не поставив ее на домкрат. Хотя домкрат был тут же, в дермантиновом футлярчике. А в багажнике лежала запаска. Николай взял эту запаску и тут же понял, что дело — хана, запаска была спущенной

— Oh, my God! — сказала испанка, когда он показал ей, что эта запаска мягкая, как детская клизма. — But I think she has a pump. You see this is my daughter's car. She is camping now in Europe... — Но мне кажется, у нее был насос. Понимаете, это машина моей дочки, она сейчас путешествует по Европе. — Она зашарила в багажнике и действительно выудила из него ножной насос — May be we can pump this tire? My mechanic is right there, two miles... — Может, мы можем подкачать колесо, мой механик тут рядом, в двух милях.

Николай в сомнении покачал головой. Впрочем, если подкачать, то две мили она, наверно, протянет. Зависит от того, какой там прокол. Он подсоединил насос к колесу и стал качать. Через минуту шина напряглась, он нагнулся к ней и послушал. Еле слышное шипенье означало, что воздух где-то выходит, но в конце концов две мили можно проехать и на ободе. Он докачал шину до стальной твердости, бросил запаску и инструменты в багажник и сказал женщине:

— Гоу! Ай гоу after ю. О'кэй?

— Oh, thank you! Gracias! Thank you very much! — сказала она, садясь за руль.

«Кажется, я ее трахну сегодня», — весело подумал Николай, катя за «Вольвой» на мотоцикле и светя фарой на ее левое заднее колесо.

Через минуту, на выезде с надписью «Brigewater» «Вольва» свернула с шоссе, миновала несколько темных улиц какого-то спящего городка и — уже на спущенном колесе — въехала на темную и пустую бензозаправочную станцию «Mobil». Тормознув у закрытого гаража, испанка вышла из машины, заперла дверцу и бросила ключ от машины в почтовую прорезь в двери гаража. Потом подошла к Николаю.

— I don't know how to thank you! You are a real gentleman! Now I can walk home. It's just a couple blocks from here. Gracias! — Не знаю, как благодарить вас. Вы настоящий джентльмен. Теперь я дойду до дома, это тут рядом, пару кварталов. Спасибо.

— Сит. Садись, — коротко сказал ей Николай и кивнул на сиденье у себя за спиной.

Испанка посмотрела на сиденье, потом на Николая. В ее глазах было и сомнение, и опаска обидеть своего спасителя. Но Николай молчал, только смотрел ей прямо в глаза.

— Thank you, — тихо сказала она и села на мотоцикл, вынужденно обняв Николая за талию. Даже спиной, сквозь одежду он почувствовал ее большую и мягкую грудь. И понял, что все будет — только не надо спешить.

— It's here, — негромко остановила она его действительно через три квартала, возле двадцатиэтажного и темного жилого дома. — Do you want a cap of cofe?

И все действительно было замечательно, буквально как в кино и даже еще лучше. С семнадцатого этажа, из окна ее спальни открывался роскошный вид на Бриджуотер и на мост через реку, по которой шли темные баржи с силуэтными огнями. А испанка по имени Кармелиа сидела совершенно голая на широком подоконнике и, забросив ноги Николаю на плечи, тихо стонала в такт его мощным ударам. Рядом с ее голой задницей стоял высокий бокал с ямайским ромом, кока-колой, лимоном и льдом. Ритмично вбивая свое долото в податливую испанскую плоть, Николай периодически дотягивался рукой до бокала и остужал себя этим замечательным коктейлем. Или закуривал «Малборо». Потом, устав от работы стоя, но не снимая Кармелию с себя, он перенес ее на широченную кровать, лег на спину и представил ей полную свободу действий. Судя по фотографии, которая стояла на тумбочке возле ее кровати, ее дочке было не меньше тридцати, и, значит, ей было лет пятьдесят, а то и больше. Но трахалась она с живостью и неистовством кубинской студентки. А на рассвете принесла из ванной банку с вазелином, сама густо смазала им вновь воспрявшую палицу Николая и стала на кровати на четвереньки. «Как поросенок», — мельком подумал Николай.

— But slow, please. Slow... — попросила она.

И тихо застонала, когда он вошел.

Да, все было замечательно в эту сквозную майскую ночь, но если говорить о прямом переводе термина «делать любовь», то это был как раз тот самый случай: они оба, и Кармелиа и Николай, делали секс — механически, как опытные самец и самка. И не друг другу, а, скорее, каждый — через партнера — себе. Его член был для нее не предметом любви, а инструментом для достижения оргазма, а ее широкая мокрая щель, полная жадной мускулистой силы, и даже ее податливый канал были удобно подвернувшимся сосудом для спуска застоявшейся спермы. Как дюжина таких щелей и задниц в его прошлой жизни в России — не больше.

В семь утра Кармелиа сказала, что ему пора уходить, поскольку ей нужно собираться на работу. Он принял душ, вытерся ее полотенцем с портретом Фиделя Кастро, побрился ее бритвой, сунул «Беретту» за пояс так, чтобы Кармелиа не видела, и выпил крепкий кофе, который она за это время сварила.

Провожая его голышом до двери, Кармелиа сказала:

— By the way, you are not German/ I think you are Hungarian. Right? (Между прочим, ты не немец. Я думаю, ты венгр. Да?)

— Йес, — сказал он и вышел из ее квартиры.

— Gracias, darling! Thank you for everything! — пропела она в дверную щель и закрыла дверь.

«Нет, все-таки есть разница с Россией»,— подумал он, нажимая кнопку лифта. Здесь тебя благодарят за секс. И даже не на одном языке, а на двух!

Двери лифта открылись, он вошел в просторную кабину, где уже стояло несколько человек с утренними газетами в руках, спустился вниз, миновал в вестибюле портье и увидел на улице полицейскую машину и «техничку». «Техничка» лебедкой поднимала его мотоцикл. Николай с безучастным видом прошел мимо к автобусной остановке, куда шли и остальные жители дома со своими утренними газетами. Он и не собирался пользоваться этим мотоциклом, у него в кармане было три тысячи долларов, которые пять часов назад он экспроприировал у черного бандита. Да, всего пять часов назад он был ничто — мойщиком посуды в корейском ресторане. А теперь он с тягуче-приятной слабостью в ногах и тремя тысячами долларов в кармане доехал автобусом до центра города, остановился возле телефона и набрал сначала цифру «1», потом «617», а потом Лэслин номер. И, не ожидая голоса автотелефонистки, ссыпал в прорезь всю мелочь.

— Thank you, — пискнул автоголос. — You have four minutes. — И тут же пошли гудки. Николай посмотрел на свои часы. Было 7.50 утра, через десять минут Лэсли и Джонни должны выйти из дома.

— Hello! — прозвучал, наконец, запыхавшийся голос Джонни.

— Гуд морнинг, Джон. Итс ми, Ник. Хау ар ю?

— I'm o'kay, — голос мальчика зазвучал сухо. — Do you

want to talk to my mam?

Хочет ли он говорить с его мамой?

— Но, Джонни. Тэл хё: ай лав ю вери мач. О'кэй?

— Мами! — тут же восторженно закричал Джонни и пересказал матери, что это Ник и что он их очень любит.

Потом в трубке прозвучал встревоженный голос Лэсли:

— Where are you, Nick? Are you o'kay?

И столько тревоги и заботы было в этом голосе, что у Николая похолодело в груди.

— Йес. Ай эм о'кэй. Сэнк ю, — сказал он, глядя на красивый, песочного цвета пиджак в витрине магазина.

— Someone was asking for you yesterday. But they are gone now. I don't like them, Nick. They are comming second time. Are they after you?*

«Ага! Значит, эти паскуды набрались-таки наглости ткнуться к Лэсли еще раз! Нужно успокоить ее».

— Донт вори. Ай эм о'кэй. Ай вил би бак, о'кэй? (Не беспокойся, скоро вернусь).

— When?

Если бы он знал, когда он вернется! Но пусть она не волнуется.

— Сун, — сказал он. — Очень скоро. — Вэри сун.

— We'll be waiting for you.

Они будут ждать его.

— Сэнк ю, Лэсли. Ай лав ю.

В этот июньский уикенд в Нью-Йорке стояла уже августовская жара. Вырвавшись из подземного туннеля, поезд «D» помчался по надземному виадуку. Слева и справа были обшарпанные кирпичные дома, увитые наружными пожарными лестницами и увешанные линялыми вывесками: «Bar», «Grosseri», «Flowers»,«Pharmacy», «Food»,«Diner».

---

* Кто-то спрашивал тебя вчера. Но теперь их уже нет. Мне это не нравится, Ник. Они приходят второй раз. Они охотятся за тобой?

Потом поезд сделал крутой поворот, и за окнами, в просветах меж домов распахнулись серебристая гладь океана, полосы прибрежных пляжей, чертово колесо и другие аттракционы какого-то парка. А на домах линялые американские вывески сменились новыми русскими: «АПТЕКА», «ШАШЛЫК», «МЫ ГОВОРИМ ПО-РУССКИ», «КОМИТЕТ ВЕТЕРАНОВ», «ДОМ АКТЕРА», «В ГОСТЯХ У ВАДИМА МУЛЛЕРМАНА».

Тут поезд остановился, и низкий голос черного машиниста весело объявил по радио: «Brighton Beach or Litlle Russia. The last stop. Enjoy your day! Have a fun! Say hello to Mister Eltsin!» — Брайтон Бич или Маленькая Россия. Последняя остановка. Приятного дня! Наслаждайтесь! Передайте привет Ельцину!

Пассажиры засмеялись, и Николай тоже улыбнулся невольно. На нем был песочный французский пиджак, голубые джинсы, светлая джинсовая рубашка и итальянские туфли — все за 420 долларов. И от безумной цены этой одежды у него было приподнятое настроение. Вот и он выглядет как американец, и вообще Америка — это замечательная страна, даже черные машинисты сабвея желают тебе радости и шуткой поднимают настроение.

Он вышел из вагона и спустился по лестнице на широкую, шумную и многолюдную улицу. Вокруг звучала русская речь, и прямо под лестницей, на тротуаре стояли столы торговцев русскими книгами и кассетами, а из динамиков хрипел-предупреждал голос Высоцкого: «Идет охота на волков, идет охота!» И настаивал женский: «Американ бой, уеду с тобой, Москва — прощай!» Рядом, перед дверью булочной упитанные молодки торговали горячими румяными булками с маком, вишнями, яблоками. Еще дальше, прямо из окна магазина «Белая акация» люди покупали пироги с капустой и с мясом, тут же, на фоне афиши «ПРОЩАЛЬНАЯ ГАСТРОЛЬ МАШИ РАСПУТИНОЙ» стоял какой-то кавказского вида парень с жаровней и кричал: «Чебуреки! Горячие чебуреки!» А мимо текла толпа прохожих — она завихрялась у фруктовых, рыбных и мясных магазинов, громко торговалась с продавцами, придирчиво выбирала помидоры, огурцы, персики, киви, клубнику, лимоны, свежую картошку, бананы, арбузы, дыни — и все это в мае, в мае, — подумал Николай.

«Ну, жидовское Сочи!» — сказал он сам себе и спросил у какой-то толстой еврейки, где тут ресторан «Садко». «А за тем углом, молодой человек», — сказала она нараспев, но при этом смерила его таким взглядом, что весь его костюм в миг обесценился, и он сразу почувствовал себя нацменом в стране Старшего Еврейского брата. И это было такое острожалящее ощущение, что он даже поразился: так вот как жиды, грузины и все прочие нацмены чувствуют себя в Москве!

Впрочем, он тут же отогнал эту мысль, ему сейчас не до евреев! У него есть наводка. Единственная, но есть! Натан сказал ему в первый день, что любит солянку в «Садко» и теперь он найдет этого Натана и скажет: «О'кей, в чем дело? Да я дал тебе пару раз по шее, а ты мне должен тринадцать сотен. Разве мы не квиты? В конце концов, дай мне тоже по шее, но зачем подсылать мокрушников? Я же тебя не замочил...» И если на этом Брайтоне действительно есть русская мафия или хотя бы пара воров в законе, то любой кодлый суд отменит охоту за его головой. Конечно, они могут дать Натану право избить его, отфуячить, но и только..

Он вошел в «Садко» и сразу увидел, что попал куда надо — за окном раздевалки сидел фиксатый амбал с косой челкой и наколкой на левой руке, курил «Marlboro» и читал «Советский спорт». Но Николай не остановился, а пошел прямо в зал. Однако Натана в зале не было, и вообще там была совершенно мирная обстановка: на крохотной сцене три музыканта пили пиво и расчехляли инструменты, а за двадцатью, примерно, столиками сидели человек тридцать — семьями, с детьми. Ели салаты, борщи, купаты, шашлыки и блины со сметаной. А пили кока-колу и минеральную воду. Короче — не сходняк.

— Smoking или нет? — подлетел к Николаю верткий официант, тоже определив в нем русского с первого взгляда, несмотря на все его западные шмотки.

— Курю, — сказал Николай, и официант посадил его за столик в секцию для курящих, хотя деление было, прямо скажем, условное — за соседним «некурящим» столиком сидела семья с детьми. Николай заказал солянку, шашлык и пиво и спросил у официанта как бы между прочим:

— Натан будет сегодня, не знаешь?

Официант посмотрел на него оторопью:

— Какой Натан?

– Ладно, извини, я спутал...

Солянка действительно оказалась классной, Николай даже не подозревал, что он так соскучился по настоящей русской еде. Но он приехал сюда не ради солянок и не для того, чтобы смотреть, как евреи, выбрасывая ноги, танцуют «семь сорок» под оглушительную музыку. Он вышел в тамбур-вестибюль, подошел к окну раздевалки и в упор спросил у фиксатого:

— Где зэчил, кореш?

Тот посмотрел на него долгим взглядом, потом сказал:

— Игарка. А ты?

— Коми и Мангышлак. Два срока.

— А тут на гастролях? Или совсем? — фиксатый протянул ему пачку «Marlboro».

— Кореша ищу, — уклончиво сказал Николай, беря сигарету. — Может, знаешь его? Натан...

— Кто? Кто? — фиксатый вдруг закашлялся.

— Натан, — повторил Николай. — Он говорил, что тут кантуется. На солянку меня приглашал. Может, свистнешь его? У меня к нему дело.

— Гм... — откашлялся фиксатый. — А как сказать? Кто спрашивает?

— Просто скажи: из Москвы, знакомый. Пусть ему

сюрприз будет. Лады?

Фиксатый кивнул, и Николай, довольный своей удачей, вернулся в зал. Там оркестрик уже гремел «Москву златоглавую». А в раздевалке фиксатый порылся в картонном ящике под стойкой и извлек из-под нард и порножурналов пожелтевшую газетку «North Shore News». На ее первой странице было фото Николая Уманского. Фиксатый снял телефонную трубку и набрал номер.

В спешащем в аэропорт «Бьюике» 35-летний рыжий бородач снял трубку зазвеневшего радиотелефона.

— Что? — сказал он изумленно. — Иди ты! Сам пришел и Натана спрашивает? Скажи ему, что как раз сейчас он прилетает из командировки, — и сам рассмеялся своей шутке. — Да, да, пусть сидит и ждет!

И, положив трубку, радостно стукнул рукой по рулю:

— Бинго! Очко!..

В 15.20 он вышел из прокуренного самолета «Аэрофлота» и в потоке пассажиров оказался в зале таможенного контроля. Кроме куртки и небольшой спортивной сумки у него ничего не было. Он предъявил таможеннику эту сумку, декларацию с прочерками «не болел... не имею...» и паспорт с туристической визой.

— Thank you, Mister Konkin. Welcome to America!

Он шагнул из таможенного зала к двери в Америку, и эти двери автоматически распахнулись. За дверью стояла толпа людей, они держали над головами таблички с надписями: «Моня, я здесь!», «Горин, с приездом!» и т.п. Не успел он сделать и двух шагов, как рыжий бородач, державший над головой табличку «Конкин», торопливо шагнул ему навстречу.

Тем временем в «Садко» фиксатый гардеробщик подошел к столику Николая и сказал:

— Тебе повезло, кореш. Он скоро будет.

— Спасибо. Пива выпьешь со мной?

— Пива можно, — охотно согласился фиксатый и сел.

Миновав дорожные развязки, они выскочили на гудящее от машин шоссе. Мелькали гигантские рекламные стенды — «Toyota», «SONY», «Finlandia». Потом вдали, поверх деревьев и крыш Конкин увидел знакомые по кино очертания американских небоскребов. Но рыжий бородач свернул под указатель «Brooklyn-Queens Express Way» и поехал на юг от этих небоскребов.

Конкин вопросительно взглянул на него, но смолчал. А тот, поймав этот взгляд, сам объяснил:

— Дело есть в Бруклине. Срочное. До главной работы. Тебе лишний кусок не помешает? Зелеными! Заодно Брайтон посмотришь...

— Два, — сказал Конкин.

— Что «два»? — не понял водитель.

— Мне в Москве сказали два куска.

— Это за главную работу. За завтра. А сегодня — так, левая халтура.

— Мокрая?

— Ну, само собой!

— Два куска.

Все-таки ни выпили и водки. Причем, фиксатый Борис сам притащил из кухни запотевший графинчик «Абсолюта» и закусь — соленую капусту, холодец и салат «Оливье». После второй рюмки они выявили общих московских знакомых, а после третьей обнаружилось, что и судьбы их схожи — в 1952 году, во время последней волны сталинских арестов, родителей Бориса арестовали, а его, трехлетнего, отправили в детдом для детей «врагов народа». Там ему дали новое имя и фамилию, и он уже никогда не видел своих предков, а стал уличным «щипачем». Правда, на этом сходство их судеб кончалось, потому что в 1979, перед концом своего срока, Борис прямо в лагере получил от кума ультиматум: или в эмиграцию по еврейской визе, или новый срок. Так он оказался в Америке.

— Аж в 79-м?! — восхитился Николай. — Повезло тебе, бля! Подфартило! Я в 79-м, знаешь, где был! А ты тут! Это ж офуительная страна! Давай за Америку!

— О чем ты говоришь! Рай! — чокнулся с ним Борис. — А люди какие? Добрее американцев в мире нет!

— Доверчивые они только, — сказал Николай, залпом опрокинув свою рюмку.

— Мудаки потому что, — подтвердил Борис и, увидев зовущие знаки официанта, добавил: — Извини, мне надо гардероб проверить.

Он вернулся через минуту и, перекрывая музыку оркестра, сказал Николаю:

— Этот столик на вечер заказан. Может, выйдем на воздух,подышим?

— А как же Натан? — тут же протрезвел Николай.

— А он подойдет, никуда не денется. Пока он будет свою солянку есть, мы голову у моря проветрим. А то я тут уже офиздинел от этих фрейлихсов! — и, не дожидаясь ответа, приказал официанту: — Стасик, спрячь наш графинчик, мы минут через двадцать вернемся.

Но когда они перешли высокий прибрежный прогулочный настил — виадук и зашагали по песку к черной воде, Борис вдруг вспомнил, что забыл оставить официантам ключ от раздевалки.

— Подожди меня тут, не уходи! Я живо туда и назад — две минуты!

Что-то не понравилось Николаю в его голосе, но, пока он думал, Борис уже исчез в вечерней серости под стояками деревянного настила. Николай, стараясь не черпать обувью песок, подошел к океану. Йодный запах и серые волны, которые хлопались о берег рядом с его ногами, напомнили ему Бостонский залив и мягкие теплые губы Лэсли: «Ай вона мэйк лав ту ю, кэн ай?» — сказала она тогда в машине и сама поцеловала его прямо в губы, да так, что он поплыл от этого поцелуя в совершенно другую жизнь — семейную, тихую, безоблачную жизнь с дневными детскими играми и ночными страстями взахлеб. И так близка теперь эта жизнь, так доступна, возможна...

Шаги по песку заставили его обернуться. В темноте он неясно различал приближающуюся фигуру — Борис или Натан? Нет, и тот, и другой пониже ростом. Но чем ближе фигура, тем знакомей. И вдруг...

— Конкин? — спросил он враз охрипшим голосом

— Колюн? Это ты, что ли? — отозвался Конкин.

— Е-мое. Так это они тебя на меня зарядили?

— Похоже, Коля.

— Ну, бляди!

— Стой, где стоишь!

— Ты что, сдурел? Конкин!

— Работа есть работа, Колюн.

— Но мы ж с тобой... — Николай сунул руку под пиджак, за пояс.

Негромкий выстрел совпал с ударом волны о песок и осек реплику и жест. Конкин стрелял с бедра, но попал точно в голову. Николай упал затылком в воду, холодная волна затемнилась его кровью. Конкин нагнулся, вытащил из-за пояса Николая «Кольт», а из кармана кошелек, и снял с его руки часы.

— Потерял ты тут форму, Коля, — сказал он покойнику.

Через двадцать минут в «Садко» он ел солянку и не спеша допивал «Абсолют» из того самого графинчика, который не допили фиксатый Борис и Николай Уманский.

Рядом, на пятачке перед крохотной сценой эмигранты отплясывали «Ой, Одесса, жемчужина у моря!»

Он посмотрел на них спокойными трезвыми глазами. Да он и не имел права пьянеть. Завтра его ждала работа.

Кремлевский пленник

КРЕМЛЕВСКИЙ ПЛЕННИК*

(Из документального романа)

Эпиграф

«Новости из Москвы шли одна истеричнее другой. Запущенный вроде конституционный процесс вдруг опять застопорился». Хасбулатов в мое отсутствие отказался отправлять в отпуск Верховный совет. Не отдохнувшие и оттого, наверное, еще более обозленные, депутаты пошли вразнос. Демократические партии проводили экстренные заседания и принимали резолюции с требованиями, чтобы президент вернулся из отпуска. Несколько раз в день мне звонил Сергей Филатов и тоже намеками давал понять, что надо возвращаться, без меня ситуация выходит из-под контроля...

На одном из заседаний комиссии по борьбе с коррупцией несколько ее членов, в том числе Андрей Макаров и начальник Контрольного управления администрации президента РФ Алексей Ильюшенко, высказались за то, чтобы попытаться привлечь широко известного в России молодого бизнесмена, проживающего в Канаде, Дмитрия Якубовского как свидетеля по делу о коррупции в высших эшелонах власти.»

Борис Ельцин, «Записки президента»,
глава «Трудное лето».
М-ва, 1994, Из-во «Огонек», стр. 321 и 331

---

* Написано в соавторстве с Александром Грантом.

По свидетельству очевидцев, полковник уже на третьи сутки своего тайного проживания в Кремле настолько там освоился, что расхаживал по бывшим великокняжеским покоям в одних трусах. 29-летний, толстый, высокий, с небольшой но окладистой бородой, которую он носил для солидности, полковник страдал от своего вынужденного затворничества и от июльской жары. Едрена феня, даже в кремлевской резиденции Президента у них нет кондиционеров! Если бы они вернули его в прежнюю должность, он бы облепил весь Кремль кондиционерами за три дня! В 1987 году, когда компьютеры и факсы были в России в новинку, он, 23-летний помощник московского прокурора, в считанные дни снабдил факсами и компьютерной системой связи всю городскую прокуратуру.

Но сейчас перед ним иные задачи. Помочь Президенту разжать уже занесенный над ними обоими кулак, разорвать удушающую их обоих удавку. Президент Верховного Совета Хасбулатов, вице-президент Руцкой, генеральный прокурор Степанков, министр безопасности Баранников, первый замминистра МВД Дунаев — вот практически пять пальцев кулака, который грозит Президенту, парализовав его власть, зажав тисками спецведомств и аппаратов. Но, на счастье Президента, трое из них — бывшие личные друзья полковника, а теперь его персональные враги. Они предали его, лишили работы и вышвырнули из России без права возврата.

А он — вернулся! И не как-нибудь, а в правительственном самолете, с личной охраной Президента и в сопровождении высших кремлевских чинов: Андрея Макарова, председателя комиссии по борьбе с коррупцией, и Алексея Ильюшенко, начальника Контрольного управления администрации Президента. Да, сам Президент прислал за ним в Цюрих «борт 65552», всю эту стаю охранников и сановников и даже — друга его детства, знаменитого тележурналиста Андрея Караулова. Вот как они нужны друг другу! Он — Президенту, чтобы от пятерни, смыкающейся на президентском горле, отсечь хотя бы пару пальцев, а Президент — ему, чтобы сквитаться с Баранниковым, Степанковым и Дунаевым за предательство и вернуться на родину, в Москву, в свой кабинет на Старой площади. А может быть, если Президент и он победят, то его кабинет будет уже не на Старой площади, а тут, в Кремле. Ведь должен же Президент оценить его услугу!

Так за работу! Горы документов — постановлений Верховного совета, прокуратуры и других правительственных ведомств, которые чемоданами приносят ему Макаров, Ильюшенко, начальник Первого управления администрации генерал-майор Александр Котенков и другие члены правительственной комиссии по борьбе с коррупцией, — эти сотни папок полковник должен прочесть, сопоставить между собой и своим чутьем административного вундеркинда распознать за бюрократическим слогом канцелярских бумаг тайные аферы, взятки, гигантские «подкожные» переливания государственной валюты из России за рубеж и обратно, в карманы самых высокопоставленных врагов Президента. Никто, ни один человек в России не способен на такую работу, — только он! Именно за эту гениальность вытащил его Президент из-за границы, тайно ввез в Москву и держит затворником за кремлевской стеной в то время, как Министерство безопасности, Прокуратура России, милиция и все журналисты Москвы с ног сбились в поисках. Знают, что он в России, пронюхали, конечно, что он прибыл правительственным спецрейсом, этого не утаишь, сам Руцкой объявил по телевидению, что он прибыл в Москву, но — куда делся? где прячется? зачем прилетел?

Александр Котенков, начальник Государственного управления администрации президента России, в беседе с Эдуардом Тополем. Старая площадь, шестой этаж, полдень, 2 октября 1993 года, 43 часа до штурма руцкисто-макашовцами московской мэрии и 49 часов до ареста Руцкого и

Хасбулатова. В кабинете Котенкова, на диване — комплект из двух простыней и подушка. В связи с эскалацией напряжения в Москве аппарат Президента работает круглосуточно. Котенков уже четвертые сутки ночует в этом кабинете.

Котенков: — Игра тогда шла очень большая, и в основном — против министра внутренних дел и генерального прокурора в какой-то мере. Я называю пока этих трех лиц, чтобы ясно было, почему нужно было предпринимать такие меры для обеспечения безопасности свидетеля. Были веские основания думать, что эти три лица заинтересованы не только в его задержании, но и в том, чтобы он замолчал навеки, потому что очень много информации об этих трех лицах у него имелось. И было заключено определенное джентльменское соглашение: он приезжает в Москву при условии, что ему здесь обеспечивается полная гарантия безопасности...

Да, меры по обеспечению его безопасности были приняты действительно на президентском уровне. В 22 часа 40 минут 23 июля, когда «борт 65552», обойдя дикую июльскую грозу, приземлился в окруженном автоматчиками правительственном аэропорту «Внуково-2», бронированный «Мерседес» Президента и две «Волги» с автоматчиками-«афганцами» были поданы прямо к трапу. Полковник Борис Просвирин, заместитель всесильного Александра Коржакова, руководителя службы безопасности Президента, увидев в иллюминатор этот «Мерседес», влетел в салон и закричал: «Братцы, нас сам Президент встречает!». Но оказалось, что Президент на Валдае. В дождливой и душной июльской темноте «полковник Боря» пересадил из самолета в эти «Волги» и «Мерседес» его, Макарова, Ильюшенко и Караулова и кружным путем — через подмосковные деревни и московские закоулки—отправил в Кремль, а в это время черные правительственные лимузины-«членовозы» утюжили

Ленинский проспект, чтобы сбить с толку всевидящие глаза Баранникова и Дунаева.

И — надул хитрый Боря Просвирин своих бывших гэбэшных дружков! Петляя по переулкам, так ни разу и не выехав на патрулируемые гаишниками московские магистрали, странный кортеж — впереди «Волга» с автоматчиками, затем бронированный «Мерседес» с затененными и зашторенными окнами, а за ним еще одна «Волга» с вооруженной охраной — пронесся по темной полуночной Москве и без остановки влетел в открытые для него ворота Боровицкой башни Кремля.

И только тут, за кремлевской стеной, 29-летний «суперсвидетель» — полковник Якубовский — сделал первый свободный выдох — нет, не на расстрел заманили его послы Президента, не в лапы госбезопасности. И уж совсем отпустили, когда его с личным телохранителем Виталием провели в резиденцию Президента, в бывшие великокняжеские покои, где когда-то жил Ворошилов, а последней постоялицей была Маргарет Тэтчер. Здесь их ждал ужин, а его лично — длинный, во всю комнату рабочий стол и компьютер. И уже не Просвирин, а сам генерал-лейтенант Михаил Иванович Барсуков, начальник Главного управления охраны РФ (бывшей «девятки»), усмехнувшись тому, что полковник, войдя в эти апартаменты, сразу подошел к окну, сказал:

— Не дрейфь! Кремль брали всего два раза. Поляки хрен знает когда и Наполеон в 1812. Так что ты тут в полной безопасности!

Да, он дрейфил, конечно. Он дрейфил всю дорогу от Цюриха до Москвы и даже в аэропорту. Еще в Швейцарии он дал интервью российскому ТВ, где сказал: «Если я приеду в Москву, то буду немедленно арестован» Сходя по трапу, он еще не был полностью уверен, что автоматчики, которые стоят вокруг самолета, — из охраны Президента, а не из Министерства безопасности, которое уже объявило охоту на него, суперсвидетеля. Но, конечно, тайна его пребывания даже здесь, в Кремле, — секрет полишинеля. Он им так и сказал: охрана, повора, секретари, официанты, — да Баранников если не завтра, то уж послезавтра наверняка будет знать, что он здесь. Но дудки, Дядя Витя, выкуси! Он еще там, в Цюрихе, выложил Макарову и Ильюшенко все (или почти все), что имелось у него на Баранникова. А здесь буквально в первый же день приправил это блюдо такими непоколебимыми фактами и документами, что уже через несколько часов Баранников был в кабинете Президента, и некуда было Виктору Павловичу уйти от обвинений в закулисном блоке с Руцким, в продажности, взяточничестве и зависимости от Бориса Бирштейна, западного дельца, которого, по слухам, сначала вскормил КГБ для своих нужд, но который потом вырос до таких размеров, что уже сам может покупать министров госбезопасности, вице-президентов и даже президентов бывших союзных республик. И как ни клялся Баранников Президенту, что «суперсвидетель» и суперинформатор на самом деле гомосексуалист и шизофреник, а Бирштейн — на самом деле его, Баранникова, агент, которого он прикрепил к Руцкому, — все это был лишь жалкий лепет.

ИТАР-ТАСС, 27 июля. *Сегодня на встрече с руководящим составом Министерства безопасности РФ Президент России Борис Ельцин проинформировал о подписании Указа об освобождении Виктора Баранникова от долж-ности Министра безопасности РФ за лично допущенные им нарушения этических норм, а также серьезные недостатки в работе, в том числе по руководству пограничными войсками министерства. Об этом сообщила пресс-служба Президента.*

ИЗВЕСТИЯ, 28 июля. *Наша справка. Баранников Виктор Павлович. Родился 20 октября 1940 г., женат, имеет двух дочерей.*

Образование: Высшая школа милиции. Генерал армии.

Трудовую деятельность начал в 1957 году токорем, с 1961 года работал в органах внутренних дел: участковый инспектор районного отдела милиции, начальник отделения, заместитель начальника отделения по оперативной работе, начальник 7-го отделения Управления БХСС МВД СССР, министр внутренних дел СССР (1990 — 1991 гг.), министр безопасности и внутренних дел РСФСР (1991 — 1992 гг.), в январе 1992 года — генеральный директор Агентства федеральной безопасности Российской Федерации, членство в КПСС приостановил в 1990 г.

ПРАВДА, 29 июля. Увольнение В. Баранникова можно расценивать как новую фазу государственного переворота, начатого горбачевско-ельцинской командой в августе 1991 года. Приведены в повышенную боевую готовность Тульская, Псковская дивизии ВДВ, группы спецназа «Альфа» и «Омега». Есть информация, которая, конечно, требует проверки, о прибытии в Россию представителей западных спецслужб...

И — все. Слетел генерал Баранников с министерского кресла, не дотянул руки ни до него, суперсвидетеля, ни до Президента.

Из бесед с Якубовским в сентябре 1993 г., за тридцать дней до ареста Руцкого и Хасбулатова:

— Я прилетел в Москву в пятницу, 23 июля. А в субботу слышим по радио, что Президент прерывает отпуск, возвращается с Валдая и в понедельник приступает к работе. Я работаю напролет всю субботу и воскресенье. В понедельник перед заседанием Совета безопасности — начало атаки. Баранников получает строгий выговор за инцидент на афгано-таджикской границе и ему предлагают уйти в отставку по-тихому, но он не уходит. Идет эскалация напряжения. Вот фотография, где я сижу за компьютером в резиденции на фоне Боровицкой башни. У нас был номер из трех комнат, одна из них была большая, метров 80-90, как столовая. Там стоял большой карельской березы стол во всю длину комнаты, половину этого стола мы использовали для еды, а половину — для компьютера, книг. Во вторник снимают Баранникова, в Москве шок, потом происходит первая утечка информации, и в «Российской газете», это орган Верховного Совета, появляется статья, что, по слухам, я в Москве. А я тем временем полностью разработал план, что нужно делать, чтобы получить материалы на Хасбулатова, Руцкого, Степанкова...

Вопрос: — А ты вывез копии этих планов?

Ответ: — Это нельзя было вывезти. Во-первых, там запрещено было работать на дискетах. Только на жестком диске. Я мог заложить информацию только в память компьютера, а потом приходил человек, включал принтер, распечатывал мою информацию и забирал. Но для того, чтобы подготовить эту информацию, нужно было перелопатить все решения правительства и Верховного Совета за два года.

Вопрос: — Кто ставил тебе задачу и какую?

Ответ: — Задача была простая: разработать план ответных действий. Дело в том, что товарищи Руцкой, Степанков, Хасбулатов провели мощную кампанию по дискредитации Президента. Надо было их закопать, доказать, что это они, а не он — коррупционеры. А у Президента не было систем, которые могли бы сделать эту работу. Скажем, пара оперов могут пойти и изъять те и те документы, но ведь надо, чтобы кто-то им приказал, написал, куда идти, что искать и где именно...

Вопрос: — А ты мог бы дать несколько примеров этой работы?

Ответ: — Пожалуйста. Например, есть документ, подписанный Хасбулатовым, по которому он разрешает некоей коммерческой структуре брать 40 процентов своих денежных средств из государственной разморозки...

Вопрос: — Что это значит?

Ответ: — Это значит, что валюты в стране нет. Заводы и фабрики, которые имели валюту, — их валюту государство потратило, а им сказало: ваши деньги заморожены. А если кто хочет этими своими деньгами пользоваться, то их нужно «разморозить». Но всем сразу разморозить нельзя. В этом месяце можно двоим, в следующем — еще двоим. А Хасбулатов подписывает документы на эти разморозки, потому что ему подчиняется Центральный банк. И вот я нахожу документ: «Хас» подписал разморозку — но не заводу или фабрике, а некоей коммерческой структуре, которая, как я знаю за такие разморозки берет с заводов 40 процентов размороженной валюты. Ну, конечно, они показывают, что пускают эти деньги на какие-то суперблаготворительные цели — мол, дети там, инвалиды. Ну а когда я надыбал такие документы, то дальше уже проще. Я говорю: дайте мне все решения Верховного , Совета по внеочередным благам, — кому по указанию Хасбулатова дали то, что ему не положено: дачу, телефон, машину, спецсвязь, поликлинику. А определив круг людей, получивших эти блага, накладываю этот круг на список лиц, вовлеченных во внеочередные разморозки валюты. И получаются уже интересные совпадения, которые надо разматывать. Надо взять эти коммерческие структуры и сказать: вот вам отчислили, скажем, сто долларов на благотворительность, а покажите мне хоть одного облагодетельствованного вами инвалида. И проверка чаще всего показывает, что они потратили из этой суммы, скажем, всего 4 доллара на фиговый лист благотворительности, а остальное просто украли. Но тогда возникает интересный вопрос: а почему именно этим людям товарищ Хасбулатов разрешил внеочередную разморозку валюты? Да еще именно им дал всякие блага? А? Ведь в функции товарища Хасбулатова как спикера парламента вовсе и не входит регулирование валютных средств! То есть, понимаете, даже если у меня нет доказательств, что он брал взятки за эти разморозки, все равно именно эти его противоправные действия нанесли государству ущерб. А это уже статья 172 и — пошел улицы мести, дорогой товарищ! Вы поняли методологию?

Вопрос: — А победа над блоком Хасбулатов — Руцкой была запланирована на ту же неделю?

Ответ: — Нет, было запланировано, что победа должна наступить до ноября...

Статья 172 УК России:

ХАЛАТНОСТЬ. Невыполнение или ненадлежащее выполнение должностным лицом своих обязанностей вследствие небрежного или недобросовестного к ним отношения, причинившее существенный вред государственным и общественным интересам либо охраняемым законом правам и интересам граждан, — наказывается лишением свободы на срок до трех лет, или исправительными работами на срок до одного года, или увольнением от должности.

Из беседы с А. Котенковым (продолжение):

— Надо сказать, что он оказал нам большую помощь. Он действительно перелопатил огромную кипу документов, составил большой список разного рода распоряжений и постановлений, за которыми действительно мог крыться криминал. В вопросах экономических он разбирается блестяще. Я думаю, что это был не просто экономический анализ, а знание реальных дел, которые стояли за тем или иным распоряжением. Знание, которым он располагал как бывший советник правительства. Он подсказал несколько мест, в которых мы в последующем действительно получили очень интересные документы, касающиеся Баранникова и Дунаева.

Вопрос: — Был компьютер в комнате, где он жил? Ему приносили папки с документами? Это действительно было так, как он нам рассказывал?

Ответ: — Да. Это были даже не папки, а чемоданы с

документами, и он несколько дней очень внимательно это прорабатывал.

Вопрос: — Какое он произвел на вас впечатление?

Ответ: — Неоднозначное. Совершенно очевидно, что это очень умный человек, с широкой эрудицией, причем прежде всего виден его предприимчивый ум, он за любым шагом видит конкретные экономические последствия. Но хотя он считает себя юристом, я бы считал его больше экономистом, причем экономистом как бы оперативного плана. И в то же время налицо неадекватная оценка самого себя. На мой взгляд, он переоценивает себя как юриста и политика. Я могу отдать должное его гению в экономической сфере, но как политик... Впрочем, нужно признать, что если он смог достичь таких влиятельных знакомств и войти в доверие почти ко всему высшему руководству России, — это уже говорит о его очень высоких способностях...

* * *

Сначала Президент распорядился уволить Дунаева. Через несколько дней настал черед Баранникова.

Так, эти вылетели из игры. Теперь очередь Степанкова. Правда, команда Президента просит его сосредоточиться на Руцком и Хасбулатове. Эти господа-товарищи им, конечно, важней. И хотя он уже подал им на блюдце с золотой каемкой папочки с документами по фонду «Возрождение» и миллионами долларов, которые с подачи Руцкого и Хасбулатова упорхнули из этого фонда неизвестно куда, — им этого мало. «Каким образом Руцкому удалось так эффектно, одним полетом в Молдавию заключить мир с молдавским президентом Снегуром?» Так ведь Руцкой летал туда с Бирштейном и Баранниковым! «Вы думаете, Бирштейн заплатил президенту Молдавии Снегуру за этот мир?» А вы думаете, что нет? Только Бирштейн платил не за мир, а за новый имидж Руцкого — политика и миротворца...

Господи, как ему надоела эта кремлевская клетка! Душно, тесно, дальше коридора охрана не выпускает. А при новой власти повытерлись в этих коридорах ковровые дорожки, даже в Кремле повытерлись! И паркет уже скрипит. Скрипит уже паркет в имперских кабинетах бывших коммунистических вождей. А картины! Боже мой, что за живопись в покоях, где останавливалась сама Тэтчер! Натюрморты «Арбузы на столе», словно в гостинице «Алтай» или «Золотой колос». Вазы, правда, старинные, царские, но телевизор как в третьеразрядном отеле. А кровать...

Нет, не о том он думает! Надо думать, как срочно сковырнуть Степанкова, который уже подписал ордер на его арест за нелегальный переход государственной границы! Ну? Что скажете? Знает же, что он прилетел в Москву в правительственном самолете, приземлился на правительственном аэродроме и въехал в Москву в правительственном лимузине, — так нет, нате вам: «нелегальный переход границы»! Конечно, ребята из команды Президента пригласили этого Степанкова, хотели уладить дело миром, — мол, отстань ты от нашего суперсвидетеля, оставь его в покое. Другими словами, попытались перетянуть прокурора на свою сторону. Но Степанков уже выбрал себе компанию — Хасбулатова и Руцкого, уже вмазался с ними, — и потому уперся: нет, подайте мне этого нарушителя границы, и все тут! Где он у вас?!

Так они ему и сказали, где! Впрочем, сказали: мол, кажется, остановился у своего дружка Андрея Караулова...

Из бесед с Андреем Карауловым, Москва, в ночь на 3 октября. 38 часов до ареста Руцкого и Хасбулатова:

— Он настаивал на встрече с Президентом, но аппарат говорит Президенту, что, мол, для Президента такая встреча — того... Вы, конечно, можете написать, что Президент к нему приходил, в романе это сойдет, но на самом деле Президент у него в кремлевском номере не был. А вот звонить — звонил. Позвонил по телефону и говорит: «Не знаю, понимаешь, как тебя называть. То ли господином, то ли товарищем». На что наш герой и говорит Президенту: «Да вы не валяйте дурака! Как удобно, так и называйте». «Ладно, — усмехается Президент. — Ты, значит, работай. С Баранниковым мы тут уже разобрались, ставлю тебе новую задачу...» И называет ему несколько новых имен. И наш суперсвидетель, облаченный таким высоким доверием, уже ходит по Кремлю в трусах, потому что одеваться лень, а на улицу его все равно не пускают, там охрана из «Альфы», еще те ребята!.. А я сижу дома, собираюсь как раз в Кремль его навестить. А тут телефонный звонок, и мужской голос говорит моей жене: «Примите телефонограмму для вашего мужа. Чтобы завтра в 9 утра явился в Лефортовскую тюрьму на допрос». Я беру трубку и спрашиваю: «А вы кто такой?». «А я, — отвечает, — полковник госбезопасности Мусич». А я ему говорю: «А не пошел бы ты, Мусич!..» И отправляюсь в Кремль. Макаров меня встречает и проводит к нашему «суперсвидетелю». Время 11.45 вечера, мы ужинаем: Макаров, я, наш герой и его телохранитель Виталик. Вдруг врывается полковник Боря и говорит: «Срочно собирайся, едем в Ростов!». Вы помните сцену в «Ревизоре», финальную, немую? Я онемел, Макаров онемел еще больше, не онемел один наш «суперсвидетель», — какой, говорит, еще Ростов? «Ничего не знаю, — кричит полковник Боря, — приказано сдать оружие и ехать в Ростов, срочно!».

«Я все понял, — говорит наш «суперсвидетель», — убивайте меня здесь. Я вам стал не нужен, бросите мой труп в Москва-реку, в Воскресенске всплыву. А еще лучше — отпустите меня на улицу, я сам из Москвы уйду, пешком». Макаров застыл с вилкой и ножом в руке: «Ни шута не понимаю! Полчаса назад все было нормально, что случилось?» А тут истошно звонят телефоны — первая и вторая «вертушки». Макаров-Немирович снимает трубку первой и уходит в соседнюю комнату, потому что на проводе Филатов, честнейший человек, начальник канцелярии Президента. И тут мой друг юности произносит мне текст. «Что все, мол, старик, меня предали, я вам поверил, а вы привезли меня в Москву, употребили и — на расстрел в какой-то Ростов.» Страшная минута. Я кричу на него: «Успокойся! Что-то тут не то! Они тебя убить не могут! Я поеду с тобой в любой Ростов!» Тут возвращается Макаров, бледный как бумага, и говорит: «Хасбулатов узнал, где ты скрываешься, и готовится сделать заявление, что администрация Президента скрывает нарушителя границы. Руцкой сделал заявление, что тебя встречали в аэропорту и хотели арестовать, но «Альфа» отстранила пограничников. Короче, шьют уголовное дело». И только тут до меня дошло, зачем меня вызывали в Лефортовскую тюрьму. А Макаров продолжает: «Поэтому срочно едем в Ростов, поездом. Там тебя будет ждать полковник Казарян, начальник личной охраны Тер-Петросяна, президента Армении. Из Ростова улетишь с Казаряном в Ереван, а оттуда — за рубеж. В Ростов и Ереван с тобой отправляется генерал Котенков — как гарант того, что мы тебя не предали и врагам не сдали». А наш герой говорит: «Какой в тынду, Ростов! Ни в какой Ростов — Ереван я не поеду, дайте мне военный самолет, я улечу в Дюсельдорф, а дальше уже не ваше дело! Раз государство бессильно, бля, перед Хасбулатовым, то лучше я вообще из Москвы пешком уйду!».

Но они уже находят по радио Сашу Котенкова, он как раз ехал домой в своей машине и был, замечу вам, в шерстяном костюме, вы на эту деталь обратите внимание, потом пригодится. И отправляют его, хорошего человека, генерал-майора танковых войск и начальника Государственного правового управления, прямо на Курский вокзал, к Ростовскому поезду, где уже заказаны билеты и весь вагон уже забит «Альфой». На случай, если нужно будет от людей Баранникова отстреливаться. А я звоню жене: тут, мол, такая ситуация, я несколько дней дома не буду. Она говорит: ну хорошо, а когда ждать? Я говорю: в июле. И вот мы выезжаем из Кремля, наш «суперсвидетель» бороду сбрил, чтобы враги его не опознали. Как въезжали через Боровицкие ворота, так и выезжаем. «Чайка» бронированная с нашим героем, потом белая «Волга» со мной и Макаровым, и сзади еще какая-то фигня едет типа «рафика», с охраной. Гоним на Курский вокзал, к поезду Москва — Ростов...

Котенков: — Когда прокуратура дала санкцию на его арест, то, естественно, в таких условиях его пребывание в Москве было уже опасно и для него лично, и для нас с точки зрения политической компрометации. И было принято решение вывезти его из страны. Почему это было обставлено так театрально, — это вообще история почти детективная. Напомню вам, что министром безопасности, которого первым снимали с позором, был Берия. Но его снимали с шумовым оформлением и с гораздо большими последствиями. После Берии Баранников был вторым министром безопасности, которого нужно было снять за неблаговидные поступки. И перед нами стояла задача не допустить никакого шума и уж тем более никаких силовых действий как с его стороны, так и с нашей...

Вопрос: — Вы имеете в виду, что и после увольнения он через своих людей сохранял какие-то силовые позиции в министерстве безопасности и в прокуратуре? Так, что ли?

Ответ: — Так. И чтобы не накалять атмосферу, было принято решение избрать такой вариант выезда, при котором вообще исключалась какая бы то ни было возможность столкновения Якубовского с прокуратурой, министерством безопасности или с МВД, где Дунаев еще имел какую-то силу, — тем более что Ерин находился в это время в отпуске. Задача была отправить Диму за рубеж, а вылететь за рубеж можно только из Москвы, но это же обязательная проверка документов, проход через пограничников —

и, следовательно, встреча с компанией Баранникова. А это исключалось. Мы ведь не могли исключить и такую возможность, что его при нас пропустят в самолет, потом этот самолет посадят в любом другом городе и там арестуют...

Вопрос: — Вы говорите «мы», «нас»... Вы можете назвать каких-то конкретных людей?

Ответ: — Нет, не могу. Потому что, как вы сами понимаете, этим занимались люди, которые как раз и обеспечивают безопасность...

Из бесед с Андреем Карауловым:

— Мы примчались на Курский вокзал за 15 минут до отхода ночного поезда Москва — Ростов. Котенков уже, знаем, ждет нас на перроне, и весь вагон забит охраной. Приехали. Вот Курский вокзал, вот площадь, а сбоку там как бы депутатский зал, и мы в аккурат сбоку заезжаем — там забор такой и вроде пустырь. Милицейская машина, которая шла впереди нас, отваливает в сторону, пропускает «Чайку», и мы въезжаем. Я вылезаю из машины подышать, оборачиваюсь назад и вижу, как за нами сюда же подкатывает такая же, как шла за нами, белая «Волга» и «рафик», из которых выходят люди с кинокамерами в руках, с характерными чемоданчиками и с ходу врубают свет. И я тут же понимаю, что такая киноаппаратура может быть только у одного учреждения. А они идут ко мне: «Ой, товарищ Караулов, что вы тут делаете? Можно, мы вас снимем?».

Старик, я умер второй раз в жизни. Я трусом оказался полным, я думал, что я храбрый человек, а я чуть Богу душу не отдал. А наш герой и Макаров сидят впереди, в «Чайке», в двух шагах. Я тяну одеяло на себя: «Ребята, вы кто?» — «А мы, говорят, «Московский комсомолец», у нас рейд». Ну, думаю, ни черта, меня на мякине не проведешь! А пока я с ними дебатировал, что меня снимать не надо, полковник

Боря подскочил сзади, руки мне за спину, морду мне вот так вниз и — в машину. Я влетел в нее плашмя. «Чайка» разворачивается, наша «Волга» за ней, и мы несемся по Садовому кольцу. А генерал Котенков стоит на перроне у вагона забронированного и ждет, когда явится пациент. И ему показалось, что к этому перрону подходят в большом количестве люди в спортивных костюмах...

Из беседы Э. Тополя с генералом Александром Котенковым, начальником ГПУ администрации Президента России. Москва, Старая площадь, 2 октября 1993 года. 40 часов до начала обстрела «белого дома» и ареста Хасбулатова и Руцкого:

Котенков: — В ту ночь была предпринята попытка выехать поездом, но, судя по всему, произошла утечка информации, и на вокзале, с которого он должен был уехать, оказалась группа журналистов, причем тележурналистов. И группа омоновцев. То есть — это была явно инсценировка, им нужно заснять захват главного пассажира «Чайки», с поличным. Я при этом не присутствовал, у меня была другая задача по его сопровождению. Я приехал чуть раньше и ждал возле вагона его появления. А не дождавшись, проводил поезд и вернулся к себе в управление, так и не поняв, что произошло. Впрочем, с той стороны вы, наверно, знаете, как развивались события.

Из бесед с Якубовским:

— В четверг принимается решение эвакуировать меня из Кремля. Потому что на субботу было объявлено открытие сессии Верховного совета и стало известно, что Хасбулатов собирается ставить там вопрос, во-первых, о якобы незаконном снятии Баранникова, а, во-вторых, о том, что я, нарушитель границы, скрываюсь в Кремле. Руцкой выступает по телевидению и крутит видеокассету, на которой снято, как я встречаю Рождество в одном из ресторанов Торонто. Но он не говорит, что это ресторан, а говорит, что это мой дом. А в Кремле в ответ ничего сделать не могут, как только эвакуировать меня из Москвы поездом — через Ростов! Вот такой паралич власти. Все московские аэропорты блокированы, Степанков выписал ордер на мой арест за незаконный переход государственной границы, и пусть это бредовый ордер, но по нему меня можно арестовать, а уж потом они разберутся или просто ликвидируют меня «при попытке к бегству». И они Кремль замкнули, окружили. Но мы выскочили из Кремля тремя машинами — я в машине на полу лежал, а они не решились правительственный кортеж останавливать. Мы по Моховой, через Разинский проезд, Куйбышевский проезд и — к Курскому вокзалу. А им же нужно меня не просто арестовать, им нужно красиво, с помпой, чтобы уличить команду Президента. Примчались на Курский вокзал, а там на площади машин полным-полно и ОМОН. Я говорю: «Ребята, смотрите, это же омоновцы, я их по ботинкам узнаю, это же мои ботинки, я их в эти импортные ботинки обувал! Я на эти ботинки деньги собирал и отправлял из Канады помощь московской милиции — машины, одежду, галоши...» Но мы уже подкатили к депутатскому залу, а там «случайно» оказались телекорреспонденты, они подбегают к Караулову и говорят: «Товарищ Караулов, а что вы так поздно тут ночью делаете?» А он: «Маму пришел проводить». А они: «А можно, мы с вами пойдем и тоже ее проводим?» Ну, он их послал, прыгнул в машину и мы деру с вокзала. Но куда ехать — не понятно. Я говорю Макарову: «Давай в Кремль». А он говорит: «В Кремль нельзя, наши машины уже засекли, и нас теперь туда не впустят, арестуют перед воротами». Короче, ошалеть можно — ночью мчимся по Садовому кольцу как затравленные; сворачиваем в переулки, чтобы сбить погоню, а куда ехать — не знаем. Тут Макаров останавливает нашу машину, выскакивает, сажает на свое место Андрея Караулова из второй «Волги», а сам садится на его место и уезжает.

Якобы хочет увести за собой погоню. Короче — сбегает, выдавая себя за Александра Матросова и Ивана Сусанина вместе. А мы остаемся вчетвером: я, мой телохранитель Виталик, Андрей Караулов и полковник Боря Просвирин, замначальника охраны Президента. И на всех нас оружия — один ПСМ у Просвирина. Тогда я говорю: у меня в Москве еще один телохранитель есть, Саша, поехали за ним. Катим на Ленинский проспект, Виталик уходит за Сашей, а Просвирин из машины звонит в Кремль, но там никого нет из руководства, ведь ночь, там одни дежурные. Они спрашивают: где вы находитесь? Но он не говорит им, где мы находимся, чтобы по радиоперехвату нас не засекли. Он говорит: «Мы на Ярославском шоссе». А мы сидим в машине и, что делать дальше, не знаем. Так я с родиной встретился, специально из Цюриха прилетел правительственным самолетом.

Из московской театральной афиши:

«Сегодня в Большом театре. Опера Мусоргского «Жизнь за царя». В главных ролях...»

Из телефонограммы Э. Тополя А. Макарову. 1-го октября 1993 года, Москва:

«Уважаемый господин Макаров! Вот уже десять дней, как вы не отвечаете на мои ежедневные звонки, хотя три недели назад в Торонто обещали мне интервью. Как вы понимаете, книгу нашу мы все равно писать будем, а вы там — один из центральных персонажей. Поэтому выбор за вами: либо мы будем описывать вас с чужих слов, либо — послушаем и вас. С уважением, Эдуард Тополь».

Из беседы Э. Тополя с Андреем Макаровым. Москва, Кремль, кабинет Макарова. Суббота, 2 октября, 14.00. 24 часа до штурма руцкисто-макашовцами московской мэрии и останкинского телецентра. За стенами кабинета — четыре кольца Кремлевской охраны, но знаменитый

Андрей Макаров — полный (чтобы не сказать толстый), круглолицый, молодой мужчина — в портупее с открытой кожаной кобурой, из которой торчит черная рукоятка пистолета. Вид болезненный, «температурный», взгляд отсутствующий.

Макаров: — Магнитофон включать не надо, поговорим так. (Поэтому дальнейший текст беседы приводим по памяти). Извините, что не мог встретиться с вами раньше. Видите, что творится в Москве...

Э.Т.: — Неужели ситуация такая, что даже в Кремле нужно ходить с пистолетом наготове?

Макаров: — О, это я просто только что приехал из дому и забыл переложить. А вообще... Если они победят, мы все будем висеть вокруг Кремля на фонарных столбах. А мне за мой вес — дадут два столба.

Э.Т.: — Вы знаете, о ком я хочу с вами поговорить.

Макаров: — Да, этот человек — жулик и аферист.

Э.Т.: — Правда? Но вы же сами летали за ним в Цюрих, а недавно в Торонто в присутствии адвокатов и агентов Канадской королевской конной полиции* подписали документ о том, что у вас и правительства России нет никаких материалов о его противоправных действиях. Я был при этом...

Макаров: — А у нас действительно нет ни одного документа, изобличающего его хоть в какой-то афере, махинации. Или даже в причастности к каким-нибудь махинациям.

Э.Т.: — Но в таком случае — откуда у него деньги? Ведь вы председатель Комиссии по борьбе с коррупцией, вы наверняка изучили горы материалов по Бирштейну, «Сиабеко», Агрохиму, — по всем, с кем он работал. Неужели вы не знаете, откуда у него миллионы?

---

* Канадская королевская коная полиция (КККП) — федеральная полицейская служба, отвечающая за внутреннюю безопасность страны.

Макаров (оживляясь, улыбается, чешет в затылке): — А это интересный вопрос! Но, знаете, курицу, которая несет золотые яйца, не проверяют.

Э.Т.: — А были золотые яйца?

Макаров: — Да нет, это все преувеличение... И вообще — чем я заслужил честь попасть в ваш роман? Может, не надо про меня, а?

Э.Т.: — А как же без вас-то, Андрей? Вы летали за ним в Цюрих и даже не один раз, а два. Или три? Он предупредил вас, что Степанков не прочь вас ликвидировать. Вы привезли его в Москву, в Кремль, чтобы он тут нес вам золотые яйца. И вы же вывозили его из Кремля. Как же без вас, Андрей Михайлович? Вы три недели назад сказали мне, что читали мои романы. Так посмотрите на эту историю нашими глазами. Какой роскошный характер: толстый, талантливый, молодой, знаменитый адвокат, который защищал Чурбанова, а потом был обвинителем Осташвили и чуть ли не главным обвинителем КПСС...

Макаров (перебивая): — А вы читали мою речь в защиту Чурбанова? Нет? Ну как же! Меня сам председатель Верховного суда поздравил за эту речь. Я сказал, что они хотят сделать Чурбанова ответчиком за все грехи КПСС...

Э.Т.: — Почитаем, если дадите, спасибо. Так вот, представьте себе ситуацию нашими глазами: знаменитый адвокат, телезвезда, автор крылатой фразы «Партия, именующая себя КПСС», председатель комиссии по борьбе с коррупцией, тайно вывозит из Кремля своего «золотого» свидетеля, ночью, под охраной! Свидетеля, которого он же тайно ввез в Москву, гарантируя ему безопасность! Да это ведь похлеще интриг из романов Дюма, это сплошные «Три мушкетера». Как мы можем выбросить из романа такого героя?!

Макаров (с гордостью): — А знаете, как я уводил за собой погоню, когда мы умчались с Курского вокзала?..

* * *

Заявление

14 сентября 1993 года.

По месту требования.
Касательно:..

Я, Андрей Макаров, настоящим заявляю и подтверждаю, что:

1. До сего дня господин Д. Якубовский не передавал мне как члену Комиссии Российской Федерации по борьбе с коррупцией никаких документов, магнитофонных записей либо других материалов, и в том числе никаких документов или иных материалов касающихся Бориса Бириштейна, Сиабеко Трэйд энд Файнанс АГ, Сиабеко Металс АГ и Сиабеко Канада Инк.

...4. Комиссия не обвиняет г-на Д. Якубовского ни в каких уголовно наказуемых действиях (совершении преступлений), и у Комиссии нет оснований для того, чтобы обращаться к каким-либо официальным лицам с просьбой об обвинении г-на Д. Якубовского в уголовных действиях...

6. С тем, чтобы добиться встреч 14 и 15 сентября 1993 года в городе Торонто между господином Д. Якубовским, мною и господином А. Ильюшенко (несмотря на то, что члены Королевской канадской конной полиции присутствовали на месте этих встреч, они не слышали содержания многих наших частных бесед с господином Д. Якубовским), я беру на себя обязательство не разглашать членам Королевской канадской конной полиции, другим официальным канадским органам, либо канадским правоохранительным агентствам содержание наших бесед, документов или любых других материалов, предоставленных мне сейчас либо в будущем господином Д. Якубовским...

Андрей Макаров,
член комиссии
по борьбе с коррупцией

Свидетель:
Саверио Гриффт

* * *

Из бесед с Андреем Карауловым:

— ...Короче, мы несемся по Садовому кольцу. В центре Москвы, у метро Серпуховская, Андрюша Макаров вырывается из своей машины, подбегает ко мне, говорит: «Быстро в мою «Чайку»! Я их отсекаю и уезжаю». Я сажусь в «Чайку» и говорю своему другу юности: «А куда Макаров-то?» Он отвечает: «Сбежал». Я говорю: «Как так?»

— А он сказал, что «в Кремль, что он собой погоню отсекает». Но какая же погоня оставит «Чайку» и пойдет за «Волгой»? Так что в переводе на русский язык это означает: видал я вас всех, мне жизнь дороже, погибайте под пулями! Вот так мы от «погони» оторвались, от погони, которой ни фига, наверно, и не было, это нам со страху показалось, что была погоня. И вот мы сидим в машине, гоним вслепую: полковник Боря говорит: «Что делать?». Герой говорит: «Боря, дуем к литовской границе, дальше я ухожу сам». Полковник говорит: «Понял!» — и шоферу: «Дуй к литовской границе! Вперед!» Я говорю: «Вы что, — очумели? На «Чайке» с кремлевскими номерами?!». Виталик говорит: «Я знаю частную фирму, где есть шведские «Вольво». Может, на них поедем?». Герой вашего романа говорит: «К «Вольвам»!» Начинаются новые виражи по Москве, но такое ощущение, что два «Жигуля» за нами едут все время. Я в пятый раз чуть Богу душу не отдал. Понимаете — страшно, ночь, ОМОН в канадских ботинках, телеоператоры, «Жигули» на хвосте, и мы же не с какой-то там шайкой-лейкой в кошки-мышки играем, а с Баранниковым, Дудаевым, Руцким, Хасбулатовым и с прокуратурой! Но в машине есть телефон. И полковник Боря как человек порядочный звонит всем. Звонит Президенту, Коржакову, его заму Барсукову, Ильюшенко, начальнику канцелярии Президента Филатову. Никого нет! Нигде! Ночь! Ваш герой говорит: «Вот увидишь, их никого не будет, пока нас не убьют. Сейчас мы попадем в автоаварию — и все». Ну и перспектива, думаю я в панике: меня убьют в моем родном городе через пятнадцать минут!..

Короче, мы долго петляем, Виталик глядит в одно окно, я в другое,— два «Жигуленка» маячат с двух сторон! Наконец приезжаем к какому-то дому возле Лужников, и там полковник Боря дозванивается до генерала Барсукова: «Товарищ генерал, докладываю! Когда мы приехали на Курский вокзал...» Тот перебивает: «Боря, мать твою, говори короче!» Боря докладывает короче: «Издец, товарищ генерал!» Тот кричит: «Как это «издец»? Мы же полтора часа назад приняли решение, что вы уходите на Курский вокзал, к ростовскому поезду?». «Утечка информации, товарищ генерал! Нас там встречали... » «Ох, мать твою! Езжайте на объект «Волынская»!» Что такое объект «Волынская», я тогда не знал. Утром, проснувшись на этом самом объекте, я опознал в нем дачу Иосифа Виссарионовича Сталина, на которой он и преставился. То есть мы из Кремля, где великие князья проживали, а также Ворошилов и Маргарет Тэтчер, теперь угодили на дачу Сталина!

Из беседы с генералом Котенковым:

— В течение следующего дня мы анализировали обстановку, думали, как же все-таки поступить, чтобы, во-первых, исключить огласку, а во-вторых, и это самое главное, обеспечить безопасность.

Разрабатывались разные варианты. Было решено выехать из Москвы на машинах и доехать до любого аэропорта, откуда можно выехать за границу без проверки документов российскими пограничниками, подчиняющимися Министерству безопасности. Возникали версии вылета из Белоруссии, Украины, но для этого нужно было иметь с ними тесные контакты, которые могли обеспечить там гарантию безопасности. Просчитав все варианты, мы пришли к выводу, что наиболее приемлемый — Ереван. Впрочем, если бы виновник всей этой истории принимал участие в разработке операции, то, думаю, было бы принято более простое решение. Однако, в отличие от предыдущей ночи, в разработке этой операции принимало участие только пять человек. В силу ряда обстоятельств, которые я не могу назвать, было решено добираться машинами через Сочи до Еревана, а оттуда лететь в Европу.

Причем ехать решили не на служебных машинах, а с использованием двух мощных «БМВ» одной из частных фирм. И здесь надо отдать должное отличию частной фирмы от государственной машины. Все срывы, которые нас сопровождали на протяжении предыдущих дней, — это результат работы государственных организаций, они нам измотали все нервы.

А когда мы связались с частной фирмой, то поговорили с ее руководителем ровно пятнадцать минут, и он из нашего кабинета по радиотелефону вызвал машины, указал точку, где им надо было находиться, где заправиться, и не было задано ни одного вопроса, а через полчаса он уже доложил, что все готово к выезду...

Из бесед с Д. Якубовским:

— В результате в пятницу мы оказались на даче Сталина. А поскольку назавтра, в субботу, на сессии Верховного Совета Хасбулатов собирался кричать, что Баранников честнейший человек, который ни копейки не слямзил, то в пятницу уже в телепрограмме «Время» министр юстиции Калмыков показал документы по этому Баранникову. То есть, это был сигнал Хасбулатову, чтобы он видел, что у нас действительно есть материал: всякие счета о поездках жены Виктора Павловича за рубеж и так далее. Причем ведущий как-бы под Ваню работает, мол, вот, граждане телезрители, Ваня Иванов из села Васюки нас спрашивает, что случилось с нашим министром безопасности? А тут как раз мимо нашей студии проходит министр юстиции, сейчас мы у него спросим. У него, кстати, все нужные бумаги при себе, и он их вам сейчас покажет. И Калмыков показывает документы и говорит, что если кто сомневается в их подлинности, то можно созвать пресс-конференцию, сделать графологическую экспертизу и прочее. И для Хасбулатова это сработало как стоп-сигнал, он вопрос о Баранникове снял на сессии Верховного Совета...

— А вы в это время отсиживались на даче Сталина?

— Да, это территория бывшего 9-го Управления КГБ, там есть детская больница и вообще там теперь до фига всяких сооружений. Мы затаились там на целый день, а они в Кремле готовили новый проект побега. Я им говорю: ребята, мы сядем в машины и спокойно уедем через Прибалтику. Но они меня отпускать не хотят — друг попадусь, скандал! Они договорились с начальником охраны армянского президента, а тот нашел какой-то самолет без опознавательных знаков, ЯК-40, и поставил этот самолет на взлетном поле Сочи. А у нас простенькая задачка — в это Сочи прорваться. Короче, они весь день мудрили с этим Сочи, нашли частные «БМВ», но никакого сигнала к отъезду нет. Я им звоню, говорю: ребята, если вы сейчас за мной не приедете, я просто ухожу...

Из беседы с Андреем Карауловым:

— Итак, мы сидим на даче Сталина, вдруг открываются ворота, въезжает машина, и людям, обслуживающему персоналу, дается команда меня разбудить и от вашего героя убрать...

— А где вы там жили-спали?

—Там рядом с дачей Сталина — гостиница. Сама дача на горке, рядом пруд и гостиница. В этой гостинице нормальные номера, Брежнев ее построил для КГБ и своих гостей. И он же эту дачу использовал для написания речей и докладов. Там обычно сидели бригады журналистов и писали ему речи, «Малую землю» и прочее. И нас разместили в этой гостинице, я с героем вашего романа был в одной комнате. Утром вдруг приходит какая-то баба и говорит: вас просят подняться, с вами будет разговор. Только, говорит, побрейтесь, потому что завтрак уже на столе. Я отвечаю, что, мол, какой там завтрак, я спать хочу, для меня встать утром рано решительно невозможно. Тут звонят из Кремля и говорят мне, что, мол, давай быстрей, езжай домой за вещами, поскольку дорога-то дальняя предстоит, до Сочи. Езжай домой и жди там звонка. И друг моей юности тоже устроил мне скандал: вставай и все!

Короче, отправили меня, слава Богу, домой к жене...

От авторов:

Тут мы вынуждены прервать наше документальное повествование и впервые вступить в полосу догадок и предположений. Почему Караулова убрали с «объекта Волынское»? Почему «суперсвидетель», который только под честное слово Андрея Караулова поверил заверениям Макарова и Ильюшенко в полную безопасность своего визита в Россию, так легко и беззаботно согласился на отъезд Караулова с дачи Сталина и даже «устроил скандал», чтобы тот быстрее сматывался к жене? Почему Якубовский, подробно рассказав нам о всей своей жизни, включая многие ее совсем уж личные эпизоды, категорически отказался пояснить, что же произошло на «объекте Волынское» после отъезда Караулова?

Позволим себе догадку, документального подтверждения которой пока добыть не удалось. Тем не менее, мы уверены, что стоим на верном пути и разгадка проста:

в этот день на бывшей даче Сталина «суперсвидетеля» посетил Президент. Раньше, когда полковник обретался в безопасности великокняжеских покоев Кремля, Президент не рискнул с ним встретиться, опасаясь утечки информации. Но тут, когда жизнь нашего героя в буквальном смысле повисла на волоске, Президент не мог не приехать к нему, это было бы бесчеловечно, да и политически недальновидно: «суперсвидетель» должен был сохранить уважение к Президенту и веру в него!

К тому же это противоречило бы всем законам драматургии. В либретто оперы «Жизнь за царя» Царь не мог прийти к Ивану Сусанину — слишком далеко было идти. Но в нашем случае Президент должен был приехать к «суперсвидетелю» и объяснить ему, почему спасением 29-летнего полковника занимается не дивизия Дзержинского и даже не силы госбезопасности, а лишь горстка самых надежных, самых преданных Президенту членов правительства, — лично они! Объяснить, обнадежить...

Впрочем, не будем строить догадок насчет того, о чем говорил Президент с «суперсвидетелем» на даче Сталина, если он приезжал туда утром 30 июля 1993 года.

Из разговора Э. Тополя с Вячеславом Костиковым, пресс-секретарем Президента. Москва, Кремль, кабинет Костикова, 19.00, среда, 22 сентября 1993 г.:

Э. Тополь: — Ровно четыре года назад, в августе 1989 года, Президент — в ту пору он еще был только сопредседателем межрегиональной группы депутатов — не смог мне ответить на вопрос о его позиции по поводу Курильских островов, но дал свой телефон и сказал, что подготовится, обязательно ответит и вообще даст интервью. Я потом неделю каждый день звонил по этому телефону, но там никто не отвечал. Я, однако, продолжаю рассчитывать на интервью, и в связи с этим хочу вот передать Президенту свою книгу «Завтра в России»...

В. Костиков: — К сожалению, Президент сейчас крайне занят и принять вас не сможет.

— Я понимаю, что сейчас ситуация в Москве напряженная. Но, с другой стороны, мы с Александром Грантом, журналистом из русской нью-йоркской газеты, прилетели из США, мы пишем роман именно о том, как эта ситуация возникла и кто именно способствовал ее возникновению. И поэтому мнение Президента, хотя бы в двух словах...

— К сожалению, Президента сейчас нет в Кремле. Извините. А книгу я с удовольствием передам...

* * *

На автострадах России и раньше было небезопасно, а теперь стало совсем невмоготу. Водителям всех мастей строжайше предписано голосующих на обочине не подбирать и даже по сигналу милиционера останавливаться только у поста ГАИ. Иначе запросто можно нарваться в лучшем случае на профессионально выполненный удар по голове, а в худшем — на автоматную очередь. Однако в ту ночь шел дождь, да и приди кому в голову остановить два легковых «БМВ», летевших из Москвы по Каширскому шоссе, они вряд ли послушались бы. Вернее, машин было три — два «БМВ» и «Волга» сопровождения, которая вскоре отстала и вернулась в Москву, убедившись, что все в порядке. Так началась экстренная эвакуация «суперсвидетеля» из Москвы, где даже Президент не мог гарантировать ему безопасность.

Из беседы Э. Тополя с генералом Котенковым:

— В 22.30 мы заехали за вашим героем и двумя его телохранителями, потом разными дорогами на разных машинах (тут уже начала работать конспирация) добрались до условленного места на кольцевой дороге, где нас ждали

«БМВ». Перегрузили бензин, сменили на «БМВ» номера. Тут пришлось повозиться, так как поставить «волговские» номера на иномарку оказалось сложно — отверстия не совпадали. Начался дождь, что мы сочли благим предзнаменованием, способствующим скрытности нашего отъезда.

— А что вы ощущали в этот момент? Почувствовали себя моложе? Кровь бурлила?

— Я не задумывался над этим. Учитывая, что предыдущей ночью на него была организована охота, и нешуточная, я всего себя, все свои мозги направил на выполнение поставленной перед нами задачи. Но чувствовал себя достаточно спокойно. Я генерал-майор, только недавно вернувшийся с Кавказа после полугодичного пребывания там, я привык к таким заварушкам. Но обостренность чувств, эдакая взбодренность, была.

Мы договорились с одним из членов правительства, что он будет нас сопровождать примерно первые сто километров, чтобы убедиться, что за нами нет преследования, а в случае необходимости задержит их. С кольцевой мы свернули на Каширское шоссе, и до Кашира он нас сопровождал, а в районе Каширы помигал фарами, показывая, что все чисто, и вернулся обратно. Тут пошел уже проливной дождь, и примерно три часа мы шли на Харьков. Я ехал в машине с вашим героем и представителем фирмы, во второй машине — Виталик и Саша, телохранители вашего героя, и еще один охранник. Как только тронулись, ваш герой обратился к представителю фирмы: «Дай мне пистолет». А тот отвечает: «Пистолет не мой, дать не могу, я его сам держу незаконно». Он засуетился и говорит: «Остановите машину!». Тогда я отдал ему свой пистолет: «Бери, только ради Бога ни за что не дергай!» Он положил пистолет на колени и так держал его всю дорогу.

Не буду говорить о нравах нашей милиции, но, сами

понимаете, — два мчащихся на бешеной скорости «БМВ» с московскими номерами — лакомый кусочек для гаишников, так что нас неоднократно останавливали, ведь мы проехали две тысячи километров! Однако у нас был специальный талон на проезд без права досмотра, и это нас здорово выручало. Как только они видели этот талон, тут же брали под козырек, и мы летели дальше. А ваш персонаж каждый раз судорожно хватался за пистолет. Я ему говорю: либо отдай мне пистолет, либо положи в карман и не трогай!

— В таких ситуациях люди бывают либо возбужденно-веселы — травят анекдоты, пытаясь скрыть тревогу, либо трясутся от страха. Что было в вашей машине?

— Ваш герой сначала был очень напряжен. Тем более что в предыдущую ночь он чуть было не был захвачен. Он прекрасно понимал, что в случае ареста он у тех, кто за ним охотится, не проживет и суток, и в первую же ночь «сам» повесится в камере, это буезусловно. И пока мы не прошли Каширу, да нет, пожалуй, до утра он был в напряжении. А потом чуть успокоился, а днем действительно пошли анекдоты.

Нам надо было добраться до Сочи, где нас ждали. Честно говоря, выезжая, мы даже не обсудили маршрут. И на полпути он стал задавать вопросы: ведь если ехать через Харьков, значит, надо дважды пересекать украинскую границу. А вдруг там сейчас паспортный контроль? Я на этот счет ничего не знал. Чтобы не рисковать, через три часа движения мы перешли с благоустроенной дороги Москва — Харьков на другую, воронежскую, трассу. И вот здесь произошел неприятный эпизод. В предрассветных сумерках наш водитель прозевал не обозначенный железнодорожный переезд, поздно затормозил (ведь мы шли со скоростью 140 километров в час), машина совершила мощный прыжок, и та, что следовала за нами, — тоже. В результате оба «БМВ» тут же сели на днище. У нашей машины — трещина на картере и небольшая поломка двигателя, у второй — лопнул картер, стало течь масло, оказалась повреждена задняя подвеска и спустило колесо. К 8 утра дотянули до какого-то маленького городка, где оказалась станция техобслуживания, и нас каким-то чудом починили — один из умельцев просто заклепал трещину в картере. Мы дозаправились и двинулись дальше — через Воронеж и Ростов. Останавливались на три-четыре минуты, перекусывали прямо в машине. Въехали в Краснодарский край, где был снова прокол шины, смена колеса, но до Сочи добрались без помех. В Дагомыс мы попали в половине двенадцатого ночи.

* * *

Итак, первая фаза экстренной эвакуации, автопробег Москва — Сочи, заняла ровно сутки и полчаса. До Сочи добрались без помех, если не считать, что дорожного указателя на этот город-герой не было, а мчать ночью по горной дороге — удовольствие для немногих. Но за руль «командирской» машины сел телохранитель полковник Виталик Посуев, шофер экстра-класса, который не сбавлял скорости ниже ста километров в час.

Указателей не было, зато почти на каждом километре за Ростовом-на-Дону у дороги одиноко торчала картонка с надписью «РАКИ», а метров через триста сидел либо старик, либо подросток перед кучей красных свежеотваренных раков. Искушение было слишком велико. По пути попался степной базарчик с небогатым, но достаточным ассортиментом — там оба «БМВ» остановились, и генерал Котенков, как бывший военный наместник России на Северном Кавказе, лично отобрал раков покрупнее. С раками под пиво разобрались за 15 минут. Надо было торопиться: в Дагомысе ждал начальник охраны президента Армении.

Из беседы с генералом Котенковым:

— На площадке возле цирка нас должен был встретить человек из Армении, чтобы сопровождать в Ереван. Поскольку у цирка никого не обнаружилось, мы отогнали машины в тупичок, я пересадил нашего героя во вторую машину, а сам вернулся к цирку. Через несколько минут ко мне подъехал «Мерседес», из него вышел человек, которого я знал лично. Потом мы — уже все вместе — отправились на дачу, стали решать, как и на чем поедем в аэропорт, где нас ждал самолет. Решили не пользоваться машинами, на которых приехали. Попрощались с водителями и уже минут через пятнадцать на «рафике» отправились в Адлер.

Въехали прямо на летное поле, там нас уже ждал «ЯК-40» с поднятым трапом. Как только «рафик» подъехал, трап опустили, мы поднялись в самолет, и он тут же взлетел. Все было очень четко, что неудивительно: самолет тоже был частный. Через полтора часа нас встречали в Ереване.

Вернувшись назад, хочу «выдать» еще одну государственную тайну. В Москве мы просчитывали разные варианты, как улететь из Еревана в Европу, ведь оттуда рейсов в Европу крайне мало, а в Швейцарию нет совсем. Можно было лететь в Париж, но ближайший рейс туда был только через несколько дней. Провести несколько дней в Ереване — эта перспектива нам не улыбалась. Тогда одна частная московская фирма согласилась оплатить коммерческий рейс из Еревана в Швейцарию. Этот самолет прибыл в Ереван еще до нашего прилета, и когда мы увидели его в Ереване на посадочной полосе — мы совершенно успокоились, а зря.

Мы поднялись в самолет, познакомились с экипажем, тут же армянские пограничники поставили нам отметки в паспорта. Я с командиром самолета уединяюсь и спрашиваю, когда взлетаем. Он говорит: «Сначала скажите куда. Я могу лететь хоть до Монреаля, все оплачено». «Хорошо, — отвечаю. — Цюрих». «А теперь, — он говорит,

— мы должны подать заявку в диспетчерские службы, согласовать маршрут». «А сколько это отнимет времени?» — спрашиваю.

Он говорит: «Обычно день-два...»

Короче, выяснилось, что командир экипажа хоть и знал, что нужно взять пассажиров в Ереване, но не был поставлен в известность, куда ему предстоит лететь. Меня это удивило: самолет прибыл из Москвы, чтобы лететь в Швейцарию, но маршрут для него не был согласован! Ваш герой сразу занервничал. Я попросил всех остаться в самолете, а сам с командиром пошел в диспетчерскую Маршрут, конечно же, предстояло утверждать, поскольку все воздушное пространство над бывшим СНГ контролируется Москвой, тем более что самолет был российский, а не армянский. Командир связался с диспетчером авиаотряда, тот подтвердил, что, по его сведениям, в Ереване должно быть определено, куда лететь самолету, и заверил, что сам сейчас же займется решением вопросов с маршрутом в Цюрих, коридорами полета и т.п. Услышав это, мы успокоились. Если мне не изменяет память, дочке вашего героя в этот день исполнился год, и он предложил отметить это дело. Стюардесса принесла коньяк, но не успели мы выпить по рюмке, как в салоне обозначился российский пограничник, прапорщик, и потребовал наши документы.

Я вышел с ним в другой салон. «Что такое? — спрашиваю.— Наши визы оформлены армянскими пограничниками. Документы на вылет самолета тоже оформлены». Но он настаивал на своем. Все паспорта были у меня, я их ему отдал. У вашего героя паспорт тоже советский, но по нашей практике у некоторых есть несколько паспортов — внутренний, заграничный, дипломатический и так далее. И Якубовский отдал пограничникам паспорт, в котором не было швейцарской визы. И пограничник ему говорит: «Вас я не могу пропустить, у вас нет швейцарской визы». «А вам-то какое дело? — спрашиваю. — Это проблема швейцарских пограничников». Тут ваш герой вынимает второй паспорт, с швейцарской визой. «Это вас устроит?». Пограничник не ожидал такого развития событий, ему поставили задачу придраться хоть к чему-нибудь. Но самое смешное, что у Виталия и Саши вообще не стояло в паспортах никаких виз, кроме канадских, но к ним вопросов не было. И пограничник ушел из самолета, но, как я заметил, у трапа остались два вооруженных человека в российской пограничной форме. Нас рассекретили. И, бесспорно, команда уже прошла: хотя на территории Армении они не могли нас арестовать, но задача ставилась так, чтобы любым путем не дать вылететь самолету из Еревана.

Я вышел из самолета, позвонил из аэропорта в Москву одному из руководителей, который обеспечивал все наши передвижения, доложил о ситуации, попросил немедленно дать команду пограничникам, чтобы не чинили никаких препятствий, а кроме того ускорить решение вопроса с отлетом самолета. Но даже после этого нас продержали в Ереване еще двое суток и при этом постоянно дергали к телефону командира самолета. Я приказал ему никуда не ходить, а пошел на переговоры сам.

Оказалось, звонит зам. командующего пограничным округом. Я ему представился и говорю: «Товарищ полковник, у вас есть претензии к пассажирам, экипажу или к самолету?». Он помолчал, потом говорит: «Я звоню как раз для того, чтобы сообщить, что претензий никаких нет». После этого пограничники исчезли, но вопрос вылета так и не был решен. В воскресенье вечером появился начальник аэропорта, мы перебрались из самолета к нему в кабинет, а там были все средства связи, я опять несколько раз звонил в Москву, но прошел еще день, и стало ясно, что идет мощнейшее противодействие нашему вылету. Арестовать они нас не могут, но и выпустить — не выпускают.

В полдень мы приняли решение, что надо искать другой способ. Стали обсуждать возможности перебраться в Баку или в Тбилиси. Но Баку отпал сразу — туда из Армении лететь, ясное дело, никак теперь невозможно, собьют и все. А с Тбилиси связаться не удалось, там война. Тогда ваш герой решил связаться с Канадой и вызвать самолет оттуда. Из Канады ему сообщили: нет проблем, частный самолет вылетает к вам из Объединенных Арабских Эмиратов и может прибыть в полночь. Я дал команду отдыхать, но в 22.00 быть на месте. Нас отвезли в гостиницу, мы помылись (без горячей воды, конечно), поужинали, легли спать. В 22.00 я выхожу из своего номера, стучусь в номер к вашему герою, а никто не открывает. Стучусь снова, думаю — наверное, спит крепко. Потом стучу в номера, где были Виталий и Саша, его охранники, без которых он никогда никуда ни шагу. Они оба на месте, я спрашиваю: а где ваш-то? У них глаза квадратные — ничего не знаем! Снова стучим к нему в номер — бесполезно. В номере его нет. А дежурные по гостинице сменились, и потом это же Кавказ, новый дежурный говорит: я ничего не знаю. Но ключа от номера у него нет. А телефоны в гостинице не работают, куда он исчез — не знаем, и машины у нас тоже нет. Просто пиковое положение, все на нервах! И его не было всю ночь. Только к шести утра он приехал с Ариком, который нас опекал, и тогда все объяснилось. Оказалось, что, пока мы спали, он на машине Арика уехал в аэропорт еще раз позвонить в Канаду, проверить, летит ли самолет. А по отношению к нам решил проявить гуманность, не будить нас. Я ему за эту «гуманность» чуть физиономию не набил! Он говорит: я думал, что мы за полчаса смотаемся, я свяжусь с Канадой — и приедем за вами. Но самолета не было, думаю: зачем вас будить? А кроме того, когда они приехали в аэропорт, у них там была стычка с милицией, которая решила, что это шайка грабителей ворвалась в кабинет начальника аэропорта.

Из бесед с Якубовским в сентябре 1993 года, за тридцать дней до обстрела «белого дома» танками Кантемировской дивизии:

— Мы поехали на ночь в гостиницу, помыться и переодеться, а я вечером стал заказывать самолет. Я уже понял, что на наш самолет надеяться нечего. Позвонил брату Стасу, чтобы он заказал самолет, он так и сделал, но происходят чудеса — вдруг турки не разрешают чартерному рейсу компании «Swissair» пролет над своей территорией. Какие, в п..., у турков могут быть претензии к Швейцарии? Я думаю, что у советской разветдки в Турции сильные позиции, а Примаков играл на Баранникова...

Я снова звоню Стасу: так твою мать, что делать? А у нас есть приятель в Израиле, генерал. Стас с ним связался, тот говорит: нет проблем. Или самолет без опознавательных знаков в Ереван, или подводная лодка в Батуми — ближайший порт. Триста тысяч долларов. Им ведь все равно, что везти — оружие, наркотики или меня. Мы сгоняли во дворец президента, взяли министра гражданской авиации Армении, он нам помогал. Я ему говорю: ты самолет без опознавательных знаков у себя посадишь? Он отвечает: я-то посажу, а как насчет ПВО? Я опять звоню брату, он снова в Израиль, там согласны лететь, но риск 25 процентов — могут сбить.

Я звоню в Канаду, знакомой хозяйке бюро путешествий. Она обзванивает все чартерные авиакомпании, ищет мудака, который согласится лететь в Ереван и обратно. Я сказал, чтобы искали маршрут не через Турцию, а с Ближнего Востока, Аравийского полуострова... Нашли такой самолет в Арабских Эмиратах. Там, оказывается, и был-то всего один чартерный самолет, потому что у всех нормальных людей в Эмиратах собственные самолеты. За 60 тысяч долларов заказали рейс Дубай — Ереван — Цюрих. Самолет без опознавательных знаков забываем, подводную лодку тоже, и с утра ждем чартер из Дубая. А что делать? Жопа дороже.

В 8 утра самолета нет, в 9 нет, в 10, 11, 12 нет Я уже на взводе. Но у них, как всегда у арабов, они никуда не спешат, они богатые люди. Короче, сообщают, что самолет будет в 2 часа дня. Мы к двум подготавливаем эвакуацию. Армянских боевиков оставляем вокруг нашего российского самолета, начальника охраны армянского президента берем с собой, летчиков запираем в кабине, а к ним сажаем боевиков, которым велели и к рации их не подпускать, и из самолета не выпускать. Летчикам мы говорим: вы тут посидите, а мы скоро придем. Пограничники тоже видят, что вроде все на месте...

Из беседы с генералом Котенковым:

— Короче, что-то там не получилось с арабским самолетом, он вместо полуночи должен был прибыть только в полдень. Тут приходит командир нашего самолета и говорит, что есть добро на полет. Не знаю, почему они решили дать добро. Наверно, выяснили, что мы летим частным самолетом, и решили отправить нас этим, своим. И тут мы начинаем прогнозировать их действия. Если мы летим этим самолетом, то он пойдет нашими, российскими коридорами — из Еревана на Сочи, потом вдоль побережья, через Украину, Крым, на Венгрию. А весь этот коридор контролируется российскими силами ПВО и российскими авиадиспетчерами. Командир поясняет: «Если мне в этом коридоре дадут команду сесть, я обязан сесть». Посовещавшись между собой, мы решили, что этим самолетом лететь нельзя.

Тут командир как раз сообщил, что разрешение есть только на взлет, а разрешение на посадку в Цюрихе еще не получено. Я воспользовался этим и сказал начальнику аэропорта, чтобы, даже если из Цюриха придет разрешение на посадку, эту депешу он экипажу российского самолета не показывал, а отдал мне. К сожалению, в 12.00 арабский самолет за нами еще не прилетел, хотя поступила информация, что он уже сел в Тегеране на дозаправку. В Ереване его ожидали в 14.00.

Примерно в час дня пришло разрешение на посадку в Цюрихе, но, как и было условлено, начальник аэропорта отдал его мне, а я спрятал в карман. Наконец, в 14.00 прибыл частный шестиместный самолет из Арабских Эмиратов. По моей просьбе его загнали в дальний угол поля, чтобы российский экипаж его не видел. Там его заправили. Зарубежный (да к тому же арабский самолет) никакого подозрения не вызвал, а когда мы бегом перебрались в него и тут же взлетели, так им оставалось только глазами хлопать. Но радоваться еще рано. Я говорю вашему герою, что пока мы не наберем 5000 метров, нас еще можно «Стингером» достать.

Смотрим в иллюминаторы на Севан, а тут выходит командир самолета и говорит, что через 15 минут мы будем пересекать иранскую границу. Вышла стюардесса, предложила нам перекусить, и мы решили — ладно, теперь можно и выпить по сто граммов. Чокнулись, выпили, закусили, я говорю: все, мы уже над Турцией, теперь пойдем на Грецию. Но в этот момент самолет делает крутой вираж, разворачивается на 180 градусов. Командир выходит из кабины и говорит: так и так, господа, возвращаемся в Иран. Я спрашиваю: что случилось? Он отвечает: турки узнали, что самолет следует не из Тегерана, а из Еревана, и закрыли нам коридор. Поставили условие, что если мы немедленно не покинем воздушное пространство Турции, они примут силовые меры. Мы потом горько шутили, что не надо было браться за рюмки!

Когда самолет неожиданно вошел в вираж и снова круто сменил курс, у Якубовского неприятно пересохло во рту. Deja vu. Было, все это уже было. Три года назад, 10 ноября 1990 года, он сидел в салоне правительственного ИЛ-62, личного самолета министра обороны, Дмитрия Тимофеевича Язова и летел в Вюнсдорф под Берлином, в ставку Западной группы советских войск. Вел самолет полковник ВВС, личный пилот министра, а в салоне вместе с 27-летним секретарем правления Союза советских адвокатов СССР Дмитрием Якубовским сидела подчиненная ему группа генералов и военных юристов. Настроение, как и погода, было безоблачным. Правда, утром, перед отлетом Якубовскому позвонил генерал армии Архипов, начальник тыла вооруженных сил и частей КГБ. «Никуда не лети, пока не заедешь ко мне», — сказал генерал армии. Но Якубовский проигнорировал это приглашение-приказ. Он летел в Германию по личному поручению министра обороны, чтобы обеспечить правовую защиту и установить стоимость всего недвижимого имущества советской армии на немецкой территории.

Предстояла огромная работа. Ведь в ходе наступления на Гитлера и сразу после капитуляции Третьего рейха в мае 1945 года Красная армия заняла, оккупировала лучшие в Германии замки, виллы, особняки, административные здания, усадьбы и парки... А теперь, в связи с подготовкой к выводу советских войск, все это собрались бросить, оставить немцам. Но Якубовский доказал тогда маршалу Язову, что нет, все эти баснословно дорогие земли и здания — *законная* собственность СССР. Потому что до 1945 года их владельцами были нацисты, признанные преступниками против человечества на Нюрнбергском процессе. Все их права на собственность были пресечены, и уже по новым немецким законам отходили к новым физическим владельцам. То есть — к советской армии. Иными словами, речь шла о законных правах СССР на недвижимое имущество стоимостью в миллиарды марок. А потому...

Исх. № 8/664
5.11.90 г.

Министр обороны СССР
маршал Советского Союза
Язов Дмитрий Тимофеевич

Копии: Заместителям
Министра обороны СССР
Главноком. ЗН
Главноком. ЗГВ

Командующим (нач-кам)
родов войск, служб.

Начальникам Главных и
Центр. управ. МО

Ком. армиями ЗГВ

Во исполнение межправительственного договора между Союзом ССР и Федеративной Республикой Германии от 12 октября 1990 года

ТРЕБУЮ:

1. Образовать рабочую группу из генералов, офицеров Вооруженных сил СССР и юристов, представляемых Союзом юристов СССР и Союзом адвокатов СССР, для организации реализации и использования движимого и недвижимого имущества советских войск на территории бывшей ГДР физическим и юридическим лицам с учетом п.3 ст. 10 указанного договора.

2. Установить:

2.1. Руководителем группы от Вооруженных сил СССР является заместитель начальника штаба тыла Вооруженных сил СССР генерал-майор Беликов Ю.А.

2.2. Руководителем группы от Союза юристов СССР и Союза адвокатов СССР является секретарь Правления адвокатов СССР тов. Д.О. Якубовский.

3. Предоставить группе полномочия по проведению любых действий от имени Министерства обороны СССР и его оперативных объединений в рамках действующего, международного, советского, германского права при выполнении возложенных на них задач.

Уполномочить подписывать все необходимые документы, включая, но не ограничиваясь, контракты, договоры и т. п., от имени Министерства обороны и его оперативных объединений в рамках вышеуказанного законодательства заместителя начальника штаба тыла Вооруженных сил СССР генерал-майора Беликова Ю.А. и заместителя Главнокомандующего ЗГВ по тылу — начальника тыла ЗГВ генерал-лейтенанта Горбатюка Е.А. по письменному заключению, подписанному руководителем группы от Союза юристов СССР и Союза адвокатов СССР т. Д.О. Якубовского.

4. Взаимодействие с группой и обеспечение ее деятельности на местах возложить на Главнокомандующего ЗГВ т. Снеткова Б.В. и командующих армиями, а также:

4.1. Выделить на все время деятельности группы для работы и проживания дом № 12 гарнизона Вюнсдорф, а при необходимости — места в гостинице № 11 и обеспечить питанием на территории пребывания (все бесплатно). Командировочные денежные средства не выплачивать, а переводить их по безналичному расчету за проживание и питание.

4.2. Установить руководителям группы аппараты ВЧ, ЗАС, ДС, внутренний, городской, «Р» АТС и предоставить для использования шифровальную и фельдъегерско-почтовую связь.

4.3. Выделять по заявкам группы все необходимые виды транспорта.

4.4. Командирам объединений, соединений, частей

оказывать группе всестороннюю помощь в осуществлении возложенных на нее задач.

Д. Язов.

Имея в кармане такой документ, 27-летний Якубовский полагал, что уже не нуждается в отеческой заботе генерала Архипова и улетел в Германию, не явившись к начальнику тыла.

Но когда язовский Ил-62 пересекал государственную границу СССР, в салон вбежал растерянный шеф-пилот, «Беда, генерал! — сказал он Якубовскому почти попушкински. — Земля приказывает вернуться.» «Чей приказ, на каком уровне?» — спросил Якубовский, уже привыкший, что его называют генералом. «Не знаю, — ответил пилот. — От диспетчерской службы».

— А кто им приказал?

— Не знаю.

— Тогда решайте сами, Вы как-никак личный пилот министра обороны, — сказал Якубовский и показал, бумагу подписанную Язовым. Пилот вернулся в кабину, но через несколько минут он снова выскочил и доложил, что с Ближайшего военного аэродрома Белоруссии уже подняты перехватчики Су-24. Самолету Язова было категорически запрещено покидать пределы СССР. «Ничего не поделаешь, дуй назад», — «Дуй-то, дуй, — возразил шеф-пилот министра обороны, — но у меня меньше полбака топлива, раньше надо было возвращаться»...

Как положено, Ил-62 был заправлен топливом только в один конец, чтобы перед посадкой баки были почти пустыми — и вес меньше, и опасность взрыва в случае чего не так велика. Но случилось практически невероятное — по приказу генерала армии Архипова части ПВО вернули в Москву личный самолет министра обороны Язова, летевший в Германию. Однако, в связи с нехваткой топлива, обратно до Москвы могли не дотянуть, пилот несколько раз запрашивал разрешение на посадку и дозаправку, но получал категорический отказ. Уже при подходе к Чкаловскому аэродрому летчик в третий раз вышел в салон и сказал сидящим там генералам и юристам: «Ребята, если наша очередь на посадку во втором или третьем круге, считайте, что мы уже упали».

Но когда не упали, а все-таки нормально сели, Якубовский прямо из кабинета начальника аэродрома позвонил маршалу Язову. И услышал совершенно изменившийся, ставший словно детским голос министра обороны: «Слушай, Дима, поезжай все-таки к Архипову! Договорись с ним, а потом лети спокойно». Якубовский, и раньше не отличавшийся сдержанностью, взорвался. Как? Только потому, что он проигнорировал вызов к начальнику тыла армии и КГБ, этот Архипов поднял в небо перехватчики и силой вернул самолет самого министра! И сорвал график работы огромной комиссии, выполняющей правительственное задание? «Не о чем мне с ним договариваться», — заявил наш герой министру и поехал жаловаться и докладывать о случившемся... кому бы вы думали? Анатолию Лукьянову, председателю Верховного Совета СССР.

Из беседы с Константином Токмаковым, кандидатом юридических наук, бывшим заместителем начальника Главного управления по науке и технике Мосгорисполкома, зятем бывшего председателя Верховного Совета СССР Анатолия Лукьянова:

— Ваш герой ездил в Германию в составе группы юристов, в задачу которой входило дать оценку того, в каких отношениях родное правительство, наше родное государство состоит с той собственностью, которая сейчас досталась немцам. Не знаю, сам ли он проделал эту очень большую работу или ее проделал кто-то другой, но, во всяком случае, результаты этой работы оказались у него в руках. Выходило, что значительная часть германской недвижимости принадлежит нам. Многие дома, здания, материальные ценности в Германии перешли к нам в качестве бывшей собственности преступных организаций, каковыми были признаны на Нюрнбергском процессе Национал-социалистическая партия, вооруженные силы и все судебные, законодательные и исполнительные власти нацистского государства.

По приговору международного трибунала права наследования в отношении такой недвижимости пересекались. А ведь здесь речь шла об очень значительных суммах, о миллиардах марок! Скажем, наша группа войск в Германии на ту пору владела 10 военными аэродромами первого класса, способными принимать самые большие пассажирские лайнеры. Каждый взлет и посадка стоит 5 тысяч марок — вот и умножайте. И таких примеров множество.

Плюс к этому — длительное пребывание советских войск на территории Германии породило массу проблем, связанных с засорением среды. Но помимо помоек и нефтяных болот наша армия оставила в немецкой земле сотни кубометров кабеля спецсвязи, а это тонны свинца, сотни килограммов серебра, платина, золото. На территориях наших военных объектов в Германии в земле находится около 15 миллионов кубометров бетона. Получив эту землю назад, немцы могут вчинить нам иск за нарушение экологии. А ваш герой раскопал среди документов письмо какой-то бельгийской компании, которая предлагала весь этот бетон выкрошить, погрузить и увезти прочь. И не просила за это денег, а сама предлагала заплатить по 5 марок за кубометр. Вот 75 миллионов марок чистой прибыли вместо головной боли и судебной тяжбы.

Самое же главное состоит в том, что всего нашего военного имущества (я имею в виду не вооружение) в установленные сроки мы вывезти с территории Германии все равно не сможем. Пропускная способность железных дорог Польши не дает такой возможности, даже если бы по польским рельсам день и ночь вывозили только хозяйство ГСВГ. Значит, придется бросать. Но на брошенном можно либо заработать, продав его, либо потерять, выплачивая штрафы и неустойки. Ваш герой предлагал заработать, но Горбачев предпочел платить, однако платить придется Ельцину. Сейчас Россия находится накануне грандиозных платежей Германии.

— Вы познакомили нашего героя с вашим тестем?

— Не совсем так. Просто он попросил меня устроить такую встречу и сказал, что у него есть очень важные предложения по поводу нашего военного имущества в Германии. Я сначала сам посмотрел эти документы, и они показались мне на самом деле важными. Я с чистой совестью показал их Лукьянову, который тоже заинтересовался. Так состоялась их первая встреча. Лукьянов как глава Верховного Совета отправил эти документы на заключение соответствующего парламентского комитета. Комитет решил, что в Германию нужно посылать представительную комиссию, так как речь идет о действительно колоссальных деньгах.

Но тут вмешалась большая политика. После того, как Лукьянов получил заключение комитета, а комитет в свою очередь, заручился заключением компетентного ведомства, все документы были переданы Горбачеву, который на ту пору очень активно сближался с немцами. Чтобы не углубляться в анализ этой странной истории, давайте представим дело так. Есть некий «черный ящик» отношений Горбачева с Колем. С одной стороны в этот ящик поступает предложение, разработка которого сулит нам до 30 миллиардов чистой прибыли плюс какие-то долгосрочные позиции в экономике Германии (мы же можем заключать там арендные договоры, создавать совместные предприятия и т. д.).

Это предложение прорабатывается и выходит с другой стороны ящика в виде 8 миллионов марок кредитов Коля, на которые мы к тому же обязаны закупать немецкие товары. Плюс звание «лучший немец года», которым Коль наградил Горбачева. Звучит с иронией, но это так. Лукьянов пошел к Горбачеву за разъяснениями, а тот ответил примерно так: «Толя, это мое личное дело, так что успокойся, мы все делаем правильно». Непосредственно в этом деле принимал участие Шеварднадзе. И никакие наши права не были защищены.

...Конечно, можно было и без виз сесть в Тегеране, но поди знай, что отчудят тамошние пограничники, могут и арестовать. Полковник снова глянул в иллюминатор, самолет шел над водой, которая могла быть только Персидским заливом. Значит, пролетели и Иран.

Из беседы с генералом Котенковым:

— Командир самолета предложил лететь в Тегеран, а оттуда, мол, компания гарантирует нам билеты на любой ближайший рейс в Европу. Ну, мы были согласны лететь куда угодно, лишь бы выбраться из этого региона. Командир связался с Тегераном и возвращается к нам. Спрашивает, есть ли у вас иранские визы. Тегеран принимает пассажиров только при наличии виз! Ну, час от часу не легче! Турция нас развернула, уж не знаю по чьей подсказке, Тегеран не принимает, в Ереван возвращаться нельзя. Какие еще варианты? А никаких, поскольку никаких других коридоров для нашего самолета нет. Остается один путь — лететь в Объединенные Арабские Эмираты, в Дубай. Что мы и сделали.

Знаете, я впервые попал в Эмираты. На мне, представляете, шерстяной костюм в котором я выехал из Москвы, а в Дубае 43 градуса жары и 90 процентов влажности. Было полное ощущение, что находишься в сауне в шерстяном костюме. Короче, из Дубая мы полетели во Франкфурт, а через полтора часа пересели там в самолет на Цюрих...

Из бесед с «суперсвидетелем» в сентябре 1993 года, за тридцать дней до ареста Руцкого и Хасбулатова:

— В Цюрихе следующая проблема — у Котенкова нет канадской визы. Мы заранее дали телеграмму Степанову, российскому послу в Швейцарии. Он знал мою фамилию, меня в его присутствии Дунаев в Цюрихе награждал серебряной медалью Интерпола — за укрепление международных связей в системе Интерпола и оказание правовой и консультационной помощи российской криминальной милиции. Поехали в посольство, Степанов говорит, что виза будет готова дней через десять. Котенков взвился: «Если завтра не будет визы, ты больше послом не работаешь!». Степанов прикинул — и решил не нарываться.

Раньше, когда мы с Дунаевым были у Степанова, Дунаев отозвал его и говорит: «Вы такой энергичный человек, я хочу взять вас в Россию на работу, ваша энергия нужна в Москве». А Степанов потом подошел ко мне и спрашивает: «Что я не так сделал, за что меня отзывают? Почему?». Вот, один не подумал о психологии другого.

Так же было и здесь. За сутки нам дали визу, и на следующий день мы все вчетвером уже летели в Торонто.

А в московской опере в этот день снова давали «Жизнь за царя».

А в самолете рейсом Цюрих — Торонто в сопровождении двух друзей-телохранителей и генерала Котенкова летел «суперсвидетель», «кремлевский пленник», бывший советник правительства России, бывший полномочный представитель правоохранительных органов, специальных и информационных служб в правительстве России, бывший полковник Дмитрий Якубовский. Он родился 5 сентября, в один день с философом и поэтом Томазо Кампанеллой, космонавтом Андрияном Николаевым и солистом группы «Квин» Фредди Меркьюри. До его тридцатилетия оставалось 36 дней. До ареста Руцкого и Хасбулатова — 62. А до отставки Степанкова — 69.

КГБ И МОРЕ

Этот человек посрамил лучших морских экспертов Ллойдовской страховой компании.

Этот человек спас горящее в штормовом Индийском океане югославское торговое судно и тем самым принес Советскому Союзу около двух миллионов долларов чистой прибыли.

Этот человек тринадцать раз водил свое судно, груженное оружием, во Вьетнам во время Вьетнамской войны — больше, чем любой другой советский капитан.

Этот человек был самым молодым и самым талантливым капитаном дальнего плавания Одесского Черноморского пароходства, восходящей звездой советского торгового флота.

Этот человек стал прототипом главного героя моего фильма «Море нашей надежды».

Но весь этот послужной список не помог, когда в судьбу этого человека вмешалось даже не московское, а всего-навсего одесское, провинциальное отделение КГБ.

Я принимал прямое участие в спасении этого человека, я был с ним в самые критические моменты его судьбы, и вот вам рассказ о том, чему я был сам свидетелем.

Газета «Правда», 5 октября 1967 года. Короткая статья под названием: «В бущующем океане».

«Одесса, 4 октября (корр. «Правды» А. Бочма). Получена радиограмма с просторов Индийского океана от капитана черноморского теплохода «Мытищи» Е. Кичина. В ней сообщается следующее.

Тревожные сигналы SOS заставили увеличить ход корабля, изменить курс. О помощи просили югославские моряки судна «Требинье». Поздним вечером в штормовом океане советские моряки обнаружили горящее судно. Но шквальный ветер и крупная зыбь не дали возможности оказать помощь немедленно. На рассвете с огромным трудом и риском наконец удалось с теплохода «Мытищи» спустить мотобот с первой аварийной командой, которую возглавил старший помощник капитана Мирошников. Около двух суток аварийные команды, сменяя одна другую, вели мужественную борьбу за спасение югославского судна. Особо отличились штурманы Гришин, Томян, боцман Подгаец, матросы Борощенко, Бочерников и др. Советские моряки отстояли грузовые трюмы югославского судна и ликвидировали очаг пожара.

Подлинно героические усилия потребовались и для того, чтобы в бушующем океане взять «Требинье» на буксир. И сегодня в Индийском океане грохочет шторм, а экипаж теплохода «Мытищи», преодолевая все трудности, твердо держит курс на Мадагаскар, где в порту Тулеар (Toliary) завершит буксировку спасенного им югославского корабля.»

Даже человек, мало искушенный в журналистике, может при внимательном чтении этой заметки понять, что редакторы «Правды» так отредактировали полученное из Одессы сообщение, что совершенно не ясно: а что же сталось с командой спасенного югославского судна? Написано лишь: «о помощи просили югославские моряки». А дальше о них — ни слова.

Поэтому я расскажу историю спасения «Требинье» чуть подробней. И заодно объясню причину правдинской недомолвки...

Когда радист прибежал на капитанский мостик и сообщил о сигналах SOS, которые посылает горящее где-то в семидесяти милях на север от их курса югославское судно «Требинье», капитан Кичин тут же, не раздумывая повернулся к рулевому:

— Лево руля! — и приказал в микрофон старшему механику: — Обороты — до полного!

Несмотря на то, что «Мытищи» были нагружены тоннами военного груза для союзников СССР — северовьетнамцев, и в инструкции, полученной Кичиным в Одесском пароходстве, было сказано «обеспечить доставку груза в кратчайший срок, отклонения от курса допускаются только в исключительно редких случаях и лишь с согласия пароходства», — несмотря на столь категоричный приказ, Кичин не стал терять время на запрос пароходства — можно ли свернуть с курса ради спасения югославов? Он вырос на море, он был сыном моряка и никем иным, кроме как капитаном, не мечтал быть с самого раннего детства. В двадцать три года он закончил высшее мореходное училище, в двадцать шесть он был уже старшим помощником капитана, в двадцать восемь — капитаном дальнего плавания. И не на какой-нибудь барже, а на океанском теплоходе! Он любил море, он любил свою власть над морской стихией, но и морская стихия имела свою власть над его душой — его постоянной поговоркой был лозунг древнегреческих мореплавателей: «Плавать по морям необходимо, жить не так уж необходимо». Да, он был романтиком моря, и сигнал SOS был для него выше всех инструкций и приказов начальства. Он даже не сообщил в пароходство, что свернул с курса и идет на спасение югославских моряков. И в этом было не столько пренебрежение инструкцией, сколько трезвый расчет: в тот период отношения СССР и Югославии были напряженные, советские газеты постоянно печатали карикатуры на Иосифа Тито и называли его ренегатом и агентом империализма... Поэтому Кичин имел все основания подозревать, что Одесское пароходство не рискнет само принять решение спасать «ренегатов», а станет запрашивать Москву, министерство флота, и пройдут часы, пока они примут решение. А при том жестоком шторме, который терзал сейчас Индийский океан, каждая минута промедления могла быть роковой для горящего югославского судна.

Нет, он пойдет на помощь югославским морякам, начнет их спасение и лишь затем сообщит об этом в пароходство — поставит начальство перед фактом...

Но когда в кромешной темноте среди пенных гребней многотонных волн и гудящего ветра они увидели сполохи огня над пляшущим в океане судном, радист этого судна уже не отвечал на их запросы. Рация «Требинье» молчала, на палубе и на капитанском мостике не было видно никаких признаков жизни. И потому, как швыряли ветер и волны это судно, было понятно, что никто не стоит там у руля. Умерли они там? Отравились дымом? Черт возьми, но ведь один-два человека должны были остаться в живых и отвечать на гудки и сигналы прожектора хотя бы миганием электрического фонарика!

Нет — «Требинье» не отвечал, лишь вспышки огня вырывались из люка его грузового трюма. Ветер срывал эти языки огня, не давая им переброситься на жилые надстройки, уносил в море и тем самым спасал судно от тотального пожара. Но вслед за унесенными языками огня из люка вырывались новые и новые...

Дважды в ту ночь матросы «Мытищ», рискуя жизнью, спускались в пляшущий на волнах мотобот и пытались пристать к неуправляемому югославскому судну. Обе попытки были безуспешными — штормовой ветер не давал возможности приблизиться к «Требинье» и грозил в любую минуту расплющить смельчаков о борт югославского судна. Кичин всю ночь кружил вокруг безмолвно горящего «Требинье», не понимая, почему молчит его рация и что случилось с его командой. Лишь на рассвете, когда аварийная команда под командованием его старшего помошника Мирошникова отплыла к «Требинье» в третий раз, радист принес на капитанский мостик короткую радиограмму. Капитан какого-то индонезийского судна сообщал русскому капитану, что снял команду «Требинье» за три часа до прихода «Мытищ».

Даже получив это сообщение, Кичин не остановил свою спасательную команду. Проверить, не остался ли кто-нибудь на брошенном судне, не забыли ли кого-нибудь в спешке бегства — тоже закон моря.

Но на «Требинье» не было ни одной живой души.

Мирошников сообщил Кичину по рации:

— Осмотрели все судно. Нигде — ни души. Горит только один трюм. Остальные трюмы в порядке. И вообще все судно в порядке, не понятно, почему они его бросили. Прием.

— А что горит в трюме? Прием, — сказал в рацию Кичин.

— А черт его знает! К нему подойти невозможно Палуба накалена, как жаровня. Какие указания? Прием.

— Проверь машинное отделение. Может ли пожар прожечь стенку трюма и проникнуть в машинное отделение?..

Пока Мирошников и другие спасатели выполняли его приказание, Кичин приказал радисту вызвать индонезийское судно, которое подобрало команду «Требинье». Еще через десять минут капитан «Требинье» подтвердил по рации то, что Кичин только что предположил в разговоре с Мирошниковым: стенки горящего трюма граничат с моторным отсеком. Больше того, капитан «Требинье» объяснил, почему он бросил судно, не пытаясь погасить пожар. Потому что в трюме горит не что иное, как хлопок, тонны спрессованного в тюки хлопка. Только моряки и специалисты-пожарники знают, что погасить горящий хлопок *абсолютно невозможно.* Хлопок, даже прессованный, содержит в себе микропузырьки воздуха и они-то и поддерживают огонь, какими бы противопожарными средствами вы ни пользовались. Таким образом Мирошников оказался прав, назвав этот горящий трюм «жаровней». Тонны хлопка в чреве этого трюма как бы втягивали огонь в себя, всасывали в глубь судна раскаленное тление, и весь трюм представлял собой теперь единый ком тлеющего огня, единую уголёшку. Рано или поздно жар этого огня расплавит стальную переборку трюма, и огонь, уже ничем не сдерживаемый, рванется в машинное отделение. Эта минута будет минутой гибели «Требинье»...

Утром, с появлением солнца вся команда «Мытищ» высыпала на палубу, несмотря на жестокий шторм. Они смотрели на красивое, мощное югославское судно, кренящееся в разные стороны, как теряющий силы больной. Теплоход «Требинье» — новенький, западной постройки сухогруз — даже брошенный командой, держался на плаву, что говорило о его желании жить, плавать! Для них, моряков, любое судно — одушевленное существо. А разве мы с вами не разговариваем порой, как будто с живым существом, со своим автомобилем, домом, катером?..

Но красавец «Требинье» был обречен на гибель — в его теле сидела раковая опухоль огня.

Я не должен рассказывать вам о том, что любой нормальный человек не может смотреть равнодушно на гибель другого живого существа. Тем более — если это существо молодо, красиво...

— Бля, неужели ни хера нельзя сделать? — просто и чисто по-русски выразил общие чувства боцман Подгаец.

— Можно... — произнес капитан Кичин.

Затем он собрал в кают-компании всю свободную от вахты команду. Невысокого роста, 35-летний, круглолицый и темноволосый, он стоял перед ними и говорил напористо:

— По морским законам, если судно брошено командой, а мы нашли его и спасли — оно наше. Поэтому мы в любую минуту можем спустить на «Требинье» югославский флаг и поднять свой. Но я это сделаю только в том случае, если мы решим спасти это судно. Я говорю «мы» потому, что я не могу и не собираюсь *приказывать* вам идти на тот риск, который возможен, если мы решимся на это спасение...

— Короче, товарищ капитан! — сказал кто-то нетерпеливо. — Как спасти его?

— Есть только один способ. Поскольку горящий хлопок погасить невозможно, то есть, я повторяю, только один способ: не гасить этот хлопок, а выбросить его из трюма в море... — Капитан Кичин переждал недоверчивый ропот команды и продолжил: — Этот план кажется нереальным сначала, потому что вы не дослушали меня до конца. Я не предлагаю открывать этот горящий трюм здесь, посреди Индийского океана, не предлагаю никому из вас лезть в этот трюм за горящим хлопком. Я предлагаю взять это судно на буксир, оттащить его на Мадагаскар, в ближайший порт, и там, с помощью портальных кранов выкинуть тюки горящего хлопка в море. Самое трудное в этом — взять «Требинье» на буксир сейчас, при шторме. И метеосводка обещает усиление ветра, а не ослабление. Поэтому давайте решать — есть добровольцы на эту работу или нет? Если нет, мы разворачиваемся и дуем во Вьетнам. Все. Я кончил.

— Допустим, мы сумеем взять его на буксир, — сказал все тот же боцман Подгаец. Как все боцманы, это был здоровенный мужик, обстоятельный и неторопливый. — И допустим, что мы его потащим на Мадагаскар через эту штормягу. Сколько нам придется его тащить?

— Двое суток. Или даже трое. Это зависит от шторма..

— Вот! — боцман даже палец поднял наставительно. — А за трое суток огонь прожжет переборку и рванет в машинное. И вся наша работа насмарку...

— Правильно, — сказал Кичин. — Но для того, чтобы этого не случилось, мы поставим в машинном мощные помпы и будем поливать переборку водой всю дорогу до порта и дальше — пока не выбросим горящий хлопок.

— Гм! — крякнул боцман. — Це дило...*

Он был украинец и в решительные минуты переходил на родной украинский язык.

— Так вот! — перекрывая голоса матросов, начавших обсуждать его идею, громко сказал капитан Кичин. — Перечисляю риск, который я сейчас предвижу Первый вы знаете: при таком шторме снова подойти к «Требинье» взять его на буксир...

— Та це мы зробым!..** — сказал боцман.

— Второе: аварийной команде придется два, три или даже четыре дня жить на горящем судне. Никто не может гарантировать, что в такой шторм не случится что-нибудь

---

* Это дело! *(укр.)*

** Да это мы сделаем! *(укр.)*

неожиданное...

— Но вы же нас не бросите, — усмехнулся штурман Гришин, словно вопрос о том, что он включен в команду добровольцев, уже решен.

— Нет, мы вас не бросим, — улыбнулся и капитан Кичин. — Мы будем рядом...

— Лады! — поднялся боцман и развернул свою широкую боцманскую грудь так, что бицепсы мускулатуры выступили сквозь полосатую тельняшку. — Пока мы будем лясы точить, там переборку может прожечь. Кто со мной идет в аварийную команду?

...Еще через два часа, когда аварийная команда благополучно перебралась с мотобота на борт «Требинье» и перетащила на него помпы и другое громоздкое оборудование, капитан Кичин послал, наконец, первую радиограмму в Одессу, в пароходство. В этой радиограмме он доложил обстоятельства встречи с брошенным командой югославским судном и сообщил, что аварийная команда уже на борту судна и ведет спасательные работы. Он просил пароходство выяснить в Лондоне, в Ллойдовской страховой компании, сколько стоит «Требинье», на какую сумму застрахован его груз и что именно, кроме хлопка, находится в его трюмах. Таким образом он как бы предоставлял Ллойдовской страховой компании сообщить начальнику Одесского пароходства Петру Данченко, какую ценность представляет «Требинье». А тот факт, что ради спасения «Требинье» он свернул с курса на Вьетнам, — об этом Кичин не упомянул в радиограмме.

Но начальник Одесского морского пароходства старый морской волк Петр Данченко вовсе не хотел брать на себя ответственность за задержку доставки военных грузов во Вьетнам. Поэтому через час капитан Кичин уже получил радиограмму-ответ из Одессы: «Спасательные работы прекратить до решения Министерством морского флота вопроса о целесообразности спасения «Требинье». Стоимость «Требинье» по международному ллойдовскому регистру около 4 миллионов долларов, содержимое трюмов — хлопок и медицинское оборудование. Медицинское оборудование застраховано на 2 миллиона долларов. Данченко.»

Кичин понял, что старик Данченко на его стороне — иначе он не стал бы сообщать Кичину стоимость «Требинье» и его груза. Поэтому Кичин не только не остановил спасательные работы, но тут же послал в Одессу следующий рапорт: «Благодаря героическим усилиям команды удалось, несмотря на шторм, взять «Требинье» на буксир. Аварийная бригада, находящаяся на «Требинье», ликвидировала непосредственную угрозу распространения пожара на все судно. Прошу отбуксировать «Требинье» в Тулеар, Мадагаскар. После полной ликвидации огня в трюме с хлопком буду следовать своим курсом, а спасенное судно может быть доставлено в Одессу любым буксиром. Кичин.»

Эта радиограмма давала Данченко серьезные козыри в его переговорах с Москвой. Из ее текста можно было заключить, что спасение дорогостоящего судна — дело почти завершенное, остались лишь кое-какие «пустяки»: дотащить «Требинье» до Тулеара и ликвидировать огонь в трюме с хлопком...

Я не хочу цитировать все радиопереговоры капитана Кичина с Одесским пароходством, это заняло бы слишком много места. Когда, спустя полтора года после описываемых событий, я сидел в кабинете Данченко, обсуждал с ним судьбу капитана Кичина и листал подшивку этих радиограмм, картина происходивших событий всплывала передо мной в полном объеме: с одной стороны — по описаниям самого Кичина, по свидетельствам бортового журнала «Мытищ», а с другой — по радиограммам пароходства. Там, на том конце, в бушующем океане была жажда, несмотря ни на что — несмотря на риск, шторм, беспрецедентность случая — спасти горящее судно. А здесь, в красивом, обставленном хорошей темной мебелью кабинете — нерешительность, медлительность...

— Конечно, я не сразу разрешил это спасение, — сказал мне Данченко. Это был высокий, плотный, шестидесятилетний мужчина, с седыми бровями и неожиданными на его крупном, с глубокими морщинами лице молодыми синими глазами. — Ведь я отвечаю за их жизни. На «Требинье» не было команды и, значит, не было никакой нужды рисковать людьми. А Кичин — он прекрасный капитан, но — молодой. Молодежь любит риск, они как мальчишки — если пожар, значит нужно бежать на пожар. А иногда нужно уметь бежать *от* пожара...

— Но все-таки вы дали «добро» на спасение...

— Дал. Он меня перед фактом поставил, а я — министр флота...

...Разрешение на спасение «Требинье» пришло лишь на вторые сутки после того, как капитан Кичин послал в Одессу первую радиограмму о плане спасения «Требинье». За это время в штормовом океане произошли события, о которых не было сказано ни слова в радиограммах. Дело в том, что при первой попытке взять «Требинье» на буксир, лопнул утолщенный капроновый канат, и гигантская волна бросила «Требинье» прямо на «Мытищи». Буквально доли секунды и считанные метры отделяли два теплохода от столкновения. Именно в эти доли секунды рулевой успел чуть отвернуть нос «Мытищ», и «Требинье», образно говоря, «смазал по скуле» своему спасителю — снес наружный трап и поцарапал обшивку «Мытищ».

Но это лишь еще больше разозлило советских моряков.

— Итти его мать, он еще и бодается, сука!..

И — новая команда добровольцев спустилась в мотобот. Последний, запасной канат снова связал два судна. На этом канате «Мытищи» повели «Требинье» через шторм к Мадагаскару. Тот, кто когда-нибудь вел на буксире хотя бы автомобиль, может представить все «прелести» этой работы. Огромное тяжелое судно у вас за кормой то ныряет с волны вниз как раз тогда, когда ваше судно идет вверх...

То ветер меняет курс и грозит развернуть два судна боком друг к другу... То буксирный канат тонет в волнах — нет, вот этого допустить нельзя! Так же, как совершенно недопустимо позволить этому канату натянуться сразу, внезапно. Если он лопнет, они останутся вообще без буксирного троса, но это будет еще полбеды. А вот если, лопнув, как натянутая струна, мокрый и весом в две-три тонны канат ухнет по корпусу судна или его жилым надстройкам... Нет, даже страшно подумать!..

Короче говоря, теперь вы хоть частично можете представить себе, на какую адову работу решился капитан Кичин. Позже, через полтора года, в Одессе я спросил у него: «Зачем тебе это нужно было? Четыре миллиона стоит этот «Требинье» или десять — вы же прекрасно понимали, что деньги эти пойдут государству, а не вам...». «За деньги я вообще не стал бы его спасать», — сказал мне Кичин. Мы сидели в Одесском портовом ресторане, окна ресторана были открыты и в них залетал соленый черноморский ветер. Кичин — тридцатисемилетний, худощавый, невысокого роста и совершенно седой после девяти месяцев отсидки в следственной тюрьме КГБ — глубоко вдохнул в себя этот морской ветер и сказал: «Ты чувствуешь этот воздух? Нет, ты не можешь это чувствовать. Ты был когда-нибудь в океане? Ты дышал океанским воздухом? Представь себе — ты идешь в океане десять дней, двадцать, тридцать — вокруг ни души, ни судна, ни птиц. Только солнце днем и звезды ночью. И вдруг издалека, черт его знает откуда, ветер доносит запахи деревьев, сухой травы, нагретой солнцем земли. Ты когда-нибудь чувствовал это? Пережил? Старик, я вырос на книгах Джека Лондона. Ну как я мог бросить в океане судно, если у меня была реальная возможность его спасти? Ну какой моряк упустит шанс спасти корабль?! Конечно, для кого-то — для бухгалтеров, для Ллойдовской компании, для нашего министерства — «Требинье» это всего-навсего кусок железа стоимостью в четыре миллиона. Но для меня, для нас... Нет, ты не понимаешь, наверно...»

Я не хочу врать, что мы с ним были совершенно трезвыми во время этого разговора. Наоборот, я хочу подчеркнуть, что мы с ним наверняка не были трезвыми, поскольку такой откровенности и такого сентиментального монолога трудно ожидать от трезвого человека, тем более если этот человек — не 16-летний мальчишка, а капитан дальнего плавания, который к тому же прошел только что девятимесячную «закалку» в тюрьме КГБ...

* * *

Теперь, я думаю, самое время объяснить, как я познакомился с капитаном Евгением Кичиным.

В 1969 году мой приятель по ВГИКу Георгий Овчаренко стал режиссером на Одесской киностудии. Директор киностудии дал ему полный карт-бланш: найти хороший сценарий на морскую тему, и — будешь делать кино. Но найти готовый хороший сценарий на морскую тему — дело немыслимое не только на Одесской или Московской киностудии, но даже в сценарном отделе Голливуда. Может быть, поэтому Жора Овчаренко не поехал в Голливуд, а приехал ко мне и предложил мне написать для Одесской киностудии сценарий на морскую тему.

— О чем? — спросил я.

— Я не знаю, — сказал он. — Поехали в Одессу. Студия даст тебе аванс, и мы будем искать сюжет...

— Где?

— Ну, это не проблема! В Одессе тысячи моряков, ведь Черноморское пароходство — одно из крупнейших в мире. Мы найдем какую-нибудь историю. Поехали!

Куда-куда, а в Одессу меня не нужно было приглашать дважды!

Через несколько дней я и Жора Овчаренко пропивали с моряками одесского пароходства аванс, полученный мной на Одесской киностудии. А как еще мог я искать материал в историю для этого заказного сценария? Водка и хороший ужин развязывают языки, открывают души, и уже после пятой-шестой рюмки вы переходите на «ты» со своим новым знакомым, и он вам, «как другу» и «только между нами» рассказывает все и о себе, и о своем корабле...

Но даже пропив в Одесских ресторанах тысячу рублей и познакомившись с сотней моряков — капитанов, штурманов, механиков, матросов, а так же их женами, невестами, детьми — я все не мог найти ту самую историю, случай, которые, как искра заж игания в двигателе, включили бы мою пишущую машинку. И вдруг:

— Вот ты говоришь: тебе нужна история, — сказал мне как-то после второй бутылки водки один из моих новых знакомых-моряков. — А вот я тебе сейчас расскажу историю капитана Кичина, только хер ты по ней кино сделаешь! Ни в жизнь не разрешат! Этот Кичин югославское судно спас, государство на этом два миллиона долларов отхватило, «Правда» об этом Кичине, как о герое, писала — и что? Когда он пришел из рейса, его на берегу уже КГБ ждало. Прямо с капитанского мостика увели в тюрягу. А за что, как ты думаешь? Только за то, что он перед рейсом отказался им оброк платить. Ведь у нас тут закон: хочешь пойти в загранку, в заграничное, то есть, плавание, — плати взятку инспектору КГБ, который курирует пароходство. Иначе не получишь визу на выход за границу. А взятки они берут не советскими деньгами, нет! Для них советские деньги — мусор, бумага. Нет, они приходят на судно перед выходом в рейс и каждому, понимаешь, *каждому* члену команды — от капитана до кока, до горничной, которая каюты убирает, — говорят: «Значит, так: ты привезешь мне джинсы фирмы «Леви Штраус», а ты — джинсовый костюм, а ты — видеокассету с «Глубокой глоткой», а ты — магнитофон...» И записывают себе в блокнотик — кому что поручили. И попробуй не привези — в следующий рейс за границу уже не выйдешь, это как закон!.. Ну, а Кичин двенадцать раз сходил во Вьетнам и гордый стал — по молодости-то лет! К нему таможенный инспектор приходит перед рейсом, заказывает ему норковую шубу для жены, а он ему так вежливо: «Я, как член партии, взяток больше не даю...» Ну и все — сгорел капитан, хоть он герой, хоть о нем «Правда» писала...

Как вы понимаете, назавтра я и Жора Овчаренко уже стучали в дверь кичинской квартиры...

* * *

... Я не знаю, как живут капитаны дальнего плавания на Западе. Подозреваю, что неплохо — даже по западным стандартам. Думаю, что их годовой доход никак не меньше 150 — 200 тысяч долларов, и это дает им возможность позволить себе кое-что из предметов роскоши. Но, повторяю, я никогда не был в доме не только западного капитана, но даже простого матроса.

Зато в Одессе я бывал в квартирах десятков моряков дальнего плавания, и вот вам описание квартиры одного из самых лучших капитанов дальнего плавания Одесского морского пароходства — капитана Евгения Кичина. Кичин жил в одесских «Черемушках». Одинаковые, как костяшки домино, дома стояли на продуваемом всеми ветрами пустыре, пыль и песок гуляли между домами. Трехкомнатная квартира капитана дальнего плавания Евгения Кичина находилась на втором, мне помнится, этаже и состояла из двух спален, столовой, кухни, одного туалета и небольшого балкона, который служил также кладовой. Общая жилая площадь двух спален и столовой была равна 42,5 кв. метрам — такие квартиры в СССР называют «малогабаритными». Машины у Кичина не было, но в квартире были следы прежнего — по советским стандартам — достатка: в буфете, на полке стояли хрустальные бокалы, на стене висел туркменский ковер, мебель была финская... И то, и другое, и третье Кичин мог купить в «Торгсине» —

специальном закрытом магазине Одесского пароходства, который торгует не на советские рубли, а на твердую валюту. Эту твердую валюту — так называемые «сертификаты» — советские моряки получают, как командировочные, когда находятся в иностранных портах. Я уже не помню точно, сколько таких «твердых рублей» — «сертификатов» положено в день советскому моряку, но хорошо помню, что это мизерные суммы — на пачку сигарет, воду и два-три бутерброда в день. Офицеры и капитан получают несколько больше, особенно — капитан, поскольку ему приходится принимать иностранных гостей, угощать их напитками и т. п. 99,9% советских моряков не тратят эти деньги ни на сигареты, ни на воду, ни на бутерброды. Они копят их, питаясь советскими консервами, и на сэкономленные деньги покупают джинсы и другой дефицитный в СССР товар, который по прибытии домой продают на черном рынке. (Не забывайте, что из этих же сэкономленных на еде денег каждый должен купить что-то и инспектору КГБ...)

Главным моим ощущением во время первого визита к Кичину было все же не ощущение его семейного достатка, а наоборот — чувство нервозности, скандала, почти истерики, которые царили в воздухе этой квартиры. Евгений Кичин — совершенно седой, небритый, неряшливо одетый во что-то домашнее и явно не выспавшийся — встретил нас в дверях квартиры и тут же провел на кухню, извиняясь за беспорядок в квартире. И хотя беспорядок был очевиден — пол в квартире не подметали, наверное, неделю, на диване валялись смятое одеяло и подушка, даже на хрустальных бокалах был слой пыли — дело было не в этом беспорядке.

— Меня выпустили из КГБ две недели назад, — объяснил Кичин. — Прихожу домой — жена со мной не разговаривает, дочка тоже. В чем дело, спрашиваю. Молчат. Потом добился. Оказывается, мало того, что следователи КГБ допрашивали их — и жену и двенадцатилетнюю дочку — по два раза в неделю все эти девять месяцев! Мало того, что они водили жену на пустыри за нашими «Черемушками» и требовали, чтобы она показала, где я, якобы, золото зарыл — это еще не все! Они сказали моей жене, что у меня две любовницы — одна, якобы, на судне, на время плавания, а вторая — в Одесском пароходстве машинистка. И даже показали ей мои любовные письма к ним — фальшивые, конечно. Но жена поверила и — пожалуйста — в квартире бардак, сплю на диване, жена требует развода. Так что, если хотите поговорить, лучше пойдем куда-нибудь в ресторан...

* * *

...На Мадагаскаре, в Тулеаре портовые власти не разрешили капитану Кичину ввести в гавань горящее судно «Требинье». Они не без основания считали, что если открыть трюм, в котором горит хлопок, то огонь может переброситься на причалы.

— Я стоял на рейде Тулеара, как дурак с помытой шеей, — рассказывал Кичин. Эта русская пословица означает, что все, что сделано сделано зря, напрасно.

И действительно — советские моряки, рискуя жизнями, в штормовом океане взяли на буксир горящее судно, привели его сквозь шторм в порт, чтобы с помощью портальных кранов выгрузить из трюма тюки горящего хлопка и — нате вам: их даже не подпускают к причалу, где стоят эти портальные краны! Больше того: из Лондона прилетели эксперты Ллойдовской страховой компании, чтобы решить, можно спасти судно или нет. Иными словами — платить Югославии страховку за это судно, как за погибшее, или не платить, обвинив югославского капитана в том, что он бросил судно, которое еще можно было спасти.

Два дня эксперты Ллойдовской страховой компании

обследовали «Требинье» и пришли к заключению, что... судно спасти нельзя.

Но Кичин не сдавался. Он нанял в порту сотню черных грузчиков. Он пообещал щедро заплатить, если они откроют трюм с горящим хлопком и — с помощью багров, крючьев и корабельной лебедки — вытащат из этого трюма тюки с горящим хлопком.

На следующий день несколько дюжин крохотных лодок приплыли к стоящим на рейде Тулеара «Мы–тищам» и «Требинье». Черные мускулистые грузчики проворно взобрались на борт «Требинье». Кичин сам командовал их работой. Они зацепили лебедкой раскаленные створки люка того трюма, где горел хлопок, потянули их и...

Столб белого пламени вырвался из открывшегося трюма. Это было как пушечный выстрел — даже на берегу, в домах задребезжали стекла.

А перепуганные черные грузчики — все, до единого — мигом сиганули с борта «Требинье» в воду — с двадцатиметровой высоты! И тут же отплыли от судна на своих лодчонках, без оглядки и изо всех сил гребя к берегу.

Так Кичин остался и без наемной рабочей силы.

— Я снова собрал команду в кают-компании, — рассказывал Кичин. — я сказал им, что если мы сами, своими руками не вытащим этот е... хлопок из трюма, — что ж, весь позор этого неудавшегося спасения я возьму на себя. Но вы понимаете — это же была *моя* команда. Я сам набирал их в Одессе, и каждый из них ходил со мной в плавание раз по шесть- емь. И неважно, что многие из них были или старше меня или одного со мной возраста. Во флоте капитан — это как отец, даже если он вдвое младше своих подчиненных. Поэтому моя команда — это как-бы я сам. Если я хороший капитан, конечно... Короче, у меня было 35 добровольцев вручную вытаскивать из люка этот горящий хлопок...

Да, представьте себе: они вытаскивали тюки с горящим хлопком практически вручную — баграми, крючьями и корабельной лебедкой. Позже, во время съемки фильма «Море нашей надежды» моя киногруппа пыталась воссоздать эту ситуацию. Киностудия арендовала у Одесского морского пароходства грузовой теплоход класса «Требинье», специалисты-пожарники обложили стенки одного из трюмов плитами невоспламеняющегося асбеста, затем загрузили в этот трюм три или четыре десятка тюков с горящим хлопком и — киногруппа приступила к съемкам. Но ни актеры, одетые в асбестовые противопожарные костюмы, ни операторская группа не выдерживали внутри этого трюма-жаровни больше десяти-пятнадцати минут. Проклиная на чем свет стоит автора сценария — с употреблением самых «изысканых» оборотов русского мата, — они выскакивали из трюма и отказывались от своих ролей, требовали отвезти их на берег. Позже, когда я с обидой спросил у режиссера Овчаренко, почему он не пригласил меня на эти съемки — ведь в его распоряжении был целый теплоход, то-то мы бы погоняли на этом теплоходе по Черному морю! — он сказал мне: «Да тебя бы просто убили актеры за этот эпизод в трюме с горящим хлопком!»...

Матросы теплохода «Мытищи» занимались этой работой сорок дней и ночей. В трюме «Требинье» было не три десятка тюков с горящим хлопком, а больше чем три тысячи тюков. Таким образом, температура внутри трюма была шоковая.

Кичин сам руководил этой работой. Он спал по два часа в сутки, а остальные двадцать два проводил на «Требинье» с бригадами своих матросов, которые работали, сменяя друг друга через каждые четыре часа. Но Кичин хотел, чтобы каждая новая смена видела его рядом, чтобы не было потом разговоров, будто капитан послал их в огонь обжигать лица, руки, ноги и легкие, а сам в это время спит в своей капитанской каюте...

Через сорок дней последний тюк горящего хлопка был выброшен за борт «Требинье». А Кичин упал на палубе спасенного им судна и уже не вставал — от чудовищного переутомления его разбил паралич, у него отнялись речь, обе ноги и левая рука. Матросы на руках спустили его на мотобот и перевезли на «Мытищи». С борта «Мытищ» он дал радиограмму в Одессу: «Спасательные работы закончены. Прошу прислать буксирное судно для транспортировки «Требинье» в Одессу. Прошу также разрешить потратить от 4 до 5 тысяч долларов для приобретения подарков морякам, проявившим беспрецедентный героизм во время спасения «Требинье». Кичин.»

Судовой врач заставил его послать в Одессу и его, врачебный, рапорт:

«В связи с огромным переутомлением во время спасательных работ на «Требинье», у капитана Кичина парализованы речь, обе ноги и левая рука. Полагаю необходимой немедленную госпитализацию капитана Кичина в Тулеарский госпиталь или транспортировку его на самолете домой. Судовой врач Еремин.»

Ответ из Одессы последовал незамедлительно:

«Борт «Мытищи», капитану Кичину.

За «Требинье» направлено буксирное судно «Адлер» Тратить валюту на приобретение подарков для команды «Мытищ» не разрешаю. Моряки, отличившиеся при спасении «Требинье», получат по прибытии в Одессу почетные грамоты и денежные премии. Сообщите, следует ли выслать в Тулеар подменного капитана или вы в состоянии сами вести судно. Начальник Одесского пароходства Данченко.»

— По законам морской этики только сам капитан может решить — нужна ему замена или он в состоянии сам вести судно. Но здесь дело было не только в этом, — сказал мне Кичин. — Просто, если бы меня положили в госпиталь, то пароходству пришлось бы платить большие деньги этому госпиталю — уж врачи выставили бы им счет тысяч на сто долларов! А кроме того, я и сам не хотел уходить с судна. Поэтому я отказался от госпиталя и от того, чтобы меня самолетом отправили домой...

— Но как же вы руководили судном, если даже речь

была парализована?

— Матросы на руках выносили меня на капи-танский мостик, сажали в кресло, и я писал свои распоряжения. Ведь правая рука работала, и слух тоже... Пойми, я не мог уйти с судна в те дни — после всего что мы пережили всей командой. Почетные грамоты и денежные премии в Одессе — через шесть-семь месяцев! Да кому они нужны будут? И что это за премии — по пятьдесят рублей на нос?! Короче, перед тем, как выйти из Тулеара курсом на Вьетнам, я вызвал к себе боцмана...

Вдвоем с боцманом, который на любом судне выполняет обязанности завхоза, они разработали план «должностного преступления»: в пароходство ушла радиограмма о том, что во время буксировки «Требинье» в штормовом море лопнули два буксирных каната. Пароходству ничего не оставалось, как разрешить Кичину закупить в Тулеаре два новых буксирных каната стоимостью по пять тысяч долларов каждый. На самом деле, как вы помните, лопнул только один канат. Таким образом, боцман получил от Кичина разрешение истратить остающиеся пять тысяч долларов на покупку краски для ремонта «Мытищ» (бок судна был исцарапан во время столкновения с «Требинье», когда его пытались взять на буксир) и на.. покупку подарков для команды. Еще через два дня, когда матросы починили поломанный трап и покрасили борт «Мытищ» новой краской, на судне состоялся так называемый «отвальный банкет» — прощальный ужин. Моряки «Мытищ» прощались со спасенным югославским судном и мадагаскарским портом Тулеар. Кок приготовил несметное количество шашлыков, капитан выставил команде ящики шампанского и сухого вина, боцман устроил даже небольшой фейерверк. Вся команда получила подарки — кто транзисторный приемник, кто магнитофон, кто джинсовый костюм, кто — спининг... Затем они пили шампанское за спасенное судно, за здоровье своего капитана, за тех, кто в оре, за тех, кто их ждет в Одессе, за «три фута под килем».

Многие держали бокалы еще перебинтованными, обожженными руками...

Наутро «Мытищи» покинули Тулеар и двинулись курсом на Вьетнам Все грузчики Тулеара высыпали на пристань и махали им руками, часть даже сели в лодки и провожали «Мытищи» до рейда. Суда, стоявшие у причалов, салютовали им прощальными гудками, как героям. На «Требинье», пришвартованном к причалу, ветер трепал красный советский флаг

Несмотря на все старания судового врача, Кичин не мог оправиться от паралича Больше трех недель они шли от Мадагаскара до Вьетнама, и все это время, то есть каждый день, матросы на руках выносили Кичина на капитанский мостик, сажали в кресло, и он вел судно, давая команды записями в блокноте

Во Вьетнаме их, конечно, встречали, как героев и лучших друзей. Ведь они привезли оружие для борьбы с американскими империалистами! Оружие для уничтожения американских прихвостней — южных вьетнамцев.

Вьетнамские врачи увезли Кичина с судна в джунгли, в подземный лазарет — подальше от бомбежек американской авиации. Здесь его лечили иглоукалыванием и буквально за три недели поставили на ноги.

Разгрузив военное снаряжение, Кичин повел «Мытищи» на Яву и на Борнео за пробковым деревом, потом — в Индию, затем — еще куда-то. То есть — в рутинное плавание, какие выполняют сотни грузовых судов. Домой, в Одессу, они пришли в мае 1968 года, надеясь увидеть у причала спасенный ими «Требинье»

Но «Требинье» уже давно не было в Одессе. За то время, пока Кичин лежал в подземном вьетнамском лазарете, в судьбе «Требинье» произошли новые драматические перемены, не имеющие, правда, никакого отношения к его, так сказать, физическому или техническому состоянию Просто «Требинье» чуть было не стал символом разрядки напряженности отношений между СССР и Югославией

Дело в том, что тогдашний министр иностранных дел СССР Алексей Громыко прочел в «Правде» о спасении советскими моряками югославского судна и обратился к Брежневу с предложением вернуть «Требинье» Югославии бесплатно — эдакий жест «бескорыстной дружбы и международного пролетарского братства». Он расписал Брежневу весь спектакль, который можно было бы при этом устроить в Одессе для прибывших за судном югославов, и тот политический капитал, который удастся на этом заработать: югославские газеты будут вынуждены описать «теплый и дружественный прием одесских моряков» и, конечно, «бескорыстный дар Советского Правительства народу Югославии».

Но Виктор Бакаев, тогдашний министр морского флота СССР, узнал об этом проекте еще до того, как Брежнев дал на него свое согласие. Брежнев вообще не любил принимать решения сразу, а предпочитал поюлить вокруг острой проблемы, потянуть волынку. А Бакаев сразу смекнул, чем грозит его министерству этот «бескорыстный жест дружбы»: спасение «Требинье» и сорок дней стоянки «Мытищ» и «Требиньс» в Тулеаре обошлись Одесскому пароходству и Министерсгву морского флота СССР в 200000 долларов. Конечно, Алексей Громыко никогда не вернет министерству флота этих денег, и они повиснут на балансе министерства, а Громыко тем временем будет демонстрировать миру свою щедрость!

Ну уж, хера! — решил министр флота и приказал начальнику юридической службы министерства и начальнику отдела торговли немедленно, в течение нескольких дней продать «Требинье» и весь его груз. Буквально в тот же день начальник юридического отдела министерства и старший юрист Одесского пароходства вылетели в Лондон для оформления документации в Ллойдовской страховой компании на право продажи судна и его груза.

Я познакомился в Одессе со старшим юристом Одесского пароходства. Эта молодая красивая женщина показала мне папки с документацией о продаже «Требинье» и его груза и сказала:

— Мы продали «Требинье» в Лондоне за один день — на аукционе. Первому же покупателю! За миллион четыреста тысяч... Отдали, не торгуясь, хотя при других условиях за него можно было взять и два и даже два с половиной миллиона. Но Бакаев и Данченко приказали продать немедленно, за любые деньги. Ну, и еще восемьсот тысяч долларов мы получили за медицинское оборудование, которое было в трюмах «Требинье». Тут мы взяли практически максимальную цену — после того, как само судно было продано, можно было уже не спешить, поторговаться...

— Значит, капитан Кичин и его команда действительно принесли Одесскому пароходству два миллиона долларов чистой прибыли?

— Конечно.

— Как же случилось, что вместо того, чтобы встречать его как героя — оркестром, его встречали на вашем причале агенты КГБ?

— Ну, с этой организацией не спорят, — усмехнулась она. — Хотя, честно сказать, это было для всех нас большой неожиданностью — его арест. Дело в том, что начальник нашего пароходства товарищ Данченко уже послал в Москву ходатайство о награждении капитана Кичина орденом Трудовой славы — за тринадцать походов во Вьетнам и за спасение «Требинье» . И вдруг вместо ордена — этот арест...

* * *

Два инспектора таможенной охраны — сотрудники Одесского управления КГБ — поднимаются на борт каждого судна, пришвартовавшегося к причалу Одесского порта. Таково правило: сначала осмотр судна — нет ли на судне контрабанды. Только после этой многочасовой проверки происходит встреча моряков с их семьями и друзьями, которых они не видели порой шесть, а порой и восемь и десять месяцев. Эти жены, дети, родители и друзья томятся часами в здании морского вокзала, ждут, когда их пустят на пирс, к трапу прибывшего судна.

Но на самом деле таможенный осмотр судна — это просто-напросто сбор инспекторами КГБ того «оброка», той дани, которой они обложили моряков перед выходом этого судна в заграничное плавание. «Гришин, я тебе, етти твою мать, заказывал «грюндик» мне привезти. А ты что привез? «Соню - Сделано в Тайване». Дешевкой хочешь отделаться?»... «Борощенко, где женский джинсовый костюм? Что ты мне индийские джинсы суешь? Сам будешь индийские джинсы носить! Ну-ка, открывай свои чемоданы! Та-ак, у тебя три детские шубки-дубленки. Одну я беру себе!..». «Но я же своим детям привез! У меня трое...». «А в загранку еще раз хочешь пойти? Или нет?». «То-то! Тогда и привезешь третью шубку для своих детей. Заодно будешь знать, как подсовывать мне индийские джинсы вместо «Леви Штраус»!»...

Ну, и так далее в том же духе — пока все пятьдесят-шестьдесят членов команды не отдадут им свою плату за разрешение уходить в плавание за границу...

На этот раз инспекторов было не два, а четыре. Они подъехали на черной «Волге» Одесского управления КГБ прямо к трапу судна «Мытищи», пришвартовавшихся только что к одесскому причалу. Вся команда высыпала на палубу и махала руками женам и детям, чьи лица можно было различить вдали, за стеклянными окнами морского вокзала. Но когда эта черная «Волга» прокатила по пирсу прямо к трапу судна и четверо гэбистов в одинаково серых костюмах стали подниматься на борт, моряки смолкли. Двух из них они знали — капитана ГБ Г. и майора А.*, женатого на дочке председателя Одесского управления КГБ. Именно этот майор отличался предельной наглостью

* Со времени тех событий прошло больше 20 лет, фамилии не могу вспомнить точно, поэтому заменяю их инициалами. *Э.Т.*

в своих поборах с моряков и именно ему сказал капитан Кичин, что больше он взяток платить не будет. Конечно, вся команда «Мытищ» знала об этой стычке, и многие, чувствуя себя после спасения «Требинье» героями дня, тоже подумывали послать этих А. и Г. подальше, не платить им ритуальный «оброк»...

Но то, что эти двое подъехали к трапу на служебной гэбэшной «Волге» и не вдвоем, а вчетвером — это был дурной признак. Команда «Мытищ» молча наблюдала, как четверо гэбэшников прошли мимо вахтенного матроса на борт судна, поднялись на капитанский мостик и подошли прямо к капитану Кичину. Кичин стоял там в окружении офицеров в белой парадной форме с офицерским кортиком на поясе.

Подойдя к нему на расстояние двух шагов, майор сказал громко — так, чтобы было слышно даже на нижней палубе:

— Гражданин Кичин, снимите свой кортик! Вы арестованы! Вот ордер на ваш арест, подписанный районным прокурором.

— За что? — вырвалось у молоденького третьего штурмана.

— Там ему скажут, за что, — произнес усмехающийся майор А., не отрывая торжествующего взгляда от глаз капитана Кичина. Затем приказал двум сопровождающим его гэбэшникам: — Уведите арестованного!

И только когда эти двое спустились с Кичиным по трапу и увезли его в черной гэбэшной «Волге», майор повернулся к застывшей в хмуром изумлении команде теплохода «Мытищи» и объявил весело, с торжеством:

— Ну вот, товарищи герои! Все ясно? А теперь приступим к осмотру судна и ваших личных вещей. Начнем с первого помощника капитана. Мирошников, что там с тебя причитается? — и достал из кармана блокнот, в котором были записаны все его «заказы»...

* * *

— Где вы взяли деньги на покупку морякам ценных подарков? Только не пытайтесь отрицать, что эти подарки были. Вот письма ваших матросов домой — каждый хвастается, что получил от вас подарок...

— Я и не отрицаю. Команда проявила настоящий героизм при спасении «Требинье», и подарки, которые я им сделал от имени пароходства, куплены на деньги пароходства. Пароходство разрешило мне купить два буксирных троса, но я купил только один, а на остальные деньги боцман купил краску для ремонта судна и подарки команде.

— Сколько денег из этих пяти тысяч долларов вы присвоили себе лично?

— Ни цента. Я даже запретил боцману покупать для меня подарок.

— Это вранье. У нас есть данные, что вы постоянно провозите в своей капитанской каюте контрабанду — наркотики и дефицитные товары, а ваша жена и любовницы спекулируют этими товарами на черном рынке.

— Неправда! У меня нет любовниц, и я не вожу контрабанду.

— А как вы докажете, что пять тысяч долларов, отпущенные вам на покупку буксирного каната, вы истратили полностью на краску и подарки, а не присвоили себе, скажем, половину?

— Вы можете допросить боцмана. Все закупки делал он. Я же был парализован.

— Мы уже допросили боцмана. Он показал, что вы выделили ему на все покупки ровно 1300 долларов. А остальные деньги оставили себе.

— Покажите мне его показания.

— Вы что? Не верите следователю КГБ?

— Нет, не верю. Я требую очной ставки с боцманом. Пусть он при мне повторит то, что вы говорите.

— Вы работаете капитаном уже восемь лет. За эти годы

заработали на провозе контрабанды сотни тысяч рублей. Где вы прячете золото и валюту? Признавайтесь!

— На кухне, под половицей.

— Не врите! Мы вскрывали полы в вашей квартире. Там нет золота.

— На кухне у любовницы...

— Какой любовницы? У вас же нет любовниц!..

— Значит, у меня и золота нет. Вы выдумали и то и другое.

— Слушайте, Кичин! Мы вас заставим признаться! Рано или поздно! Имейте в виду! Контрабанда, злоупотребление служебным положением и присвоение государственной валюты — пятнадцать лет строгого режима, как пить дать! Но если вы сами сознаетесь, суд может принять во внимание вашу молодость и чистосердечное признание и смягчить вашу участь...

* * *

Вот такие допросы.

Каждый день в течение первого месяца заключения в следственную тюрьму КГБ.

Допрашивали его майор А. и капитан Г. — те, которым он отказался давать взятки. Именно их назначил следователями по делу капитана Кичина начальник Одесского управления КГБ полковник Куварзин.

Спустя месяц после ареста Кичина в Одессе оказался один из лучших московских журналистов тех лет, корреспондент «Комсомольской правды» Геннадий Бочаров. Я знал Геннадия с самых первых дней его появления в «Комсомолке». Он приехал в Москву из Караганды — шахтерского города на юге Казахской республики. В свои двадцать четыре года он успел уже отслужить в армии, проработать год на угольной шахте в Караганде и еще год — в городской карагандинской газете. Отсюда, из Караганды, он прислал в «Комсомолку» несколько своих первых репортажей, отличающихся энергичным стилем, образным языком и особым чутьем на острую ситуацию... После трех или четырех таких статей руководство газеты пригласило Бочарова в Москву. И первые четыре месяца Гена жил прямо в редакции, в студенческом отделе, на диване...

Впрочем, спал он на этом диване не так уж и часто — он постоянно летал в командировки по всей стране, в самые «горячие» точки: на степные и таежные пожары, на заполярную границу, в студенческие трудовые десанты... Его неукротимой энергии хватало даже на то, что по личному приказу министра железнодорожного транспорта на столе Бочарова появился телефон специальной междугородней железнодорожной телефонной связи — то есть, Бочаров мог бесплатно звонить в любую точку СССР, не бегая, как все остальные сотрудники редакции, за разрешением на междугородние звонки к секретарше редактора...

Через два года Бочаров получил за свои репортажи и очерки самую престижную в СССР журналистскую премию имени Михаила Кольцова...

Я говорю о Бочарове столь подробно потому, что именно этот, один из самых энергичных и «хватких» московских журналистов пробовал первым вмешаться в судьбу капитана Кичина. Прибыв в июле 1986 года в Одессу, он услышал от моряков историю спасения «Требинье» и ареста капитана Кичина и буквально ринулся в местное управление КГБ, чтобы взять у Кичина интервью.

Уже одно это было беспрецедентной акцией — явиться в КГБ и потребовать свидания с арестованным, чтобы взять у него интервью! Тут я просто обязан отдать должное храбрости Гены Бочарова — о таком поступке советского журналиста я больше никогда не слышал! Позже Бочаров рассказал мне, что он буквально устроил скандал в вестибюле Одесского управления КГБ, когда вахтер не пускал его внутрь здания к начальнику управления. Кончилось тем, что Бочаров добился встречи с этим начальником: полковник Куварзин вышел к нему, выслушал его и сказал:

— Пошел вон!

Озверев от обиды, Геннадий бросился в порт, чтобы взять интервью у матросов «Мытищ» и с их слов записать очерк о герое-капитане Евгении Кичине.

В порту он выяснил, что «Мытищи» несколько часов назад ушли в очередной рейс.

Но Бочаров и тут не сдался — он помчался в штаб Одесского военного гарнизона и уговорил командира вертолетного полка догнать «Мытищи» на вертолете, пока это судно еще в советских водах, сбросить его, Бочарова на палубу судна, а затем прилететь за ним, Бочаровым, еще раз — через несколько часов, когда он возьмет интервью у команды.

И прямо с борта теплохода «Мытищи» он по радио продиктовал в Москву стенографистке «Комсомольской правды» свой репортаж о судьбе капитана Кичина, который спас югославское судно «Требинье». Это был его, Бочарова, журналистский стиль:

«Волны Черного моря бьют теплоход «Мытищи» по правой скуле. До международных территориальных вод остается несколько миль. В моем распоряжении последние минуты, чтобы узнать правду о капитане Кичине. Герой он или вор? Я сижу на горячей палубе с боцманом Подгайцем, и он говорит мне просто и по-русски прямо:

«Да подавиться мне буксирным тросом, если Кичин взял себе хоть копейку из тех денег!»...»

Ну и так далее, я не стану пересказывать вам то, что вы уже знаете.

Я только обязан сказать, что это был единственный репортаж Бочарова, который не был опубликован.

* * *

Капитан Кичин продолжал сидеть в следственной тюрьме Одесского КГБ. И месяц, и второй, и третий — без единого доказательства вины в каком-нибудь серьезном преступлении.

По советским законам, районный прокурор может разрешить следственным органам держать обвиняемого под стражей сроком до одного месяца. После этого следственные органы длжны либо представить доказательства вины обвиняемого и передать его дело в суд, либо отпустить обвиняемого в связи с отсутствием улик преступления. Но есть еще третий вариант: просить *городского* прокурора продлить срок заключения обвиняемого в следственной тюрьме «для завершения следствия». Прокурор города имеет право продлить этот срок до трех месяцев, генеральный прокурор республики — до шести месяцев, а генеральный прокурор СССР — до девяти месяцев.

Председатель Одесского управления КГБ полковник Куварзин трижды писал ходатайства о продлении срока заключения «особо опасного государственного преступника капитана Евгения Кичина» — прокурору города Одессы, прокурору Украинской республики и генеральному прокурору СССР. Все три ходатайства были тут же удовлетворены — какой прокурор откажет просьбе КГБ?! Хотя времена сталинского беззакония, когда люди исчезали в застенках КГБ без суда и следствия, формально как бы канули в вечность, суть всевластия КГБ осталась. Никто из четырех прокуроров — от районного до генерального — даже не подумал потребовать у одесского КГБ хоть каких-нибудь мотивировок для содержания Кичина в тюрьме, никто в пароходстве не вступился за одного из своих лучших капитанов. Больше того: партийная организация пароходства поспешила исключить Кичина из партии даже до того, как КГБ собрало хоть какие-нибудь улики против него и сформулировало обвинение. Просто если человека арестовали органы КГБ — это значит ему не место в коммунистической партии, наши славные органы госбезопасности не ошибаются и не будут зря арестовывать невинного человека...

Для любого моряка, особенно — капитана, исключение

из рядов коммунистической партии означает полный и окончательный крах карьеры: в СССР нет беспартийных капитанов дальнего плавания, Это звание может получить только член КПСС. Таким образом, исключение из КПСС означает практически лишение капитанского звания и права на загранплавания.

Но полковнику Куварзину, майору А. и капитану Г. этого было мало. Их задача была простой и четкой: капитана Кичина, поднявшего открытый мятеж против власти КГБ, — уничтожить! Уничтожить легально, открыто, в суде — так чтобы все двенадцать моряков Одесского пароходства видели: для КГБ не существует героя, исключений, талантов и «звезд», КГБ может найти компрометирующие материалы на любого непокорного моряка, даже на такого «святого», как Кичин, и любого отправить в тюрьму, в сибирские лагеря...

Поэтому, когда в конце девятого месяца содержания капитана Кичина в одиночной камере, следователям одесского КГБ стало ясно, что добиться от него «признания» в несовершенных им преступлениях невозможно, они выбросили на стол последнюю карту. Во время очередного допроса майор А. торжествующе сказал Кичину:

— Ну все, капитан! Теперь тебе крышка! Только что мы получили из Тулеара фотокопию таможенной ведомости. По этой ведомости видно, что по твоему личному заказу в Тулеаре тебе доставили на борт судна три ящика виски, два ящика французского коньяка «Реми Марти», восемь ящиков французского шампанского, шесть блоков американских сигарет, три ящика кубинских сигар и так далее. Всего на тысячу семьсот тридцать два доллара сорок три цента. И все эти деньги ты уплатил наличными или, как говорят там, «кэшем»! А наличные доллары, да еще в таких количествах, у тебя могут быть только в том случае, если ты занимаешся контрабандой и «левыми» махинациями с дефицитными товарами. Так что вы сгорели, гражданин

Кичин. Вот под таможенной ведомостью ваша собственноручная подпись...

И он передал Кичину фотокопию тулеарской таможенной ведомости — документа, где действительно черным по белому было написанно по-английски все, что он только что перечислил, включая подпись капитана Кичина.

Этот документ безусловно имел все шансы стать роковым в судьбе капитана Кичина. Любому советскому судье одного этого документа в сопровождении обвинительного заключения следователя КГБ было бы достаточно, чтобы признать капитана Кичина виновным по всем пунктам обвинения, включая перевозку контрабанды, связь с иностранными торговцами наркотиками и т. д. и т. п.

И Кичин и следователь А. понимали всю силу этого документа. Майор А. не скрывал торжествующей улыбки. Он уже испытал силу этого документа на последнем защитнике капитана Кичина — начальнике Одесского пароходства Петре Данченко. Хотя этот упрямый старик нигде в открытую не обвинял КГБ в незаконном аресте Кичина и не выступал гласно в его поддержку, но он был единственный, кто отказался писать ходатайство в Министерство морского флота СССР о лишении Кичина капитанского звания. Трижды майор А. приходил к нему с этим ходатайством, уже подписанным секретарем партийной организации пароходства и начальником отдела кадров. Но Данченко не мог поверить, что Кичин — вор и контрабандист, и говорил упрямо: «Пока что он виноват только в том, что нарушил мой приказ — и купил-таки подарки морякам за счет денег, которые я разрешил потратить на покупку каната. За нарушение моего приказа я сам и буду наказывать — когда вы выпустите его. Но капитанского звания за это не лишают. Во всяком случае, пока вы не докажете мне, что он действительно возил наркотики и другую контрабанду...»

Но когда А. показал старику эту фотокопию тулеарской ведомости, старик сдался. Тысячу семьсот долларов наличными не может иметь ни один советский капитан — если он работает честно, а не занимается перевозкой контрабанды: например, опиума из Вьетнама в Европу...

Данченко тут же подписал ходатайство в Министерство морского флота СССР о лишении Кичина капитанского звания, и еще через неделю министр морского флота СССР Виктор Бакаев — тот самый, который год назад подписал ходатайство в Верховный Совет СССР о награждении капитана Кичина орденом Трудовой славы — поставил на ходатайстве пароходства следующую визу: «Капитанского звания — лишить, уволить из флота. Бакаев».

Таким образом морская карьера капитана Кичина закончилась еще до того, как закончилось следствие по его делу. Теперь майору А. оставалось последнее — добить Кичина, как личность, сломать его и отправить в тюрьму. Он и так видел, что эти девять месяцев не прошли для Кичина даром: бравый, дерзкий, самоуверенный, черноволосый и голубоглазый капитан поседел за эти девять месяцев до последнего волоса, лицо прорезали глубокие морщины, голубые глаза выцвели, под ними появились тяжелые морщинистые мешки... Что ж, сука, ты сам напросился, усмехался про себя майор А., КГБ — это тебе не горящий хлопок, нас за борт не выбросишь...

Кичин держал фотокопию таможенной ведомости. Он рассматривал ее минуту, вторую, третью, держа от себя на расстоянии вытянутой руки. Может быть, девять месяцев темной одиночной камеры испортили ему зрение, подумал А. Или, скорей, он просто боится этой бумаги и держит ее, как змею, которая вот-вот ужалит его смертельным ядом.

Наконец, Кичин поднял глаза от этого документа и произнес:

— Я прошу вызвать прокурора и секретаря парткома пароходства.

— Будем делать чистосердечное признание? — спросил А.

— Да. Но только в присутствии прокурора и секретаря парткома пароходства.

— Отлично!

Назавтра в КГБ прибыли районный прокурор и секретарь парткома пароходства. В кабинете следователя майора А. капитан Кичин заявил:

— Прежде чем сказать хоть что-нибудь, я прошу доставить сюда бортовой журнал моего судна «Мытищи»..

— Ты не мог сказать об этом вчера? — нервно спросил А. — Журнал нахолдится в навигационной службе пароходства, ты же знаешь!

— Пошлите за ним курьера, это займет двадцать минут...

Еще двадцать минут прошли в томительном ожидании. Для всех четверых.

Когда посыльный доставил бортовой журнал теплохода «Мытищи» за 1967 год, капитан Кичин сказал:

— Теперь я хочу сделать официальное заявление Прошу товарища районного прокурора записать в протокол допроса и собственноручно подписать следующее: предъявленная мне в качестве обвиняющей улики фотокопия тулеарской таможенной ведомости датирована третьим октября 1967 года. Если вы откроете бортовой журнал теплохода «Мытищи», вы увидите, что 3 октября 1967 года я был в десяти днях хода от порта Тулеар. Как видите, создатели этой фальшивки ошиблись ровно на десять дней. Таким образом, я обвиняю следователя А. в создании фальшивого обвинительного документа, в подделке иностранной таможенной ведомости и моей подписи. Прошу это обвинение занести в протокол...»

В тот же день по распоряжению районного прокурора Кичин был выпущен из следственной тюрьмы одесского КГБ. Отпуская его, полковник Куварзин сказал:

— Мы все равно вернем тебя в эту камеру рано или поздно. Так что не вздумай бежать из Одессы, ты можешь нам понадобиться в любую минуту...

Выйдя на свободу, Кичин тут же узнал, что стараниями майора А. не только уничтожена его морская карьера, но и разрушена его семья. А он-то думал, что выходит из тюрьмы победителем!..

Это, пожалуй, добило его больше, чем паралич в океане или арест и девять месяцев одиночной камеры в одесском КГБ.

Он запил.

Деньги на выпивку появлялись у него как бы сами собой — их совали ему сердобольные приятели-моряки. Никто во всем пароходстве не демонстрировал в открытую свою поддержку капитану Кичину, никто не спешил пожать ему руку в портовых ресторанах Одессы, но тайком, украдкой, при случайной встрече на улице каждый знакомый, полузнакомый и даже совершенно незнакомый моряк говорил ему, бегло оглядевшись по сторонам:

— Поздравляю! Держись, капитан. Деньги нужны? Да что я спрашиваю? Конечно, нужны! Держи! — и совали в карманы его флотского кителя полусотенные и сотенные купюры...

Через несколько дней кто-то из моряков рассказал ему о журналисте из «Комсомольской правды» Геннадии Бочарове, который несколько месяцев назад добивался встречи с арестованным капитаном и даже летал на вертолете на уходящие в плавание «Мытищи». «Позвони ему, — посоветовали Кичину. — Чем ты рискуешь? Может, тогда он не смог написать о тебе статью, а теперь, когда ты на свободе, — напишет?»

Кичин позвонил из Одессы в Москву, в «Комсомольскую правду».

Бочаров с присущей ему энергией сказал сразу, почти не слушая:

— Вы на свободе? Поздравляю. Немедленно езжайте в аэропорт и следующим рейсом вылетайте в Москву, в нашу редакцию. Билет я вам сейчас закажу.

— Но полковник Куварзин запретил мне выезжать из Одессы...

— Тем более — срочно в самолет! Вы слышите?!.

В тот же день капитан Кичин был в Москве, в редакции газеты «Комсомольская правда». Геннадий Бочаров отвел его к главному редактору Панкину и ответственному секретарю газеты Григорию Оганову. Кичин рассказал им всю свою эпопею. Выслушав его, Григорий Оганов снял телефонную трубку с красного телефона правительственной связи, набрал короткий номер.

— Полковник Волков слушает, — немедленно прозвучало на другом конце провода.

— Товарищ Волков, это Оганов из «Комсомольской правды» Сейчас я пришлю к вам одного человека Пожалуйста, выслушайте его внимательно. И помогите нам реабилитировать его имя. Если сможете...

— Если смогу — пожалуйста... — сказал голос в трубке.

Этот голос принадлежал полковнику Волкову, первому заместителю начальника Уголовного розыска СССР.

Еще через два часа полковник Волков позвонил в Одессу начальнику одесского КГБ Куварзину, попросил немедленно прислать ему следственное дело капитана дальнего плавания Евгения Кичина.

— Кичина? — переспросил полковник Куварзин. — Этот сукин сын сбежал из Одессы! Мы только что оформили требование на его всесоюзный розыск...

— Это требование вам бы лучше отменить, — усмехнулся первый заместитель начальника Всесоюзного уголовного розыска полковник Волков. — Кичин никуда не сбежал, он сидит в моем кабинете.

.Но когда полковник Волков получил из Одессы папку с документами по следственному делу капитана Кичина, в этой папке уже не было ни фальшивой фотокопии тулеарской таможенной ведомости, ни протокола последнего допроса Кичина, где он в присутствии районного прокурора и секретаря парткома пароходства обвинил следователей КГБ в подделке документов. Эти две бумаги исчезли из следственного дела капитана Кичина навсегда..

* * *

Теперь начинается новая, последняя страница в истории капитана Кичина. По всем законам советской драматургии, на этой странице должна восторжествовать справедливость, а зло, порок должны быть наказаны. Тем более что за Кичина вступились одна из центральных советских газет и руководство Всесоюзного уголовного розыска, то есть Министерство внутренних дел СССР В конце концов, кто им противостоял – всего-навсего следователь провинциального управления КГБ и его родственник — начальник этого провинциального управления Нам казалось, что уж теперь-то мы смешаем их с грязью — и А. и Куварзина! Я пишу «нам» потому, что как раз в это время я познакомился с капитаном Кичиным и, как говорят спортсмены, «вступил в игру»

Я уже знал, что буду писать киносценарий, основанный на истории капитана Кичина Как вы понимаете, в этой истории было все, что нужно для кинематографа. эффектное начало с горящим судном, лихое и беспрецедентное спасение этого судна в штормовом океане, парализованный капитан, который ведет судно во Вьетнам и которого вьетнамские врачи везут сквозь бомбежку американской авиации в джунгли, в подземный госпиталь И крутой поворот истории — арест, лишение капитанского звания Конечно, я понимал, что мне не разрешат назвать в кино, кто именно, то есть какая карательная организация арестовала капитана Кичина, и объяснить что истинная причина этого ареста — месть КГБ за отказ дать взятку .

Я и не собирался делать этого в киносценарии, я знал правила советского кинематографа — ни одна студия не взяла бы этот сценарий. Но в его истории была еще одна проблема, легальная для советского кино и интересная для меня лично: имел ли право капитан Кичин рисковать жизнью членов своей команды и своей собственной ради спасения не людей, а всего-навсего куска железа стоимостью в два или три миллиона долларов? Где кончается оправданный риск и начинается авантюра? Что такое романтика и имеет ли на нее право человек, в руках которого власть?

Эти как бы общечеловеческие проблемы и другие — более мелкие, но не менее актуальные для моряков — проблемы многомесячной разлуки с семьями, одиночества в море и т. д. — собирался поднять я в своем киносценарии и фильме.

Но я знал, что не могу сесть писать этот сценарий, физически и психологически не смогу написать и строки, пока не сделаю все, что в моих силах, для самого Кичина, для его возвращения на капитанский мостик и его победы в борьбе с Одесским управлением КГБ.

* * *

Первым делом я позвонил из Одессы в Москву, в «Комсомольскую правду», Бочарову.

— Старик, — сказал я. — Я по поводу капитана Кичина. Ты собираешься писать о нем в газете?

— Я уже пробовал. Ничего не проходит...

— Ты пробовал год назад, когда он был в тюрьме. А теперь он на свободе. И без предъявления всякого обвинения. То есть, его продержали девять месяцев в тюрьме незаконно. Давай вдвоем напишем об этом статью.

— Ты с ума сошел! Кто же это напечатает?!

— Во-первых, зависит от того, как написать. А во-вторых, еще до того, как будут решать, печатать статью или нет, у нас в руках будет *набранная* статья. Чтобы решиться публиковать ее, редакция потребует завизировать ее у министра флота, Прокурора СССР, в Одесском обкоме партии и так далее. И чем больше мы будем ходить с этой статьей по верхам за визами, тем лучше для Кичина и для статьи. Ты меня понял?

— Кажется, да... Когда ты будешь в Москве?

— Если ты согласен, мы с Кичиным вылетаем следующим рейсом.

— А зачем нам Кичин? Я про него все знаю, ты тоже.

— Гена, я не могу его тут оставить. Он не в состоянии...

Когда мы прилетим, ты сам увидишь. Попроси секретаршу редактора забронировать нам номер в гостинице по соседству с редакцией. Лучше всего — в «Пекине». И знаешь что? На всякий случай — не нужно упоминать его фамилию. Пусть заказывает номер только на мое имя. Ты понял?

В тот же день мы с капитаном Кичиным вылетели в Москву. Я действительно не мог оставить его одного в Одессе. За последние две-три недели с ним произошло нечто трудноописуемое. Человек, который пятнадцать лет провел в море, человек, который восемь лет был капитаном дальнего плавания, тринадцать раз ходил во Вьетнам, спасал горящее судно, лежал во вьетнамском подземном госпитале, просидел девять месяцев в тюрьме КГБ и — не спасовал, не сдался, выдержал все, — этот самый человек вдруг сломался, на моих глазах превратился буквально в тряпку, в истеричку...

Дело было, конечно, не в водке.

И даже не в развале семьи.

И не в разрушенной карьере.

Мне кажется, дело было в ином. Есть люди — вспышки, способные свернуть горы на едином прорыве. Есть люди — бегуны на короткие дистанции, способные собрать все свои силы и прошибить стены за короткий срок. И есть люди — камень, которые не сдаются годами, десятилетиями.

Кичин был из породы бегунов на короткие дистанции или даже из породы людей-вспышек. Это не умаляет его и не возвеличивает, это только говорит о его природных задатках, о его характере, вот и все. Его сил хватило на то, чтобы даже парализованным довести судно до Вьетнама, и на то, чтобы выдержать девять месяцев в одиночной камере одесского КГБ. Это тоже немало, поверьте! И даже когда он вышел на свободу и увидел, что все разрушено — карьера, семья, он еще как-то держался. Но когда он увидел, что он уже не один, что с ним, как с больным, возятся редакторы «Комсомольской правды», московский сценарист и одесский кинорежиссер, он словно распустил собранную в комок волю, он стал похож на маленького капризного ребенка. Он пьянел после второй рюмки и принимался хвастаться и плакать... Да, порой он даже вызывал у меня неприязнь, отвращение...

Именно поэтому я не мог оставить его одного в Одессе, я не мог позволить, чтобы он один напивался здесь в портовых ресторанах и — на радость его врагов из одесского КГБ — превратился в Одессе в посмешище, в юродивого...

И я понимал, что вытащить его из этого состояния можно только одним — чтобы он поскорей ушел в море, в плаванье. Если не капитаном, то кем угодно — помощником капитана, штурманом...

О, я до сих пор хорошо помню эти десять дней, проведенные с Кичиным в Москве, в номере гостиницы «Пекин»! Статья за двумя подписями — моей и Геннадия Бочарова — была готова и набрана через три дня. В ней мы описали всю изложенную выше историю с упоминанием фамилий А. и Куварзина, но лишь с одной уловкой: мы нигде не употребляли слово «КГБ», мы писали «следственные органы города Одессы», «следователь А.», «начальник следователя товарищ Куварзин»... Любой несведущий читатель мог решить, что речь идет о милицейских следователях или о следователях одесской прокуратуры, а критиковать работу этих органов в советской печати дозволено. Конечно, под «несведущими читателями» мы в первую очередь подразумевали цензоров.

Получив на руки оттиски нашей статьи, мы с Бочаровым приступили к главной части нашей работы — сбору начальственных подписей, удостоверяющих подлинность всего, что в этой статье изложено. Первая виза — полковника Волкова из Управления уголовного розыска СССР — была получена легко, это был как бы «наш» человек. Затем Геннадий Бочаров улетел с оттиском статьи в Киев, столицу Украинской республики — Одесса находится на Украине, и Одесский обком партии, исключивший Кичина из рядов КПСС, подчиняется ЦК КП Украины. В Киеве Бочаров, на правах столичного журналиста, прошел прямо к первому секретарю ЦК КП Украины. Он положил перед ним оттиск нашей статьи — она занимала больше половины газетной страницы, наверху этой страницы была шапка «Комсомольской правды» и штамп «Для служебного пользования, типография газеты «Правда»». На партийных функционеров все, что исходит из типографии газеты «Правда», производит впечатление законодательного решения ЦК КПСС. Прочитав статью, украинский секретарь почесал затылок и сказал: «Да, кажись, мы поруховалы с цим капитаном...»*

— Надо бы пересмотреть решение об исключении Кичина из партии, — сказал ему Бочаров.

— Ни, цэ нэ можливо...**

Хотя любой грамотный человек на Украине свободно говорит по-русски, партийные лидеры республики демонстративно говорят только по-украински, чтобы продемонстрировать свою якобы независимость от Старшего Русского Брата...

— Почему это невозможно? — спросил Бочаров. — Вы же сами говорите, что поспешили с этим капитаном. Он был арестован и исключен из партии без всякой вины, вы сами видите — вот виза первого заместителя начальника уголовного розыска.

— Цэ я розумию. Тилькы мы нэ можэмо зменити зришення партии.***

— Почему вы не можете изменить решение?

— Тому що партия николы нэ помыляеться, товариш Бочаров.****

— Это я знаю. Но тут такая ситуация. Когда статья будет напечатана, ЦК КПСС примет решение восстановить Кичина в партии, правильно?

---

* Да, кажется, мы поспешили с этим капитаном.

** Нет, это невозможно...

*** Это я понимаю. Только мы не можем менять решения партии.

**** Потому что партия никогда не ошибается, товарищ Бочаров.

— Можливо...

— Но это будет означать обвинение Украинскому ЦК в том, что вы его исключили из партии ошибочно. Верно?

— Цэ так...

— Так не лучше ли самим исправить ошибку? Тогда мы сможем дописать в статье несколько строк о том, что ЦК партии Украины первым вмешался в судьбу капитана Кичина и восстановил справедливость. Ведь Кичина исключил из партии партком Одесского пароходства, а здесь вы только утвердили это решение. А теперь вы их поправите — вот и все...

Украинский секретарь несколько секунд смотрел на Бочарова в упор. Он хорошо понимал игру московского журналиста, но с другой стороны, он понимал, что этот журналист прав — если статья будет напечатана, Кичина все равно придется восстанавливать в партии. Хотя это не так просто, как кажется этому молодому человеку...

— Хорошо, — вдруг на чистом русском языке сказал Бочарову Щербицкий. — Оставьте эту статью, мы обсудим ее на заседании секретариата нашего ЦК...

— Мне подождать ваше решение в Киеве?

— Нет, мой секретарь позвонит вам в Москву...

Можете представить, что творилось с Кичиным в те дни, когда мы ждали телефонного звонка из Киева! Днем у него еще было какое-то занятие — он болтался в коридорах «Комсомольской правды», в кабинетах и в столовой, флиртовал с журналистками и секретаршами, дарил им цветы и конфеты и в сотый раз рассказывал им о своих морских приключениях... Вечером он тащил меня или Бочарова, или нас обоих в ресторан поужинать, где хмелел после второй или третьей рюмки, храбрился и строил планы на будущее, а по ночам... По ночам, во сне он кричал. Кричал и плакал. Я никогда не забуду этих жалобных, почти детских криков и этих слез во сне — криков и слез взрослого человека! Я будил его, он просыпался, затихал на какое-то время, а затем, уснув, — опять кричал и плакал! И если я описываю историю капитана Кичина столь подробно, то это — в память о тех ночах в московской гостинице «Пекин»...

А утром, позавтракав в гостиничном буфете, я отвозил Кичина в редакцию «Комсомолки» и мчался добывать еще одну визу на нашу с Бочаровым статью. Если Бочаров взял на себя ЦК КП Украины и всю, так сказать, партийную линию, то на мою долю выпали морские инстанции, связанные с лишением Кичина капитанского звания.

Зная нравы советской бюрократии, я, как и Бочаров, начал с самого верха — с министра морского флота СССР Виктора Бакаева. Оказалось, что именно в это время Виктор Бакаев, двадцать пять лет занимавший пост министра, уходил на пенсию, передавал дела своему заместителю Дукельскому. Поэтому несколько дней я впустую названивал в Министерство морского флота СССР —секретарша Бакаева готова была соединить меня с кем угодно в министерстве, только не с министром. А время шло, Бочаров уже вернулся из Киева, и Кичин не давал мне спать по ночам своими истериками... Наконец, я не выдержал и во время обеденного перерыва, когда главный редактор «Комсомолки» ушел в спецстоловую, про скользнул мимо секретарши в его кабинет, открыл справочник Кремля с грифом «Секретно, для служебного пользования», нашел в нем фамилию Бакаева и набрал на диске красного телефона короткий, из четырех цифр номер.

— Дорогой мой, — сказал мне по телефону Бакаев своим вальяжным, старчески-покровительственным голосом. — Я не могу принять вас, я уже не министр. Я сдаю дела и не хочу вмешиваться ни в какие новые.

— Но вы еще член ЦК КПСС и депутат Верховного Совета СССР, правильно?

— Да, пока...

— Значит, вы член Советского Правительства, верно?

— Н-да... — в его голосе звучала ироническая усмешка, которую было нетрудно уловить даже по телефону.

— Вот и примите меня не как министр, а как член правительства.

— А по какому вопросу?

— Честное слово журналиста — это по делу. Но по телефону я бы не хотел вдаваться в подробности...

— Хм!.. — сказал он озадаченно. Уж не знаю, понял ли он мой намек на то, что его министерский телефон наверняка прослушивают в КГБ, или не понял, но — он заинтересовался и сказал: — Хорошо, приезжайте ко мне домой. Сегодня в 5.30. Советская площадь, 2, квартира 9.

Советская площадь находится в самом центре Москвы, на улице Горького. Дом номер два — каменный, старой постройки, смотрит своими большими окнами на площадь, украшенную памятником Минину и Пожарскому — древним героям русской истории. Дальше, через площадь — знаменитый грузинский ресторан «Арагви», где каждый вечер гуляет полуправительственная знать и акулы левого, подпольного бизнеса.

В подъезде дома номер два дежурный лейтенант милиции спросил у меня, к кому я иду, и проверил мое редакционное удостоверение. Я не удивился этому, я знал, что это дом — министерский, что здесь живут бывшие и нынешние министры, и дочка Никиты Хрущева Рада со своим мужем Василием Аджубеем, бывшим при Хрущеве главным редактором газеты «Известия». Именно в то время Аджубей брал интервью у американского президента Джона Кеннеди, а теперь, после свержения Хрущева, Василий Аджубей работал рядовым сотрудником в журнале «Советский Союз» и по вечерам выгуливал на Советской площади каких-то немыслимых, заморской породы и голубой масти собак...

Квартира министра Бакаева — огромная по советским стандартам — была так заставленна старой, еще сороковых годов мебелью — какими-то кожаными диванами, креслами, каждое весом в полтонны, что сам министр Бакаев казался на этом фоне маленьким старичком-антикваром.

Он прочел оттиск статьи о капитане Кичине и сказал, удивительно точно — слово в слово — повторив украинского секретаря ЦК.

— Да, кажется я поспешил с этим капитаном...

Правда дальше разговор пошел совершенно по иному руслу — все-таки Бакаев оказался почеловечнее украинского секретаря, не зря он был министром флота, а не секретарем ЦК партии...

— Главное, я помню, что что-то мне тогда не понравилось в этом деле, — продолжал Бакаев, словно оправдываясь передо мной. —Но вы же знаете, как это бывает: помощник положил мне на стол уже готовое решение о лишении этого капитана звания, и я подписал... А напрасно, напрасно...

— Виктор Георгиевич, нужно восстановить его в капитанском звании... — мягко сказал я.

— Да это-то мы сделаем, я позвоню Дукельскому... Но дело не в этом, не в этом...

Он глянул на меня своими маленькими карими глазами, и мне показалось, что он как бы оценивал: можно со мной говорить откровенно или нет? Похоже он не мог принять однозначного решения. Поэтому он спросил:

— Где сейчас этот Кичин? В Одессе?

— Нет, он в Москве.

— Вы можете с ним связаться?

— В любую минуту, — усмехнулся я. — Сейчас он сидит в редакции «Комсомольской правды», а ночует он у меня в номере, в гостинице «Пекин».

— Значит, вы с ним друзья?

— Да...

— Тогда вот что, — сказал Бакаев с облегчением, решив, видимо говорить со мной откровенно и прямо. — Капитанское звание мы ему вернем, и в партии вы его рано или поздно восстановите. Первое в моих еще силах, второе — в силах вашей редакции. Но ни то, ни другое не может вернуть ему возможность плавать, если КГБ не даст ему визу на загранку. А одесское КГБ ему такую визу не даст, даже если вы напечатаете три такие статьи. Что же можно сделать? Вот что, завтра мой заместитель Дукельский подпишет приказ о восстановлении этого Кичина в звании капитана дальнего плавания. И завтра же — вы слышите, завтра же — этот Кичин должен быть в Батуми, у начальника Батумского морского пароходства. Я этому начальнику сам позвоню. У него на причале стоят два нефтеналивных танкера, готовых выйти в море. Кичин должен принять один из этих танкеров и тут же уйти в рейс. В Батуми, конечно, есть свое КГБ, но, чем черт не шутит, это все таки разные города, авось батумское КГБ в спешке даст ему визу на загранку... А что касается статьи, то — пожалуйста, вот моя подпись, я признаю, что с лишением звания капитана мы поспешили...

Я примчался в редакцию «Комсомольской правды», неся подпись Бакаева на статье, как знамя. Помню, я даже не удивился тогда, что никто — ни секретарь ЦК КП Украины Щербицкий, ни министр флота и член ЦК Бакаев, ни заместитель начальника Уголовного розыска СССР Волков, ни главный редактор «Комсомольской правды» — не решались в открытую обсуждать самое главное, из-за чего разгорелся весь сыр-бор с капитаном Кичиным: вымогательство взяток инспекторами одесского КГБ. Это осталось недосказанным, в тени, за скобками разговора. И больше того — сам министр флота, член Советского Правительства вынужден юлить и придумывать обходные пути , чтобы тайком от КГБ отправить в плавание одного из лучших капитанов своего министерства...

Нет, я тогда не удивился этому — это, я помню, было как бы *в органике* системы внутренних отношений советских людей к КГБ на всех социальных уровнях общества...

Да, честно говоря, мне и некогда было думать тогда об этих материях. Я выскочил из подъезда правительственного дома на Советской площади, сел в ожидавшую меня редакционную машину, сказал водителю «в контору!» (так мы всегда называли редакцию) и тут же заметил, что следом за нашей машиной тронулась черная «Волга» с двумя пассажирами. Один из них, сидя на переднем сиденье рядом с водителем, говорил что-то по радиотелефону.

Радиотелефон в машинах есть в СССР только у КГБ,

милиции и членов правительства. Мы мчались в редакцию по улице Горького, и по дороге я лихорадочно соображал: если эта черная «Волга» не отвяжется от нас на следующем повороте, значит, это КГБ, это слежка, потому что ни милиции, ни, тем паче членам правительства незачем наблюдать за мной...

Но даже когда эта «Волга», тупо вися у нас на хвосте, вместе с нами свернула с Ленинградского шоссе на улицу «Правды» и тормознула у издательства «Правды» в трех шагах от нашей машины, я сказал себе: «Ерунда, этого не может быть! Это простое совпадение, ты просто паникуешь, у страха глаза велики... И вообще — как может одесское КГБ организовать за тобой слежку в Москве? И откуда им знать, что ты уже написал против них статью? Бред!...»

Избегая встречаться взглядом с пассажиром в черной «Волге», который почему-то не вышел из машины, я взбежал по мраморным ступеням редакционного подъезда, толкнул тяжелую дверь, быстро миновал дежурного милиционера и ступил в кабину лифта. И когда я вышел на шестом этаже редакции и оказался в коридоре «Комсомолки», я почувствовал облегчение, словно оказался, — смешно сказать! — в безопасном месте. «Ты просто псих и трус!» — сказал я себе и шагнул в кабинет студенческого отдела редакции, где сидели Гена Бочаров и еще несколько сотрудников.

— Вот! — я гордо хлопнул на стол Бочарова оттиск нашей с ним статьи с визой Бакаева. — Подпись министра Бакаева! Пошли к главному, пусть ставит статью в завтрашний номер. Где Кичин?

— Кичин, как всегда, в буфете... — сказал Бочаров негромко. — Только что мне звонил помощник первого секретаря ЦК Украины. Сейчас в Киеве началось заседание бюро ЦК партии. Вопрос о Кичине стоит последним. То есть, часов в девять вечера мы будем знать — восстановят они его в партии или нет.

— Конечно, восстановят! — сказал я уверенно. — Если поставили вопрос в повестку дня — значит восстановят.

Иначе — зачем обсуждать? Исключить из партии второй раз, что ли?

— Не так все просто... — задумчиво продолжал Бочаров. — Они вызвали в Киев на заседание бюро ЦК — кого бы ты думал?

— Данченко, наверное? Кого еще? Секретаря парткома пароходства?

— Куварзина, — сказал Бочаров и посмотрел мне прямо в глаза. — Слушай, ты сегодня ничего странного не заметил вокруг себя?

И вдруг меня — как пронзило. Сегодня начальника Одесского управления КГБ полковника Куварзина вызвали в Киев, на заседание бюро ЦК КП Украины. Конечно, он приехал в Киев не к самому началу заседания, не к шести часам вечера, а с утра. И чтобы он мог подготовиться к своему выступлению, ему еще с утра (если не вчера) дали копию нашей статьи о капитане Кичине. Под статьей стоят две фамилии: «Геннадий Бочаров, Эдуард Тополь, спец. корреспонденты «Комсомольской правды»».Вот откуда Куварзин уже знает о существовании этой статьи, знает фамилии ее авторов!

— Заметил... — ответил я Бочарову на его вопрос. — Но я думал, что это так — совпадение... А что — за тобой тоже?

— Угу... — сказал Бочаров и кивком головы пригласил меня к окну.

Мы подошли к широкому окну, и Бочаров кивнул вниз, на мостовую, где вдоль небольшого сквера были припаркованы штук десять машин.

— Вон та, крайняя «Волга», видишь?

Я усмехнулся: они стояли рядом — черная «Волга», которая следовала за мной от дома Бакаева, и черная «Волга», которая сопровождала в тот день Бочарова по всей Москве. Пассажиры этих машин сидели в кабинах, лицом к зданию «Правды», так, чтобы им были видны все три редакционных подъезда.

— Конечно, оторваться от них можно, — сказал мне Бочарову. — Через типографию...

— Слушай, это уже Кафка! — сказал я. — Как может какое-то вшивое одесское КГБ организовать слежку в Москве?! Да еще так быстро! И — зачем? Ну, написали статью — ну и что? Что с нас взять?

— Организовать слежку можно одним телефонным звонком, — сказал Бочаров, все еще глядя вниз на эти неподвижные черные «Волги». — У Куварзина наверняка есть приятели в московском ГБ. Одного звонка достаточно... А зачем? Скажем, для шантажа. Если ты сегодня вечером будешь с Кичиным в ресторане, я могу поспорить, что вас арестуют как пьяниц и дебоширов. Даже если вы будете пить только минеральную воду...

— Знаешь что? — сказал я. — Пошли к главному! Пусть ставит статью в завтрашний номер! Это лучшая наша защита! Пошли!..

— Статья уже стоит, — сказал мне Бочаров. — На второй полосе. Теперь нужно только молиться, чтобы она проскочила цензу́ру.

Я от изумления открыл рот. Бочаров сделал почти немыслимое — уговорил главного поставить статью в номер, даже не имея еще визы Бакаева.

— Закрой варежку, — усмехнулся Бочаров. — Я знал, что ты не выйдешь от Бакаева без визы. Я так и сказал главному: если Тополь придет от Бакаева без визы, вообще можете не печатать эту статью. Чем я рисковал? Ничем!..

Теперь представьте этот сумасшедший вечер в редакции газеты «Комсомольская правда» на шестом этаже издательства «Правды». Представьте это медленное, как пытка, течение времени, это ожидание, когда за окном стоят две гэбэшные «Волги», когда в редакционном буфете Кичин, фанфароня, угощает редакционных машинисток и секретарш шампанским, а тем временем в Киеве, в ЦК КП Украины решается его судьба. А рядом, на пятом этаже издательства, в кабинете цензора лежит на столе, в папке свежих газетных оттисков оттиск нашей статьи...

Куря одну сигарету за другой, мы с Бочаровым

поминутно подходили к окну, смотрели вниз. Эти две черные машины уже включили габаритные огни и подъехали поближе к ярко освещенным подъездам редакции. Один из их пассажиров вышел из машины и прогуливался на противоположной стороне улицы, задрав голову вверх и разглядывая окна верхних этажей издательства. «Комсомольская правда» занимала последний, шестой этаж, выше нас была только столовая...

— Ну их в жопу! — взорвался Бочаров. — Все! Я больше не подойду к окну!..

Но через пять минут мы с ним снова смотрели из этого окна вниз, словно что-то притягивало нас там, как магнитом. И только телефонные звонки отрывали нас от этой слежки за нашими преследователями.

Каждый телефонный звонок, конечно, срывал нас с места — ведь мы ждали звонка из Киева. Но после семи-восьми вечера лавина телефонных звонков в редакцию стихает, а после девяти телефоны вообще замолкают.

Я помню, как после девяти вечера я, Бочаров и Кичин, не зажигая света в кабинете, стояли в темноте, у окна и смотрели вниз. Я помню, как в этой тишине гулко тикали тяжелые штурманские часы на руке у Кичина и как медленно ползла по их светящемуся циферблату зеленая, светящаяся секундная стрелка.

А внизу, в такт гулкому тиканью этих часов вышагивал по тротуару гэбэшник — сорок шагов в одну сторону, .сорок шагов в другую...

О чем мы думали в эти минуты? О чем думал Бочаров? Кичин? Я?..

Резкий телефонный звонок заставил нас вздрогнуть.

Мы оба — Бочаров и я — бросились к телефону. Бочаров снял трубку на одном аппарате, я — на параллельном.

— Товариш Бочаров? — прозвучал в трубке мужской голос с украинским «ш» вместо «щ» в слове «товарищ».

— Гм... Да... — поперхнулся своим собственным голосом Гена Бочаров.

— С вами говорит помощник первого секретаря ЦК КП Украины... Мне поручено сообщить вам, что Бюро ЦК партии Украины приняло решение восстановить капитана Кичина в партии с вынесением ему строгого выговора за грубое нарушение финансовой дисциплины. Мне поручено просить вас отразить это решение в вашей статье.

— Спасибо. — сказал Бочаров. — Конечно, мы отразим. Спасибо.

— Добра нич...

— Спокойной ночи, — сказал Бочаров, осторожно положил трубку и вдруг изо всей силы стукнул кулаком Кичина по плечу и закричал радостно: — Еб твою мать! Мы тебя-таки вытащим из этого дерьма! Ебать этого Куварзина! Ты будешь плавать! — тут он щелкнул стенным выключателем, включил в кабинете свет и подбежал к окну: — Вот вам!

Он стоял на фоне ярко освещенного окна, показывая в ночь вниз крепко сжатый кулак, поднятый в однозначном международном жесте.

Телефон за его спиной зазвенел еще раз. Я снял трубку.

— Бочарова и Тополя — к цензору, — холодно произнес голос дежурного секретаря редакции.

— Кто такой следователь А.? — спросил нас цензор.

— Ну... следователь А. есть следователь А... — попробовал увильнуть от прямого ответа Бочаров.

— Неужели? — насмешливо сказал цензор. — А «следственные органы» есть просто «следственные органы»? Да? Кого вы собирались надуть?!

Он убрал со стола свои тяжелые, в синих сатиновых нарукавниках локти, и мы увидели на его столе свою статью. Она была вся испещрена жирными красными восклицательными знаками. Не вопросительными, как это бывает, когда цензор не знает или не понимает чего-то в статье, а восклицательными. Нам стало ясно, что он уже знает, какие именно «следственные органы» мы имели в виду в нашей статье. Но кто мог сказать ему об этом? Кто мог предупредить, что эта статья вот-вот ляжет ему на стол?

— Значит, так, — веско сказал цензор. — Вы ловкие ребята, конечно. Но цензуру вам не надуть. Трогать органы безопасности мы вам не позволим. Возьмите свою статью и идите. Скажите дежурному редактору, что на второй полосе появилась дырка на четыреста строк. Пусть пришлет мне другой материал вместо вашей статьи. Пока!

— Ладно, мы проиграли...— усмехнулся Бочаров, забирая с его стола газетную полосу с нашей статьей. — Но как вы узнали, что это КГБ, а не милиция или прокуратура? А?

Цензор поднял на него глаза. В этих глазах был просто смех. Да, не злость, не торжество, не насмешка, а — просто веселый, самодовольный смех. Так смеются глаза только очень самоуверенного и твердо стоящего на земле человека. Несколько секунд он, видимо, думал, как ответить на вопрос Бочарова, и отвечать ли на него вообще. А потом решил, видимо, что ему нечего смущаться, и сказал:

— У нас есть свои источники информации...

Тут на его столе зазвонил телефон, и он жестом попросил нас выйти из кабинета.

Мы вышли, тут же взбежали по лестнице с пятого этажа на шестой и бросились к окну.

Внизу, от подъезда редакции отъезжали две наши «знакомые» черные «Волги». В одной из них кто-то из пассажиров говорил с кем-то по радиотелефону.

На следующий день капитан дальнего плавания Евгений Кичин вылетел в Батуми. Бочаров полетел с ним, чтобы «своими глазами увидеть, как Кичин все-таки уйдет в море на капитанском мостике — назло этим сукам!» А я уехал в подмосковный Дом творчества кинематографистов писать сценарий для Одесской киностудии. Через неделю меня позвали к телефону. Звонил Бочаров из Батуми.

— Ну? — спросил я нетерпеливо. — Он уже в Босфоре?

— Хера! — сказал Бочаров. — Батумское КГБ не имеет права дать визу на загранку без запроса управления КГБ, к которому Кичин был прикреплен раньше. Я пил с начальником батумского КГБ три вечера подряд и —

бесполезно. Он хороший парень, он все понимает, но сделать ничего не может. А одесское КГБ, конечно, прислало телекс: «Капитану Кичину в праве на заграничное плавание отказать.»

— Что же мы будем делать?

— Ничего. Выше головы не прыгнешь. Я звонил из Батуми Бакаеву и Дукельскому. И они сделали единственное, что могли: они дали Кичину баржу, и вчера он ушел, наконец, в каботажное плавание — без права выхода из территориальных вод СССР. Как там продвигается твой сценарий?

— Пишу...

— Как ты думаешь, мы выиграли или проиграли?

— Я думаю, что мы сыграли вничью. Это уже немало...

— Тогда нам нужно встретиться и выпить — пожелать Кичину «три фута под килем»...

Но на самом деле это была далеко не почетная ничья. Ведь одесское КГБ не понесло никакого урона — полковник Куварзин и его зять майор А. остались на своих местах и продолжали брать оброк с одесских моряков. Во всяком случае, еще несколько лет назад, в период еврейской эмиграции из СССР, полковник Куварзин и все одесское КГБ стали знамениты среди советских эмигрантов чудовищными поборами, которыми они обкладывали каждого еврея за визу-разрешение на выезд в Израиль, за вывоз багажа, ручной клади и т. п.

Единственное, чего мы с Бочаровым все же добились тогда — и чем, полагаю, я могу гордиться — это то, что мы спасли капитана Кичина от морального уничтожения и вернули его на капитанский мостик — пусть не теплохода, а всего-навсего баржи...

P.S. Недавно, после публикации сокращенного варианта этого очерка в 1991 году в журнале «Журналист», я получил привет от Кичина. Он снова стал капитаном *дальнего* плавания и звал меня в гости. Желаю ему три фута под килем.

ДВЕ ЖИЗНИ, ДВЕ СМЕРТИ ИСААКА ИТКИНДА

В 1967 году в подмосковном Доме творчества кинематографистов «Болшево» молодой режиссер-документалист из Казахстана Арарат Машанов показывал столичным мэтрам кинематографа свой 20-минутный документальный фильм «Прикосновение к вечности» — о знаменитом в тридцатые годы скульпторе Исааке Иткинде, пережившем свою официальную смерть.

На экране коренастый, полутораметрового роста, 96-летний, с огромной седой бородой старичок, похожий на Саваофа или деловитого рождественского гнома, расхаживал среди огромных деревянных и гипсовых скульптур, бил молотком по круглой стамеске или работал резцом, и глаза его блестели живым молодым озорством. А диктор рассказывал в это время, что Исаак Иткинд был в тридцатые годы знаменит вровень с Шагалом, Эрзей и Коненковым и что скульптуры Иткинда стоят в музеях Франции, Западной Германии, США и ... в кладовых-запасниках Эрмитажа и Пушкинского музея в Москве. При этом кинокамера перекочевала в запасник Эрмитажа, и тут возникла самая впечатляющая деталь этого фильма. Мы увидели двухметровую деревянную скульптуру великого русского поэта XIX века Александра Пушкина — это был юный, тонкий, стройный, вдохновенный и, я бы сказал, сияющий Саша Пушкин на взлете своей славы и своего гения. Вся скульптура была — сплошной порыв, свежесть, жизнь, поэзия. А ниже, на постаменте камера на секунду остановилась на короткой надписи: «Скульптор Исаак Иткинд. 1871-1938». И — все. Диктор не сказал ни слова. Камера мягко ушла с этой надписи и снова показала нам жизнь Иткинда в столице Казахской советской республики

Алма-Ате, но дальше уже весь фильм был освещен для нас смыслом этой короткой надписи: для всех музеев мира жизнь гениального скульптора Исаака Иткинда оборвалась в сталинских лагерях в 1938 году.

Спустя несколько месяцев я оказался в Алма-Ате в журналистской командировке. Красивый, как Вена, «город яблок» расположен неподалеку от китайской границы и окружен снежными пиками Памирских гор. На одной из них расположен лыжный курорт «Медео», а в самой Алма-Ате половина населения — местные жители-казахи и половина — русские. Здесь огромное количество смешанных браков, и от этого смешения на улицах полным-полно удивительно красивых девушек — с белой кожей и чуть раскосыми черными глазами...

В Союзе казахских художников мне сказали, что Иткинд болен, простужен, что живет он на окраине Алма-Аты в квартире без телефона, но молоденькая секретарша Союза Наденька с удовольствием согласилась отвезти меня к нему. И вот мы едем с ней в такси в заснеженные алма-атинские «черемушки» — новый жилой массив из стереотипных шестиэтажных блочных домов-«хрущеб», наспех построенных в эпоху борьбы Хрущева с катастрофическим жилищным кризисом в СССР. По дороге Надя рассказывает мне об Иткинде.

В 1944-м году по Алма-Ате стали ходить слухи о каком-то полудиком старике — не то гноме, не то колдуне, — который живет на окраине города, в земле, питается корнями, собирает лесные пни, и из этих пней делает удивительные фигуры. Дети, которые в это военное время безнадзорно шныряли по пустырям и городским пригородам, рассказывали, что эти деревянные фигуры по-настоящему плачут и по-настоящему смеются...

Слухи эти через какое-то время стали такими упорными, что руководители Казахского художественного фонда решили посмотреть эти «живые фигуры из пней». Несколько известных казахских художников, в том числе художник Николай Мухин, поехали на окраину Алма-Аты, на Головной Арык. Сейчас эта улица стала Проспектом Абая, а тогда здесь пасся скот. Художники долго бродили по пустырю и, наконец, увидели то, что искали. В глиняном холме было сделано какое-то подобие землянки, узкий, как кротовий, лаз вел в глубину норы. Возле этого лаза валялись пни и куски дерева, еще только тронутые резцом деревообработчика. Но художники — люди профессиональные — уже по этим первым наметкам поняли, что сейчас перед ними откроется нечто незаурядное.

Они подошли к лазу, ведущему в глубину землянки. Оттуда доносилось легкое постукивание молотка по резцу. Кто-то из художников нагнулся, крикнул в нору: «Эй!».

Маленький, седой, 73-хлетний старик выполз из землянки. Он плохо слышал, ужасно неграмотно говорил по-русски, у него был чудовищный еврейский акцент. Но когда он назвал художникам свою фамилию, они вздрогнули.

Перед ними стоял Исаак Иткинд — скульптор, который еще 8-10 лет назад был в СССР так же знаменит, как сегодня во Франции знамениты Марк Шагал или Пикассо. О нем писали тогда чуть не все газеты, с ним дружили знаменитые поэты и писатели — Горький, Алексей Толстой, Владимир Маяковский, Сергей Есенин, его опекали столпы советской власти — нарком просвещения Анатолий Луначарский и первый секретарь Ленинградского обкома партии, член Политбюро ЦК ВКП(б) Сергей Киров. А выставки его скульптур были событием в культурной жизни довоенной России.

Теперь этот Иткинд, чье имя стало для них хрестоматийным еще в их студенческие годы, жил, отрезанный от мира, в какой-то кротовьей норе, голодал, питался корнями и подаянием, и ... создавал скульптуры.

— Почему? Как вы здесь оказались? — спросили художники.

— Меня арестовали в 37-м году и сослали сначала в Сибирь, потом сюда, в Казахстан. Теперь меня выпустили из лагеря, потому что я для них уже очень старый. Но выпустили без права возвращения в Москву. Они сказали, что мне дали пожизненную ссылку...

— За что вас посадили?

— За то, что я — враг народа, японский шпион. Я продал Японии секреты Балтийского военного флота, — сказал Иткинд и спросил с непередаваемой еврейской интонацией: — Ви можете в это поверить?

Конечно, они не могли поверить в то, что этот всемирно-знаменитый скульптор, этот маленький гениальный гном с чудовищным еврейским акцентом — японский шпион и что он хоть что-нибудь смыслит в военых секретах Балтийского флота... Но в 1944 году в СССР к людям, объявленным сталинским режимом «врагами народа», относились, как к прокаженным. Поэтому в жизни ссыльного «врага народа» и «японского шпиона» Исаака Иткинда ничего не изменилось. Разве что один из посетивших его тогда художников — Николай Мухин — осмелился все же влезть в его нору и вытащил из землянки большую деревянную скульптуру. Это был эскиз «Смеющегося старика» — скульптуры, которая через два десятка лет станет одной из самых знаменитых работ Иткинда.

— Мы заберем ее в музей нашего Фонда, можно? — сказали художники Иткинду.

Иткинд разрешил, они погрузили скульптуру в машину и увезли ее, чувствуя себя почти героями — ведь они взяли в музей скульптуру у «врага народа»!

«Иткинд стоял у входа в землянку и махал нам вслед рукой», — рассказывал впоследствии Николай Мухин.

Он прожил в этой землянке еще двенадцать — вы слышите: двенадцать! — лет. Лишь изредка и тайком навещал его Николай Мухин, снабжал кой-какими деньгами...

Затем была смерть Сталина, Двадцатый съезд партии, реабилитация миллионов «врагов народа». Иткинда к тому времени снова забыли напрочь.

Да и кто станет годами заботиться о сосланном скульпторе-старике, когда вокруг такое творится — послевоенная разруха, затем новая волна арестов 1948-го года, даже только за общение с ссыльным врагом народа могли дать десять лет сибирских лагерей...

Как он жил эти годы, чем, и жил ли вообще — этого никто не знал и не интересовался...

Поэтому, когда зимой 1956 года в Алма-Атинский

государственный театр пришел бездомный, маленький 85-летний старик, никто не опознал в нем знаменитого скульптора Иткинда. В том, 1956, году таких оборванных стариков, только что выпущеных из сибирских и казахских лагерей, было сотни тысяч. Часть из них рвалась из Сибири в свои родные города, в Еропейскую часть России, в Москву, Ленинград, Киев — к детям, к женам, к родственникам, но еще десятки, если не сотни тысяч уже никуда не спешили — у них не осталось в живых никого из родных, их забыли, бросили или предали в свое время их жены и дети...

Такие бродили вокруг бывших мест своего заключения или ссылки и искали тут работу. И все они, по их словам, были до ареста знамениты. В Алма-Ате их было в тот 1656 год — наводнение. Из карагандинских шахт, из медных рудников Джезказгана, из лагерей Актюбинска...

Маленький, бездомный, похожий на гнома или библейского пророка старик просил директора Алма-Атинского театра взять его на работу кем угодно — ну, хотя бы рисовать декорации или размалевывать задники. Он сказал, что теперь, когда с него сняли звание «врага народа» и запрет жить в больших городах, он все рано не поедет в Москву или Ленинград — не к кому. А здесь, в Казахстане, он уже привык, обжился...

Директор театра не стал слушать «майсы» этого библейского старика, но на работу его принял — маляром, с окладом 60 рублей в месяц, и даже предоставил ему «жилье» — топчан под театральной лестницей, где обычно грелась у печки театральная вахтерша Броня Ефимовна...

Два года старик лазил по театральным стремянкам, размалевывал задники и декорации для спектаклей по эскизам местного художника.

А в свободное от работы время бродил по окрестностям Алма-Аты и на попутных грузовиках и самосвалах приволакивал в театральный подвал огромные пни и коряги. Вскоре все алма-атинские водители грузовиков знали, что в городском театре есть какой-то старый чудак, который за деревянную корягу или пень дает три рубля на бутылку водки. Само собой, пни и коряги стали прибывать в театр чуть не со всего Казахстана. И по ночам Исаак Иткинд, вооружившись резцом, молотком и стамеской, спускался в подвал и принимался за работу, никто не мешал ему, никто, кроме вахтерши театра Брони Ефимовны, не слышал стука его молотка по резцу. И только через два года новый молодой художник театра заглянул в подвал и ахнул: здесь стояли два десятка уникальных деревянных скульптур, сделанных наверняка крупным, если не великим мастером.

Художник спросил у старика, как его фамилия, и вспомнил, что слыхал эту фамилию в художественном институте на лекциях по истории советского изобразительного искусства. Конечно! Это же была знаменитая в тридцатые годы тройка скульпторов по дереву — Коненков, Эрзя и Иткинд. Коненков жив, он стал академиком, Эрзя умер, а Иткинд...

Так в Казахстане «опять» нашли Исаака Иткинда.

Молодые художники Алма-Аты потянулись в театральный подвал поглазеть на воскресшего из мертвых знаменитого скульптора. Молодой и деятельный казахский поэт Олжас Сулейменов и еще несколько известных писателей и художников стали хлопотать, чтобы старика приняли в Союз художников, а затем... затем к Иткинду пришла слава. Правда — слава местного казахского масштаба.

То было время освоения целинных земель Казахстана. Хрущев объявил, что через двадцать лет СССР догонит и перегонит Америку по производству зерна, молока и мяса на душу населения. Особую роль в этой гонке он отвел освоению диких целинных земель Казахстана, куда были брошены несколько миллионов молодых рабочих и миллиарды рублей. По замыслу Хрущева целинные земли Казахстана должны были накормить Россию хлебом. И поэтому здесь, как грибы, стали расти новые города и поселки — Целиноград, Павлодар, Семипалатинск. Хрущев не скупился на деньги для этих городов, в них возникали даже свои музеи и художественные галереи. Составителями коллекций и выставок для этих музеев были молодые искусствоведы, выпускники Московского и Ленинградского художественных институтов. Они-то, узнав о воскресшем Иткинде, и скупали у него скульптуры для своих музеев. Затем Иткинда приняли в Союз Художников Казахстана, он получил премию Центрального Комитета Ленинского Союза Молодежи Казахской республики и даже! — двухкомнатную квартиру на окраине Алма-Аты.

Конечно, эта борьба казахской молодой интеллигенции за Иткинда имела свой подтекст. Мол, русские, которых здесь очень часто называют в последнее время «оккупантами», погубили великого скульптора, а мы, казахи, спасаем его для истории! И они действительно его спасали, они его буквально вытащили из-под черной лестницы, наградили премией и переселили в человеческую квартиру. Более того — они добились, что городской военный комиссариат разрешил Иткинду устроить мастерскую в подвале-бомбоубежище того дома, где он получил квартиру. И они сняли о нем фильм...

Тут мой гид Наденька прервала свой рассказ и сказала, что надо бы купить бутылку сладкого вина — Иткинду хотя и 96 лет, но рюмку сладкого вина он выпьет с удовольствием. И вообще, сказала Надя , старик любит, когда к нему приезжают с вином и молоденькими девушками. «Два месяца назад, продолжала она с улыбкой, Иткинд попал в больницу с воспалением легких. Я приехала навестить его и стала помогать медсестре везти его на кровати из палаты в рентген-кабинет. У него была температура 39,2 °С, но — представьте себе! — когда он по дороге, в коридоре больницы открыл глаза и увидел, что его кровать катят две молоденькие девушки, что-то зашевелилось под простыней — там, знаете, ниже живота...»

Конечно, я остановил наше такси у магазина, купил бутылку вина, а потом мы еще минут двадцать ехали по заваленным снегом алма-атинским улицам...

Но вот мы у Иткинда. В холодной двухкомнатной квартире, в кровати у окна лежал совсем даже не седобородый Саваоф, а безбородый, с редкой седой шевелюрой старичок, очень похожий не то на беса, не то на домового с картины Врубеля «Пан». Это и был Иткинд. Его ворчливая и неряшливо одетая жена — та самая бывшая вахтерша театра Броня Ефимовна — недружелюбно косясь на мою молоденькую спутницу Наденьку, поставила чай...

Но Иткинд, увидев Наденьку, словно воспрял над постелью. Его глаза тут же засветились, помолодели, морщинки на круглом, как печеное яблоко, лице заиграли. Он взял Надю за руку, усадил возле себя на кровать и сказал ей все с тем же сильным, неизжитым еврейским акцентом:

— Вчера мне привезли прекрасное дерево! Ой какое дерево! Ой! Идем, я покажу, оно на улице под снегом. Если ты будешь мне позировать, я сделаю из него скульптуру «Весна»! Идем! Идем!

И несмотря на наши протесты, он встал, надел ватник и брюки, сунул ноги в валенки и повел нас во двор. Там он буквально с вожделением ходил по снегу вокруг толстенной пятиметровой деревянной коряги, приговаривая:

— Ви видите? Нет, ви только посмотрите, какое замечательное дерево! Ой, какое дерево! Надя, ты будешь мне позировать? Это будет «Весна», настоящая! Ой, какую я сделаю «Весну»! Ой, какую!..

Затем он повел нас в подвал-бомбоубежище, и я увидел здесь метровую, из гипса, голову русского писателя Максима Горького, тридцатилетнего, из дерева, Александра Пушкина, десяток разнокалиберных деревянных девичих торсов с единым названием «Весна» — воздушных, словно летящих, и ... почти метровую, из гипса, голову Владимира Ленина.

Тут я не удержался, спросил:

— Вы — лепите Ленина?! ВЫ?! После того, что почти тридцать лет отсидели?

— Да, — сказал он. — Но у меня еще не получается так, как я хочу...

И вот я стал приезжать к Исааку Иткинду каждый вечер, не забывая прихватить с собой бутылку сладкого вина, а так же Надю или какую-нибудь другую молоденькую девушку. Пригубив вино и остро, молодо поглядывая на смазливую девушку, Иткинд охотно и подробно рассказывал мне свою жизнь, и я записывал, понимая, что записываю уникальный роман, достойный пера Леона Фейхтвангера или Стефана Цвейга.

...Исаак Иткинд родился 9 апреля 1871 года в хасидском местечке Сморгонь Виленской губернии. Его отец Яков был хасидским раввином, и Исаак, конечно, пошел по стопам отца — разве могло быть иначе в семье наследственных хасидских раввинов? Он закончил ешибу, стал, как и отец, раввином, но, когда ему исполнилось 26 лет, ему в руки случайно попалась книга о знаменитом в то время скульпторе М.Антокольском. В этой книге были иллюстрации, и среди них — фотографии известных горельефов Антокольского «Портной» и «Вечерний труд старика». Иткинд тут же узнал в этих стариках своих местечковых знакомых — точно такой же портной был у них в Сморгони, и точно так же щурился при вечернем свете другой старик, высунувшись в окно, чтобы в лучах закатного солнца продеть нитку в иголку...

Эта книга, которую он читал по слогам, поскольку она была издана на русском, не давала покоя Исааку. Оказалось, что знаменитый Антокольский, который потрясал зрителей такими мощными скульптурами, как «Иван Грозный», «Спиноза», «Христос перед судом», — этот самый Антокольский — тоже еврей, больше того — земляк Иткинда, из Вильно. Молодой раввин не находил себе места...

А в это время в местечке завершалась очередная маленькая местечковая драма: местный богач Пиня, владелец скобяного магазина выдал, наконец, замуж свою единственную дочь, горбунью Броню.

— О, это была очень длинная история — рассказывал Иткинд. — Никто не хотел жениться на Броне — такая она была уродка. Она была меньше меня ростом и горбунья, вы можете себе представить. Пиня давал за нее очень большое приданое, но даже приказчики в магазине Пини, которые могли за грош продать черту душу, — и те отказывались от Брони. Но был у нас в Сморгони грузчик Хацель. Богатырь, как говорят русские. Он поднимал два куля с мукой. Бревно в десять пудов взваливал на плечо и один тащил куда надо. Но — шлимазл. Вы знаете что такое шлимазл? Дети кричали ему на улице: «Ханцель! Я тебе дам две копейки! Сделай Коня!». И Ханцель, который зарабатывал в два раза больше других грузчиков, становился на четвереньки, дети залезали ему на спину, и он катал их по местечку, как конь. Не из-за денег. А потому что он никому не мог отказать. Он был больше, чем добрый, он был шлимазл. И вот когда все местечковые женихи отказались от Брони, ее отец Пиня пришел к Ханцелю. И Ханцель не отказал Пине. И была свадьба. И молодые шли по местечку — огромный, в два метра ростом Ханцель и маленькая горбунья Броня. Я видел как они шли по улице. Я не знал — смеяться мне или плакать. Я сидел и ни о чем не думал. Просто мял в руках глину и опомнился только тогда, когда на столе передо мной оказались фигурки этих молодых — Ханцеля и Брони. После этого я совсем потерял голову. Я бросил синагогу и уехал в Вильно. Я хотел учиться на скульптора, но нашел себе только работу учеником переплетчика. Через два года я вернулся в наше местечко, но наши хасиды уже считали меня почти гоем — ведь я бросил религию, я потерял Бога. Больше того — я лепил из глины людей, а это запрещено еврейской религией, никто не имеет права делать то, что делал Бог... Вы не устали?

— Нет, мы не устали, мы слушаем...

— Все-таки давайте выпьем еще по рюмочке... Красавица, вы будете мне позировать?..

Хасиды Сморгони считали его отщепенцем, изгоем. Старики плевались, проходя мимо его дома. Но однажды к ним в дом вошел их местечковый писатель Перец Гиршбейн. Он молча посмотрел скульптуры Иткинда и ушел. А через несколько дней в газете появилась статья Гиршбейна. Он писал о том, что в Сморгони появился очевидный еврейский самородок, который создает шедевры. И те самые хасиды, которые оплевывали калитку дома Иткиндов, послали по местечку выборного. Выборный ходил из дома в дом, показывал неграмотным ремесленникам газету со статьей об Иткинде и собирал деньги — чтобы Исаак Иткинд мог поехать учиться «на настоящего скульптора». И он уехал — сначала в Вильно, в Вильненское художественное училище, потом — в Москву.

— Евреям тогда было запрещено жить в больших городах, тем более в Москве, — рассказывал Иткинд. —

Только молодые еврейки, если они регистрировались в жандармерии как проститутки и получали «желтый билет», могли жить в Москве. И тогда было много молодых еврейских девушек, которые формально регистрировались как проститутки, а сами шли учиться в институт или устраивались на работу. Но каждые полгода им нужно было проходить перерегистрацию в жандармерии. И тогда они съезжали с одной квартиры, находили себе комнату в другом районе Москвы и шли в другой полицейский участок, как будто они только что приехали и хотят стать проститутками. Вот у этих девушек я и жил — то у одной, то у другой, и пошел сдавать экзамен в Московское художественное училище живописи, ваяния и зодчества.

Известный профессор, скульптор-монументалист С. Волнухин, чьи работы до сих пор украшают Москву и Ленинград (например памятник русскому первопечатнику Ивану Федорову в самом центре Москвы, у Кремля), дал Иткинду экзаменационное задание — изваять скульптуру женщины. Никогда до этого Иткинд не видел голую натурщицу — откуда им взяться в Сморгони? Но молодой раввин преодолел и это «препятствие». Два месяца он жил где попало, скрываясь от полиции, и через два месяца представил свою работу профессору.

— Волнухин ничего мне не сказал. Он вызвал фаэтон, погрузил мою скульптуру в этот фаэтон и повез ее к Максиму Горькому. Горький уже тогда был знаменитым писателем. И Горькому так понравилась моя работа, что он сел в этот же фаэтон и они вдвоем с профессором поехали к московскому градоначальнику. Они просили этого градоначальника разрешить мне жить и учиться в Москве. «Еврей — талантливый художник?! Не может быть!— сказал им этот градоначальник. — Евреи могут быть талантливы в коммерции, это я понимаю. Но не в искусстве!». И он отказал самому Горькому, вы представляете? Но я остался в Москве — нелегально. Я днем работал слесарем, ночью лепил, и жил то здесь, то там, и скоро стал знаменитым, правда! Потому что Горький ходил везде и говорил: «Иткинд, Иткинд, Иткинд...» И он сделал меня знаменитым. Люди стали покупать мои работы, даже Савва

Морозов купил мои работы! У меня были выставки, меня приняли в Союз художников. А потом была революция. Ой, как я обрадовался! Ведь теперь я мог свободно жить в Москве, без разрешения полиции — полиции уже не было! Правда, скоро начался голод. Ну и что? Все равно я очень много работал. Я сделал тогда свои лучшие вещи — «Мой отец», «Раввин», «Тоска», «Талмудист», «Цадик», «Еврейская мелодия», «Каббалист»... Сорок две мои скульптуры были в 1918 году на моей персональной выставке в еврейском театре «Габима». Брат Теодора Рузвельта приезжал тогда в Россию, он был на моей выставке, а потом пришел в мою мастерскую и купил все работы, какие были в мастерской. Он звал меня в Америку, тогда было очень просто уехать в Америку. Он сказал, что в Америке я буду очень знаменитый и буду зарабатывать миллионы. И вы знаете, что я ему ответил? Я сказал ему, что другие художники могут уезжать в Америку, потому что они и при царе были в России людьми. А я при царе был человеком только до шести вечера, а после шести вечера меня мог арестовать любой полицейский. А сейчас, когда революция сделала меня человеком и после шести вечера, — разве я могу уехать? Так я ему ответил... А голод? Что голод! Когда начался настоящий голод, Максим Горький выхлопотал для меня у наркома Луначарского профессорский паек, — талоны на сушеную воблу и хлеб. Правда, когда я пришел в Цекубу* , там надо было заполнить какую-то анкету, а я не умел писать по-русски. Конечно, комиссар не мог поверить, что профессор не умеет писать по-русски. Они решили, что я жулик, и посадили меня под арест. Но потом им позвонил Луначарский, и меня освободили, и дали мне паек...

Следующие двадцать лет, были ,пожалуй, самыми счастливыми в жизни Иткинда. Это не значит, что они были безоблачными. В голодные послереволюционные годы он голодал, потому что обменивал свой профессорский паек на гипс и дерево. В 1926 году у него открылось кровохаркание, и по совету Михоэлса — великого еврейского артиста,

* Центральная Комиссия по улучшению быта ученых.

которого впоследствии по приказу Сталина убили агенты КГБ, Иткинд уехал на юг России, на Черное море, в Симферополь. Здесь он тоже скитался без крова и перебивался временными заработками и мелкими гонорарами. Но он много работал, он сутками не выходил из своей мастерской на чердаке какого-то дома, внизу которого по прихоти судьбы находилось Симферопольское отделение ГПУ — так в те годы называлось КГБ. На этом чердаке он сделал уникальную, потрясающую зрителей своей мощью скульптурную композицию «Погром». в 1930 году в «Красной газете» появилась огромная статья об Иткинде, журналист писал: «Я видел у скульптора фотографию «Погрома» — огромной группы, погибшей во время пожара в его мастерской. Это в самом деле потрясающей выразительности вещь. Выставленная на площади, она могла бы силой художественного воздействия делать больше в борьбе с антисемитизмом, чем десять тысяч логических и моральных доводов против нее...» И это была не единственная статья об Иткинде, их было много, и все они были увенчаны вот такими драматическими заголовками: «Голодный скульптор», «Почему голодает скульптор Иткинд?», «Художник, которого нужно поддержать», «Вызываю советскую общественность»...

Но даже при таких заголовках, кричащих со страниц советских газет о том, что голодает великий скульптор, — это была слава, признание.

В 1937 году в России отмечали столетие со дня гибели самого крупного русского поэта Александра Пушкина, убитого на дуэли в возрасте 37-ми лет. Эрмитаж объявил конкурс на лучшую скульптуру Пушкина. На выставке были представленны сотни работ. Первую премию получили три скульптуры Иткинда — «Юный Пушкин», о которой я уже рассказывал в начале этой главы, «Александр Пушкин» — поэт в последние годы своей жизни, и «Умирающий Пушкин» — простая и феноменальная работа: голова умирающего поэта на подушке. Эту работу не передать словами! Вы видите лицо человека, который уже успокоен смертью — закрыты глаза, мертвенно распрямились морщины на лбу, и только уголки губ еще терзает жуткая боль... Боль и горечь...

— Когда я работаю, — заметил Иткинд, — я думаю: это будет мое самое лучшее. А закончу — и мне уже не нравится. Думаю — надо было сделать не так, а так. Но умирающий Пушкин — это было очень хорошо! Потому, что я его понял, я понял, как он умирал, как мучался. Я лепил его лицо и сам плакал. Я думал, что сам заболел. Жена испугалась, послала за доктором... Слушайте, я так долго живу, так долго... Я каждое утро просыпаюсь, открываю глаза и удивляюсь — неужели я еще жив? Я думаю, что должен обязательно попасть в рай — ведь там будет много обнаженной натуры и райского дерева. Мне их всегда так не хватало на земле. И будет сколько угодно свободного времени. Но вы знаете — я все равно боюсь умереть. Я прожил почти сто лет, а все равно боюсь. Знаете почему? А вдруг рядом со мной похоронят старушку лет восьмидесяти — и я всю вечность должен лежать с ней?! А? Это сейчас у меня жена старая, только на тридцать лет младше меня — вы же видели ее, это Броня, которая в театре вахтершей работала. Ей ничего не нужно — только деньги, деньги! Старая потому что! А тогда, до ареста, до 37-го года у меня была молодая жена, 26 лет ей было, ой, какая красавица, ой! Журналистка! Мне было 66 лет, а ей 26 - вы представляете?! Даже сорок а не тридцать лет разницы, но это было совсем другое дело. Как она меня любила, ой как любила! Она же за мной в Сибирь поехала, в лагерь. Через проволоку хлеб мне давала... А потом умерла от тифа. Здесь, в Казахстане...

И Иткинд, только что смеявшийся над смертью, голодом, раем и адом, тихо сел на пень, старую узловатую деревянную корягу, и, казалось, слился с ней, сам стал скульптурой вечности. И только руки его — маленькие, темные, крепкие руки почти машинально бродили по узлам и суставам этой живой для него коряги, нащупывали в ней что-то — то, что завтра оживет под его резцом для всех...

Я смотрел на его руки, и он перехватил этот взгляд.

— Жалко, что я больной и не могу работать. Я не могу не работать. Тут недавно умер один режиссер. Он раньше часто приходил ко мне, и я видел, что он скоро умрет. Потому что ему уже не давали работать. Режиссер — это очень плохая профессия. Один не можешь работать. А у меня очень хорошая профессия, никто не может отнять у меня работу. Вы знаете почему я выжил в тюрьме? Они арестовали меня, посадили в Петропавловскую крепость, в подвал, в одиночку и восемь месяцев следователь КГБ бил меня каждый день, даже выбил мне барабанную перепонку в левом ухе. Все требовал, чтобы я написал, что я — японский шпион и какие секреты Балтийского флота я продал в Японию. А я не мог это написать, потому что я не умел писать по-русски. И тогда они меня снова били, и снова... Вы знаете, как я выжил? Я выжил потому, что у меня очень хорошая профессия. Они давали мне один кусочек черного хлеба в день. Утром давали кусочек хлеба — на весь день. Но я не ел этот хлеб до ночи. Я целый день лепил из этого хлеба фигурки. Только вечером, перед сном я ел этот хлеб. Назавтра они меня снова били, но хлеб все-таки давали, и поэтому я мог целый день лепить и не думать о них. Понимаете, я о них не думал! Они меня пугали, а я не думал о страхе, я лепил. А те, кто думали о них целый день, те писали им сами на себя, признавались, что они шпионы или замышляли Сталина убить. И тогда их сразу расстреливали. А я ничего не написал, и меня отправили в Сибирь, в лагерь. Там мне было совсем хорошо, там я работал на лесоповале, и вокруг было много дерева, и я мог по ночам резать по дереву и делать разные скульптуры, и снова не думать о страхе. Конечно, когда умерла моя жена, про меня все забыли, даже сын. И стало уже не так хорошо. Особенно, когда отослали сюда в Казахстан. Здесь за дерево нужно было платить...

Я слушал Иткинда и пытался представить себе тот путь, который прошел этот маленький великий старик из девятнадцатого века в двадцатый. Из еврейского гетто в Вильненской губернии, из раввинов местечковой синагоги — к нелегальной жизни у московских проституток. С высот славы — в каменные подвалы Петропавловской крепости, самой знаменитой русской тюрьмы, где еще в восемнадцатом веке сидели царские преступники. Восемь месяцев каменной сырой одиночки, каждый день — избиения, кусок черного хлеба на весь день. И дальше — сибирские и казахские лагеря, полное забвение всеми на 30 лет. 30 лет— это же целая жизнь!..

В том же 1967 году, когда я познакомился с Иткиндом, на Западе вышла и стала международным бестселлером книга «Папильон» — мемуары французского каторжанина Генри Чаррьери. В книге были описаны приключения и муки Папильона в каторжных тюрьмах на Французской Гвинее, его героические попытки бежать с каторги. Как и Иткинд, Папильон тоже отсидел однажды несколько месяцев в темной каменной одиночке, получая лишь кусок черного хлеба на весь день. И — как Иткинд! — он не съедал этот хлеб утром, а делил его на части, чтобы продержаться на этом хлебе весь день...

Конечно, он не был скульптором и не лепил из этого хлеба фигурки, у него была другая страсть, которая помогла ему выжить — мечта о побеге и мести французскому прокурору, который послал его на каторгу.

Эту книгу перевели почти на все языки мира, были проданы миллионы экземпляров этой книги в твердой и мягкой обложке, критики и читатели сравнивали Папильона с графом Монте-Кристо, и в Голливуде сделали по этой книге фильм с Антони Куином в главной роли.

Исаак Иткинд прошел сквозь те же испытания, что и Папильон, но не в тропиках Французской Гвинеи, а в сталинских тюрьмах, в сибирских и казахских лагерях. Он попал на эту каторгу не молодым, 25-летним здоровяком, как Папильон, а 66-ти летним. Выжить, победить КГБ ему помогли не мечты о побеге и мести, а его призвание . Практически, он все эти 30 лет так и был в побеге от них — от следователей, от палачей, страха, от сталинского террора. Он бежал от них к куску хлеба, из которого мог лепить, к коряге и пню, из которых он мог создавать скульптуры, живя даже под землей, как крот...

Он был *свободен* — от социализма, тоталитаризма, сталинизма. И теперь он рассказывал мне об этом так просто и буднично, как мог бы, наверно, сыграть только

Антони Куин, если бы он знал о существовании Исаака Иткинда...

— А теперь в Алма-Ате мне снова стало совсем хорошо жить, — сказал мне Иткинд. — У меня теперь очень много дерева — вы видите?

Мы сидели с ним в его «мастерской» — в холодном бомбоубежище, Иткинд был в валенках и телогрейке, но я видел, что он вправду доволен тем, что у него есть, — так любовно смотрел он на деревянные колоды, пни и коряги, которые лежали в его мастерской и там, на улице, под снегом — лежали, ожидая его рук и резца.

— Да, мне здесь очень хорошо. У меня много дерева и много работы. придумано. Ко мне приходит молодежь, смотрят, как я работаю. И ко мне приходят евреи из синагоги, и я диктую им на идиш свою книгу. Книгу о смысле жизни. Ведь в жизни во всем есть смысл. Например, когда у женщины рождается ребенок, у нее появляется молоко, правда? Ни раньше, ни позже. Все в природе имеет свой смысл и все правильно придумано. И мне нужно работать. Человеку нужно работать, делать *свое* дело — в лагере, в тюрьме, все равно. Тогда он живет — это тоже природой придумано. Или — Богом... Да, я сейчас много думаю о природе и о Боге, еврейском Боге, от которого я бежал семьдесят лет назад...

* * *

Исаак Иткинд, знаменитый скульптор, чьи работы стоят в лучших музеях мира, а также в музеях Семипалатинска, Павлодара, Целинограда, Алма-Аты и лежат в подвалах ленинградского Эрмитажа и московского Пушкинского музея, стал после своего девяностолетия членом Союза советских художников и получил звание «Заслуженного деятеля искусств Казахской Советской Социалистической республики». Он умер в Алма-Ате 14 февраля 1969 года, в возрасте 98 лет. Я надеюсь, что старые евреи Алма-Атинской синагоги сохранили продиктованную Иткиндом перед смертью книгу о смысле жизни.

ЧУДЕСА БЫВАЮТ

Как удивительно меняется жизнь!

Помню, совсем недавно, когда мне было лет двадцать, мои сверстники спрашивали друг друга: «С кем встречаешься?»

Потом, когда нам стало по тридцать с гаком, вопрос этот как бы огрубел, спрашивали: «Кого...?». Ну, вы понимаете.

А теперь?

Теперь, когда мне за полста, главный вопрос при встрече: «У кого лечишься?».

Смешно, правда?

На первые два вопроса я подробно ответил в своих книгах. А последнему вопросу посвящаю свои заметки.

* * *

Итак, я лечусь у хилеров. Или, говоря современным русским языком, у экстрасенсов. Конечно, вы тут же скажете, что я неоригинален — мол, вся Россия лечится сейчас у Кашпировского, Чумака и прочих экстрасенсов, что уж тут интересного можно добавить?

Но, во-первых, Россия шла к этим лекарям своим путем, а я — своим. А во-вторых, России даже Кашпировский не помогает, а меня вылечили Лена Лозинская и Александр Тетельбойм. Хотя те, кто видел меня последнюю пару лет, могут подтвердить, что по болезням я уже обгонял Россию.

Впрочем, хвастаться болезнями грешно, поэтому скажу только, что ровно три месяца назад мой канадский друг и врач Олег Лифшиц сказал мне: «Старик, тебе остался ровно шаг до инфаркта».

Да я и сам это чувствовал — и еще как чувствовал! Говоря нормальным русским языком, я просто сдыхал. Я не знаю писателя, который смог бы описать боль так, чтобы и читателю стало больно, и не думаю, что мне это удастся, поэтому поверьте мне на слово: мне было плохо. Мне было так плохо, что от болей в спине, в груди и желудке я часами орал в полный голос и спрашивал Бога: «Это все? Это конец?». А моя шестилетняя дочка подходила ко мне и интересовалась: «Папа, ты умираешь?».

Конечно, ни о какой работе не могло быть и речи — я не мог сидеть больше пяти минут, я не мог ходить больше двух минут, и даже отвезти дочку в школу на машине было такой пыткой, что я по дороге выл в голос и грыз руль зубами.

Я мог только лежать рядом с моим недописанным романом.

Но под лежачий камень вода не течет, особенно — при капитализме. Поэтому я укладывал свой компьютер в кровать и в паузах между приступами боли пробовал работать, обняв ногами компьютерный терминал и чувствуя себя, как женщина в гинекологическом кресле.

Зачем я все это рассказываю? Ведь сказала же мне одна знаменитая в Бостоне дама, когда я стал описывать ей, как я лежу и ору от боли: «Эдуард, не выжимайте слезу!».

А я и не выжимаю. Я просто хочу поделиться с вами потрясающим открытием, которое сделал именно в это время: оказывается, мы не умеем ценить свое здоровье. Вот я был здоров лет эдак сорок пять и как-то совершенно этого не чувствовал. Все у меня работало, и я считал, что так оно и должно быть всегда — сердце должно стучать, как вечный двигатель, желудок должен варить камни и бараньи отбивные, печень должна делать свое дело, а почки — свое. А я их, миленьких, могу поливать алкоголем и кофе, окуривать «Явой» и «Мальборо», посыпать перцем и солью и смазывать киевскими тортами, кровяной колбасой и селедкой из магазина «Internation Food». А заодно — испытывать на прочность разными стрессовыми ситуациями эмигрантской, семейной и творческой жизни. Интересно, если в таких условиях содержать танк Т-34, что будет?

Все-таки поразительно, какую замечательную биологическую систему дарит нам Господь Бог при рождении — мы ее и алкоголем, и никотином, и нитратами, и стрессами, а она пашет!

Но вдруг — все отказало. Знаете, это как в машине — пока она едет, мы крутим баранку, жмем на газ и презрительно поглядываем на тех автомобилистов, которые застряли на обочине под поднятыми капотами своих авто. И вдруг — трах-тарабах! — что такое, Боже мой, пар из-под капота, радиатор закипел, ой, батюшки!

И все — и мы уже никуда не едем, а стоим на обочине, проклинаем жизнь и ждем техничку, правда? И клянемся себе, что впредь будем все проверять — масло, давление в шинах, фильтры, что там еще?

Но как только нам починят машину, мы лихо выруливаем на шоссе, и снова жмем на педаль и рулим — гуляй, Вася!

И вот представьте себе, что когда я катался от боли по полу своей бостонской квартиры, когда часами орал от того, что штык торчал в моем позвоночнике, а еще один шилом вонзался мне в грудь и проникал до лопатки, а спазмы-плоскогубцы пережимали желудок — тогда, я помню, я обещал себе и Богу, что — если отпустит боль, если только она когда-нибудь отпустит, Господи! — я брошу курить, сяду на любую диету, ну, и так далее. Потому что именно в те редкие паузы между приступами боли я пронзительно остро понимал, какое это немыслимое счастье — быть здоровым. Быть просто здоровым — чтобы ничего не болело. Какая это сказочная удача, когда можно ходить, сидеть, бегать, дышать, нагибаться...

Вы понимаете?

Я пишу эту статью, чтобы вы понимали:

ЧУДЕСА БЫВАЮТ!

И ПЕРВОЕ ЧУДО — ЕСЛИ ВЫ ЗДОРОВЫ.

А мне, кстати, очень важно, чтобы вы, читатели, были здоровы. Нет, действительно, — ну, зачем мне больные читатели? Говорят, что и здоровые-то в эмиграции нечасто книги покупают, а больше тратятся на видеосистемы. А уж больные тем более станут на книгах экономить. Нет, лучше уж вы будьте мне, пожалуйста, здоровы. И знайте:

КАЖДАЯ МИНУТА ВАШЕГО ЗДОРОВЬЯ — ЭТО ТАКОЕ ЧУДО, КОТОРОЕ ВЫ ПОСТИГАЕТЕ ТОЛЬКО ПОТОМ, КОГДА ОКАЗЫВАЕТЕСЬ НА БОЛЬНИЧНОЙ КОЙКЕ.

А ВТОРОЕ ЧУДО — ВЫЗДОРОВЛЕНИЕ.

Вот о нем и поговорим.

* * *

Вы когда-нибудь были у психиатра?

Я не могу себе представить писателя, который ходит лечиться к психиатру. Зачем? Самым лучшим психиатром для писателя, даже если этот писатель действительно шизофреник, является пишущая машинка. А точнее — неизвестный читатель, которому писатель рассказывает все, что с ним было, могло быть или будет когда-нибудь. При этом читатель, в отличие от психиатра, не берет с вас денег, а анонимность этого читателя значительно облегчает исповедь, и вы без помех отдаете бумаге всю свою боль, гнев, тоску, страх, отчаяние, мнительность и дурные миражи подсознания. Кстати, радость, восторг и прочие ощущения счастья не входят в этот список. Немыслимо вообразить Достоевского, который с радостью садится писать «Преступление и наказание».

Я был у психиатра три раза в жизни.

Но первые два не в счет, потому что это были визиты к гипнотизерам, которые излечивают от курения. Как человек слабовольный, я не мог избавиться от этой привычки сам и решил купить себе это чудо. Тем более что в газетном объявлении цена на него была не очень большой — 70 долларов. Первый гипнотизер — русский — погружал меня в сон индивидуально больше часа, но так и не погрузил — выйдя от него, я тут же закурил. А второй — американец —

был таким сильным гипнотизером, что принимал пациентов сразу группами. И он действительно погрузил всех в сон буквально на второй минуте. Я это видел собственными глазами, потому что был единственным, который не уснул. На пятой минуте гипнотизер посмотрел на меня и сказал, что я могу идти к его секретарше и получить свой чек обратно.

Я понял, что я безнадежен интернационально и оставил всякие попытки бросить курить.

Но чудо случилось, и его совершила моя доченька. Когда врач-гомеопат запретил ей молоко и молочные продукты (она часто болела в ту зиму, и меня вывела из себя манера нашего бостонского врача при каждой простуде сажать ребенка на антибиотики, я решил обратиться к гомеопату, что и вам советую), так вот, когда гомеопат запретил ей все молочное, дочка моя не очень переживала — ну, нет молока и ладно! Но жизнь без мороженого? Этого она не могла вынести. Она сказала: «Папа, почему я должна слушать доктора, а ты нет? Доктор сказал, что мне нельзя молоко, и вы не даете мне даже мороженое, даже раз в день! А тебе доктор сказал, что нельзя курить, а ты куришь каждые пять минут! It is not fair!»

С тех пор я перестал покупать сигареты и считаю свою дочку самым лучшим психотерапевтом в мире.

Но скажу вам по секрету, что все это время ностальгия по куреву была куда сильней, чем ностальгия по нашей географической родине. И никуда она не исчезла ни через месяц, ни через два, ни через десять! Когда я видел человека с сигаретой в руках, у меня начинала дрожать селезенка и в голове билась лишь одна мысль: «Попроси! Попроси сигарету!» И даже если я встречал человека без сигареты, но знал, что он курильщик, я мысленно обшаривал его карманы и все мое нутро кричало: «Попроси у него! Попроси сигарету!».

Это было стыдно и позорно, и я уже боялся лишний раз выйти из дому и избегал встреч с друзьями--курильщиками.

И вдруг соседка сказала: «А вы пойдите к Алексу! Он вас вылечит за пять минут! Он ведь тут, за углом живет, на соседней улице! Он меня избавил от курения за один сеанс!»

«А он что — гипнотизер?» — спросил я скептически, помня свой опыт с гипнотизерами.

«Нет, он лечит руками! Точнее — биополем! Вы не поверите, конечно, но когда он подносит к вам руки, от них идет жар, как от печки!»

Она была совершенно права — я не поверил. С некоторых пор я перестал верить в чудеса — даже в те, которые видел своими глазами. И у меня есть глубокое подозрение, что именно потому я и заболел так сильно. Ведь все наши болезни — от нервов, правда?

* * *

Первое чудо случилось со мной в Москве 18 октября 1978 года. Я запомнил эту дату потому, что за три дня до этого получил разрешение на эмиграцию, и не мне вам рассказывать, сколько выпадает на нашу долю в последние две недели перед отъездом с географической родины. Именно в этой спешке я бежал по платформе московского метро к отходящему поезду и подвернул ногу. К вечеру эта нога распухла так, словно ее изнутри накачали горящими углями. Не только ходить, но даже повернуться в кровати было невозможно — дикая боль разрывала лодыжку. Но вы же знаете, куда нам нужно поспеть в эти последние дни: в ЖЭК, на телефонную станцию, в «Аэрофлот» за билетом, в таможню на Комсомольскую площадь и так далее. А без этого просто не уедешь!

И вот я сооружаю из каких-то палок костыли, и на этих костылях, поджав больную ногу, вприпрыжку иду от дома к метро «Аэропорт». А навстречу мне идет Володя Файнберг, московский поэт и член Союза писателей. И увидев меня в роли инвалида, он говорит:

— Старик, приходи ко мне утром, я тебя вылечу.

— То есть как? — удивился я.

— А вот так, — говорит Файнберг. — Сейчас в Москве открылись секретные курсы парапсихологов, группа

Васильева, десять человек. И меня в эту группу зачислили, и я уже почти год проучился. Так что приходи утром, часиков в восемь, когда я еще не курил, чтобы у меня свежей энергии было побольше. И я тебе эту опухоль сниму!

Знаете, если бы нога не горела, я бы к нему не пошел, думая про себя: «Ну как может поэт снять опухоль на ноге? Бред!»

Но, как говорят, голод не тетка, а боль не теща. Я с трудом дождался семи утра и поскакал на своих костылях по Красноармейской улице к дому, в котором жил Файнберг. Он обругал меня за то, что я пришел в такую рань, потом усадил в кресло, положил на стул мою больную ногу и вознес к небу руки совсем так, как ненецкий шаман на полуострове Ямал. Постояв минуту в такой позе под моим скептическим взглядом, Файнберг подошел ко мне и сказал: «Сначала я тебя осмотрю».

И — не трогая меня — повел руками вдоль моей головы, плеч, груди, говоря по ходу:

«Вся твоя аура разорвана и смещена, ты открыт для любых враждебных уколов, даже самых мелких. Надо срочно уехать на месяц за город, в лес, собирать грибы и дышать чистым воздухом. Иначе ты себя погубишь».

«Ага, — сказал я. — У меня как раз есть время! Я через десять дней уезжаю в эмиграцию. Там грибы не пособираешь!»

«У тебя проблемы с печенью, у тебя залеченная язва и шов от операции аппендицита...» — уверенно продолжал Файнберг.

«Откуда ты знаешь?» — изумился я, потому что в жизни не рассказывал ему о своей армейской язве и никогда не был с ним в бане или на пляже.

«Чудак, я вижу руками! В этом ужас нашей профессии! Ты идешь по улице и видишь красивых девушек, а я вижу, сколько у них было абортов. Я вхожу в автобус, как в анатомический альбом — я вижу больные почки, аритмию сердец, рак матки и надвигающиеся инфаркты! Ладно, приступим к твоей опухоли!»

И он стал, не касаясь меня, медленными пассами рук обводить мою лодыжку сверху донизу, до самых пальцев, а потом стряхивать свои руки, словно к ним прилипла какая-то зараза. Я со скептическим любопытством наблюдал за ним. Его движения были похожи на пантомиму: так Амарантов изображал чулки с ног любимой — чулки, в которых накопилась боль.

Минуты через две после этих пассов моя лодыжка перестала гореть раскаленными углями и — что меня просто потрясло — вся боль стала сдвигаться книзу — сначала к ступне, а потом к пальцам! Да, я буквально чувствовал, как Файнберг, не касаясь меня, сдвигал эту боль вниз и выдавливал из моей лодыжки, словно зубную пасту из тюбика.

Через 15 минут все было кончно — он выдавил из пальцев моих ног остатки боли, отряхнул руки и сказал: «Вставай!».

Я потянулся за своими костылями.

«Псих! — сказал Файнберг. — Стань на обе ноги! Не бойся!»

Я осторожно дотронулся больной ногой до пола — никакой боли!

Я стал на пол полной ступней — никакой боли!

Я наступил на больную ногу всем своим весом — ни-ка-кой боли, господа!!!

А Файнберг продолжал:

«Тебе бы надо несколько дней поберечь эту ногу, не натруждать ее. Но я знаю, что ты уже сегодня будешь бегать, как оглашенный. Поэтому к вечеру нога будет болеть. Так что заходи по утрам, я буду снимать эту боль...»

Я подпрыгнул на больной ноге — ну никакой боли, абсолютно!

«Старик, это же чудо, ты гений! — сказал я Файнбергу. — Что ты делаешь в этой стране? Поехали со мной!»

«Этому народу лекари нужны больше, чем любому другому», — ответил Файнберг, предвестник Кашпировского.

И он остался лечить Россию, а я уехал в эмиграцию на двух совершенно здоровых ногах!

И конечно, уже через неделю забыл о его совете восстановить свою ауру. Да и возможно ли было думать о лесных курортах в венском отеле мадам Беттины или на пыльном нью-йоркском Бродвее в районе 180-х улиц, куда выбросило меня очередной волной нашей эмиграции?..

* * *

Второе чудо совершила со мной Лена Лозинская ровно четыре с половиной года назад. Тогда она еще не была такой знаменитой, как теперь, не жила возле Карнеги-холла, не лечила нью-йоркских балетных и музыкальных звезд, а скромно работала метранпажем в «Новом русском слове» и снимала недорогую квартиру на севере Манхэттена, в Вашингтон-хайс.

А я был ее соседом, то есть жил от нее в двух кварталах, совершенно не подозревая о ее хилерских талантах. И как раз в то лето моя спина впервые заговорила со мной в полный голос. Да еще таким непререкаемым тоном, что я тотчас свалился в кровать, кряхтя и стеная от боли. Это было совершенно некстати, потому что произошло в самый разгар моего переезда из Нью-Йорка в Канаду, в Торонто. Да, представьте себе такую ситуацию: квартира уже сдана, жена с ребенком уже в Торонто, а я в Нью-Йорке один на один с мебелью и тонной книг, которые нужно сложить в ящики и вывезти из квартиры в Бруклин, в гараж к приятелю. И именно в этот момент что-то надламывается в спине, и я не только грузить ящики — я даже нагнуться не могу.

Ну, с мебелью все решилось легко — я позвонил в синагогу и сказал, что хочу пожертвовать свою мебель новым эмигрантам. В синагоге ответили: «Thank you, bring it over!»* Тогда я позвонил в церковь. Священник сказал, что с удовольствием сам заберет мою мебель и еще даст мне машину для перевозки моих книг. Так моя мебель обратилась в христианство.

---

* Спасибо, привезите ее сюда.

Но что мне было делать со спиной?

Я пошел к хиропрактору. Он сделал мне рентген спины и грудной клетки (двести долларов), потом анализ крови (еще восемьдесят), потом уложил меня на стол животом вниз и стал гнуть сначала в бараний рог, а потом в бублик (еще сто двадцать зеленых). Я думаю, он хотел превратить меня в гуттаперчевого гимнаста или даже гимнастку, которые выступают в цирке, изображая лягушек, змей и прочих беспозвоночных тварей. Но ничего из этого не вышло, потому что мне мои позвонки были дороже его бредовой идеи свернуть меня бубликом. Поэтому я перестал ходить к хиропрактору, а пошел к нормальному врачу. Нормальный врач тоже сделал рентген спины и позвоночника, и сказал, что меня гнуть не нужно, потому что вся спина и все позвонки у меня в порядке, «пахать можно на такой спине».

— Но я же не могу нагнуться! У меня жуткие боли!

— Это от нервов, обычная невралгия, — успокоил меня врач.

Тогда я пошел к иглоукалывателю. Китаец-иглоукалыватель брал тридцать долларов за сеанс, втыкал мне в спину тонкие иголки, потом ставил банки, делал массаж и замечательно снимал все боли... ровно на два часа. А через два часа я опять не мог не только нагнуться, но даже подумать об этом!

И вот, видя мои страдания, соседка по имени Дюка сказала:

«А ты пойди к Лене Лозинской, она моему мужу глаза вылечила, она и тебе и спину залечит!»

«Это какая Лозинская? — спросил я. — Которая в «Новом русском слове» метранпажем, что ли? Какой же она врач, когда она в ГИТИСЕ на театроведческом училась?»

«А ты попробуй», — сказала Дюка.

Я подождал еще пару дней, но когда боль спины уже сама, без всякого хиропрактора, свернула меня в бараний рог — пошел к Лене Лозинской.

Оказалось, что в ее доме нет даже лифта! А у меня в спине

такие боли, что я ходить не могу, а не то что по лестнице на четвертый этаж подниматься! И вот — честное слово, я не вру! — я к этой Лене Лозинской первый раз на четвереньках взбирался по лестнице!

Лена осмотрела меня точно так же, как Файнберг в Москве — руками, не касаясь, провела вдоль головы и тела и сказала, что вся моя аура разорвана в клочья, а вся спина в жутких мышечных спазмах и даже странно, как я вообще жив при таких болях. Потому что у нее от моих спазм уже руки горят, хотя она держит их от меня на расстоянии десяти сантиметров. Тут я очень возгордился, потому что вспомнил эпизод из фильма «Барбарелла». В этом фильме, если вы помните, Джейн Фонда в роли космической проститутки путешествует по Галактике в поисках любовных приключений. И на какой-то планете соблазняет местного диссидента, но этот диссидент знает только один, местный способ to make love: два партнера протягивают друг к другу руки в перчатках — но не касаясь, а только держа их на расстоянии десяти сантиметров, и пристально смотрят друг другу в глаза. Вот так стерильно занимались любовью на этой планете. Но когда Джейн Фонда поставила свою руку против руки диссидента и заглянула ему в глаза, то его перчатка задымилась...

Тут Лена велела мне лечь на диван животом вниз, а сама стала держать свою руку над моей спиной, периодически стряхивая с нее на пол мою боль, — совсем как Володя Файнберг в Москве. И одновременно рассказывала мне о себе. Оказавается, талант передачи энергии открылся у нее еще в детстве, а потом она увлеклась йогой и тибетской медициной, а теперь собирается на Тибет...

— Так, теперь перейдем к главному, — заявила она минут через двадцать. — У вас защемлен нерв между четвертым и пятым позвонками. Сейчас я попробую его освободить, но имейте в виду, когда я буду раздвигать позвонки, вам может быть больно.

Но больно было не мне, а ей — она даже постанывала.

А я себе лежал на диване и дремал.

Через полчаса Лена сказала:

— Все, вставайте.

Я встал.

— Нагнитесь.

— Да вы что! — сказал я. — Про нагнуться не может быть и речи! Слава Богу — спина не болит, и на том спасибо!

— Нагнитесь! — приказала Лена.

Я, слушая свою спину, стал осторожно сгибаться. Спина молчала.

— Смелей! — приказала Лена. — Достаньте руками пол!

Я достал, изумляясь молчанию своей спины.

— Разогнитесь! Нагнитесь снова! Руками достаньте пол! Разогнитесь! Нагнитесь еще!

Я с восторгом повиновался — я был снова здоров, чудо свершилось! И уже назавтра я, нагнувшись и разогнувшись тысячу раз, сложил свою библиотеку в ящики, отнес эти тяжеленные ящики в машину и отвез в Бруклин. А когда я их разгружал — что-то крякнуло в спине и — о! Я застыл в позе Квазимодо, не в силах разогнуться.

— Да что же вы делаете с собой! — возмутилась Лена, когда я, полусогнутый, добрался до редакции «Нового русского слова». — Я же вам вчера сделала операцию на спине! Только без скальпеля. А вы встали с операционного стола и тут же стали ящики таскать! Ну, подумайте, вы же интеллигентный человек, — как можно сразу же после операции ящики таскать? У меня сейчас нет времени вас лечить, я вам только боль сниму.

И — хотите верьте, хотите нет — не отрываясь от газетной полосы, протянула к моей спине руку. И в тот же миг — вы слышите, в тот же миг! — вся боль из спины улетучилась. Как не было!

Я — восхищенный — побежал показывать всем знакомым, как я могу опять сгибаться и разгибаться. А еще после двух сеансов я сел в машину и укатил в Торонто...

Да, господа, я понимаю ваши чувства, когда вы читаете

эти строки. Если бы это случилось не со мной, я бы и сам отнесся к этим строкам скептически. Но в том-то и штука, что все это было со мной, лично, I swear to God!

* * *

Итак, 20 октября этого 1990 года, я позвонил своему соседу Алексу Тетельбойму и спросил:

— Вы лечите от курения?

— Да, — сказали мне, — приходите через две недели.

— Через две недели я прийти не смогу — я уже буду жить в Нью-Йорке.

— Гм... — сказали на том конце провода, — тогда приходите через два дня.

Я пришел. Дверь открыл плотный бритоголовый мужчина с густыми черными бровями и темными глазами. На вид ему было лет 50, даже под костюмом угадывалась фигура силача — не то штангиста, не то боксера.

— Прошу вас, — сказал он, приглашая меня в комнату.

Я вошел, сказал:

— Здравствуйте.

— Здравствуйте, — сказал мужчина, внимательно глядя на меня с расстояния трех шагов. И продолжил без паузы: — Я думаю, что курение не главная ваша болезнь. Вас нужно лечить от язвы — их у вас две, от болезней печени и почек, а кроме того у вас вся спина в мышечных спазмах...

Я был ошарашен: этот человек видел меня впервые в жизни и за три секунды поставил точнейший диагноз, словно читал рентгеновские снимки! Ведь ровно три последних месяца я опять сдыхал от болей в спине, в груди, в желудке, орал во время приступов, снова перепробовал дюжину врачей — от американских терапевтов и русских массажистов до китайца-иглоукалывателя, не мог ни работать, ни сидеть, ни ходить, ни водить машину, жил на талейноле с кодеином и прочих наркотических обезболивателях, купил себе массажное кресло и даже специально поехал в Нью-Йорк к Лене Лозинской. Лена — теперь уже знаменитая, как Барышников, с пациентами из Линкольн-Центра, Ист-Сайда и Вашингтона — приняла меня в своей новой квартире на Бродвее, сказала, что из-за стрессовых перегрузок у меня открылись старые язвы и вся спина в таких спазмах, что у нее руки болят меня лечить. Но все же она сняла мне боли в спине, подлечила печень и язвы, приказала прекратить убивать себя стрессами личной жизни, сесть на строжайшую диету, которую сама для меня составила, и — улетела в Россию, а оттуда в Париж...

Я послушался ее совета и уехал на месяц к друзьям в Сан-Франциско, сел там на ее диету и отключился от всех проблем своей нелепой жизни. И почувствовал себя так замечательно, что за месяц дописал новый роман. Но едва вернулся в Бостон, как спина «взялась за старое», а руки потянулись к сигаретам. И, кроме того, — опять эта необходимость переезжать, паковать и грузить книги и все остальное барахло. Но даже подумать об этом было страшно!..

И вдруг оказалось, что по соседству от меня все это время жил человек, который...

— А вы можете вылечить меня от этих болезней? — спросил я у Александра Тетельбойма.

— Конечно, — сказал он, — Но сначала мы избавим вас от сутулости. Что это такое! Вы же молодой человек, а ходите как старик — плечи вперед, спина горбится...

— Ну, ладно! — улыбнулся я с печальным скепсисом — может, вы и уберете мне боли в спине. В это я могу поверить, я знаю двух хилеров, которым это удавалось. Но сутулость — извините. Уж таким я родился — сутулым еврейским мальчиком.

— Ерунда! — ответил Александр. — Ровно через пять минут у вас будет нормальная осанка. Больше того — вы просто не сможете сутулиться, даже если захотите...

— Послушайте, — перебил я, демонстрируя жестоковыйную еврейскую манеру не верить ни в какие чудеса. — Если вы развернете мне плечи и выпрямите спину — это будет чудо из чудес, и с меня вам будет двойной гонорар!..

Господа читатели: я проиграл, признаю это публично.

Хотя что я говорю — я выиграл!!!

Ровно через пять минут Александр выпрямил мою сутулость раз и, я надеюсь, навсегда! Во всяком случае, вот уже ровно месяц я хожу походкой Юла Бриннера, ношу свои плечи почти так же, как Барышников, и даже не могу вспомнить, как мне удавалось держать эти плечи в вогнутом положении!

* * *

... Он был кларнетистом Ровенской филармонии. В 1967 году, накануне Нового года, их оркестр гастролировал в Минске, и перед очередной репетицией музыканты пошли пообедать в гостиничный ресторан. Во время обеда Александр обратил внимание на старика, который сидел через несколько столиков от них. Чем-то этот длинноносый, узколицый старик раздражал его, мешал и вообще, как говорится, «действовал на мозги». А еще минут через десять этот старик, закончив обед, встал и, проходя мимо столика Александра, сказал ему с еврейско-польским акцентом:

— Я живу в двести третьем номере. Зайдите, у меня есть что вам сказать.

И — ушел.

Александр изумленно посмотрел на своих коллег:

— Кто это?

— Это Вольф Мессинг, — ответили ему.

Когда Александр вошел в номер Мессинга, тот сказал:

— Молодой человек, вам нужно заниматься серьезным делом, а не веселить публику. Вы когда-нибудь занимались парапсихологией?

— Нет.

— Займитесь. У вас есть способности.

Александр и раньше знал за собой странные свойстава угадывать мысли приятелей, снимать рукой головные боли или с первого взгляда навсегда запоминать любые телефонные номера, нотные тексты и т. п. Но он не относился к этому серьезно, точнее — не знал, что Господь Бог не то случайно, не то намеренно наградил его мощным биополем. Но Мессинг, биополе которого было феноменальным, можно сказать, «наткнулся» на биополе Тетельбойма, как ваш радар-детектор натыкается на радар в полицейской машине.

И с этого дня жизнь Александра изменилась. Мессинг занялся им всерьез и для начала сам привез ему в Ровно литературу о йоге — в то время в СССР книги по йоге достать было невозможно. Вольф Григорьевич привозил машинописные копии, в том числе книги Елены Рерих-Блаватской. Одна из этих книг, привезенных Мессингом, сохранилась и прибыла с Александром в Америку.

Убедившись что ученик увлекся предметом и добросовестно относится к поставленной цели, Мессинг обязал его заняться традиционной медициной:

— Возьми лучшие издания лекций по медицине и читай. Когда накопятся вопросы, поедешь к моим друзьям, они тебе помогут...

Друзьями Мессинга оказались светила тогдашней медицины: хирург-уролог Виктор Карпенко, анестезиолог Валентин Суслов, оба в Киеве, и хирург Власова в Тбилиси. Попасть к ним на прием было почти немыслимо, но имя Мессинга открывало любые двери.

А кроме, так сказать, общего образования Мессинг сам занимался с Александром «по специальности»: парапсихологией. В том числе — диагностикой. «Не спрашивай у пациента, что у него болит, и не смотри, где у него болит. ЧУВСТВУЙ его тело через свое. Там, где у тебя заболело, там и у твоего пациента беда. А уже когда почувствовал, где и как у него болит, включай свои медицинские знания для определения названии болезни».

...За пару дней до моего отъезда из Бостона я пригласил своих друзей в ресторан пообедать. Позвал и Александра с женой. И когда я знакомил всех друг с другом, Александр сказал моей приятельнице: «У вас сильные боли внизу живота, с левой стороны. Помочь вам?» Но она смутилась и перевела разговор на что-то другое, и только назавтра призналась мне, как поразил ее этот диагноз: речь шла о сильном приступе женского недомогания, который как раз терзал ее последние двое суток. Но даже мужу она не говорила об этом...

«Но как же вы можете чувствовать женские болезни?» — спросил я у Александра во время последнего сеанса, когда он «на посошок» заливал мою ауру своей энергией.

— Я чувствую боль в той же зоне. А остальное — уже анатомия, — отмахнулся он.

— Значит, когда я перешагнул ваш порог, у вас, что же, открылись две язвы в двенадцатиперстной?

— Ну, язвы у меня не открылись. Язвы — они у вас на лице отражаются, вот эти две морщины...

— Минуточку! — воскликнул я потрясенно. — Вы знаете, откуда эти морщины? Это же Шереметьевская таможня!

И процитировал Александру начало своей первой статьи, опубликованной в НРС 11 лет назад: «28 октября 1978 года, в первый день эмиграции, в венском отеле «Тур Цукен» я посмотрел на себя в зеркало и обнаружил на своем лице новую морщину, глубокую как окоп. И провела ее Шереметьевская таможня...»

— Правильно, — сказал Александр. — Значит, там у вас и открылись ваши армейские язвы...

— А как тогда вы узнали про мои боли в спине? У вас что — всю спину спазмами свело? И печень заколола? И почк?

— Эдуард, — сказал Александр, — Вольф Григорьевич передавал мне свои секреты несколько лет. Вы можете за пару минут сделать из меня писателя?

— Я сделал писателями Фридриха Незнанского и свою жену, — сказал я.

Александр тактично промолчал, а я вдруг подумал, какой мощный вклад в русскую литературу сделан моими почками и печенью...

— Конечно, если бы я замыкал в себе все болезни и боли своих пациентов, — сказал Александр, — я бы, как вы сами понимаете долго не протянул. Вольф Григорьевич сделал из меня защищенного экстрасенса — он научил меня, как избавляться от болей и болезней пациентов. И, кстати, Мессинг был и моим первым пациентом — я ему первому вылечил радикулит. Это было еще в шестьдесят восьмом году. И когда я избавил его от радикулита, он сказал: «О, теперь ты можешь лечить других!»...

С тех пор через руки Александра Тетельбойма прошли сотни и сотни больных с самыми разными болезнями. Я нарочно не даю тут перечня этих болезней, чтобы назавтра после публикации этой статьи толпы больных не выломали ему двери, как в очереди за водкой в СССР. А если без шуток, я не хочу превращать эти заметки в рекламу — рекламным статьям я и сам не верю. Поэтому я пишу только о себе — о том, как я поверил в то, что ЧУДЕСА БЫВАЮТ. Конечно, при этом все мои знакомые экстрасенсы от Файнберга до Тетельбойма старались подвести под эти чудеса научную основу. Александр даже снабдил меня кипой литературы (в которой я ничего не понял) и прочел мне как бы вводную лекцию по парапсихологии — что-то насчет того, что тело каждого человека — это вселенная, состоящая из микрогалактик: печени, почек, сердца, легких и так далее. И каждая из этих микрогалактик в своей молекулярно-атомной плоти имеет свои энергетические поля, которые в здоровом теле находятся в состоянии энергетической гармонии и баланса. А болезнь — это нарушение энергетического баланса, дыра в биологическом поле, Чернобыль в масштабах двенадцатиперстной кишки или сердечной мышцы. Но как ученые с помощью магнитных полей управляют атомной реакцией, так парапсихолог (экстрасенс, хилер) способен своим биополем и своей энергией воздействовать на биологические процессы в любом органе нашего организма.

Если вам такого объяснения недостаточно, то вы можете в любом книжном магазине купить дюжину книг по парапсихологии, там все объясняется еще научней. Я же лично настолько технически малограмотен, что, потратив сотню долларов на японский автоответчик, уже несколько месяцев не вскрываю коробку, чтобы не читать инструкцию. Поэтому каждый парапсихолог для меня — как микроволновая духовка. — Ведь я не спрашиваю у своего «Шарпа», как он за три минуты варит мне овсяную кашу, а за десять — гречневую. Я нажимаю кнопку и — да здравствует чудо!

* * *

Если вы помните, первым чудом Александра Тетельбойма был мгновенный диагноз, вторым — избавление моей спины и плеч от сутулости. А третьим чудом стали его руки. Как вы уже прочли, на меня накладывали руки замечательные экстрасенсы Володя Файнберг и Лена Лозинская. Пробовали, конечно и другие, но без всякого эффекта, а вот Володя и Лена буквально руками снимали мне жуткие боли. Но никакого тепла я при этом не ощущал. Я не знаю, хорошо это или нет, я понятия не имею, что это тепло означает, но я как подопытный свидетельствую: руки Александра Тетельбойма излучают тепло, почти жар. Если он держит руку у вас над головой, это тепло проходит сквозь скальп и медленно проникает в затылок, в шею, в позвоночник. А если на животе, то — извините за натурализм, но наука требует от меня точности — тепло его рук разжимает спазмы в вашем кишечнике, и вы это ощущаете совершенно отчетливо, потому что ваш кишечник, презрев все правила приличия, начинает урчать и булькать, как система парового отопления, когда вы включаете ее после длительного перерыва...

Ну, и чтобы закончить с чудесами Тетельбойма, скажу: после того сеанса, когда Александр произнес простую фразу: «Вы больше не курите, у вас нет тяги к курению, больше того — курение может вызвать у вас рвоту!», я вдруг действительно перестал замечать курящих, прекратил мысленно клянчить у них сигареты и вообще потерял к сигаретам всякий интерес. Казалось бы, простая фраза: «Вы больше не курите!» — ну разве можно одной фразой избавить от тридцатилетней заразы? Но, с другой стороны, вспомните детские сказки: волшебное слово всегда короткое: «Сезам, откройся!», «По щучьему веленью, по моему хотенью!»

Тьфу, тьфу, тьфу, не сглазить — я чувствую себя здоровым!

Если среди моих читателей есть завистливые и глазливые, пожалуйста, плюньте трижды через левое плечо.

А то я теперь, когда в чудеса поверил, стал верить и в дурной глаз, и в прочую чертовщину.

Между прочим, общение с Лозинской и Тетельбоймом привело меня к еще одной мысли, которой я хочу с вами поделиться. Эта мысль как-бы продолжает тему моего главного открытия насчет того, что, будучи больны, мы начинаем ценить свое здоровье. А мысль эта простая: почему мы ходим к врачам только тогда, когда заболеваем? А к хилерам и экстрасенсам — только тогда, когда традиционная медицина не помогает? Ведь надо совершенно наоборот!

Надо относиться к себе хотя бы так, как мы относимся к своим автомашинам (я уже не прошу — лучше). Ведь меняем же мы масло в машине каждые три-пять тысяч миль! И «тун-ап» мы ей делаем каждую весну или осень. И фильтры меняем, и давление в колесах проверяем — и все это еще тогда, когда машина бегает, работает и ни на что не жалуется. А себя? Неужели на «тун-ап» машине полсотни нам не жалко, а на себя — жалко?

А ведь как было бы здорово, если бы еще ДО того, как закололо сердце, заныла поясница, закружилась голова, заложило легкие, мы хотя бы раз в год делали себе «тун-ап» у экстрасенсов! Ах, если бы я забежал к Тетельбойму год назад подлатать свою ауру — глядишь, никакая зараза не прорвалась бы сквозь нее в мои почки и печень!

Вы скажете мне, что таких парапсихологических клиник, где людям бы делали энергетический «тун-ап», еще нет и мечтать о них — сплошная маниловщина. Но какое мне дело до скептиков? Ведь я-то знаю, что ЧУДЕСА — БЫВАЮТ!

Газета «Новое русское слово»,
Нью-Йорк, 7 декабря 1990 года.

P.S. или год спустя

Не успели, как говорится, просохнуть чернила на моей статье «Чудеса продолжаются», как случилось вот что.

В ночь с 18-го на 19-е сентября, сразу после Йом Кипура, в Катскильских горах под Нью-Йорком началась гроза. И какая! Гром шарахал за окнами дачи с мощностью гаубиц 138-го калибра, а молнии били землю огненными копытами так близко, просто рядом, что если бы я не постился весь Йом Кипур, то подумал бы, что это Он пришел по мою душу. После каждого удара громомолнии гасло электричество, дачка подпрыгивала, как откатное орудие, а два соседних дуба сыпали на крышу тяжелые, как гранаты, желуди.

Короче, это была еще та ночь!

Но поскольку я весь Йом Кипур держал сухой пост и даже молился, как умел, утром и вечером (а после Йом Кипура с ходу, натощак принял коньячку), то чувствовал себя в полной безопасности и к часу ночи уснул здоровым сном праведника и с твердой верой, что увижу утром яркое солнце.

Однако утром, если вы помните то утро, солнца не было.

Едва я проснулся и еще лежал в полудреме, раздался телефонный звонок. Это мои канадские друзья сообщали, что через час выезжают из Торонто в Нью-Йорк и специально поедут по 17-й дороге, чтобы я спустился к ним с гор, перехватил их в районе Монтиселло и выпил с ними чашку кофе.

Я сказал «О'кей, звякните мне за 50 миль до Монтиселло , мне тут 20 минут до 17-й дороги». После этого натянул плавки и, хотя за окном моросил дождь, смело отправился к озеру делать зарядку и плавать. Хотя прошлым летом в это же время я совершенно подыхал, не мог ни ходить, ни нагнуться, ни даже машину водить и, как сказал мне один врач, был на шаг от инфаркта, экстрасенсы Лена Лозинская и Александр Тетельбойм вернули меня к жизни, и этим летом я так обнаглел, что трижды в день в любую погоду плавал чуть ли не до середины озера и вообще чувствовал себя, как Рембо.

И вот, в образе этакого еврейского Рембо, я утром 19-го сентября отправился на озеро, яростно размахивая руками и вдрызг разбивая ими струи холодного дождя. Но на озере был еще и ветер — сильный, пронизывающий северный ветер, черт бы его побрал.

Однако я так уже вошел в образ Рембо, что меня уже ничто не могло остановить. Я стал еще яростнее размахивать руками, ворочать камни, делать приседания и прочие упражнения, чтобы потом, разгорячась, сигануть в воду и плыть навстречу ветрам и непогоде! Пусть сильнее грянет буря! — говорил я в порыве гордого романтизма.

И вдруг — как будто ожогом рот скривило господину! — штыковой удар в область поясницы заставил меня сложиться буквой «г» и вернул в лето 1990 года. «О-о! — сказал я себе. — Радикулит! Бегом домой, Рэмбо несчастный! Идиот!»

Но даже и более крепкие русские выражения в сочетании с торжествующим ветром и презрительно холодным дождем не могли ускорить мое позорное бегство — медленным шагом, в позе буквы «г» и на прямых ногах.

Тем, у кого бывают приступы радикулита, не надо объяснять, почему я не мог двигаться быстрее, а те, кто никогда еще не испытывал присутствие штыка в позвоночнике, все равно не поймут.

Взойдя на карачках по ступенькам дачного крыльца, я — в той же позе — добрел до ванной, включил горячую воду и стал греть поясницу струями кипятка, заодно громко награждая себя всеми звучными титулами, какие только есть в великом и могучем русском языке. Благо на даче никого, кроме меня, не было, да и на соседних — тоже.

Через двадцать минут горячая вода кончилась, а боль — нет.

«Ничего, — сказал я себе. — Главное, не паниковать. Как-нибудь разойдется...»

Я наклеил себе на спину японский согревающий пластырь — о, я еще в прошлом году здорово экипировался против радикулита, армейский госпиталь не имеет столько лекарств! — и сел работать.

Но через пару часов понял, что от этого пластыря мне только хуже — вся спина вспотела, а толку нет.

И вот, начиная уже беситься от боли и бессилия, я выключил компьютер, разложил на кровати «иппликатор Кузнецова» — последний резерв Верховного главнокомандующего — и, вскрикивая от боли, лег, как Рахметов, голой спиной на 2000 мелких иголок.

Тут, для незнающих, я должен сказать, что этот «иппликатор Кузнецова» (набор пластмассовых квадратиков с 16-ю иголками в каждом) — прекрасная штука, отлично помогает от усталости и мелких ноющих болей в спине и пояснице. В Москве в любой аптеке этот иппликатор совсем недавно стоил всего 6 рублей.

Но, к несчастью, у меня были не ноющие боли, у меня штык торчал в спине по самую рукоятку, и никакой иппликатор вытащить его не мог — ни за полчаса, ни за час, ни за полтора.

А мои канадские друзья ехали тем временем по 17-й дороге и, по моим расчетам, уже вторглись в Катскильские горы.

После полутора часов лежания на иголках в позе Рахметова и мысленных упражнений на расслабление мышц всего тела я понял, что если немедленно не позвоню Александру Тетельбойму и не попрошу его сотворить чудо по телефону, то не видать мне моих канадских друзей. «Везет же им! — подумал я. — В прошлом году приезжали, когда я в стельку лежал (о, если бы от водки!), и вот — опять!»

Но как же мне позвонить Тетельбойму, если я повернуться не могу? Телефон-то, ложась в постель, я рядом поставил — в ожидании звонка канадских друзей, но телефонная книжка — черт-те где, аж в трех шагах! А у меня не то что от шагов, у меня от каждого шевеления штык поворачивается в позвоночнике!

И вот лежу я и думаю, как оы мне снова в Рэмбо

превратиться хоть на три шага, чтобы до телефонной книжки дотянуться. Но чувствую — никогда в жизни! Я вам не Александр Матросов, не Зоя Космодемьянская и не генерал Карбышев! Саша, думаю, Саша Тетельбойм, если вы уже такой экстрасенс, как я про вас в прошлом году расписал, услышьте меня! Услышьте меня и позвоните мне!

Но нет, никто не звонит, молчит телефон, а время идет — уже три часа, три пятнадцать. По всем расчетам мои канадские друзья вот-вот будут в Монтиселло.

А тут как раз и телефонный звонок. И в полной уверенности, что мне с предгорьев Монтиселло мои друзья звонят и что услышу от них сейчас пару теплых слов по поводу того, что они ради меня сто миль крюку сделали, а я такой-рассякой не могу в Монтиселло приехать, я обреченно снимаю трубку, подношу ее к уху и слышу:

«Эдуард, здрасти. Как поживаете?»

Хотите — верьте, хотите нет: Александр Тетельбойм, из Бостона.

Я от удивления молчу, даже на «здрасти» не отвечаю.

А он:

«Вы меня слышите?»

«Угу... — мычу. — Слышу».

«Спасибо вам за поздравление в газете по поводу рождения моего сына...»

У меня отлегло от сердца. Никакая это не телепатия на расстоянии, и никто, слава Богу, мои мысли еще не читает ни в Бостоне, ни в Монтиселло. А просто совпадение — вчера в газете «Новое русское слово» было мое поздравление, а сегодня он звонит, чтобы поблагодарить. Мог бы, конечно, и завтра позвонить, и через неделю, но позвонил сегодня. Нормально.

«Вот что, Саша, — говорю я спустя минуту. — Вы мне когда-то говорили, что можете лечить по телефону. И вот сейчас вам придется поработать. Утром я пошел в грозу делать зарядку на озеро, и меня схватил радикулит. И вот я уже два часа лежу на иголках, а толку никакого. Вы можете меня поднять?»

«Конечно, — говорит Саша с улыбочкой в голосе. — Значит, так. Положите трубку удобно возле уха и слушайте меня внимательно. Устроились? Очень хорошо. Начинаем расслабление с большого пальца на левой ноге... Большой палец на левой ноге расслабляется...»

«Слушайте, Саша, — перебил я. — Я это расслабление уже три раза проделал снизу доверху и сверху донизу...»

«Ничего, — говорит, — вы меня не перебивайте. Я вам не только упражнение диктую, я вам в это время энергию посылаю. Давайте сначала: большой палец на левой ноге расслабился... Еще больше палец расслабился... Следующий палец начинает расслабляться...»

Я лежу, слушаю. Мысленно, как попугай, повторяю его слова и стараюсь все внимание держать на этих пальцах... голени... спине...

Минут через семь слышу:

«Все, вставайте».

«То есть как?»

«А так, — смеется Тетельбойм. — Вставайте да и все. Я вас уже вылечил. У вас было защемление с левой стороны, а теперь его нет. Вечером я вам позвоню, проверю как вы себя будете чувствовать».

И — представьте себе, какой нахал! — положил трубку.

Ну и я тоже положил трубку, но в тот миг прозвучал новый звонок.

«Алло! Мы в тридцати милях от Монтиселло. Где встречаемся?»

Я сел в кровати и с удивлением обнаружил, что ничего не болит.

«105-й экзит, первый Макдоналд справа», — сказал я.

«Бай, си ю сун», — сказали мне.

Я положил трубку и встал с кровати.

Спина была как новенькая — хоть снова беги на озеро.

Я вспомнил, как Лена Лозинская сказала мне однажды после сеанса: «Пожалуйста, теперь несколько дней никаких резких движений. Тяжестей не поднимать и вообще поймите: я вам сейчас сделала операцию, только без скальпеля. Вот и ведите себя как после операции. Щадяще».

Но как я мог вести себя «щадяще», когда мне через 20 минут нужно было быть в Монтиселло?

Я натянул штаны и два свитера, прыгнул в машину и погнал по горной дороге вниз. Встретил друзей, выпил с ними кофе, потрепался с часок, пожелал им солнечной погоды на Бермудах — они завтра отправлялись туда в круиз — и поехал в соседний супермаркет за продовольствием. Правда, в спине стала шевелиться какая-то сволочь, но, с другой стороны, и голод — не тетка: дома холодильник был пуст.

Закупив продукты, я погрузил их в багажник и вернулся на дачу. Было уже темно, снова шел дождь.

И когда я выгружал свои пакеты и сумки, новый штычок вошел мне в поясницу и сказал: «Ага, попался!».

«Попался... Виноват...» — вздохнул я, бросил эти пакеты на кухне нераспакованными и стал звонить Тетельбойму.

«Ничего страшного, — сказал он. — Ложитесь на иголки и спите. А утром в 9.30 налейте в стеклянную банку воду, эдак с пол-литра, сядьте в кресло, расслабтесь и держите банку двумя руками. Я буду посылать вам энергию»

«По телефону?»

«Нет. Так. Без телефона, без ничего. Договорились? Ровно от 9.30 до 10.00. Спокойной ночи».

Ну? Что бы вы сделали на моем месте?

Только уточним: что бы вы сделали на моем месте, если бы у вас в спине торчал штык — ну, не такой, как утром, не по рукоятку, а до половины?

Я лег на иголки, через час мне слегка полегчало, и еще через час, приняв снотворное, я уснул. Но ночью, при малейшем повороте, просыпался от боли в спине и нянчил эту боль сквозь сон до самого утра.

Утром — делать нечего, штык-то опять торчит в пояснице, боль адская — залил стеклянную банку холодной водой из крана, сел в кресло, откинулся к спинке и ровно в 9.30 закрыл глаза, сказал себе мысленно: «Начинаю расслабление с большого пальца. Большой палец на левой ноге расслабился.

Все больше и больше расслабился большой палец...»

Через пару минут, расслабив таким образом ноги, спину и вообще все тело, сказал сам себе:

«Я открыт... Я открыт... Начинаю прием... Саша, вы меня слышите? Начинаю прием энергии...»

Ничего не произошло.

Но я уже был грамотный, подготовленный — я ведь прочел книгу Владимира Файнберга «Здесь и теперь». А там у его героя-экстрасенса тоже не сразу все получается. Терпение нужно, господа.

Поэтому я мысленно продолжал:

«Я открыт... Я открыт космосу... Начинаю прием энергии. Начинаю прием энергии. Все тело расслаблено... Никаких посторонних мыслей... Принимаю энергию... Принимаю энергию...»

Какое-то теплое пятно появилось в затылке. Точнее — между затылком и лбом. Я, конечно, не поверил своему ощущению, но боясь спугнуть его, просто продолжал твердить мысленно:

«Прием энергии... Прием энергии... Все тело расслаблено... Никаких посторонних мыслей... Веду прием...»

Теплое пятно в черепе стало шире, глубже и как-то высветилось. Словно свет в меня входил, теплый солнечный свет.

От удивления — никогда в жизни я не испытывал ничего подобного (ну, сидел, конечно, на солнцепеке, но тогда солнце грело всего меня, всю голову, а тут — только правильно очерченный теплый круг величиной с коньячный бокал) — от удивления, повторяю, я дернулся, вода из банки выплеснулась на ноги, но, странно, она не была холодной.

«Стоп! — сказал я себе. — Не отвлекайся!»

Но было поздно — мысли о воде сбили меня с приема, теплое световое пятно в голове исчезло.

Пришлось настраиваться заново.

Через минуту такое же, как в начале настройки пятно вернулось. Теперь я уже верил в него, чувствовал его, грелся в нем. И только просил:

«Ниже! Проходи ниже, пожалуйста! В позвоночник и вниз по позвонкам, пожалуйста!»

И мысленно вел, толкал этот сноп тепла и света по спине к пояснице.

Но, честно говоря, никакого движения этого снопа не ощущал, он только грел мне череп. А иногда — словно иголки входили в поясницу. Не штык, как раньше, но болезненные, жалящие иголки...

Через какое-то время я почувствовал, что устал. Уже не было ни сил, ни желания концентрироваться на приеме энергии, фокусировке этого снопа света и тепла. Мысли отвлекались на что-то постороннее.

Я посмотрел на часы, было без двух минут десять.

«Все, — сказал я мысленно. — Все, Саша. Передаете вы мне энергию или нет, я отключаюсь. Не могу больше. Роджер. Отбой».

И встал с кресла.

Спина не болела.

Совсем не болела. Нигде.

Прозвучал звонок. Я снял трубку. Тетельбойм.

«Как дела?»

«Пока ничего не болит. Но были прострельные боли в позвоночнике».

Тетельбойм:

«Конечно. Это энергия проходила туда, где нерв был защемлен».

Я: «А что делать с водой?»

Тетельбойм:

«А с водой так. Налейте часть воды в емкость величиной с кубик или пластиковый пакетик и заморозьте в морозильнике. А остальное пейте, прямо сейчас выпейте граммов сто пятьдесят. А кубик льда приложите к копчику. И держите минут тридцать. Энергия пойдет изо льда в позвоночник и все будет в порядке. Вы поняли?»

«Понял...»

В книге Файнберга «Здесь и теперь» экстрасенс тоже

заряжает своей энергией воду и дает своим пациентам пить. Энергия с водой поступает поближе к больным участкам тела и исцеляет боли и болезни.

Но разница была в том, что сам экстрасенс накла–дывал на воду свои руки и заряжал ее своей энергией. А тут я сидел в кресле в трехстах милях от Тетельбойма и держал банку с водой в своих руках.

Со скептической миной на лице (но без всякой боли в позвоночнике) я выпил треть банки «живой воды», а еще граммов сто отлил в пластмассовый стаканчик и поставил в морозильник. Заодно сунул туда пару кусков мяса, которые купил вчера, да оставил в пакетах на кухне, когда приехал со свиданья с друзьями.

И сел работать.

И до вечера работал, забыв о пояснице и вообще обо всей этой телепатической мистике. Ну болела у меня спина, я посидел, расслабился, внушил себе, что меня лечит Тетельбойм, и вылечился. Не так ли?

Но вечером ноющая боль, такая, знаете, саднящё-занозистая сволочь опять возникла в спине.

Я выключил компьютер — на сегодня хватит. И чтобы убрать боль в пояснице, допил «живую воду» из банки. И открыл холодильник, достал из морозильника пластмассовый стаканчик.

И вот тут я, честно говоря, опешил.

Было 10 часов вечера. Я поставил эту воду в морозильник в 10 часов утра. Морозильник у меня работает, как зверь — мясо, которое я туда сунул утром, замерзло колом. А вот вода... Из ста граммов воды замерзла только половина! А вторая половина плескалась себе в ледяной ванночке как ни в чем не бывало, как чистый спирт.

Я слил эту воду в другой стаканчик, завернул лед в пластиковый пакет, лег на спину и приложил этот лед, извините за подробность, именно к копчику — туда, куда было мне велено.

А минут через двадцать встал — опять без всякой боли в спине.

* * *

Назавтра Тетельбойм мне сказал, что вода не замерзла, потому что была насыщена энергией.

Я не берусь комментировать, я описал только то, что было.

Сейчас спина у меня почти не болит, хотя сырость вокруг ужасная — уже неделю идут сплошные дожди, черт бы их побрал. И потому в озере я больше не плаваю — до следующего лета.

* * *

Вы знаете такое русское выражение: «как рукой сняло?»

Вот уже несколько дней это выражение не выходит у меня из ума. Откуда оно взялось? Да еще в великом и могучем, как русский язык? Не от тех ли целителей, которые так же, как Тетельбойм, Файнберг и Лозинская, рукой боли снимали?

Но тогда, великий и могучий, будь свидетелем, что все здесь написанное — истинная правда.

Газета «Новое русское слово»,
сентябрь 1991 года

ПОХИЩЕНИЕ НЕВЕСТЫ

**В этой истории все — чистейшая правда,
я лишь изменил имена двух главных героев.**

Я прилетел в Нью-Йорк в мае 1979 года с восемью долларами в кармане, тридцатью английскими словами в своем английском «вокабюлари» и с русской пишущей машинкой «Эрика» в руке. Накануне, в Москве, в Шереметьевском аэропорту всесильные гэбэшные таможенники сломали в этой машинке букву «ф» — просто так, на память, чтобы я, эмигрант сучий и жидовская морда, подольше помнил свою географическую родину. И чтобы не мог про эту родину пасквили писать.

Ну, вот. Через месяц эмигрантская нищета и одиночество заставили меня проститься с американской мечтой о собственном доме и вынудили искать компаньона, чтобы снять хоть какую-нибудь дешевую квартиру на двоих. В верхней части Нью-Йорка — в той, которая еще выше Гарлема и из которой тихое бело-еврейское население панически удирает от наводнения громкоголосых пуэрториканцев и доминиканцев — в небольшой организации под названием «Джуиш комьюнити кансул» (райсовет еврейской общины) меня познакомили с таким же, только помоложе, чем я, одиночкой — рыжим, конопатым и круглолицым 27-летним увальнем из Брянска по имени Гриша. И тут же дали нам адресок, по которому как раз квартира недорого сдавалась. Прибежали мы туда, на 181-ую улицу, осмотрели квартиру на четвертом этаже серо-каменного дома, увитого по фасаду пожарными лестницами и намордниками-решетками, подписали контракт и притащили свои вещи — вселились. И тут же, без паузы принялись мыть эту квартиру и драить, травить в ней тараканов, скоблить наросты грязи на окнах и в сортире — короче, все по нормативам первых ступеней эмигрантской жизни. А вечером пошли по соседним мусорным свалкам и притащили свои вещи — веселились. И тут же, без паузы принялись мыть эту квартиру и драить, травить в ней тараканов, скоблить наросты грязи на окнах и в сортире — короче, все по нормативам первых ступеней эммигрантской службы. А вечером пошли по соседним мусорным свалкам и притащили себе оттуда первую американскую мебель — пару матрасов и стульев, стол и телевизор вместо тумбочки. И в полночь, после всех этих трудов праведных, «усталые, но довольные» сели, наконец, на кухне за бутылкой водки знакомиться.

А через час, когда бутылка опорожнилась, я услышал очередную историю «за любовь»: у Гриши в Брянске осталась женщина, русская, но он ее любит безумно и обязательно вытащит сюда, в Америку.

— Старик! Ты не лыбься! Вот увидишь — она будет здесь! Мы с ней договорились! Я не мог на ней там жениться, потому что у нас, в Брянске женатых выпускают в эмиграцию только через два года после регистрации брака — боятся, что мы всех русских женщин увезем из России. Но я тебе отвечаю — я достану ее оттуда, вот посмотришь!..

Конечно, я скептически улыбался. А вы бы не улыбались? Мы сидим в Нью-Йорке, на последние деньги пьем нерусскую водку, под окном орут и танцуют пуэрториканцы, а где-то там, на другой стороне планеты, в затерянном на карте Брянске русская ткачиха Галя будет ждать — чего? Что всесильный Гриша спустится с небес, как Супермен, и увезет ее в Америку?

— Старик, мы с ней разработали план! — убеждал меня Гриша. — Она — секретарь комсомольской организации цеха, ударница труда. Ей дадут туристическую путевку на Запад, в капстрану или пусть даже в Югославию, а оттуда я ее выкраду. Вот увидишь — я повезу ее из аэропорта Кеннеди на своей машине! Не веришь?

— Ладно, — говорю я. — Верю. Пошли спать...

И мы расходимся спать по своим матрасам, брошенным на пол, и чужое черное небо видно нам сквозь окно. Если смотреть не с кроватей, а с пола, то даже в Нью-Йорке можно увидеть звезды в небе. Итак, мы с ним лежим на полу, на чужих американских матрасах, смотрим в черное небо Нью-Йорка, а где-то там, в Брошенной России остались наши женщины, русские женщины, к которым — вздыхай, не вздыхай, и мечтай не мечтай — уже нет возврата...

А жизнь, между тем, катилась дальше. У Гриши она катилась по строгой прямой: он пошел слесарем на завод, стал неплохо зарабатывать, но питался практически одной картошкой и самой дешевой курятиной, экономил даже на кукурузном масле и телефонных звонках, а все сэкономленные деньги относил в банк, на «сэвинг аккаунт» — для поездки за Галей.

Тем временем от этой Гали стали приходить письма — два раза в неделю, а то и чаще. Причем шли эти письма в США кружным путем: Галя посылала их из Брянска в Кишинев, своей подруге, а та отправляла сюда — уже как бы не от Гали, а от своего имени и со своим обратным адресом — кишиневским. И Гриша отвечал тоже по кишиневскому адресу. Таким образом, бдительное Брянское КГБ, как считал Гриша, не могло засечь Галину переписку с заграницей, с эмигрантом, и ничто не могло помешать ей, ударнице труда и комсомольской активистке, получить разрешение на туристическую поездку в какую-нибудь капиталистическую страну.

Получив Галино письмо, Гриша убегал в свою комнату, читал его там и перечитывал, танцевал с ним, а на ночь клал под подушку, и утром, перед работой, заглатывая чай с хлебом, снова перечитывал это письмо на кухне и — просветленный — убегал на работу. Мне этих писем Гриша не показывал, только изредка цитировал короткие намеки на то, что «с отпуском еще неясно, все время откладывается» — то есть, туристическая Галина поездка все откладывалась, но — значит, не отменялась все-таки!

Как-то накануне Галиного дня рождения Гриша пришел в мою комнату и сказал, глядя в некотором сомнении на то, как я беспрерывено стучу на пишущей машинке:

— Слушай, ты, писатель. Помоги написать Гале поздравление с днем рождения. Только чтоб красиво было...

— Ну-у, я не знаю, какой у вас стиль переписки, — сказал я лукаво.

— Обыкновенный стиль. Можешь посмотреть... — и он принес мне пачку Галиных писем, аккуратно перевязанных голубой ленточкой.

Я взял наугад несколько листков, развернул и... обомлел! Боже мой, чего там только не было, на этих листках! Целующиеся голубки и голуби, которые летели друг к другу из разных углов письма! Всяческие «жду ответа, как соловей лета» и «лучше вспомнить и взглянуть, чем взглянуть и вспомнить!». И каждое письмо начиналось со слов: «Дорогой мой, ненаглядный голубок Гришенька! Целыми днями и ночами я все думаю о тебе — как ты там? сыт ли? обут ли? одет ли? А когда приходит твое письмо — это солнышко в мое окошко стучит...»...

Я употребил все свои способности на сочинение поздравления с днем рождения, но не думаю, что достиг таких высот и такой голубиной нежности...

Между тем время шло — месяц за месяцем.

И вдруг однажды среди ночи — телефонный звонок. И Гриша — уже не конопато-рыжий, а белый даже в ночной темноте — вваливается в мою комнату и говорит, стуча зубами:

— Это звонила Галина подруга! Из Кишинева! Галя вчера выехала в Финляндию! Старик, что делать?! Понимаешь, ей не дали путевку в капиталистическую страну! И даже в Югославию — не дали! А в Финляндии не сбежишь, они там не дают политическое убежище, они возвращают беженцев Советскому Союзу! Что делать?!.

— Хорошо, пусть она не бежит в Финляндии. Вернется домой и поедет в другую поездку, в капиталистическую страну...

— Ты с ума сошел?! Когда?! Не раньше чем через два года! Ты забыл наши порядки? Боже мой, что делать?!

— Подожди, успокойся. На сколько она поехала в Финляндию?

— На 12 дней. Два дня в Хельсинки, остальное — автобусом по стране. Маршрут им не сказали. Господи, что мне делать, что делать?!! Как найти ее?..

— Да успокойся ты! Галя позвонит из Финляндии и скажет, как ее найти. У нее же есть твой телефон.

— Как она позвонит? Ты что? Обалдел? Это же комсомольская делегация! В одиночку никто не может никуда пойти, даже в туалет! Все, я не иду на работу, я сижу у телефона, круглосуточно! Хотя нет! Ты сидишь у телефона, все равно ты не работаешь. А я бегу оформлять травел-документ. Сколько может стоить билет в Хельсинки?

Так началась эта эпопея. Мир в это время громыхал совсем другими событиями. Иранские террористы охотились за своим сбежавшим шахом. Хомейни захватил американских заложников. Газеты пестрели беспомощными протестами Картера. Вся Америка считала дни, проведенные нашими дипломатами в плену у Хомейни. Где-то на секретном полигоне шли тренировки американских десантников и готовились самолеты и вертолеты для рейда в Тегеран...

А в крошечной нью-йоркской квартире Гриша и я разрабатывали свою операцию. Расстелив на полу купленную только что крупномасштабную карту Финляндии, мы ползали по ней, рассуждая куда и как бежать, если Галя все-таки позвонит, где и как переходить финскую границу — если Галя все-таки сбежит. Мы обзвонили всех знакомых в поисках человека, который бывал в Финляндии и мог бы дать толковый совет. Но такого человека не нашли...

А дни шли за днями — пятый день Галиного пребывания в Финляндии, шестой... Телефон молчал. Восьмой день, девятый... Гриша уже не брился и сразу после работы заваливался на диван возле телефона, мрачно курил.

— Если бы я знал, где она! — вскрикивал он иногда, вскакивая с дивана, и начинал бегать по комнате. — А то как же я могу ее там найти? Как? Прилететь в Хельсинки, прийти в советское посольство и спросить — где тут комсомольская делегация из Брянска? — И он снова валился на диван и в который раз пересчитывал свое состояние — 1300 долларов, все, что собрал.

На десятый день, когда уже стало совершенно очевидно, что все пропало и потеряно, и Гриша ушел на работу, — в 10.30 утра в нашей квартире прозвучал звонок. Я снял трубку. Мужской голос сказал по-русски, но с легким певучим нерусским акцентом:

— Гришу, пожалуйста...

— Его нет. Что ему передать?

— А кто это говорит? — осторожно спросил голос.

— Это его сосед. Скажите, что ему передать? Кто звонит?

— Передайте, пожалуйста, что она сегодня приехала в Сууками, а послезавтра уезжает домой насовсем. В Сууками она живет в отеле «Норд». До свидания.

И — гудки отбоя, я даже не успел, как следует освоить, что все это — реальность, а не мираж — так быстро и коротко были сказаны эти несколько слов.

Я позвонил Грише на работу и через полчаса в десятый раз повторял ему все, что слышал по телефону, а он бегал по квартире и кричал:

— Это провокация! Она не могла никому там довериться! Она не могла никому сказать в Финляндии о том, что я должен прилететь и выкрасть ее! Она не могла никому дать мой телефон! Я же знаю Галю! Она меня и под пыткой не выдаст! Ты уверен, что это был мужской голос, а не голос Гали?

— Я еще пока в своем уме...

— Но тогда это провокация КГБ! Они каким-то

образом узнали! И они хотят заманить меня в Финляндию и накрыть нас обоих при попытке побега! Все! Я отключаю телефон, я не лечу ни в какую Финляндию! В конце концов, у меня в России остались родители — я не могу ими рисковать...

— Ты можешь выключить телефон, и ты можешь не лететь в Финляндию, — сказал я тоном мудрого одесского раввина. — Но запомни: если ты не полетишь, в твоей жизни не будет дня, когда ты не будешь себя презирать за трусость. И в ее жизни не будет дня, когда она не будет презирать тебя за трусость.

— Но это же не она звонила! — закричал он. — Это КГБ! Они раскололи Галину кишиневскую подругу или, я не знаю, Галя выдала себя как-то, и теперь они просто заманивают меня в Финляндию! Это ловушка, ты понимаешь?

— Идиот! Подумай: ну на кой хер ты им нужен? — сказал я тогда проще, по-брянски. — Ты кто, бля? Солженицын? Буковский? Иранский шах? А теперь послушай самое главное. После этого звонка я позвонил в Вашингтон одному человеку. Он сотрудник ЦРУ, я познакомился с ним в Италии год назад. Конечно, сначала он не хотел говорить со мной на эту тему, он сказал, что они не консультируют частных граждан насчет воровства женщин из стран соцлагеря. Но я рассказал ему, какая у вас дикая любовь, и он дал тебе один совет. Он сказал, что в Финляндии вы не должны пользоваться никаким транспортом, кроме такси. И что ты, если ее найдешь там, должен взять такси и ехать прямо на север, на паром в Швецию. Впрочем, тебе это все уже ни к чему, ты же не летишь в Финляндию. Пока!

И с этими словами я презрительно хлопнул дверью его комнаты и ушел спать.

В шесть утра Гриша без стука вошел в мою спальню. Таким я его еще никогда не видел. Он был серый, как фасад нашего дома, и с воспаленными красными глазами.

— Я лечу, — сказал он мертвым голосом. — Старик,

дай мне твою дорожную сумку. И не провожай меня, сиди у телефона — вдруг она еще раз позвонит. Если я не найду ее там, в Сууками, я тебе позвоню. А если я не позвоню и не вернусь через три дня, то...

— То передай от меня привет Андропову и скажи ему, что эта дорожная сумка моя. Пусть они вышлют мне ее обратно...

Он посмотрел на меня красными от бессонницы глазами, его белые ресницы дрожали от обиды.

— Ну и шутки у тебя, бля!.. — сказал он, хлопнул дверью и уехал на такси в аэропорт Кеннеди.

Все дальнейшее я пересказываю с его слов.

— Старик, я приехал в Хельсинки, и потом автобусом доехал до этого Сууками. Что тебе сказать? Если раньше у меня была ностальгия по России, то теперь ее как рукой сняло! Финляндия — это наша Брянская область, только чуть почище. А все остальное — почти советское. И дома такие же и улицы. Ну разве можно сравнить с Америкой?! Я тебе говорю: я летел обратно, в Нью-Йорк как домой, как на родину! Да, ну слушай. Приезжаю в это Сууками — городишко так себе, как в Карпатах. Спрашиваю на своем английском — где тут отель «Норд». Показали. В центре — трехэтажный отель, перед ним площадь. А уже, между прочим, пять вечера. Вхожу в отель, снимаю номер. Знаешь, там как слышат американскую речь или видят американские документы, сразу все — пожалуйста! Снял номер, спустился в ресторан и сел в углу, у окна.

Через полчаса вижу: пришли два автобуса, остановились у отеля и из дверей — наши, родные, советские — по одежде узнать можно! А между тем в соседнем зале ресторана — там, знаешь два зала ресторанных, в одном я сидел, а второй в глубине, как бы банкетный — так вот, в этом втором зале, я вижу, официанты ужин накрывают эдак человек на шестьдесят. Ну ясное дело — для советских туристов. И представляешь — тут я вижу свою Галю! Идет из автобуса и украдкой по сторонам поглядывает. Прошла в отель. Я сижу — не двигаюсь. А у самого сердце так и колотит, так и колотит! Минут через десять потянулись они ужинать. Я сижу, газетой прикрылся. Меня же в Брянске каждая собака знает. Любой из этих туристов мог меня узнать и стукнуть руководителю делегации... И вот вижу — Галя входит с какими-то девчонками со своей ткацкой фабрики. Увидела меня, мы на миг глазами встретились, и она тут же глаза опустила, и вместе со всеми — прямиком в соседний зал. А я снова сижу, курю — нервы, сам понимаешь, чечетку пляшут. Тут подходит официант, финн, не мой официант, а из того зала, соседнего, но идет прямо ко мне и говорит на чистом русском языке:

«Это я вам звонил в Нью-Йорк. По Галиной просьбе, конечно. В каком вы номере?»

«В тридцать втором», — говорю.

«Идите в свой номер и ждите, она к вам зайдет через полчаса. Теперь самое главное: у нас в стране ей просить политическое убежище нельзя, выдадут русским. Автобусы и поезда вам тоже не подходят — ее через полчаса начнут искать повсюду. Берите такси — вот, на площади, и — через всю страну гоните на север, на паром в Швецию. Там, на пароме, документы не проверяют. Все. Счастливо!»...

Представляешь?! Все сказал точь-в-точь, как тебе сказали в Вашингтоне. Но я все равно не понимал — почему она доверилась официанту? А вдруг он на КГБ работает и они нас нарочно провоцируют? Ну, ладно, двум смертям не бывать, а одной не миновать! Иду я в свой номер, сижу, курю, жду. Дверь приоткрыта. И — вбегает моя Галечка! И — бросается меня целовать. И просит: «Гришенька, не надо никуда бежать, поедем, Гришенька, домой, в Россию, в Брянск! Ну, пожалуйста!»... Представляешь? Она меня просит, чтобы я в Россию вернулся! Для этого я летел в Финляндию?!

«Хорошо, — говорю я ей. — Сейчас мы с тобой поедем. Домой поедем, в Америку. Через Швецию. Значит так, говорю, слушай меня внимательно. Я выхожу из отеля.

Один. Напротив отеля, на площади стоит такси. Я сажусь в такси. Через две минуты выходишь ты и садишься в это же такси. Все. Если ты не выйдешь, ты меня больше никогда не увидишь! Ясно?»

«Хорошо, — говорит. — Гришенька, я только за своим чемоданом сбегаю в свой номер...»

«Никаких чемоданов! — говорю. — Ты что с ума сошла?! С чемоданом они тебя сразу прихватят! Вот в чем ты есть, в том и выходи. Все».

«Но у меня там вещи, одежда!»

«Дурочка! Я тебе в Америке пять таких чемоданов куплю. Все. Я пошел. Я тебя жду!»

Поцеловал ее и вышел. У самого поджилки трясутся — пойдет ли за мной? Прошел через площадь, сел в такси, жду. Таксист спрашивает что-то по фински, а я ему по-английски «вейт», ждите. А сам смотрю через стекло на дверь отеля — выйдет или не выйдет? Минута проходит, две, у меня мурашки по коже. Вышла. В одном пальто и сапожках. И через площадь идет к такси. Знаешь, я эти ее пятьдесят шагов никогда не забуду! Я их считал, клянусь...

Ну вот, села в такси, захлопнула дверцу. Я выдох сделал и говорю водителю: «North! Sweden!». Мол, на север, на паром в Швецию. Он завел свой «Мерседес» и — мы поехали! Если они ее и искали, то откуда им знать, что у нее есть деньги на такси через всю страну с юга на север проехать?!

Ну, она отплакалась у меня на груди, нацеловались мы с ней, и она рассказывает: «Гришенька, я уже думала — все, не увижу тебя! Десять дней как в бреду езжу по этой Финляндии, а Финляндии не вижу. От своих отойти не могу — в одиночку никуда не пускают, даже к телефону-автомату подойти нельзя, спросят : «Кому звонишь?». А кроме того, тут телефоны совсем не такие, как в СССР. Как ими пользоваться не знаю и спросить не у кого... Вчера в это Сууками приехали, что делать — не знаю, полтора дня до отъезда осталось, они ведь завтра утром в Союз уезжают, прямо автобусом через Выборг. И тут смотрю — официант по-русски разговаривает. Ну, думаю, кагэбэшник, наверное. Но он так шутит антисоветски, знаешь — все время подначивает, особенно когда наши жлобы со стола все к себе в сумки сметали. Он же видит и еще им с кухни приносит — издевается. Ну, я и решилась — сделала вид, что чай допиваю, последняя осталась за столиком и говорю ему, когда все наши ушли: «Вы можете в Нью-Йорк позвонить за мой счет?» И знаешь: он сразу все понял! «Жених?» — говорит. И, представляешь, даже не взял денег за этот телефонный звонок. «Если, говорит, сбежишь к нему, я к тебе в Нью-Йорк в гости приеду». А я даже не знаю, как его зовут...»

Короче, старик, в час ночи мы к парому приехали. Купил я билеты в кассе, стоим мы с ней на причале и наблюдаем — проверяют у пассажиров документы или не проверяют? Если бы проверяли — значит, все — ее ищут. Но там, представляешь, ни пограничников, ни полиции! Граница между государствами называется! Идем на посадку самыми последними, показываем билеты и проходим на паром. Какой-то полицейский прошел по палубе — я холодным потом покрылся. Но отплыли, наконец! Как мы эту ночь провели — не могу рассказать! Она то плачет, то смеется, то мы целуемся, то говорим без умолку — никак нервы не отходят! В шесть утра мы выходим в Стокгольме. И тоже никто документы не проверяет. Европа! До девяти гуляли по городу, кофе пили — я тебе скажу, с американскими долларами везде все открыто, это просто счастье американцем быть, клянусь!

В девять утра садимся в такси, я говорю шоферу: «Американ эмбаси!». Приехали мы в американское посольство и пошли сдаваться, то есть просить для Гали политическое убежище. Я же идиот — я не знал, что сам-то я без шведской визы не имею права в стране находиться! Короче, нам там говорят: дуйте, ребята, в шведскую полицию, и пусть Галя у Швеции просит политическое убежище. Зря, говорят, вы два часа по городу болтались, мало ли, говорят, на кого могли напороться, тут гэбни больше, чем в вашем Брянске. Потом позвонили куда-то, дали нам адрес полиции, и мы на такси — туда. А там мне говорят: поскольку ваша невеста сбежала от советского режима и просит у нашего правительства политическое убежище, то она теперь в Швеции находится легально. А поскольку у вас, господин Кацнельсон, нет шведской визы, то вы в нашей стране нелегально! И в двадцать четыре часа должны покинуть Швецию, иначе будете арестованы! Ну, а после того, как так строго предупредили, сразу стали улыбаться, пожали мне руку, поздравили, что я невесту под носом у КГБ украл. И тут же отправили нас в отель — с понятием все-таки оказались ребята. Ну, и мы с ней, конечно, как пришли в отель — сразу в постель, но сна, конечно, ни в одном глазу, сам понимаешь — дорвались друг до друга через железный занавес! Я думаю, что там в отеле стены шатались и полы прогибались от нашей любви. Но шведы все-таки народ выдержанный: когда мы с ней в перерывах из отеля на улицу выходили, швейцары нам только кланялись и улыбались: «Конгратюлэйшен!» Ага! Шведы, невозмутимая нация.

Ну, а я в этих перерывах водил свою Галочку по Стокгольму — все показывал и рассказывал, как на западе жить, как телефоном пользоваться, как то спросить, это. И купил ей все, что нужно на первое время. А после каждого часа прогулки мы снова в отель, и — сам понимаешь, на шведских простынях, в шведском отеле, я, Кацнельсон из Брянска, любил свою русскую невесту Галечку, да так яро и крепко, что там стены дрожали на весь Стокгольм...

А назавтра оставил ей денег и сумку твою, а сам вот так, в одной дубленке — опять на паром, в Финляндию. Еду по Финляндии в Хельсинки и дрожу — черт их знает, думаю, а вдруг мои фотографии тут уже у всей полиции? И только когда в аэропорту поднялся на американский «Боинг» и сел в кресло — все, отпустило. Ну, думаю, дома!

Отсюда меня уже никакое КГБ не утащит! А тут стюардесса дринки разносит, выпивку. Я ей говорю: «пауэр бренди». А она приносит — наперсток, тридцать граммов. «Ноу, говорю, гив ми тзе фуул глас оф бренди, плиз!». Ну, она тащит полный фужер бренди и смотрит, что я буду с ним делать. А я ничего — выпил залпом, одним глотком. Утерся кулаком и, знаешь, легче стало, уснул сразу, все-таки я трое суток ни минуты не спал. Проснулся над аэропортом Кеннеди — даже не знаю, садились мы на заправку где-то или не садились. Увидел сверху Нью-Йорк — ну, как дом родной, клянусь, дороже Брянска...

* * *

А в это время американский десант не долетел до Тегерана и не освободил американских заложников. Может быть, потому, что не было с ними Гриши — простого русского эмигранта.

* * *

А спустя три месяца прилетела к Грише его возлюбленная Галя. Из Швеции. И Гриша встречал ее в аэропорту имени Кеннеди на своей машине, как и обещал мне в первый вечер нашего знакомства. И мне пришлось искать себе другое жилье, чтобы не мешать их голубиному счастью.

А еще через полгода эмигрировали из СССР Гришины родители. И в том же аэропорту имени Джона Кеннеди Гришина мама, выйдя из самолета, сказала сыну:

«Зачем нужна была тебе эта гойка? Даже из брянского КГБ приходил к нам уполномоченный и удивлялся: неужели ты не мог в Америке найти себе еврейскую невесту?»

ЧТО Я ПОМНЮ О ГАЛИЧЕ

Когда меня попросили выступить на вечере памяти Александра Аркадьевича Галича, я согласился без колебаний. Потому что знал его много лет, мы месяцами жили с ним бок о бок в домах творчества кинематографистов «Болшево» и «Репино», виделись по три-пять раз на день, играли на бильярде, пили коньяк, слушали «Немецкую волну» и «Голос Америки» — знать бы тогда, что через несколько лет судьба вынесет меня на нью-йоркский вечер памяти Галича! — записал бы, запомнил, отложил в памяти десятки деталей, диалогов, реплик...

А теперь я старательно распутываю только те узелки памяти, которые завязались сами собой, теперь я стараюсь сквозь годы рассмотреть подробности тех встреч — там, на той стороне земного шарика.

Был 67-ой год. Москва. Я был начинающим сценаристом, с одним или двумя неудачными фильмами, но настырно продирался в кинематограф — под мышкой у меня был тот самый сценарий «Ошибки юности», который через десять лет стал запрещенным и арестованным фильмом — я уже рассказывал о нем не так давно в НРСлове. Но тогда до фильма был далеко, да и сценарий был рыхловат, хотя и дерзок — одиссея разночинного эгоиста, талантливого деревенского парня, который не может найти себя в ударных буднях СССР. Но был, повторяю, 67-ой год, последний год «оттепели», самое модное роммовское объединение «Мосфильма» заинтересовалось этим сценарием и даже заключили со мной договор, и даже — послали меня тогда на десятидневный семинар молодых драматургов в подмосковный дом творчества «Болшево». Там нас, молодых сценаристов, разбили на группы по четыре-пять человек и каждой группе назначили опытного драматурга-руководителя. Я попал в группу Галича.

Была короткая, как бы мартовская оттепель в общественной жизни, но мы-то думали, что это уже просто настоящий май на носу, и все — учителя и семинаристы — верили в наступление каких-то иных, свободных веяний в советской жизни. И вот я помню Галича тех дней.

Высокий, широкоплечий, без малейшего намека на ту обрюзгшесть, которая появилась потом, а наоборот — здоровый, подтянутый, с развернутой грудью, с пышной шевелюрой, взлохмаченной над еще неглубокой залысиной, а главное — с каким-то внутренним ощущением вседозволенности в творчестве. Уж не помню, что конкретно говорил он мне по отдельным эпизодам моего сценария, помню, что детали, ремесленные подробности построения сцен или фабулы его не интересовали, он даже как-то брезгливо-пренебрежительно говорил о тонкостях ремесла и профессии сценариста, но зато призывал нас как бы вообще писать свободней, раскованней, с плеча и без оглядки.

Он тогда только-только входил в свою песенную стихию и славу, еще и сам не очень верил, мне кажется, что это у него будет всерьез и надолго, но было и ощущение, что вот он чувствует внутри себя какую-то волю, творческую раскованность, словно открыли вдруг окна темного хлева, и человек, сидевший в темноте, щурится на солнечный свет и угадывает за порогом вольные поля, запахи свежих трав и бездонность глубокого неба, ко которому — «облака плывут, облака»... — щурится на все это человек, видит, что можно уже выскочить наружу и бежать куда хочешь, и кувыркаться, и петь, но ... еще сам себе не верит — а можно ли? Будет нечестно, если скажу, что от наших семинарских занятий я сохранил еще что-то — какие-то примечательные детали, «исторические подробности». Нет. Больше того, помню как раз чувство досады — меня интересовали тогда конкретные рекомендации по этому конкретному сценарию, а Галич говорил вообще о жизни, о вольном творчестве и больше звал в лес, на прогулки, на речку Яузу, чем к пищущей машинке.

А время шло. И очень скоро — в 68-69-х годах оттепель сразу перешла в длительные устойчивые морозы. Но Галич уже глотнул воли, уже взял свою ноту и остановить его было нельзя. Песни его пошли по стране, и то, что казалось нам просто «хобби Галича», песенками и гитарным звоном под бутылку хорошего коньяка, с которыми он приходил по вечерам в чью-нибудь комнату в доме творчества на очередной «сабантуй», — именно эти «песенки» стали вдруг общественным явлением союзного масштаба.

Я был далек от подробностей его жизни. Я мотался по сибирским газетным командировкам, по заполярным стройкам, и там — где-нибудь возле Диксона, например, или Норильска вдруг слышал то в рабочем, то в летном общежитии магнитофонные пленки со знакомым голосом: «Облака плывут, облака...» Тем не менее, прямо скажу, меня эти стихи под гитару не задевали тогда глубоко. Ну — мода, ну — некое фрондерство, но тогда не один Галич так начинал — и Ким Рыжов, и Высоцкий, и еще кто-то уже забытый...

Так прошло года два-три. Заранее прошу снисхождения у историков — у меня нет уверенности в точности дат, только помню еще один семинар — точно такой же семинар молодых драматургов, но уже не в Болшево, а в Репино под Ленинградом.

Снова был апрель, Финский залив отмерзал под солнцем, и мы — человек 45-50, собравшись, ждали Галича. Я хорошо помню, что теперь мы вправду ждали его приезда уже не как ординарного учителя драматургии, а как некое общественно-значимое лицо. Все знали, что он сейчас в Новосибирске, в Академгородке, где проходит почти полуофициальный Всесоюзный конкурс бардов. Кажется, даже два информационных органа сообщили тогда об этом — газета «Московский комсомолец» и «Голос Америки», де — в Новосибирске, в Академгородке проходит всесоюзный конкурс бардов-песенников, в конкурсе принимают участие Ким Рыжов, Галич... Позже кто-то из сибирских кинематографистов рассказывал мне, что, пользуясь неразберихой на студии кинохроники, снял весь конкурс на плёнку и даже смонтировал сюжет для всесоюзной хроники «Новости дня», но в последний момент сюжет запретили и пленка теперь валяется неизвестно где. А тогда... Тогда, в те апрельские дни, как лозунг новых темных времен, поползла с того конкурса уж не знаю чья (не Галича) песня, гимн советского слепого:

«А я ни-че-го не вижу И — видеть не хочу!..»

Шли новые времена закручивания гаек, и это тоже была чья-то общественная позиция — ни-че-го не видеть.

И вот я помню этот апрель в Репино. Я помню стеклянно-прозрачную столовую, залитую солнцем и пронизанную хвойным настоем окружающих лесов и морозно-льдистым озоном оттаивающего Финского залива. Мы завтракали -семинаристы и учителя — известные советские кинодраматурги.

И вдруг вошел Галич.

У него был какой-то внутренне-просветленный вид, словно он нес в себе Нечто.

Сказку?

Новую песню?

Звонкость сибирских морозов?

Хрупкое знание вечности?

Помню, как он стоял несколько секунд в проеме двери — весь еще неприлетевший, наполовину там — еще в Новосибирске. Потом он подсел за наш, ближайший к двери столик, съел традиционный домтворческий завтрак и, видя, что мы не знаем еще главного события конкурса бардов, не удержался, достал из «дипломата» свернутый в трубочку диплом и какую-то плоскую коробочку. И сказал, стеснительно улыбаясь:

— Я вам прочту сейчас, ладно?

И прочел нам диплом Первого (и последнего) Всесоюзного слета бардов. Я не берусь дословно передать весь текст — не запомнил, о чем сожалею крайне. Но ручаюсь за смысл. Там было написано примерно так:

— Дорогой Александр Аркадьевич Галич! Всесоюзный слет бардов и Музей искусств Академгородка приветствуют в Вашем лице крупнейшего поэта наших дней, который одним из первых поднял свой голос во мраке и безличии нашего времени. Ваши песни «Караганда», «Пастернак» и «Похороны Ахматовой» навсегда войдут в золотой фонд русской публицистической и гражданской поэзии. Спасибо Вам, что в эпоху нового гнета Вы сумели в своих песнях подхватить уже почти уроненную традицию некрасовской гражданской поэзии. Единогласно признавая Ваш дар первого современного поэта и барда России, жюри Всесоюзного конкурса бардов и Музей современного искусства сибирского Академгородка преподносят Вам в дар серебряное перо Некрасова».

И тут Галич открыл эту темную плоскую коробочку-футляр и мы увидели — из темного серебра старинное гусиное перо лежало на сером бархате. Стесняясь, явно чувствуя неловкость от значительности такой исторической эстафеты, Галич рассказал, что в свое время золотым гусиным пером был награжден от литературного, кажется, общества Александр Пушкин, а затем к пятидесятилетию со дня рождения литературная общественность России решила таким же — только серебряным — пером наградить Некрасова, и вот по форме пушкинского пера было отлито некрасовское, серебряное. Музей Академгородка отыскал это перо у дальних родственников Некрасова, приобрел и хранил, а теперь — преподнес Галичу за его песни, а конкретно — за «Караганду», «Пастернак» и «Похороны Ахматовой».

Честно говоря, от этого дух захватывало и что-то игольчато-звонкое, вневременное вошло в стеклянно-солнечную столовую Дома творчества. Темно-серебряное, величиной со столовую ложку гусиное перо самого Некрасова лежало перед нами на банальном обеденном столе, и было что-то неестественное, неисторическое, когда Галич закрыл коробочку и коротким жестом сунул ее во внутренний карман пиджака.

В самый исторический момент биографии люди чаще всего делают банальные жесты, но, помнится, я успел подумать, что вот, пока мы стучим на своих пишмашинках «Москва» и «Колибри», Галич пишет пером Некрасова...

Конечно, мы устроили в этот вечер крепкий сабантуй. И Галич пел. «Караганду», «Пастернака», «Похороны Ахматовой». Я слышал их тогда впервые -не песни, а скорей речитатив, судебный приговор русской поэзии тому времени, в котором мы жили. Справедливость решения жюри конкурса бардов была очевидна. И я думаю, что это был пик творчества Галича, и на этой вершине перо Некрасова слетело ему на плечо, как знак избранности и отличия, как Божий знак.

Блажен поэт, которого современность отметила вдруг такой признательностью, но и трудно, я думаю, ох как трудно простому смертному, любителю жизни, застолья и женского внимания соответствовать этой избранности...

Вся дальнейшая жизнь Галича, которую я видел в Домах творчества, все остальные годы до его отъезда, были, мне кажется, порой борьбы этой избранности и обыденной жизни, незащищенной от будничных нужд и хлопот. Водил ли он нас — добровольцев на могилу Анны Ахматовой (помню, шли мы за ним цепочкой по репинским тропам, и он один знал дорогу и привел нас к простой ее могиле), гуляли ли мы средь белок в Репинских пенатах, пили ли водку в болшевском доме творчества, где с быстрыми годами обрюзгший Галич снова пел под гитару «Облака» и «Караганду» — не было выше того момента, когда звонко-тяжелое некрасовское перо лежало перед нами на столике в Доме творчества «Репино». Он взял тогда самую высокую, самую возвышенную ноту русской поэзии, и некрасовское перо повело его дальше — наперекор всему, что было в нем от его же собственного догалического конформизма, наперекор соблазнам и перспективам создания с Марком Донским фильма о Шаляпине, наперекор всему новому конформизму, который растекался вокруг — это перо повело выше этих соблазнов и увело в эмиграцию.

Я помню, как не хотел он вновь писать конформистскую киношную жвачку, я помню, как уже с утра сторожил его в Болшево возле коттеджа Марк Донской, чтобы не улизнул Галич в магазин, и я помню, как, будто заарканенный, тащился Галич вслед за Донским из столовой по протоптанной в снегу тропе назад в коттедж, к пишущей машинке... Но — стоп! Не всяко лыко в строку... Есть у Эмиля Верхарна в книге о Рембранте мысль о том, что искусствоведы, как мыши изгрызли даже бухгалтерские книги художника, куда заносил Рембрант счета своей нищеты. Я не искусствовед, и ради светлой памяти Александра Аркадьевича предпочитаю рассказать только о светлых днях его жизни, которым был почти случайный свидетель.

«Новое русское слово»
Нью-Йорк, январь 1980г.

СТАНИСЛАВ ГОВОРУХИН КАК ЗЕРКАЛО РУССКОГО ОТЧАЯНИЯ

Репортаж из России, ноябрь 1993 года *

Сегодня, когда я пишу эти строки, в России нет человека знаменитей кинорежиссера Славы Говорухина. На него молятся, как когда-то на Кашпировского, его проклинают, как Жириновского, на него грозился подать в суд (или уже подал) первый вице-премьер Егор Гайдар, а президент Борис Ельцин пытался через Третейский суд запретить демократической партии Травкина-Говорухина баллотироваться в Думу — за «оскорбление правительства».

И всё потому, что 24 ноября в получасовом выступлении по первой программе московского телевидения Говорухин почти впрямую назвал ельцинское правительство правительством негодяев, которые разворовывают и распродают Россию, а Егора Гайдара обвинил в том, что в ночь с 3-го на 4-ое октября тот изъял из Центрального банка 11 миллиардов рублей и этими деньгами заплатил-де солдатам за расстрел российского «белого дома».

Через день после этого сенсационного выступления, в пятницу 26 ноября я был у Говорухина дома, в его небольшой трехкомнатной квартире на окраине Москвы, в одной из холодных бетонных башен на улице Пилюгина, что возле Германского консульства. Мой визит не был журналистским, а был данью традиции: мы с Говорухиным дружны более тридцати лет — с веселого и полуголодного

---

* Опубликован в нью-йоркской газете «Новое русское слово» в декабре 1993 г.

четвертого этажа студенческого общежития ВГИКа, где обитали в то время и Коля Губенко, и Валера Рубинчик, и Эмиль Лотяну, и Виктор Трегубович и еще дюжины будущих мэтров российского кино и театра. А выше нас, на пятом этаже, цокали стоптанными каблучками по коридору и, завернувшись в бумазейные халатики, варили на общей кухне кофе и яйца всмятку студентки актерского факультета. И там, в той «общаге на Яузе», мы с Говорухиным с неравным (в его пользу) счетом приударяли за этими будущими звездами советского кино, и принимали по утрам кефир и сосиски, а по ночам — что Бог послал. Впрочем, вру — Слава уже тогда был сибаритом, курил трубку с дорогим голландским табаком и предпочитал французский коньяк и другие экзотические напитки. А я курил «Шипку» и коньяк пил армянский. Зато по женской части наши вкусы странным образом совпадали почти абсолютно, что приводило меня к горестным поражениям, а его — к легким победам. Да и как те юные кинозвездочки могли устоять перед Говорухиным — взрослым и статным режиссером-геологом с повадками капитана дальнего плаванья? Спокойно, уверенно, поглаживая усы и держа на плече суконное одеяло, он уводил очередную звезду в лес за станцией «Яуза», а я, кусая губы, смотрел им вслед из окна нашей 412-ой комнаты. И потом, после ВГИКа, в доме творчества «Болшево» и на одесской киностудии он, как Руслан, легко уводил с моих глаз очередную Людмилу в свои говорухинские чертоги...

Но это не мешало нашей дружбе.

И даже когда судьба и эмиграция развели нас по разным континентам, Слава -едва гласность открыла дорогу на Запад — одним из первых нашел меня в Нью-Йорке и мы отметили нашу новую, через 11 лет встречу — где бы вы думали? — конечно, в «Самоваре»! С тех пор, когда бы он ни приезжал в Штаты снимать Солженицына, или я в Россию, один вечер мы проводим вместе, невзирая на самое напряженное расписание наших поездок. Я думаю, что эти встречи — не только дань ностальгии по молодости, но и жадное желание узнать, кто ты теперь, что собой представляешь. И тут я должен сказать, что взлет говорухинской славы после его фильма «Так жить нельзя» был для меня как бы и моим долгожданным праздником — праздником нашей 412-ой комнаты! А ведь ничто до того не предвещало в Говорухине такого народного трибуна и такого страстного публициста. Наоборот, сразу после ВГИКа он сделал «Вертикаль» — фильм, главным героем которого были песни Володи Высоцкого, в то время еще малоизвестного и полузапрещенного. «Вертикаль» легализовала Высоцкого, дала ему всесоюзную славу, а Славе — возможность делать в кино почти все, что хочешь. Но вместо того, чтобы снимать какой-нибудь колосс типа «Освобождение Европы» или «Тихий Дон», Слава стал снимать «Робинзона Крузо», потом «Негритят» по Агате Кристи, потом... Иными словами — он молча, демонстративно уходил от соцреализма и соцреальности, от общения с советской властью, от обслуживания ее. Он жил не по лжи. Но не в жертвенном самосожжении борьбы с режимом, нет, а снова как сибарит — на окраине империи, на одесской студии и одесских лиманах, в славной компании капитанов одесского черноморского пароходства. То есть — как бы в автономном от политики плавании...

Тем неожиданней (и радостней для меня) было именно от него услышать и увидеть столь громкий, мощный крик на всю страну: «ТАК — ЖИТЬ — НЕЛЬЗЯ!!!» И оказалось, что — отстраняясь от режима, стараясь жить вне его, сибаритствуя Робинзоном Крузо, покуривая голландский табак и поигрывая с кинозвездочками, — все копил в себе Слава Говорухин горький отстой российского бытия. А как только гласность разлепила рот, так и выкрикнул, взвыл по-русски:

— Так дальше жить нельзя, мать вашу в три креста! Нельзя быть рабами режима! Нельзя превращаться в скотов!

И — Россия выкрикнула это вместе с ним, словно, подойдя к последней черте терпения, стукнула кулаком по столу.

А потом, откричавшись, вздохнула по «России, которую мы потеряли». Но в этом фильме-вздохе уже был другой Говорухин — Говорухин, которого я не знал, который удивил меня до оторопи:

«Ни Ленинский, ни Сталинский режимы, ни Гитлер, ни Саддам Хусейн не могли бы возникнуть, а возникнув, не продержались бы и недели, если бы не молчаливое согласие Запада.

В этом суть шкурнической западной демократии.

Вот эти люди перед зданием Конгресса, с плакатами и флагами в руках — о чем, думаете, они кричат?

«Не пустим наших детей в Саудовскую Аравию!»?

Как бы не так. На самом деле они кричат:

«Свободу Саддаму Хусейну! Развяжите ему руки! Дайте ему доделать атомную бомбу! Ну и что ж, что в ядерной катастрофе погибнет весь мир. Зато все! А не только наши дети!»

Это из сценария говорухинского фильма «Россия... которую мы потеряли». До оторопи, как из газеты «Правда», «реалистичная» картинка нашего американского бытия.

Впрочем, читаем дальше у моего друга Славы Говорухина:

«Между тем, история вроде бы говорит, что Запад не раз помогал нам. Огромна и недооценена советскими историками его роль в победе над фашизмом. Но надо ли объяснять, что Запад спасал в этой войне самого себя — то есть, опять-таки помогал себе. И едва кончилась война, как открылось истинное лицо западной демократии...»

Поразительно, правда? Я, во всяком случае, поражен этой требовательностью российской души к Западу: раз вы во время войны спасали не только нас, но и самих себя, значит, вы шкурники, двуличные сволочи, а ваше истинное лицо -мерзость!

Как будто маршал Жуков, ефрейтор Егоров и рядовой Кантария штурмовали Берлин из чистого альтруизма, только ради того, чтобы спасти старушку Европу и немцев от Гитлера. А водрузив над рейхстагом алое знамя свободы, тут же, как паиньки, домой ушли, в пензенские деревни.

«Сегодня Запад активно помогает нам, — писал Говорухин в 1991 году. -Инвестициями, советами, рождественскими подарками. Что ж в этом плохого?

Погодите. За 5 лет перестройки внешний долг СССР возрос с 5 миллиардов до 60 миллиардов рублей. На 55 миллиардов. И экономическое положение страны ухудшилось за это время примерно в 55 раз.

Значит, займы бесполезны. Зная, что они бесполезны, Запад продолжает их давать. Зачем? Выгодно. Выгодно иметь бедного соседа. А еще выгодней -бедного и кругом в долгах. Такой никогда не станет конкурентом...»

Вот такая логика! И не только у Говорухина, стал бы я «стучать» на своего друга в газету, если бы это была только его, Говорухина, логика! В конце концов, мало ли глупостей и я написал в своих собственных книгах! Но в том-то и дело, господа, что мои глупости — это только мои глупости и ничьи больше. А вот мой давнишний друг Слава Говорухин — зеркало незамутненной и широкой русской души, голос миллионов, которые 12 декабря 1993 года пошли к избирательным урнам и выбрали — ну, вы уже знаете кого. Не Явлинского, не Говорухина и не Травкина, а — самого товарища Жириновского в совокупности с комрадом Зюгановым! Потому как они еще хлеще Говорухина виноватят Запад в том, что тот займами спасал себя — откупался от российских ястребов типа Огаркова, махавших ядерной дубинкой над всем миром и без зазрения совести сбивавших пассажирские самолеты. И это Запад виноват в том, что давал в долг горбачевской бюрократии, которая эти займы прикарманила или пустила в трубу российской безалаберной экономики. И это Запад виноват в российском разгильдяйстве, пьянстве, хамстве и продажности чиновников, разворовывающих и продающих страну. Запад виноват, конечно, Запад. А кто же еще? Неужто в зеркало надо глядеть, чтоб найти виноватого?

* * *

Первый репортаж из-под стен московского мятежного «белого дома», который Александр Грант опубликовал в Нью-Йорке, в «Новом русском слове», сопровождала лихая фотография: ваш покорный слуга, то бишь я, вздымая кулак и нагло ухмыляясь, стоит в первой шеренге коммунистов, митингующих под трибуной только что распущенного Ельциным парламента...

Да, так мы с Грантом развлекались в ту историческую ночь с 21-го на 22-е сентября 1993 года. «Случившись быть в те дни в Москве», мы примчались к «белому дому» на такси, весело, как на историческую оперетту или на костюмированный шабаш коммунистических ведьм. Я уже как-то писал, что в ту сырую осеннюю ночь на набережной Москва-реки перед «белым домом» было около сотни пожилых мужчин, похожих больше на алкашей и обитателей московских пивных, чем на борцов за светлое будущее и коммунизм с человеческим лицом. А в тылу «белого дома» несколько сотен таких же подмосковных хмырей, осененные красными знаменами, флагами «Памяти» и самодельными плакатами «Ельцин — враг народа!» и «Ельцин — наймит Клинтона!» толпились под бело-гранитной (или бело-мраморной) трибуной-козырьком, на котором в перерывах меж заседаниями парламента появлялись мордатые депутаты и произносили зажигательные речи о том, что «государственный переворот осуществлен Ельциным по сценарию, разработанному в Вашингтоне и с целью продать Россию сионистам, массонам и Клинтону». После каждого такого выступления толпа скандировала «Фашизм не пройдет!» и «Банду Ельцина под суд!», и мы с Грантом фотографировали друг друга на фоне этих зюгановых ораторов и брали интервью у митингующих, похожих на членов плохой киномассовки, перед которой режиссер поставил задачу разыграть большевистский митинг 1917 года.

Убого это было в ту первую ночь — эдакая провинциальная самодеятельность по мотивам революционных киноэпосов Сергея Эйзенштейна, Юлия Райзмана и Сергея Юткевича. Только в постановщиках — ни вышеперечисленных «жидов-космополитов», ни даже Сергея Бондарчука, а лишь — полковник Саша Руцкой со своим верным Русланом Хасбулатовым.

Назавтра этот скучный спектакль «оживили» несколько сот остервенелых пожилых коммунистических ведьм с плакатами «Смерть сионистам!» и «Эльцин — жид!» да первая кровь, пролитая на мокрую от осеннего дождя брусчатку Красной Пресни. Но я про эту кровь еще не знал, я — по традиции — сидел в гостях у Славы Говорухина и возбужденно рассказывал ему и его жене Гале о том, как «вчера мне чуть было мою «жидовскую морду» не набили!» После четырнадцати лет эмиграции эта полузабытая терминология вызывала у меня обильное выделение адреналина и не менее забытую жадность к спиртному.

Но Слава слушал мой рассказ без всякого энтузиазма, молча и хмуро. В трехкомнатной ячейке на верхнем этаже этой шлако-бетонной башни-улея царил ледяной холод (улей еще не отапливали), поэтому говорухинские кошка и собака лежали тут чуть ли не в обнимку на своей подстилке, а Слава расхаживал по квартире в валенках и двух свитерах. Потом, отогревшись водкой и чаем, пошел провожать меня на улицу и только тут, в промозглой ночной темноте пробурчал-признался, что тоже был вчера в «белом доме», но, увидев позорную бездарность, убогость и ничтожество происходящего, отказался выступать, хотя «Саша Руцкой уговаривал» — отказался и ушел домой. И вообще, все, что происходит в этой стране, — мерзость, пакость, бежать бы отсюда, да некуда... Я не дословно цитирую, я никогда не думал, что буду писать о Славе и потому не записывал ни на магнитофон, ни в блокнот, но суть нашего разговора передаю в точности. Пакостно было в те дни на душе моего друга, мерзко. Может, потому что не привык он бросать друзей в беде, а, может, потому, что никогда до того не было у него в друзьях таких бездарей, какими обернулись друзья из «белого дома»... Тем, я думаю, больней (совестливей, что ли?) чувствовал он себя, когда видел расстрел этого «белого дома» из танков. И, словно предчувствуя эту трагедию, теша себя мечтой упредить ее, пошел 3-го октября к «белому дому» — через всю Москву пешком пошел. Да опоздал — макашовцы уже шли ему навстречу, на штурм московской мэрии... Отсюда, — от ожесточенности бессильного пророка — я полагаю, и весь горестный пафос его обличительной ноябрьской речи в программе «Час избирателей» по центральному российскому телевидению.

— Добрый вечер! — сказал он с экранов в миллионах квартир. — Вот мы и дожили до свободных выборов. Смотрю на экраны, кругом — демократическая партия России, Жириновский, Гражданский союз... Умная режиссура — поговорите, мол, ребята, дня три, а потом мы вам покажем, что такое равные возможности. Хорошо представляю, что будет, да и вы все, наверно, представляете, ведь все мы помним пропагандистский шабаш накануне референдума. А ведь в бой еще не вступали главные силы — не выскакивали еще деятели искусства...

Я считаю эти выборы карикатурой на демократические выборы. Сейчас, может, это кому-то непонятно, но через неделю, я думаю, всем станет ясно. И тем не менее я принимаю в них участие, потому что положение таково, что надо использовать любой шанс, даже такой ничтожный, как трибуна в новом парламенте. Хотя я себе прекрасно представляю, каким этот парламент будет. Его можно охарактеризовать по-разному, но все же я бы выделил его главную особенность: конечно, он будет прокоммунистическим. Процентов 10-20 там займут коммунисты ортодоксальные — как раз их почему-то и боятся больше всего. Хотя бояться надо коммунистов-оборотней. Вот их там будет большинство! Во всяком случае, большинство будет руководимо коммунистами-оборотнями — я надеюсь, партийные биографии лидеров правительственных блоков вам хорошо известны. А те, кто не знают, могут поинтересоваться у товарищей.

Да, так вот сегодня, когда рассеянны орды ампиловцев, стала, по крайней мере, ясна расстановка сил. Истинные коммунисты остались только в Кремле, причем — настоящие большевики. И методы у них большевистские — загнать нас в рай ценой неимо-верных страданий всего народа. Помните ленинскую фразу: пусть 90 процентов погибнет, лишь бы 10 процентов дожили до светлого будущего. То же самое и тут! А варварский расстрел идеологических противников из пушек и крупнокалиберных пулеметов — ну, кто, кроме большевиков, способен на это?

Мои товарищи посоветовали мне использовать вот эти тридцать минvт для того, чтобы представить свой новый фильм. Действительно, весь этот год мы снимали фильм, но начали мы его снимать в одной стране, а теперь у нас уже совершенно другая страна, и вдруг выяснилось, что результаты этого журналистского расследования, которое мы ели в течение года, оказались никому не нужны. Как никому оказалась не нужна Комиссия по борьбе с коррупцией. Оказалось, что это была комиссия по борьбе с Руцким. Так и наши разоблачения преступности оказались сегодня никому не нужны. Мы же в этом фильме доказываем, что власти не только не хотят бороться с преступностью, но им и не выгодно бороться с преступностью, они даже поощряют преступность. Главный аргумент апологетов нового порядка следующий: вот посмотрите — все есть в магазинах! Дорого, но есть. Нет, не просто дорого, а очень дорого! Мы объездили всю страну, мы видели такое! Ну вот я собственными глазами видел контракт: читинская фирма заключила с китайским гражданином контракт, по которому мы поставляем им восемнадцать «КАМАЗов», а китайцы нам — 18 тонн жвачки. Так что вы, когда покупаете жвачку, должны помнить, что заплатили за нее дважды: один раз, когда строили КАМАЗ. Помните — вся страна напрягалась. А второй раз — сейчас...

Так вот, все это «изобилие» может очень быстро кончиться. Как только разворуют страну (а мы близки к этому), так кончится и изобилие.

А ведь секрет изобилия простой: нужно, чтобы вся страна хорошо трудилась, умножала и преумножала то, что есть. А не пропивала оставшееся. И при этом нужно, чтобы все кардинальным образом изменилось: трудиться хорошо должно быть выгодно, а воровать опасно. А пока у нас все наоборот, и власть поощряет воровство с единственной целью — создать себе социальную базу поддержки. Действительно, те, кто грабит страну и население, — они обеими руками за эту власть. На любом референдуме они скажут «да» этой власти — она же их породила и теперь их обслуживает. Но мы должны помнить, что власть, которая опирается на преступников, не только безнравственна, она и сама преступна. Я совсем не хочу призывать вас голосовать за Демократическую партию России. Голосуйте за кого угодно! Не допустите только, чтобы в новом парламенте было много жуликов или ставленников криминальных структур. Ну, я понимаю, что трудно разобраться. Но все-таки есть простейший способ: у каждого из вас есть знакомый жулик, поинтересуйтесь у него перед выборами, за кого он будет голосовать, и сделайте выводы. А сейчас я хочу показать вам кусочек из нашего фильма. Пожалуйста. Давайте посмотрим...

(Дальше идут документальные кинокадры, но у меня на магнитофоне их, конечно, нет, а есть только сопровождающий их голос Говорухина. И чтобы не заниматься отсебятиной и не быть обвиненным в предвзятости, я максимально опускаю киноряд, а цитирую только говорухинский текст. Он — самоценен. Особенно, если учесть, что ни одна российская газета не опубликовала ни этой речи Говорухина, ни, насколько я знаю, даже цитат из нее. Ведь опозиционно-крайние газеты запрещены, а лояльно-опозиционные не рискнули, наверно. Итак, вот что говорит Говорухин в своем новом фильме «Великая криминальная революция или Час негодяев»:)

— Огромные изменения произошли в России. Если раньше все было нельзя, то теперь все можно. Можно, например, перелезть вот так через забор совершенно секретного завода по ремонту подводных лодок и военных кораблей, купить наркотики у морячков и тем же путем вернуться обратно... Можно дать объявление в газету: купим оружие. Поверьте, забросают предложениями. Мы лично остановились на боевых отравляющих веществах...

(На экране — арест торговцев отравляющими веществами, бригада захвата обезоруживает их).

Говорухин: За два года разграбить богатейшую страну! Страну, казалось бы, с неисчерпаемыми минеральными ресурсами. Вывезти все, даже стратегические запасы... Вот знаменитая красная ртуть, о которой так много писали, одна из самых больших загадок нашей контрабанды. А вот кобальт... цирконий... индий... металл платиновой группы... (На экране — склады пограничной таможни, горы-залежи конфискованных ценностей.) Смотрите, вот индий полежал на галии и только от тяжести собственного веса расплавился. Поразительный редкоземельный элемент, чрезвычайно дорогой. Здесь его — 170 килограммов. Индий! Задержан при попытке пересечения границы с Латвией. А это алюминий, приготовленный к отправке за рубеж. Им забиты сейчас все морские порты России. Страна наша очень богата полезными ископаемыми, но бокситов, из которых добывают алюминий, у нас нет. И вот представьте: сотни пароходов везут из Гвинеи бокситы, затем заводы добывают из этих бокситов алюминий, причем это чрезвычайно энергоемкое производство и экологически грязное. Но вот, наконец, алюминий добыт, коммерческие структуры покупают у заводов этот алюминий за рубли, конечно, а продают за рубеж за доллары — ни государство, ни мы с вами не имеем от этих сделок ни шиша...

(На экране — горы алюминия, буквально горы! Затем — сцена: на железнодорожной станции Говорухин сидит на каких-то бревнах с мальчишкой лет 12-ти, оба курят.)

Говорухин: Ну сколько ты тут денег накопил?

Мальчишка: Полтора миллиона...

Говорухин: За месяц — полтора миллиона? Это при том, что еще часть ты матери отдаешь?

Мальчишка: Угу...

Говорухин: Ты выпиваешь?

Мальчишка: Я один раз попробовал, и меня в вытрезвитель отвезли. Все — больше не пью.

Говорухин: Расхотелось?

Мальчишка: Курить курю, а пить нет.

Говорухин: А чо куришь?

Мальчишка: Американские...

Говорухин: Американские? Какие?

Мальчишка: Мальборо...

Говорухин: Сколько тут стоит Мальборо?

Мальчишка: 1400 в вагоне-ресторане.

Говорухин: 1400? Сколько у тебя в день уходит?

Мальчишка: Две пачки.

Говорухин: Две пачки в день выкуриваешь?! Это же три тыщи в день!

Мальчишка: Много, што ли?

Говорухин: Для тебя-то при таких заработках, конечно, не много. А мне много...

(Сцена удивительно шукшинская. Мальчишка презрительно швыряет в рельсу монеткой.)

Говорухин (наставительно, как Василий Шукшин): Деньги вообще нельзя бросать, даже если они маленькие...

(И продолжает под музыку, на фоне российских полей-пейзажей:)

— Россия! Какой она стала? Кончились ли наши беды

или нужно готовиться к новым испытаниям? Конечно, мы не сможем ответить на эти вопросы. Но мы вам честно расскажем обо всем, что мы увидели...

(Теперь на экране лицо Говорухина, он продолжает свое телевыступление:)

— Мы в нашем фильме постарались зафиксировать самое примечательное, что произошло в нашей стране за последние полтора-два года. А самым примечательным и самым грустным нам кажется вот то, что произошла в стране как бы криминальная революция. Очень быстро криминируются огромные слои населения, криминируются дети и подростки. Этот Максим, которого вы сейчас видели, грабит вагоны. Весь город Забайкальск занимается тем, что грабит вагоны — все дети! Ночью они грабят вагоны, а днем работают рикшами у китайцев, перевозят им грузы. Само сознание общества, мне кажется, уже сдвинулось чуть-чуть в криминальную сторону. И вот апофеозом этой революции, происшедшей в стране, я считаю период с 21 сентября по 4 октября этого года.

Но мы как раз это снимали мало. По опыту предыдущего путча 91-го года мне казалось, что многие это будут снимать и через месяц — то есть, до того, как выйдет наш фильм — правда об этих событиях будет уже хорошо известна нашему обществу. Но вот уже прошло полтора месяца, а никто ничего не знает. Не знает этой жуткой правды — что было в «белом доме»? сколько было жертв? что произошло в Останкино? что это за штурм такой? Даже люди, работающие вот тут, в Останкино, не все представляют, что же произошло на самом деле...

Я знаю только, что под пулеметным огнем погибло очень много зевак — женщины, дети, погибли четверо журналистов, один француз, кажется... Но вот, касаясь морального аспекта этого события, меня больше всего поразил, конечно, тот факт, что через три дня после этих событий здесь, в Останкино коллеги этих убитых журналистов вручали их убийцам подарки, премии, жали руки. Вот в такой стране мы теперь живем...

Надо сказать, что в белой гвардии за четыре года гражданской войны никому не вручили ни одной награды. А за что? За то, что россиянин убил россиянина? А у нас на третий-четвертый день победители раздавали друг другу награды. Министр внутренних дел получил «Героя России»! Вот в такой стране мы теперь живем...

Общество не знает правды и не готово узнать правды — этой странной правды о сентябрьских и октябрьских событиях. Мы вам покажем сейчас ну вот, право, совершенный пустячок, эдакую зарисовку. Называется она «Час негодяев». Мне кажется, 4-го октября пробил час негодяев. Пожалуйста, покажите...

(Снова — кино. На экране — ремонт «белого дома», его черные и сгоревшие верхние этажи, разбитые окна... Голос Говорухина, а потом и он сам на фоне этого «белого дома».)

Говорухин: Плохие депутаты уже не будут влиять на процесс, и ничто теперь не помешает нашей стране стать счастливой и богатой. Но я не об этом. Российский позор транслировался на весь мир. Впервые в истории человечества все мировое сообщество, интеллектуалы всего мира одобрили расстрел женщин и детей. По крайней мере, нигде не прошло демонстраций протеста, никто не возмутился и у нас в стране. Это был апофеоз безнравственности, торжество безнравственности. Разрывы снарядов внутри дома совершили целый переворот в обществе. Вся грязь, вся мразь поднялись со дна на поверхность, все мерзкое, что есть в человеке, вырвалось наружу, приведя в трепет и содрогание нормальных людей. Это случилось сразу, едва только отгремели пушки...

(Проход Говорухина по набережной возле «белого дома» с молодым депутатам Олегом Румянцевым — одним из последних эвакуированных из «белого дома».)

Депутат Румянцев: «Альфа» спустила нас по лестнице до набережной, и здесь офицер «Альфы» вдруг сказал, я услышал, своему товарищу: «Жаль, ребята, я бы сейчас лучше их домой отвез.» Но нас почему-то не посадили в автобус, который стоял на набережной, а сказали: «Быстро в сторону вон того дома!». И когда мы шли, то было такое ощущение, что сейчас будут выстрелы. И вдруг из этого подъезда...

Говорухин: Из этого?

Депутат: Из этого. Выскакивает омоновец-офицер: «Стой, сука, ложись! Руки за голову! Сюда! Ползком!»

Говорухин: И ты лег?

Депутат: Нет, я не лег. Потому что еще оставался... оставалась какая-то уверенность, что все те, кто был в «белом доме», это не были коммуно-фашисты. Это были нормальные люди, нормальные депутаты, которые были уверены в том, что мы сумеем отстоять конституционную законность... В этом подъезде, зайдя, я сразу понял их план. План был такой: людей пропустить на унижение и уничтожение. Потому что весь этот подъезд был забит офицерами и солдатами. Многие из них были, к сожалению, пьяными. Первое, что сделал офицер, когда я вошел сюда, — схватил меня за бороду...

Говорухин: У тебя была борода?

Депутат: У меня была большая борода, которую потом по причинам безопасности и опасения преследований временно пришлось снять... «Иди сюда, жидовская морда!» Вот так. То есть, борода это для них уже... Это не петровские времена. Ну, Бог с ними! Эти люди не знают ни России, ни российской истории, ни культуры... Первым делом — притянул и несколько раз ударил об колено головой. А здесь меня ударили прикладом, со всех сторон раздавались тычки, и вот здесь, вот в этом тупичке устроили еще одну спецобработку... С нами была еще депутат Союза Умалатова, ей обещали ею позабавиться, и она буквально к каждому подходила: «Что вы делаете? Ведь это могут быть завтра ваши братья, ваши дети...» И вот, пригибаясь, мы пробежали в этот подъезд, и в этом подъезде я понял, что через строй нас пропустят второй раз. Потому что здесь стояло очень много ОМОНа, и здесь провели раздетых до пояса одного или двух ребят...

Говорухин: Сколько лет?

Депутат: Молодых. То есть, явно из тех солдат или добровольцев, которые защищали «белый дом». Их раздевали и били здесь. Это первое, что я тут увидел.

Говорухин: Почему раздевали?

Депутат: «Все, раздевайся! Снимай, сука, вещи!» И вот здесь это ощущение западни, мышеловки или мясорубки, через которую прогоняли нас, последнюю группу, которая оставалась в «белом доме», — оно усилилось. Потому как, войдя сюда, мы увидели, как били и раздевали людей. Потом их уводили куда-то на улицу, понимаешь, и там слышалась стрельба...

Говорухин: Вот в этот подъезд?

Депутат: Да, в этот подъезд уводили. И вот тут, выйдя на улицу, какой-то военный схватил меня, несколько раз нанес удар в пах, рванул за куртку, плюнул в лицо два раза. Я увидел вот здесь, метрах в пяти лежал труп...

Говорухин: А уже темно было? Где был труп?

Депутат: Да вот здесь... И когда он нанес мне удары, плюнул, передернул затвор: «Иди сюда, сука! Прощайся с жизнью!». Он дал очередь поверх головы. То есть, по стенке он стрелял или в воздух, я не помню, но это было неприятно. Вбежав вот в этот подъезд, я начал бегать по этажам, но никто нигде не открыл...

Говорухин: А вот интересно, что отвечали?

Депутат: Знаешь, лаяли собаки, говорили какие-то испуганные голоса: «Вы из «белого дома»? Так вам и надо!» Чуть ли не «подонки». В одном месте: «Я бы пустила, но — дети...» В общем, хотя мы говорили, что сейчас нас тут всех по одному перестреляют у вас во дворе на ваших глазах — что вы делаете? какое-то милосердие надо иметь!..

Нет, нигде не впустили, и я перебежал в другой подъезд, и вот здесь нашлась единственная квартира на втором этаже, однокомнатная квартира, наполненная людьми, которые нас и впустили. И там я отлеживался несколько дней.

(Конец киноцитаты, на экране снова Говорухин, он говорит:)

— В ночь на 4-е октября Гайдар потребовал от Центробанка экстраординарную сумму наличными — 11 миллиардов рублей, как пишет наша пресса. Банк отказал. В эту же ночь с фабрики «Госзнак» были похищены деньги примерно в такой же сумме. И в такую же сумму обошлось подавление октябрьского мятежа. По пять миллионов рублей получил каждый офицер из сводных экипажей танков, стрелявших по «белому дому», по двести тысяч каждый омоновец, по сто тысяч каждый рядовой, и так далее и так далее. Так сколько же было жертв в «белом доме»? Официальная версия — 49. Президент Ингушетии, Герой Советского Союза Руслан Аушев — я с ним разговаривал вечером 4-го октября — свидетельствует, что к вечеру 4-го из «белого дома» вынесли 127 трупов. Это только к вечеру 4-го и только с первого этажа! Сколько там наворочено наверху пушками, никто тогда не знал и сейчас уже не узнает. К тому же люди, находившиеся выше 13-го этажа, должны были просто сгореть в огне, здание пылало, пожарникам разрешили подняться только 5-го октября — нужно было, чтобы сгорели архивы и трупы. Сейчас дом обнесен забором, сначала он был оцеплен, и никто не знает какие мерзости творили там победители. 49 человек похоронили по-человечески, а где остальные? Закопаны в яме с хлоркой? Будет работа юным следопытам! Газеты будущего напишут: «обнаружено еще одно массовое захоронение». А как быть с матерью, которая все еще ищет своего ребенка, безутешно рыдая в равнодушное пространство: «Сыночек, где ты? Откликнись!» Она не простит вам этого и проклянет вас — и тех, кто отдал приказ, и тех, кто убил, и тех, кто замалчивает преступление.

Если мне придется работать в новом парламенте, я, конечно, задам Гайдару эти три вопроса: просил ли он в ночь с 3-го на 4-ое октября экстраординарную сумму денег? Что это за странная связь с вывезенными деньгами из Госзнака? И на какие средства — явно небюджетные — финансировалась акция подавления октябрьского мятежа.

Наш фильм большой, и вот даже если не касаться этих событий, то он все равно длится больше двух с половиной часов, это трехсерийная картина. Я не уверен, что нам удастся показать зрителю до выборов хотя бы одну серию. Я это предвидел в какой-то степени и написал книгу под таким же названием — «Великая криминальная революция». Книга давно уже сдана в издательство, напечатана и уже две недели назад могла бы попасть в руки читателей, но с ней тоже происходит какая-то непонятная история. Равно как и с фильмом, здесь тоже много странностей.

Но время бежит неумолимо, истекает, и хочу на финал коснуться вот какого вопроса. Сегодня без умолку твердят, а дальше и больше будут, я думаю, твердить по всем каналам и во всех газетах о том, какая демократичная новая конституция. И вместе с тем дня три назад руководитель администрации Филатов погрозил пальчиком с экрана: мол, в некоторых регионах настраивают людей против конституции. Интересно, как можно настраивать людей против конституции, не имея доступа к средствам массовой информации. Вот давайте проведем эксперимент: я вас сейчас попробую настроить против конституции и посмотрим, какой будет результат 12 декабря. Следом за мной — можно не сомневаться — выступят еще тысячу ораторов и настроят вас за конституцию. Да не я один буду голосовать против этой конституции, для меня она однозначно кровавая. Она стоила жизни нескольких сотен людей. Не успев родиться, она сделала черное дело, она в моральном плане отбросила нас во времена тоталитаризма, ожил дремавший десятилетиями в людях генный страх, все мерзкое, что есть, выползло наружу. Вот как бы пробил час негодяев. И это ощущается в каждом учреждении, всюду.

Я прочел внимательно конституцию. Гарантом конституции является президент. Не закон, не суд, а президент Ельцин. Конституция написана под него. Думаю, что новый вождь напишет себе новую конституцию. Но, если вы помните, наш президент клялся на той старой конституции, на плохой. Он не попросил, чтобы ему принесли хорошую конституцию — голландскую или там британскую. Он клялся на той, а потом предал ее.

Гарантом личных прав граждан тоже является президент. Не закон, не суд, а президент. Ну, я уж не говорю о том, что мы вообще утеряли почти все свободы, завоеванные народом при Горбачеве. Вот эти тридцатиминутки по телевидению, которые даны для того, чтобы сохранить лицо перед Западом, положения не меняют. Какие у нас теперь права? Наша жизнь ничего не стоит, нас могут убить у подъезде собственного дома, на улице, в нас могут стрелять из танков. Нет, меня не устраивает такая формулировка. По новой конституции президент имеет столько же прав, сколько имел Николай Второй. Только Николай Второй был образованнейшим человеком, лучшие педагоги, лучшие люди России трудились над его образованием. Но и он имел прав меньше, чем президент по этой конституции, он не мог быть главнокомандующим. Хотя был сугубо военный человек, имел военное образование. Но тем не менее не мог быть. Хотя когда он взял на себя командование, русская армия выглядела при нем достойно.

Вот дня три назад позвонила мне из Парижа Мария Васильевна Розанова, жена писателя Андрея Синявского. Диссидентка, противница коммунистического строя, вы ее хорошо знаете. Поговорили мы с ней, она мне и говорит: Станислав Сергеевич, вот так начинался сталинизм. И действительно, вот так, при молчаливом согласии народа, при активном участии творческой интеллигенции начинался сталинизм. Когда вся власть вдруг аккумулировалась в руках ничтожества, и когда это ничтожество завладело абсолютной властью, он сразу превратился в гения и отца народов. Если хотите этого, голосуйте за конституцию.

* * *

Вечером в понедельник, 29 ноября я сидел в Останкино, в монтажной Говорухина, где и записал с экрана монитора это выступление. Комментировать его мне не хотелось, да и сейчас не хочется — ни в целом, ни по частям. Потому что горечь этого выступления незачем комментировать, даже если иметь ввиду, что и та сторона, которая сидела в «белом доме», приди они к власти, расправились бы со своими противниками еще хуже, не зря Руцкой врывался в эфир радиопереговоров подступавших к «белому дому» частей и, матерясь, обещал всех повесить на телеграфных столбах. И повесил бы, в том-то и ужас России и отчаяние Говорухина, что россияне гробят россиян...

— После этого выступления, — спросил я Говорухина, — что было? Какая реакция в Кремле?

— На следующий день, сказал он, усмехаясь, — Ельцин собрал всех лидеров избирательных блоков и сказал, что «президента и конституцию мотать не дам!» Третейский суд вынес решение о конституции не говорить, иначе отключим эфир. А Говорухину — сегодня мне звонил представитель японской телевизионной компании и сказал: вот только что я получил факс и там написано решение Третейского суда: если Говорухин еще себе такое позволит, то они напишут в мандатную комиссию, чтобы, если его изберут в парламент, то чтобы мандатная комиссия лишила его мандата! Называется — свободные выборы, на Гаити! Вот так вот!

— Ты сейчас заканчиваешь монтаж картины?

— Да, вот видишь эти горы алюминия? Дешевле ведь было бы или даже намного выгодней было бы не этот алюминий добывать из бокситов, к примеру, или еще чего-то, а просто торговать электроэнергией. Но они-то этого не хотят! Не хотят, чтобы мы торговали электроэнергией. Они хотят, чтобы все экологически грязные производства были здесь, чтобы мы электроэнергию тратили на алюминий, на то, на сё, понимаешь? Не жалко им, не жалко этих туземцев поганых... А производство меди — это же жуть!

— Кто «они»?! Ведь это было тут заложено, Слава! Производство алюминия в России — это вызвано не тем, что кто-то не хочет там, на Западе это производство держать и потому вот пусть туземцы здесь подыхают. Это заложено при Сталине, когда всё должно было быть внутри страны. Я был в Караганде на медных шахтах. И в Норильске. И на Аппатитах. Это все было заложено по той концепции, чтобы все производить самим, внутри страны, империи.

— Знаешь что, дорогой, — жестко сказал мне мой друг Говорухин. — Мы для того и боролись восемь лет за свободу, чтобы сегодня нам не кивали на Сталина. Мы из этого общества тоталитаризма вырывались с трудом, единодушно всем народом. И для того вырвались, чтобы сейчас всё было не так...

— Чтобы быстро перестроить все алюминиевые заводы? Ты не можешь мгновенно перестроить все алюминиевые заводы...

— Ну зачем ты так говоришь? Ты послушай себя! Ты похож на Отто Лациса! Даже коммунисты себе этого не позволяли — возить сюда бокситы, тяжело перерабатывать, а потом вывозить, да еще — коммерческими фирмами...

— Я не об этом говорю!

— Коммунисты добывали алюминий для собственной промышленности, для вооружения, для самолетов. Это тоже глупость, это тоже против народа, но зато хоть могучая была страна — аж страшно... Да если бы даже это государство вывозило и за это получало бы доллары и они, эти доллары бы шли на благосостояние народа — даже в этом случае это неправильно. Но положение сейчас в тысячу раз хуже — мы привозим бокситы из Гвинеи, добываем алюминий, отравляя всё вокруг, а потом этот алюминий вывозят коммерческие структуры, причем покупают-то они здесь этот алюминий у заводов за рубли, а продают за доллары и эти доллары остаются в западных банках, на их счетах... И алюминий это же только пример. Дело не в алюминии.

— Хорошо. Но у меня есть вопрос.

— Не надо вопросов! Я очень редко даю интервью. Особенно, западным, иностранным журналистам. Ведь ненависть к этому евразийскому государству, к этому монстру у них в крови. Вот я написал в своей книжке, что это не то, что какой-то заговор против России, нет. Стая волков, когда гонят оленя, они же не договариваются кто пойдет справа, кто слева. Ими движет инстинкт! Общность цели! И они точно распределяют места, и гонят и цепляются ему в бока и валят на землю. Так они поступают с Россией. У каждого из них это в крови. Им нисколько не жалко этот народ, понимаешь? И еще я буду с тобой говорить, с бывшим соотечественником!

— Ладно, я могу выключить магнитофон и спросить у тебя без магнитофона! Тут на магнитофонной ленте слышен щелчок, наш дальнейший разговор с Говорухиным передаю по памяти.

Говорухин: Ну какой у тебя вопрос, ну какой?

Я: Ты действительно считаешь, что Запад это стая волков, которая гонит бедную и больную Россию и рвет с нее куски мяса? И от этого все ваши беды? Ты действительно так считаешь?

Говорухин: Да пошел ты на...! Я не буду отвечать на твои идиотские вопросы!

Я: Думаешь, если ты меня пошлешь на ..., так я так туда пойду? Мы не для того дружим с тобой тридцать лет, чтобы ходить туда, куда мы друг друга иногда посылаем. Иначе знаешь где бы мы сейчас были?

Говорухин: Ну так чего же ты от нас хочешь?

Я: Только одного! Вы считаете, что всё, что сейчас у вас в стране происходит, — это результат заговора сионистов, это стая западных волков, которая выгрызает России бока?

Говорухин: Да нет! Да что ты! Ну как тебя после этого назвать? Ну как? Вот я только что тебе объяснил — это не заговор...

Я: Но я это тут слышу постоянно! И видел под «белым домом» плакаты...

Говорухин: А я тебе объяснил: это не заговор, это у него, у Запада в крови! Никакие сионисты, никакое ЦРУ в жизни бы не продумали такой сценарий развала России!

Я: Ну, наконец-то!

Говорухин: Если бы восемь лет назад в ЦРУ поднялся человек и сказал: «У меня есть вот такой план развала России», его бы выслушали и сказали: «Сядь, дурачок! Сядь и больше никому не говори!» Мы реалисты, мы должны реально смотреть на вещи! То, что произошло в советской России, не снилось никому в ЦРУ! Никаким сионистам! Но в то же время, сейчас распад происходит при помощи Запада, да еще как при помощи Запада! Сегодня, когда Россия лежит перед ним издыхающая, бескровная, все пытаются её прибрать. Китайцы — да у них только и надежда на наш распад! Ну представь себе: полуторамиллиардный Китай, а у нас на всей территории от Урала до Камчатки живет всего 18 миллионов человек! Вся надежда Китая в исторической перспективе — на нашу территорию, наши ресурсы. И что они делают? Идет китаизация края! Тихой сапой! В Приморье, в Забайкалье, в Хабаровске знаешь сколько уже живет китайцев! Я уж не говорю, что мы туда гоним такое! У нас полсерии этому посвящено — ну, это надо глазами посмотреть! Будешь смотреть?

Я смотрел. Я смотрел еще несмонтированный фильм Говорухина и видел в нем то, что никак не мог услышать от самого Говорухина: не стая западных и китайско-японских волков рвет бока из обескровленной и больной России, а собственные российские гиены, шакалы и шакалята (помните симпатичного шакаленка-пацана Максима?) распродают куски России на всех её необъятных границах от Камчатки до Прибалтики. Они действительно гонят за рубеж все, что угодно — и КАМАЗы, и БЕЛАЗы, и трактора, и эскаваторы, и красную ртуть, и алюминий, и гвозди, и ракеты, и индий, и кобальт, и русских девочек-проституток. Все на продажу! Никаким братьям Стругацким, никаким сталкерам и никаким западным волкам и не снилось такое сафари! Нация и страна самораспродается, самоистребляется и саморасстреливается снизу доверху и сверху донизу! Об этом кричит каждый кадр нового фильма Говорухина — во всяком случае, те, которые я видел. А он кричит мне про то, что у нас, у Запада, в крови ненависть к России!

У меня от этого начались боли в желудке, и я решил сделать небольшую проверку. Я поехал в Измайлово, в Московскую областную клиническую больницу и за сорок долларов сделал себе анализ крови и прочие анализы. И что вы думаете? Никакой ненависти к России в моей крови все-таки нет (хотя Россия когда-то, 15 лет назад выгнала меня, как жида). Зато свеженькую язву желудка, появившуюся за три недели пребывания на географической родине, доктор тут же обнаружил. И возникла она, я уверен, от той горечи, которую излили на меня Говорухин и другие мои бывшие соотечественники, и от тех огорчений, которыми исполнилась за них еврейская душа моя...

«Ненависть в крови...»

* * *

На моей книжной полке стоит тоненькая книжка «Россия... которую мы потеряли». В ней надпись Славиной рукой: «Эдику — из России с любовью. Ст. Говорухин.» И я говорю, кричу ему отсюда, с ненавистного ему и проклятого им Запада: «Окстись, Слава! С любовью. Эд. Тополь.»

ДВА РЕПОРТАЖА

1. «РЕПОРТАЖ ИЗ ПЕРЕУЛКА»

«Мы живем в одном из переулков Первомайского района Москвы, рядом со станцией метро «Бауманская». Уже второй год на территории близлежащего детского сада ведется азартная игра в карты. Собираются подростки из окрестных домов. Драки, попойки, брань... В переулке зреет бандитское гнездо: сегодня играют на деньги, а завтра?.. Милицию и дружинников мы видим лишь на освещенных улицах, в темный переулок они не заходят.

Подписей не будет, так как обо всех подобных письмах становилось известно хулиганам, у нас били стекла, нам угрожали. Дорогая редакция, загляни к нам в переулок!

Это письмо редакция «Литературной газеты» получила в июне 1964 года. Мне тогда было 26 лет, я учился в институте кинематографии в Москве и зарабатывал на жизнь статьями в «Литературной газете» и «Комсомольской правде». То была пора, когда хрущевская «оттепель» уже сменялась в литературе и искусстве очередными заморозками, но эти «заморозки» еще не коснулись прессы, потому что главным журналистом страны был тогда зять Хрущева Василий Аджубей — он руководил газетой «Известия», которая соперничала с «Правдой». При этом «Известия», а вслед за ней и другие газеты, позволяли себе печатать довольно острые для советской прессы материалы, критические статьи и фельетоны почти социальной значимости.

Но тему подростковой преступности никто из журналистов не трогал, на ней по инерции сталинских лет лежало строгое цензурное «табу», хотя уличное хулиганство подростков уже, как видно даже из этого короткого письма читателей, выплескивалось из темных подворотен и переулков и подкатывало под самые окна москвичей. А в провинциальных городах подростковой преступности было и того больше...

В «Литературной газете» решили «вставить фитиль» «Известиям» и всем другим газетам — «пробить тему через цензуру», т.е. написать о проблеме растущей подростковой преступности. Я взял это читательское письмо и поехал на метро до станции «Бауманская».

Выйдя из метро и побродив по окрестным улицам и переулкам, я нашел детский сад, о котором писали анонимные авторы письма, — за забором этого детского сада, на песочной площадке для малышей сидели трое подростков лет по 14 и играли в карты.

Я не стал их беспокоить, у меня был свой план действий. Сквозь щели забора я оглядел прилегающие к детскому саду жилые дома и выбрал самый ближний, окна которого смотрели прямо на песочную площадку. Если хулиганы действительно били окна жильцам этого дома, то, скорей всего, — окна первого или второго этажа. Я вошел в подъезд этого дома, поднялся на второй этаж, прикинул окна какой квартиры должны выходить на песочную площадку детского сада и нажал кнопку дверного звонка. За дверью послышались шаркающие старческие шаги, потом -настороженный мужской голос: «Кто там?». Я назвал себя: «Корреспондент «Литературной газеты». Меня долго изучали в дверной глазок, потом щелкнули два замка дверных запоров, клацнула щеколда, и старик лет 70-ти открыл дверь ровно настолько, чтобы увидеть мое редакционное удостоверение...

Через десять минут я вышел из этой квартиры. Вместо рубашки и брюк, в которых я приехал сюда, на мне были старенькая майка-безрукавка и вылинявшие спортивные штаны, а на босых ногах — домашние шлепанцы старика.

Отодвинув доску в заборе, я пролез на территорию детского сада и пошел к песочной площадке. Там было уже не три, а пять подростков. Все пятеро вопросительно оглянулись на меня, но мой затрапезный вид и то, как я на ходу сплюнул через плечо — совсем как пацаны на моей родной бакинской улице — все это успокоило их, и они вернулись к своей карточной игре. Я подошел к ним, сел рядом, сказал буднично:

— По сколько играем?

— Десять копеек на кон. Будешь? — глаза старшего из них сверкнули интересом, ведь приплыл взрослый «карась», наверняка — с деньгами.

Я пренебрежительно усмехнулся и произнес лениво:

— По двадцать — сыграю...

— А ты откуда? Я тебя тут не видел раньше.

— Я из Баку. В гости к дядьке приехал, он вон в том доме живет. Ну, чего? Будем по двадцать играть или кишка тонка?

Так началась моя двухнедельная «командировка в переулок» и двадцатилетнее участие в проблеме подростковой преступности — с «Репортажа из переулка», который с большими цензурными сокращениями, но все же был опубликован в «Литературной газете» 1-го августа 1964 года. Он начинался так:

«Главному бухгалтеру «Литературной газеты». Прошу оплатить мне расходы по командировке в переулок, а именно: проиграно в карты — 8 рублей 31 копейка; пропито: 10 рублей 06 копеек; порваны при «отрыве от милиции» брюки стоимостью 26 рублей.»

Любопытно, что строку про брюки, порванные при «отрыве» от милиции, цензор сократил, как и многие другие «уж слишком острые», по его мнению, места репортажа. Но суть осталась: первый в советской послевоенной прессе репортаж о существовании в стране подростковой преступности. Вот его текст:

«Шесть часов вечера. В узких переулках, что у Бауманского метро, тихо -обитатели их только что пришли с работы, ужинают, отдыхают. На свежемытом крыльце детских яслей дремлет сторожиха, у нее сейчас мало работы — ясли уехали на лето за город. А за домом, на площадке, где малыши обычно лепят песочные пироги, уже началась картежная баталия. Идет игра в «сикку». Десять копеек — заход на кон.

Поскольку время раннее, участников игры пока немного. Оперевшись ногой о скамью, стоит Сила — «холодный» сапожник лет двадцати шести, с глазами алкоголика, На нем измятый костюм и пятнистая кепочка.

Вторым по кругу — толстенький Витька Ча-ча-ча, 14-тилетний ученик токаря. У Витьки праздник: сияет на солнце первый болт, который сегодня Витька нарезал своими руками. Играя в карты, Витька постукивает болтом по спинке скамьи -ему хочется, чтобы мы заметили этот болт.

— Сам, что ли, нарезал болт? — спрашивает, тасуя карты, Сила.

— Ага! — Витька гордо протягивает болт для осмотра. Всего час назад Витька стоял у станка, его руки надевали на заготовку вороток, рядом сосредоточенно работали взрослые, шумели станки, взвизгивали фрезы, и в этом рабочем ритме Витька чувствовал себя далеко не последней скрипкой. Но рабочий день подростка кончился на два часа раньше, чем у взрослых, и Витька выпал из оркестра. Он еще слышал музыку цеха, когда шел домой, крепко зажав в руке свой первый болт. Но дома отец — пьяница, если не спит, то бушует, даже телевизор невозможно смотреть или книжку почитать, и Витьке некуда деваться со своей рабочей гордостью — вот этим самым болтом. Разве что — вот сюда, на улицу, к блатной шпане...

...Сила берет у него болт, кривит губы и небрежно роняет:

— Перекос. Вороток, поди, пять раз надевал.

— Сам ты перекос, — обижается Витька и показывает болт шестикласснику Альке-Воробышку.

Алька в болтах ничего не понимает, но, чтобы не уронить достоинства, говорит уклончиво:

— Есть маленько. Но вообще нормальный болт.

Воробышек приехал на велосипеде, держа в руке хозяйственную сумку: мать послала его в магазин. Он самый младший в компании, но, стараясь подчеркнуть свою «взрослость», матерится, курит и сплевывает чаще других. Даже длинный Костя-Мотыль морщится и останавливает его.

Костя-Мотыль — франт и чистюля, всегда в отглаженных брюках, молчалив, резок в движениях. Жадно затягиваясь сигаретой, он щурит глаза.

Еще здесь двое ребят, но в общем народ пока не собрался, игра идет вяло. Компания человек в пятнадцать-двадцать соберется часам к восьми, тогда будет и громкий мат, и бутылки с вином, и игра «по-крупному», и сальные разговоры о сексе.

За изгородью кустарника проплыла тюбетейка старика-пенсионера — он прогуливает собаку. Тюбетейка чуть помаячила, но подойти к нам не решилась и исчезла. А через две минуты на ее месте возникла фуражка участкового милиционера.

— Атас! — Ча-ча-ча мгновенно сгреб лежавшие на скамейке деньги и карты, компания рванулась в кусты. заскрипел деревянный забор, и на площадке нас осталось трое — Сила, Воробышек с велосипедом и я.

— Вы что делаете в детском учреждении? — спросил участковый милиционер.

Явно издеваясь, Сила лениво отвечает:

— Сказки рассказываем... — и незаметно смахивает со скамейки в песок пару медяков.

— Ну-ка, вон отсюда! Чтоб я вас здесь больше не видел!

Мы не спеша, чтобы не уронить достоинства, выходим из дет-яслей. Стоим на углу, не зная, чем заняться.

Сила сплевывает сквозь зубы и говорит:

— Пенсионер хренов настучал в милицию...

— Этот, в тюбетейке? Он в шестой квартире живет, вот его окна, — с готовностью сообщает Алька-Воробышек и длинно матерится.

Тем временем на нашем месте на детской площадке появляются четверо пенсионеров-стариков. Они рассаживаются на скамейке и начинают «забивать козла» — стучат костяшками домино. Среди них и старик в тюбетейке.

— Ладно, разберемся с ним опосля. . — говорит Сила, и я понимаю, что сегодня ночью старик в тюбетейке может лишиться стекол в окнах своей квартиры номер шесть.

Через минуту к нам присоединяется вся компания, рванувшая от милиции через забор, — Мотыль, Витька Ча-ча-ча и другие.

— Пить охота... — говорит Витька. — Айда газировки попьем...

Мы всей компанией выходим из переулка на Бауманскую улицу, идем к метро. По дороге мальчишки гогочут, громко матерятся и, конечно, никому из встречных прохожих дороги не уступают. Да они и сами боятся нас — прохожие, предупредительно обходят нас стороной. Возле автоматов с газированной водой стоит какая-то девушка, пьет воду Алька-Воробышек разогнался на велосипеде прямо на нее — вот-вот собьет с ног. Девушка, недопив стакан, поспешно уходит — почти убегает. Компания весело улюлюкает ей вслед, Воробышек геройски озирается.

Чтобы получить у автомата стакан газированной воды с сиропом, нужно бросить в щель пять копеек, а если без сиропа, чистой, то — одну копейку. Конечно, у нас у всех карманы полны мелочи, но мы автомату денег не платим. Наоборот: «рабочий человек» Витька Ча-ча-ча подходит к автомату и со всей силы бьет своим «рабочим» кулаком чуть пониже щели монетоприемника. Но витькин удар недостаточно силен.

— Слабоват ты еще, сопли утри, — говорит, усмехаясь, Сила и бьет по монетоприемнику своим тяжелым мужским кулаком. После третьего удара автомат сдается — из монетоприемника сыпятся пятикопеечные монетки. Компания победно хохочет, и теперь по этому автомату и еще по трем, что стоят рядом, бьют кулаками все. Эхо ударов по железу разносится по всей улице, а улица многолюдна — метро рядом. Но никто не подходит к нам, никто из взрослых не вмешивается, лишь какая-то старушенция остановилась на противоположном тротуаре и сокрушенно покачивает головой.

— А ну вали, бабка! Вали отсюда! — кричит ей Мотыль. — Чё стоишь, головой размахалась?! Тут те театр, что ли?

Тут Алька Воробышек опять выпендрился — вместо стакана подставил под струю воды палец и направил струю на проезжающие мимо машины. Закрываясь от этой струи портфелем, проскочил мимо нас какой-то мужчина, потом под струю попала женщина с двумя тяжелыми авоськами, вода замочила ей всю юбку, женщина возмутилась:

— Шпана! Милиции на вас нет!

— Сила подошел к ней, сказал тихо, но увесисто:

— Не шуми, бля. А то счас матку выверну.

У женщины от оскорбления слезы выступили на глазах, но и она трусливо пошла прочь, мокрая юбка облепила ей ноги, что вызвало у всей нашей компании телячий восторг и жеребиный хохот.

Из-за поворота улицы показывается еще одна компания подростков. Главарь -худощавый юнец по кличке Кит — подходит к нам, предлагает деловито:

— «Замешаем»?

— А где?

— Идем на свалку!

Свалка — в колодце между стенами трех домов и сарая.

Стелим на мусор кусок фанеры, тасуем карты.

Засаленные карты летят на фанеру, куча мелочи в «банке» растет и уплывает в карманы Кита и его ребят

Игра продолжается до сумерек. Тут Мотыль вспоминает, что надо еще успеть выпить, а «Гастроном» закрывается через двадцать минут.

Перед закрытием магазина к прилавку вино-водочного отдела не протиснуться, очередь человек в сорок. Но две наши компании объединяются в единый клин и тараном прошибают дорогу к прилавку. Какой-то инвалид на деревянной ноге-протезе и с планкой военных медалей на лацкане пиджака шипит: «Фашисты! А ну-ка в очередь станьте!» «Ты выйди на улицу, я тебе покажу «фашисты»!» -угрожающе обещает ему Кит. Инвалид замолкает, отводит глаза. И продавщица, несмотря на запрет продавать спиртное подросткам, выдает нашей компании водку и вино без очереди — лишь бы скорей ушли, без драки. Затолкав бутылки в карманы, мы отправляемся на «шходню» — постоянное место пьянок всего района.

«Шходня» — от слова «сходка», «сходня», но исковерканное на блатной манер -находится прямо напротив метро, в крохотном скверике-закутке, где подростки давно и предусмотрительно разбили лампы на трех фонарных столбах. Здесь, в темноте компания наша чинно становится в очередь за стаканом. Очередь — из таких же компаний, собравшихся со всего района, человек шестьдесят. А стакан — один, его дает напрокат предприимчивый старик, получая за это пустые бутылки. Бутылки он сдаст потом в магазин — за каждую получит по 10 копеек. И вот единственный стакан плывет по кругу, в нем булькает то вино, то водка, многие подростки пьют прямо из горлышка бутылки, а взрослые, которых тут много, прожженные пьяницы с уже «солидными» кличками «Старшой», «Царь», «Седой», комментируют, подзуживают ребят:

— Глянь, как Воробышек тянет! Молодец!

Трезвыми глазами следит за всеми Старшой. На нем элегантный темный костюм, белая сорочка, темный галстук.

— Этот к тебе приписан? — кивает он на Альку

Воробышка кому-то из своих. — К Седому? Седой, налей Воробью...

Через пару вечеров я понимаю, что подростки «приписаны» к каждому из взрослой банды: фарцовщикам и ворам нужны помощники, и они растят «кадры» на подобных «шходнях». Они одалживают ребятам крупные суммы, зная, что вернуть их подростки не смогут, строго ведут учет авансам и ждут порой по нескольку месяцев, пока ребята «созреют». А затем, «под расчет» щуплый Алька Воробышек влезет ночью в чью-то узкую форточку, неслышно откроет изнутри дверь чьей-то квартиры. Или Витька Ча-ча-ча- постоит «на атасе», пока Старшой, Седой или Царь будут грабить квартиру, на которую их «наведет» еще какой-нибудь двенадцатилетний «воробышек»...

Да, компания наша «созревает». Это еще не банда, но, связанная общим преступлением, она может превратиться в банду, и тогда... Адвокаты и следователи начнут искать причины, которые привели в уголовный мир этих тринадцати- и семнадцатилетних ребят. Школьные учителя разведут руками: «Такой спокойный и тихий мальчик!». Родители будут обвинять педагогов, а педагоги — родителей...

Водка и вино допиты, бутылки отданы старику. Спиртные пары ударили в головы, и ребята шумной ватагой выходят на улицу. Теперь им все нипочем: они задевают прохожих, матерятся, хвастают драками...

Поразительна настойчивость, с которой из вечера в вечер, скрываясь от милиции, ребята продолжают «замешивать», «варить», «темнить» все в те же карты. У них нет других развлечений. Болт, который нарезал своими руками Витька Ча-ча-ча, может остаться единственным в его жизни, потому что праздновать этот свой первый рабочий успех парнишка пришел на «шходню». Нарыв, что зреет в переулке и подворотне, может стать злокачественной опухолью, криминалом»...

Сегодняшний российский читатель не найдет в этом репортаже ничего сенсационного. И все же я хочу прямо и честно похвастаться перед читателем: день, когда был в «Литературной газете» опубликован этот репортаж — 1-ое августа 1964 года, — стал одним из самых «звездных дней» моей литературной карьеры. Даже публикация в 1984 году в Англии моего романа «Красная площадь» и тридцать рецензий на нее в английской прессе не идут в сравнение с той сенсационностью, которая была тогда, в 64-м году в самом ФАКТЕ публикации этого репортажа в советской прессе. Репортаж — пусть даже кастрированный цензурой — прорвался в прессу, мы впервые заявили во всеуслышание, что в СССР есть подростковая преступность!

В редакцию «Литературной газеты» хлынул поток читательских писем и телефонных звонков. Звонили читатели, звонили из милиции, из штабов народных дружинников, из горкомов и райкомов комсомола:

— Напишите о нашей шпане!.. Напишите о хулиганах нашего района!..

Я же, как преступник, которого тянет на место преступления, не удержался и, невзирая на риск быть избитым теми же Китом или Силой, приехал как-то вечером в Бауманский район и заглянул на «шходню». Там все было по-прежнему — там играли в карты и пили вино и водку все те же Витька Ча-ча-ча и все остальные...

Я понял, что одним своим репортажем я, конечно, не перевернул мир, но журналистский зуд уже властно тянул меня дальше — в ту брешь, которую я «пробил» в цензуре. Я решил написать серию очерков и репортажей о проблемах подростковой преступности. И с этой идеей пришел к заведующему отделом писем «Литературной газеты» Залману Румеру — тому самому, который отправил меня в «командировку в переулок».

О Залмане Румере стоит сказать несколько отдельных слов. В 1937-м году в редакцию «Литературной газеты» пришли двое в штатском, вошли в кабинет тридцатилетнего заведующего отделом писем Залмана Румера и сказали ему что внизу, у подъезда редакции его ждет машина из Союза писателей — мол, кто-то из руководства Союза писателей срочно нуждается в его, Румера, консультации. Такие вызовы были нередки в то время, Румер спустился с шестого этажа вниз, у подъезда действительно стояла легковая машина. Румер сел в машину и... исчез из редакции на 20 лет — его прямиком отвезли на Лубянку, а оттуда -уже не в легковой машине, конечно, — в колымский концлагерь. Там он работал на лесоповале, болел, голодал, потерял от цинги все зубы и поседел набело: «нормальная» биография «нормального» «врага народа». В 1957-м году, после разоблачения Хрущевым культа личности Сталина и в период всеобщей реабилитации тех, кого посадили в 1937-м году, Румера выпустили из лагеря, привезли в Москву, и уже действительно на машине Союза писателей прямо с вокзала доставили в редакцию «Литературной газеты», в тот самый кабинет, откуда увели двадцать лет назад. Румер сел за свой стол, в свое кресло и продолжил работу, прерванную колымскими лагерями...

Теперь я пришел к нему, уселся с видом именинника в кресло напротив и сказал:

— Залман Ефроимович, есть материал для еще одного «фитиля». Только дослушайте меня до конца, не перебивайте. Мой следующий репортаж будет не из переулка, а из парка «Сокольники». Там 12-14-тилетние девчонки занимаются проституцией, но проституцией особого рода — за американские сигареты, за жвачку, за губную помаду, а то и просто так, задаром. Их там человек тридцать, у меня есть фамилии... — и в доказательство я показал свой блокнот, исписанный фамилиями этих девчонок. Я получил этот список от молоденькой инструкторши сокольнического райкома комсомола, которая несколько часов назад, краснея даже при слове «проституция», жаловалась мне, что ничего не может поделать с этими девчонками — во-первых, в Уголовном кодексе нет статьи, по которой можно судить за проституцию (Сталин еще в тридцатые годы объявил, что в СССР с проституцией покончено, и поэтому из Уголовного кодекса эту статью исключили), а во-вторых — ну какие же эти девчонки проститутки, если они занимаются этим делом задаром, без денежной компенсации? Да и жалко этих девчонок сажать в колонию для несовершеннолетних — они выйдут оттуда уже профессиональными воровками и проститутками. «Я не знаю, что с ними делать, — говорила мне инструкторша райкома комсомола, — помогите нам, напишите о них в газете...»

— Представляете, Залман Ефроимович, — говорил я возбужденно, — я возьму у этих девчонок интервью. Я подвалю к ним, как клиент — ну дам кому-то из них жвачку, а кому-то сигареты или вином угощу и расколю на откровенный разговор. Это же нормальные школьницы, днем они в школе рассказывают на уроках о светлом образе Наташи Ростовой, об Оводе и носят пионерские галстуки и комсомольские значки. А вечером идут в парк и минетят там первому встречному за тюбик губной помады! Представляете, какой это будет фитиль всем газетам — репортаж о детской проституции из самого центра Москвы!

Румер внимательно смотрел на меня своими голубыми глазами. В этом взгляде было все — и легкая насмешка над прытким молодым журналистом, и зависть к моей юности, нерастраченной в колымских лагерях, и — в самой глубине -озорной блеск журналистского азарта. Уловив этот блеск, я сходу выложил еще один проект:

— А после этого репортажа я лечу в командировку в Баку за репортажем о подростках-наркоманах. В Баку вся городская шпана курит гашиш и опиум, колятся морфием. Конечно, наркотики есть везде — и в Москве, и в Алма-Ате, и в Ташкенте. Но в Баку я вырос, я знаю там каждую подворотню, да и нужно сменить географию очерков, тогда в серии моих репортажей появится всесоюзный объем...

Румер встал и молча вышел из кабинета.

Я проводил его удивленным взглядом — куда это он?

Прошло три минуты... пять.... десять. Он не появлялся. Я подошел к окну, заваленному, как и письменный стол

Румера, папками с письмами читателей и рукописями авторов. За окном, с высоты шестого этажа был виден Цветной бульвар, Колхозный рынок, Трубная площадь. Вот, прямо у ног «Литературной газеты», подумал я, уйма интереснейшего журналистского материала: по ночам на Цветном бульваре вы легко подцепите проститутку, на Колхозном рынке с утра до позднего вечера царит спекуляция фруктами и овощами, а на Трубной площади в любое время суток можно купить наркотики. И при небольшом журналистском умении даже эти темы можно пробить сквозь цензуру, не так страшен черт, как его малюют, просто пресса наша закостенела в самоконтроле. Но сейчас не сталинские времена, и мы, молодые, внесем свежую кровь в застывший и заплесневевший организм общества... Так или примерно так думал я, стоя у распахнутого в летнюю Москву окна. Как многие молодые специалисты тех лет, я верил, истинно верил в быстрое и кардинальное обновление советского общества, в так называемую «теорию красных кровяных телец», по которой, как известно, больной организм может выздороветь только в том случае, если в составе крови красных кровяных телец станет больше, чем белых. Мы, молодые, здоровые, талантливые и образованные, свободные от сталинско-бериевского наследия, возьмем в свои руки науку, технику. журналистику, сельское хозяйство, культуру, искусство и саму партию и построим в России то замечательное общество, которое нам внушено с детства как идеальное — коммунизм...

Еще через двадцать минут вошел Румер. Он сел за свой стол, с минуту молча перебирал какие-то папки, а потом поднял на меня свои голубые глаза. В них не было ничего, кроме усталости.

— Я был у главного редактора, — сказал он. — Твой «Репортаж из переулка» будет премирован, как лучший материал месяца. А что касается серии таких репортажей, то — забудь. Ни детскую проституцию, ни взрослую проституцию, ни наркотики наша пресса трогать не может. Иначе завтра же эти материалы перепечатают все газеты мира, а это повредит борьбе иностранных коммунистических партий. Если у нас есть и бандитизм, и проституция и наркотики, то чем мы отличаемся от капитализма, за что бороться западным коммунистам? Молчи! — остановил он мой жест протеста. — Это не моя точка зрения, это Главный при мне звонил в Идеологический отдел ЦК, чтобы согласовать твою серию.

Мне было не в чем упрекнуть старика Румера. Он полчаса уламывал Главного редактора «Литературки» А.Чаковского, но тот — хитрая придворная лиса -решил «согласовать» публикацию острых критических материалов ЦК. Перестраховщик! Ладно, найдутся газеты посмелей, думал я, выходя из редакции «Литературной газеты»...

Я не был штатным сотрудником «Литературки», я был свободным журналистом и мог печатать свои статьи где хотел. Поэтому уже через полчаса я был на улице Правды, 24. Этот адрес в СССР знает каждый: здесь находится комбинат издательства «Правда». Конечно, в консервативно-ортодоксально-официозную «Правду» я не пошел, а направился на шестой этаж — в реформистски-прогрессивную «Комсомолку». В кабинете заместителя главного редактора Григория Оганова я с порога выслушал прямой укор:

— Почему ты отдал свой «Репортаж из переулка» «Литературке», а не нам?

Григорий Оганов имел право на такой укор — пять лет назад мы с ним вместе работали в Баку, в редакции газеты «Бакинский рабочий», потом его пригласили в Москву, в «Комсомолку», а я оказался в Москве в роли студента института кинематографии, и по студенческой бедности не раз приходил к Оганову одолжить деньги до стипендии. Он никогда не отказывал...

— Ладно, — сказал я. — Зато сейчас я принес вам яичко не простое, а золотое. Только чур — одно условие. Пока я не напишу то, что сейчас вам расскажу, -никаких согласований с ЦК!..

Выслушав меня, Оганов сказал:

— Насчет детской проституции — это, пожалуй, чересчур. А вот репортаж о мальчишках-наркоманах — это то, что нужно! Это будет сенсация!..

Назавтра, имея в кармане командировочное удостоверение «Комсомольской правды» и деньги на все расходы, включая гашиш, опиум, кокаин и морфий, я летел в город своей юности — Баку.

2. «БАКИНСКИЕ НАРКОМАНЫ».

— Я не знаю как насчет чего другого, а по наркотикам мы скоро догоним Неаполь, — сказал мне капитан милиции Фокин, единственный в то время в Бакинском городском управлении милиции офицер, занимающийся подростковой преступностью. В его небольшом кабинете стояли два шкафа, туго набитые картотекой — личными делами тех подростков, которые уже имели от одного до пяти приводов в милицию, т.е. попросту говоря — арестов. Фокин — усталый, пятидесятилетний, толстый и с астматической отдышкой мужчина — бессильно разводил руками и говорил:

— Гашиш, кокаин, опиум... Этот «товар» идет к нам в Баку и морем из Ирана и Турции, и сушей из Средней Азии, и даже по воздуху. Да, представьте себе -месяц назад в Бакинском аэропорту мы встречали цинковый гроб с покойником из Ташкента. У трапа самолета была толпа родственников этого «покойника». Плакали, рвали на себе волосы — всё, как положено на востоке. Но у нас был сигнал, что всё это — чистая липа, инсценировка. Поэтому, когда «родственники» несли этот гроб к выходу из аэропорта, мы их на минуточку завернули в таможенную комнату. Вскрыли гроб, а там вместо покойника было 96 килограмм опиума. Но такой улов — редкий случай, а чаще всего огромные партии наркотиков провозят почти открыто — в чемоданах, в узлах, в мешках. Ведь у нас в милиции нет отдела по борьбе с контрабандой наркотиков. Говорят, что на Западе в аэропортах багаж пассажиров проверяют собаки, специально тренированные на поиск наркотиков. Ну, нам до этого еще далеко! да и все равно — ну, не будут возить наркотики самолетами, так будут -поездами. Всех не проверишь. И кроме того, у нас в республике, в горах -свои маковые плантации. Значит — есть и местный опиум, самодельный. А через иранскую границу сколько идет? Короче, те, кто хотят «шабить», наркотики всегда найдут. Я вам хоть сейчас могу назвать места в городе, где из-под полы продают всё — и гашиш, и кокаин, и морфий и даже марихуану. На бульваре в мужском туалете, в сквере имени Низами в мужском туалете, возле русского драмтеатра, возле азербайджанской оперы... Конечно, мы иногда устраиваем облавы, ловим — но кого? Шпану, несовершеннолетних. Если их судить и отправить их в лагерь для несовершеннолетних преступников, то это, во-первых, отнять солдат у армии, а во-вторых — они из этого лагеря выйдут.уже профессиональными бандитами, это как пить дать! Поэтому мы их не судим, а так — предупреждаем, штрафуем родителей. Короче говоря, канителим до призыва в армию. Надеемся, что в армии из них людей сделают. Воспитательная работа? Бросьте! Ну, какой воспитательной работой можно снять парня с иглы, то есть отучить от наркотиков?! О чем вы говорите! Спасти удается считанные единицы, да и то если они сами этого очень хотят. Кстати, есть у меня один парень -он и воровал и трамваях, и наркоманом был года три, а сейчас «завязал», как у них говорят. Влюбился в приезжую девчонку и из-за неё «завязал». Учится в вечерней школе, через год пойдет в армию. Да он сам вам расскажет. Запишите его адрес: улица Вагифа, 6, квартира 14, Романов Саша...

Я записал адрес и отправился на улицу имени азербайджанского поэта Вагифа. Ничего поэтического на этой улице, впрочем, не было. Посреди мостовой мальчишки с криком гоняли футбольный мяч и матерились при этом по-русски и по-азербайджански. Из открытых окон неслась оглушающе-громкая музыка азербайджанских мугаммов, которые целый день передает местное радио. На плоских крышах старых одноэтажных и двухэтажных домов женщины в цветастых платьях выбивали ковры и дорожки. Над ними, на веревках, натянутых из окон высоких соседних домов, висело мокрое цветастое белье. Конечно, пыль от выбиваемых ковров и дорожек садилась на это белье, и из-за этого над улицей разгорался скандал сразу на трех языках — русском, азербайджанском и армянском.

— Эй, Сусана! Прекрати пыль пускать! Ты что — не видишь: тут белье сохнет! -кричала какая-то русская баба, высунувшись в окно по пояс — так, что её мощная грудь почти вывалилась из платья.

— Моя пыль твое белье не достает! — отвечала ей женщина-азербайжджанка, продолжая бить по ковровой дорожке длинной палкой.

— Как не достает?! Ты что — слепая?

— А если достает — очень хорошо! Тебе не нравится наша пыль — езжай в свою Россию! Тут она вдруг обратила внимание на струйку воды, которая лилась сверху на её уже выбитые и сложенные стопкой ковры. Она подняла глаза и увидела нависающий над её крышей балкон. На этом балконе стоял совершенно голый четырехлетний мальчик и писал сквозь балконную решетку. Сусана взорвалась: — Кишдылах* — закричала она мальчику. — Идиот! Чтоб у тебя твоя пиписка отсохла! Чтобы ты до конца своих дней под себя мочился!..

В ту же секунду на этот балкон выскочила мать мальчика, крича:

— Сволочь! Прекрати моего ребенка проклинать! Своих детей проклинай сколько хочешь, а моего не трогай! Писай, Арсен! Писай, не останавливайся! А ты, Сусана, если еще раз мальчика своим грязным языком тронешь, я на твои ковры помои выплю, клянусь здоровьем!

* Кишдылах - засранец (азерб.)

— Пах-пах-пах! — подбоченилась Сусана. — Ара, какое у тебя здоровье?! Одного с трудом родила, теперь трясешься над ним! Чтоб его моча тебе в голову ударила!

— А ты думаешь, если ты восьмерых нарожала, твой закон на этой улице? -вмешалась русская женщина — хозяйка развешанного белья.

Сусана тут же повернулась к ней для ответного выстрела и не заметила, как мать голого мальчика ринулась с балкона внутрь квартиры и тут же снова возникла на балконе с тяжелым ведром. Перегнувшись через перила, она опрокинула это ведро на сложенные под её балконом ковры Сусаны. Насколько я успел заметить, это всё же были не помои, а чистая вода. Сусана онемела, но лишь на одну секунду. В следующую секунду она с диким криком ринулась к лестнице...

Я не стал ждать развязки — половина моего детства прошла среди таких сцен, только в другом районе Баку. Я двинулся дальше по улице Вагифа и вскоре оказался перед домом номер 6. Это был большой, кирпичный, пятиэтажный дом, типичная казарма сталинских времен. Сквозь каменную арку я прошел мимо грязных мусорных ящиков во двор. Дом окружал этот двор буквой «П», посреди двора стояли три высокие чинары, пустая каменная чаша с пересохшим фонтанчиком и гипсовая статуя Александра Матросова — героя Второй Мировой войны, который своим телом закрыл амбразуру немецкого пулеметного дота. У статуи был отбит бок так, что обнажилась ржавая стальная арматура. Фонтан перед статуей должен был, видимо, символизировать нашу бьющую ключом жизнь, за которую заплатил своей жизнью Матросов и другие герои. Но, судя по высохшей грязи и мусору в чаше, фонтан уже давно не работал...

Я вошел в первый подъезд и стал подниматься по лестнице, гадая, на каком этаже может оказаться квартира номер 14. Навстречу мне, громко стуча армейскими ботинками, сбегали по лестнице два солдата.

— Сука, мы ему четыре комнаты вымыли, хоть бы трешку дал!.. — говорил на ходу один из них. И только теперь я понял, почему этот дом вызвал у меня ассоциации с казармой и почему во дворе стоит статуя Матросова. Это был дом для семей офицеров Советской Армии.

Квартира 14 находилась на пятом этаже. Я позвонил в дверной звонок. Дверь открыла женщина лет 45, в папильотках и шелковом халате. Я представился и сказал, что хочу поговорить с её сыном Сашей.

— Саша! — крикнула она в глубину квартиры и пригласила меня войти.

Это была типично офицерская квартира — трехкомнатная, с аляповатой мебелью, пуфиками на полу и коврами на стенах. Кроме ковров, в гостиной висели семейные фотографии и портрет пятидесятилетнего мужчины в полной парадной полковничьей форме пограничных войск. Скорей всего, это фото было сделано в день, когда его произвели в полковники.

Тут навстречу мне вышел из дальней комнаты высокий 16-тилетний паренек с чистым русским лицом, светлыми голубыми глазами и пепельными волосами. Такое лицо можно было увидеть на комсомольских плакатах, призывающих ехать на целину или дальние стройки Сибири, а на Западе — на обложках иллюстрированных журналов или в телешоу. Глядя в его чистые голубые глаза, вы бы никогда не поверили, что он способен украсть у старухи кошелек или снять у вас часы в трамвае. Между тем в его личном деле, которое мне показал в милиции майор Фокин, значилось одиннадцать приводов в милицию за кражи, последний из них был всего два месяца назад.

После того, как я рассказал о цели своего визита и заверил Сашу и его мать в том, что в моем очерке не будет названа его фамилия, Саша провел меня в свою комнату. Иметь свою отдельную комнату — редкость для советского подростка, но отец Саши был полковником пограничных войск, которые принадлежали КГБ, и это всё объясняло. В его комнате, на стене висели портреты Марлона Брандо, Алена Делона и Эйзенштейна. Кроме того у открытого окна, рядом с книжным шкафом, лежали тяжелые гантели, пудовая гиря и боксерская груша. Здесь же был письменный стол с открытыми учебниками и тетрадями, а у противоположной стены — застеленная кровать с брошенными на её спинку джинсами. У изголовья кровати стояла тумбочка со стопкой книг, приемником «Спидола» и фотографией прелестной, лет шестнадцати блондинки. Фотография была в резной рамке. Судя по книгам, тетрадям и спортивному инвентарю, Саша действительно «завязал» со своим криминальным прошлым, а в резной рамке наверняка было фото виновницы этого события.

Саша пригласил меня сесть и кивнул на учебники:

— Вот, пробую догнать три потерянных года, чтобы через год поступить в институт. Если не поступлю — заберут в армию.

— А ты не хочешь в армию, как твой отец?

— Нет. Я поеду поступать в Вильнюсский политехнический институт. Она в Вильнюсе живет... — он кивнул на фото шестнадцатилетней блондинки и добавил:

— Вам Фокин про нее рассказывал, наверно. Так что вы всё знаете...

— Не совсем. Он сказал, что ты влюбился и из-за этого «завязал». Но я бы хотел услышать от тебя подробности.

— Ну, что подробности? Ну я был, как все — шпана. В двенадцать лет начал воровать у отца сигареты, в тринадцать уже курил гашиш. В школу практически не ходил, шлялся с пацанами по городу. Отец в Баку бывает редко, он на иранской границе служит, а мать поначалу было легко обманывать. А потом... А потом она сама стала от отца скрывать, что я стал наркоманом. Плакала, пробовала меня бить, но куда ей! В четырнадцать лет я уже принял воровской закон. Вы знаете что это такое? Нет? Ну, это такой обряд в воровском мире: ты даешь клятву никогда не работать, не служить в армии, не жениться, а жить бродягой и вором. Клятву скрепляешь своей кровью — прокалываешь себе руку и выжимаешь кровь на лезвие финского ножа. У меня эту клятву принимал Хромой Ариф. Он в нашем районе «пахан». Почему я принял воровской закон? Ну, во-первых, это как-никак романтика — проткнуть себе руку ножом и дать кровавую клятву. К тому же стать «вором в законе» — это не каждого принимают, это не то, что в комсомол всех подряд записывают. Это еще заслужить надо. А во-вторых, мне без этого уже и нельзя было воровать. У меня была шайка пацанов, шесть человек из нашей школы, мы вместе с уроков убегали и пробовали воровать в трамваях, чтобы на кино себе собрать, на мороженое и на «план»*. Но грамотно воровать мы не умели, просто вырывали у женщин сумочки и убегали. Ну, раз убежишь, второй, а потом прихватят. Нас и били, и в милицию таскали, всё было. А потом нас «воры в законе» прихватили — вот тогда нас избили действительно. Избили, все деньги отняли, а потом объяснили что к чему. Оказывается, весь Баку разделен «ворами в законе» на участки — где кому воровать. А мы влезли в чужую зону, ну и схлопотали по шеям. Тогда я подумал-подумал и пошел к Хромому Арифу проситься в «закон». Он мне экзамен устроил — умею я воровать или нет. Потом учил, как надо часы «мазать», то есть снять так, чтобы вы и не почувствовали, как надо карманы лезвием вырезать, как «давильники» устраивать в трамваях и так далее. Приемов много, это целая школа, да! Ну, потом он дал мне и моим пацанам участок — три квартала на улице Басина, где трамвай проходит. И -испытательный срок месяц. Мы должны были всё, что стырим*, приносить ему, а он нам давал нашу долю деньгами — гроши, конечно, еле-еле на «план» хватало. Через месяц он увидел, что я ему всё честно отдаю, и принял меня «в закон». Дал мне адреса двух торговцев краденым — кому можно добычу сбывать. Я эти адреса Фокину не сказал и вам не скажу, я не доносчик. Я завязал, я снял с себя воровской закон. Это не просто, но я, когда встретил Ярину, пошел к Хромому Арифу и сказал: «Всё. Хочешь — убей меня, но я завязываю, снимаю с себя воровской закон». Ну, он засмеялся и говорит: «Ты можешь бросить воровать, ты можешь начать учиться или работать, но с «дури»** ты никогда не слезешь. Так что скоро ко мне назад придешь...» Я сказал: «Посмотрим». И ушел. Теперь я сижу дома, занимаюсь по десять часов в день, и еще два часа спортом. Я вышел из этого болота, для меня снова мир открылся, но ссученным и стукачом я быть не хочу. Если вам нужно еще что про меня узнать — пожалуйста, но стучать на своих бывших друзей я не стану, адреса и фамилии их не скажу...

— Я тебе уже объяснил: адреса и фамилии мне не нужны, и даже клички я в своем очерке заменю на вымышленные. Но мне нужно войти в этот мир, чтобы увидеть всё своими глазами. Как колятся наркотиками, как воруют и вообще -как живут подростки в этом, как ты сказал, болоте. Я хочу описать всё это в живых подробностях. Чтобы люди прочли и сказали — да, это ужасная проблема, надо что-то делать и срочно. И чтобы те, кто только начинает входить в это «болото», как ты три года назад, подумали, на что они идут...

Он подумал с минуту, потом сказал:

— Хорошо. Я проведу вас по «малинам». Если будут спрашивать — вы мой двоюродный брат из Москвы. Но если я почувствую, что меня тянет зашабить, я сразу уйду.

Провожаемые тревожным взглядом матери Саши, мы вышли из квартиры. Хотя я заверил её, что он вернется через два-три часа, она не удержалась, выглянула в окно и крикнула нам, когда мы были уже на улице:

— Саша, не забудь, что вечером может позвонить Ярина!

— Я помню, ма! — крикнул он и усмехнулся: — Это я помню...

И пока мы шли по узким и шумным бакинским улицам и переулкам, Саша рассказал мне, кто такая Ярина и как он её встретил. Позже, в романе «Журналист для Брежнева» я построил на этой истории целую сюжетную линию, драматизировав её несколькими криминальными приключениями. Но в основе лежал рассказ Саши Романова, короткий, простой и документальный:

— Участок, который дал мне и моей компании Хромой Ариф, был очень маленький, но «жирный», потому что там проходит трамвай. Утром все трамваи забиты народом, люди едут на работу, и во время этих утренних «давильников» мы легко срезали пару карманов с кошельками или снимали часы. Много мы не брали, потому что были с утра голодные на наркотики и спешили быстрей заработать на первую «мастырку». Стащишь пару золотых часов и тут же бежишь к русскому драмтеатру, где всегда можно купить «план», меняешь часы на наркотики. Часы, может быть, две-три сотни стоят, а ты их «двигаешь» за двадцать рублей, чтобы мастырок было на три человека. Это Хромой Ариф научил нас по тройкам «работать» — один дает «навал», то есть наводит на «карася», а двое других его обрабатывают. После утреннего «давильника» отдых часов до двенадцати. Курили «план», играли в карты, ходили в кино. В двенадцать -новый «давильник», базарный — хозяйки едут с базара. В это время мы «брали» женские часики, кошельки или сумочки. Снова меняли их на наркотики и, если еще оставались деньги, покупали халву и пахлаву. Ведь уже был полдень, а мы с утра ничего не ели. Но идти домой пообедать некогда и неохота, а в ресторан тоже не пойдешь, вот мы и забивали голод сладкой халвой или пахлавой. Поэтому, между прочим, все наркоманы такие худые. Ведь целыми днями без жратвы, на одной халве и наркотиках. Накуришься или «двинешься» и сидишь в скверике или на бульваре — ловишь кайф, балдеешь. И так до вечернего «давильника». Ну и еще нужно было за день не меньше полсотни собрать для Хромого Арифа, это как закон. Особенно богатые были футбольные «давильники» — это когда весь город на стадион едет, на футбольный матч. Ну, тут мы много брали — и часы, и кошельки и сумочки. И так это тянулось, и жизнь казалась очень интересной. Ведь каждая кража — это риск, азарт. А потом наркотики, балдеж, кайф и снова риск, приключения воровского дела. Тех ребят, которые ходят в школу, учатся, мы презирали, не считали их за людей, они были для нас «фрайера», «дешевки». Но два месяца назад, в июне вышла такая история. Мы взяли в трамвае жирный кошелек, в нем было сорок с чем-то рублей. Кошелек я тут же выкинул в мусорную урну, чтобы никаких улик на мне не было, а с деньгами мы собрались, как всегда, за «планом». И вдруг вижу — стоит на улице, у столба девчонка и плачет. Ну, я как её увидел, всё у меня как-то похолодело внутри, честное слово. Глаза зеленые, волосы русые, длинные, ресницы — ну, вы видели на фотокарточке. Таких у нас в Баку нет. А у ног чемодан — сразу видно: приезжая. Стоит и плачет. Ну, я к ней. «В чем дело?» — спрашиваю. Оказывается, она только что поездом приехала, из Вильнюса к тетке. И на вокзале у нее сумочку украли, а в сумочке все деньги, документы и теткин адрес. Я, конечно, знаю, кто из наших на вокзале работает, но это — ищи ветра в поле. Сумочку с документами они, конечно, выкинули в какой-нибудь мусорный ящик или в кусты, а деньги тут же на наркотики спустили. Ну, что мне делать? Она плачет и такими глазами на меня смотрит, что я про всё забыл, влюбился, короче говоря. Ну, я её взял за руку и отвел к себе домой. Мать дома была, она обалдела, когда я с Яриной пришел. А я ей всё рассказал, как было, и говорю — пусть она у нас поживет, пока мы её тетку найдем. Ну, мать у меня умная женщина, она мне сразу такое условие: пусть девочка у нас живет сколько хочет, но ты от нее -ни на шаг. Ни к друзьям, ни на улицу. И Ярину одну тоже — никуда. Да я и сам понимаю, что одну эту Ярину в Баку пускать на улицу нельзя. Здесь на каждом углу шпана, все русские для них — бляди и проститутки. И обматерят, и облапают, а если кто возмутится — ножом пырнут запросто. Короче, я сижу дома — телевизор смотрим, в шахматы играем, она про Вильнюс рассказывает. А я чувствую — не могу больше терпеть, должен или «зашабить» или «двинуться», аж кости ноют. Но терплю, а что делать? Мать сторожит, даже в магазин из квартиры не выходит. На третий день я, правда, не выдержал. Утром, когда мать и Ярина еще спали, я в своей комнате связал из простыней веревку и хотел через окно по веревке спуститься. Но мать застала — «ты куда?» говорит. Так дней восемь меня ломало, думал — не выдержу. На десятый день полегче стало. Через адресный стол мы нашли тётку Ярины, Ярина прожила у нее еще две недели и уехала в Вильнюс, и теперь мы каждый день друг другу письма пишем...

В тот же день с помощью Саши Романова я, как говорится, «вошел в материал». Он провел меня по местам, где в подворотнях или в общественных мужских туалетах подростки торгуют наркотиками. Мы побывали на бакинских «шходнях» -пустырях за городскими свалками, укромных местах в глубине скверов или приморского парка и даже на кладбище. Здесь, вдали от милиции и вообще от все посторонних взглядов бакинские подростки играли в карты на деньги и «бочата» — часы. Но, в отличие от московской шпаны, они не пили вино или водку, а курили гашиш или кололись наркотиками. Шприц один на всю компанию из восьми-десяти человек, гигиены, конечно, никакой, и только жуткое нетерпение в очереди за этим шприцем, который на их сленге называется «баян». При мне один из таких мальчишек, лет двенадцати, сам делал себе укол морфия и ровно двенадцать минут ковырял иглой свою вену на руке, истекая кровью. От ежедневных уколов эта вена остеклянела и всё ускользала из-под иглы.

Я пробовал исподволь выяснить, из каких они семей, кто их родители, но подростки в разговор вступали неохотно, отвечали односложно и даже между собой разговаривали чаще всего только матом и междометиями.

Выяснить у них, каким образом наркотики попадают в Баку, оказалось делом безнадежным, только однажды один из них бросил короткую реплику: «План» же большие деньги стоит, сам понимаешь. А за деньги можно всё купить — даже пограничников...»

Зато их национальный и возрастной состав был передо мной налицо. Процентов семьдесят этих подростков были азербайджанцы и армяне, остальные тридцать -русские. Возраст — от десяти лет и до восемнадцати-двадцати. А количество... Никакой статистики, конечно, не существует, но после нескольких дней пребывания в их компаниях я уже знал, что буквально в каждом квартале есть своя компания наркоманов, не меньше трех-пяти человек, которые систематически курят гашиш или колятся наркотиками и, конечно, поворовывают. Несколько раз, когда я попадал в компании 16-18-тилетних наркоманов, мне приходилось курить с ними гашиш, чтобы сойти за «своего». Честно говоря, кроме рвоты, головокружения и отупения до такой степени, что я уже не мог шевельнуть языком, я ничего не испытал — либо гашиш был плохого качества, либо я еще не втянулся...

Как бы то ни было, спустя неделю, я вдруг обнаружил, что смотрю на город другими глазами — глазами трамвайного вора и наркомана. Мой взгляд автоматически отмечал золотые часы на чьей-то руке, оттопыренный карман, открытую сумочку, толчею в очередях у магазинов или возле кинотеатров. В Баку практически на каждом углу стояли тогда бездельничающие парни — курили, сплевывали на асфальт и провожали жадными глазами каждую женскую фигуру. Я научился распознавать среди них курильщиков гашиша и опиума, морфинистов и просто спекулянтов импортным барахлом. В то время в газетах не печатали сообщений о кражах, убийствах и грабежах, и лишь крайне редко, в совершенно экстраординарных случаях на последней газетной странице появлялось короткое сообщение под рубрикой «Из зала суда» — о приговоре каким-нибудь уголовникам. Поэтому население жило в неведении того, что происходит на самом деле, знали только то, что случилось с ними самими или с соседями — у кого-то обокрали квартиру, или стащили сумочку, или чью-то дочку изнасиловали в собственном подъезде. Но за неделю пребывания на бакинском «дне» я наслышался и о ежедневных ножевых драках в разных концах города, и о регулярном, будничном воровстве — впрочем, тут я был не только очевидцем, но и жертвой, — у меня самого сняли часы в трамвае...

После этого я решил, что материала у меня предостаточно, и последние три дня командировки провел в номере бакинской гостиницы «Южная», писал свой репортаж «Бакинские наркоманы». Затем с этим репортажем в руках я отправился к майору Фокину. Мне нужна была его подпись — виза, заверяющая, что все изложенные мной факты не выдуманы, а реальны. Без этой визы редакция «Комсомолки» могла не принять статью.

В кабинете у Фокина сидели четверо только что арестованных подростков. Фокин допрашивал их и заносил их показания в «протокол допроса». Увидев меня, он прервал допрос, прочел мой очерк и сказал:

— А зачем вам моя виза? Ну-ка, ребята, засучите рукава на рубашках...

Мальчишки неохотно засучили рукава, и я увидел у каждого из них на локтевом сгибе красные точки — следы от уколов наркотиками.

— Вот вам виза, — сказал Фокин. — Сфотографируйте и отвезите в редакцию...

Но репортаж он все-таки завизировал — расписался и поставил дату.

Перед самым отъездом из Баку в Москву я зашел с этим очерком в редакцию газеты «Бакинский рабочий», к своим бывшим сослуживцам. И не удержался -показал очерк главному редактору газеты Мельникову. Я до сих пор помню, как он читал этот очерк и что сказал после этого.

В очерке было описано бакинское «дно», каким я его увидел — и трамвайные кражи, и будни подростков-наркоманов, и история Саши Романова, и бессилие милиции и бездеятельность взрослых. Неделю своих похождений среди бакинских подростков-наркоманов я вложил в двенадцать машинописных страниц. Мельников, главный редактор «Бакинского рабочего» и член ЦК КП Азербайджана, дочитал очерк, встал из-за стола, плотно закрыл дверь кабинета, снова сел в свое редакторское кресло и сказал:

— Неужели это все правда?

— Там есть виза майора Фокина... — сказал я.

— Знаешь, если бы я был главным редактором газеты где-нибудь на Западе, я бы сейчас открыл сейф, достал бы оттуда 50 тысяч долларов и перекупил бы у тебя этот очерк для своей газеты. Но... — он вздохнул и развел руками: — Вези этот очерк в «Комсомолку». Хотя я не понимаю, как они смогут напечатать такое. Но если напечатают — мы перепечатаем в тот же день!

В Москве, в редакции «Комсомольской правды» очерк тут же заслали в набор, а затем... Затем руководство газеты ровно год пыталось выбрать момент, чтобы «протолкнуть» этот очерк сквозь цензуру. Ведь тогда в СССР без разрешения цензуры, официально называемой Главным Управлением по делам литературы («Главлит»), нельзя было напечатать в типографии даже визитную карточку. И ни один главный редактор газеты, даже главный редактор «Правды», не мог без ведома цензуры опубликовать в своей газете ни одну заметку. Все статьи, репортажи, очерки и сообщения, то есть всё, что завтра должно появиться в газете, редакция была обязана положить на стол цензора как минимум за три часа до того, как газеты уходит в типографию. Цензоры скрупулезно проверяли всё — и тематику, и упоминаемые в статьях географические пункты, и технические термины. За годы моей журналистской практики в СССР у меня было несколько буквально анекдотических столкновений с цензорами, и, хотя это не относится впрямую к теме подростковой преступности, я коротко расскажу о двух таких столкновениях — для иллюстрации.

Будучи девятнадцатилетним фельетонистом газеты «Бакинский рабочий», я как-то описал нелегальные махинации с прокатом легковых автомашин. Я писал, что получить машину напрокат можно только за большую взятку, и что машины эти в ужасном состоянии — не машины, а «Антилопы-Гну».

Мой фельетон уже стоял в завтрашнем номере газеты, когда ответственный секретарь газеты сказал мне, что цензор не дает разрешение на его публикацию. Я собрал все документы, изобличающие махинаторов в конторе проката автомобилей, и пошел к цензору. Но оказалось, что эти документы его не интересовали. Он сказал.

— Что такое «Антилопа-Гну»? Это легковая машина или грузовая?

— Это прозвище для любой разваливающейся машины, из романа Ильфа и Петрова «Золотой теленок», — объяснил я.

— Придется вычеркнуть, — сказал он.

— Почему?! Это же литературный образ.

— Может быть, литературный, а может быть — нет, — сказал он и открыл толстый «Справочник Главлита по промышленным изделиям». Стопка таких справочников по всем отраслям промышленности, сельского хозяйства, экономики и т.д., лежала на его столе. Он перелистал этот справочник и сказал: — Наша автомобильная промышленность выпускает три марки легковых автомобилей: «Волгу», «Москвич» и «Запорожец». Всё. Никаких «Антилоп-Гну» наша промышленность не выпускает.

— Но я же говорю — это литературный образ...

— Откуда я знаю? Может быть — литературный, а может быть — название засекреченной продукции. У меня в справочнике такого названия нет. Значит, придется вычеркнуть.

— Но это нелепо! Я могу принести вам роман «Золотой теленок»!

— Мне не нужен «Золотой теленок». Вы знаете, что в Пентагоне получают четыре экземпляра нашей газеты? И не только нашей — всех советских газет? Как по-вашему, зачем?

Я не знал, зачем Пентагон получает по четыре номера каждой советской газеты, и пожал плечами. Цензор наставительно объяснил:

— Например, если мы напишем в газете, что на Сумгаитском химическом заводе из заводских труб идет красный дым, они сразу поймут, какую продукцию этот завод выпускает. Если мы напишем, что на трубопрокатном заводе окалина желтого, например, цвета, — они сразу поймут, что эти трубы военного назначения. А откуда ты знаешь, что на каком-нибудь нашем секретном заводе не делают танки под шифрованным названием «Антилопа-Гну»? Вот и получится, что ты в своем фельетоне выдашь им секретную информацию. Поэтому «Антилопу-Гну» я вычеркиваю...

И — вычеркнул.

Вторая встреча с цензором произошла у меня в Москве, в редакции «Комсомольской правды». В одном из моих очерков о Сибири были такие строки:

«...Вокруг бурильной вышки, в глубоком снегу валялись ржавые бурильные трубы, поломанный трактор, обрывки колючей проволоки...»

Как по-вашему, что секретного может быть в этих двух строчках? Когда в редакции мне сказали, что цензор не визирует мой очерк, я был готов ко всему, но только не к тому, что он придерется к этим двум строчкам. Я зашел в кабинет цензора на пятом этаже издательства «Правды». Те же «Справочники Главлита» лежали на его столе рядом с завтрашними страницами «Правды» и «Комсомолки». На одной из этих страниц я увидел свой очерк и жирный восклицательный знак красным карандашом возле двух вышеприведенных строк. Цензор поднял на меня глаза и сказал:

— Наша промышленность не производит колючую проволоку...

— То есть, как? — оторопел я. — На любом заборе у нас колючая проволока! Любой склад окружен колючей проволокой. Посмотрите в окно! Вон забор на стройке — сверху натянута колючая проволока...

Цензор долго и молча рассматривал меня в упор. Так смотрят только на классовых врагов или на круглых болванов. По-видимому, цензор пытался по моему лицу определить, к какой категории меня отнести. Чтобы вынести свое окончательное решение, он повторил медленно, отделяя друг от друга каждое слово:

— Наша... промышленность... не производит... колючую проволоку. Вам ясно? Или вам показать справочник?

И вдруг до меня дошло: в обрывках колючей проволоки он усмотрел намек на существование в Сибири лагерей для заключенных. А это, конечно, «строго секретная» информация!..

И вот через такую бдительную цензуру редакторы «Комсомольской правды» собирались протолкнуть мой очерк о бакинских наркоманах, когда в советской прессе даже сам термин «подростковая преступность» или «подростковая наркомания» были еще под запретом и могли применяться только при описаниях жизни в западных странах.

Но, как я уже говорил, то был 1964-й год, время хрущевской «либерализации», и редакторы «Комсомолки» надеялись — а вдруг в этой хрущевской «оттепели» прибавится еще несколько градусов тепла, вдруг еще хоть чуть-чуть ослабнут цензурные препоны.

Это выжидание длилось ровно год. И весь год в типографии «правды» лежал на отдельной полке лоток с набранным в металле очерком «Бакинские наркоманы». За это время другие газеты ринулись в пробитую моим первым «Репортажем из переулка» брешь — в печати появились очерки типа «Мальчики с гитарой», отчеты из залов суда о подростковой преступности, репортажи из колоний для несовершеннолетних. Во всех этих материалах не было и слова о наркомании среди подростков, но, всё равно, они расширяли пробитую «Репортажем из переулка» брешь и как бы готовили цензоров к развитию этой темы. Наконец, даже Верховный Совет СССР принял специальный «Указ об усилении воспитательной работы среди подростков». Указ был опубликован во всех газетах. Не говоря о причинах подростковой преступности и о её размерах, Правительство тем не мене постановило создать по всей стране, при каждом районном управлении милиции новые отделы по борьбе с подростковой преступностью — так называемые «детские комнаты» во главе со специальным «инспектором по делам несовершеннолетних».

В редакции «Комсомольской правды» решили, что лучшего момента для публикации «Бакинских наркоманов» и желать нечего. Очерк тут же поставили в завтрашний номер, и ровно за полчаса до отправки газеты в типографию газетная полоса с этим очерком легла на стол правдинского цензора. Расчет был на то, что под прикрытием «Указа» и всеобщей газетной кампании за усиление воспитательной работы среди несовершеннолетних, да и просто в спешке отправки газеты в типографию цензор подпишет полосу, не читая...

Но цензор оказался «на высоте». Он немедленно остановил эту полосу и вместо типографии отправил её на своей служебной машине в Китайский проезд, в «Главлит», лично главному цензору страны, начальнику «Главлита» Романову.

Через несколько дней редакция «Комсомольской правды» получила оттиск этой полосы обратно. Рядом с очерком «Бакинские наркоманы» рукой Романова было написано: «Очерк публикации не подлежит. Проблемы употребления подростками наркотиков в СССР не существует. Романов.»

И именно этой резолюцией я много лет спустя заключил свой роман «Журналист для Брежнева».

ПОСЛЕДНИЙ КРЕСТ НА ЯМАЛЕ

Яшке Карому как-то диким показалось, что вот он проснулся, а старик еще в постели, спит. Обычно как раз наоборот было: старик встанет, в печку угля подсыпет, форточку откроет, чтобы ночной дух из «балка» в тундру ушел, чайку согреет и постным, без сахара, пьет себе. Курить не курил старик Ермол, а к чаю имел пристрастие. И всегда чай без сахара пил. «С сахаром уже не чай получается, а компот», — говорил он... Яшка даже обрадовался спросонок: такая мысль у него появилась, что он тихонько встанет и старику чаёк вскипятит. И даже представил он себе, как проснется старик и застыдится, что Яшка раньше него встал.

Яшка еще лежал, готовя себя к этому подвигу, — уголь во дворе, у ступенек в вагон-»балок», там мороз не меньше сорока и пурга снегом кидается -пересохшим, тундровым...

И вдруг сообразил Яшка, что с нижних нар не только стариковского похрапывания, а и дыхания не слышно. И, уже не думая ни о чем, Яшка испуганно спрыгнул на обжигающий босые ноги ледяной пол и сразу увидел вытянутые из-под одеяла синие с белым каменные ноги старика. И уж потом -обтянутое кожей спокойное лицо старика с разом выросшей за ночь щетиной. «А ведь он брился вечером», — еще вспомнил Яшка и тут только дошло до него, что нет больше старика, кончился, и даже неизвестно, знал ли он сам, что помирает, а, может, во сне помер, не проснувшись. Яшка быстро, второпях натянул ватные брюки, сунул босые ноги в меховые унты из собачины и выскочил из балка, уже на ходу надевая ватный полушубок.

Полярная ночь стояла над экспедицией, и за низкими

клочковатыми облаками висела над заснеженной тундрой незаходящая в это время года луна, красная как медный таз. Черпая унтами снег, Яшка бегом побежал в контору экспедиции.

Начальник экспедиции Мальцев долго постукивал карандашом по стеклу своего письменного стола. Яков тихо сел на стул — начальник даже не заметил этого, а продолжал карандашом стучать — то ли соображал, что и ему уже шестой десяток идет, то ли вспомнил, как полгода назад сам вызвал Старика телеграммой на Север. Многие годы связывали их, сейчас и не вспомнишь даже, когда впервой встретились — в пятьдесят третьем в Сургутской экспедиции? Так нет, старик говорил как-то, что он еще в Молдавии нефть искал — значит, там виделись, только не запомнили друг друга.

Судьба сводила их и разводила заново, но так уж ведется на Севере, что куда начальство бросят на новую должность или в новое место — туда и старые кадры за ним, свои кадры, надежные. Любым путем — прямым и обманным, хитрой торговлей с отделом кадров и честным обменом: я тебе трех дизелистов, а ты мне старшего механика. Это — старый обычай, потому как все понимают что на новом месте, среди тайги и тундры, где только изредка наткнешься на крохотные ненецкие чумы, где в дикой глухомани собираются первые сто-двести человек будущей двухтысячной экспедиции, нужно иметь хоть небольшой, но надежный костяк своих рабочих — проверенных.

И кочует по тайге рабочая номенклатура, как они со стариком — вот уже десяток лет друг за дружкой, как на веревочке, а к этой веревочке еще человек восемь пристегнуто — вместе нефть искали и вместе нашли её, вместе в болотах вязли и газовые фонтаны тушили, жили в палатках, дома себе строили, а достраивали — и другим оставляли, кочевали на новые места, к новой нефти. И все мечтали восемь земляков рвануть вместе в Молдавию, в винные Крюковские подвалы, где огромные бочки стоят рядами и у каждого вина свой проспект — «проспект Алиготэ», «проспект Фетяска»... Хоть и половина из них не были молдаванами, но связала их молодость солнечная Молдавия, что у самой границы с Румынией. Там была их первая экспедиция, там каждый из них — токарь или механик, слесарь или дизелист — с полным правом назвали себя одним именем — геолог. Но вот, значит, Старик Ермол, так и не попили мы сухого вина в Крюковских подвалах, не гульнули в ресторане «Кишинэу» и не прошлись по Кишиневу в оленьих кисах и малицах...

Мальцев чувствовал теперь какую-то неясную вину перед Стариком, словно и не писал ему Старик из Крыма длинных и печальных старческих писем. «Вот, -писал Старик, выйдя на пенсию, — купил себе в Крыму домик — гроб крашеный, из трех комнат, только не знаю еще в какой из них помирать буду. Цветы посадил — настурции называются — имя какое-то турецкое. Пенсию справно приносят, но тоже ждут, поди, когда старик ноги откинет...».

И понимал Мальцев, что вся эта крымская идиллия с собственным домиком на берегу теплого, незамерзающего Черного моря, с цветами настурциями под окнами и жарким солнцем — весь этот комплекс мечты под названием «старость полярника», о котором только и говорят на Севере, ради которого вкалывают тут по два и по три десятка лет, собирая на какой-никакой, пусть крохотный, но свой домик тысяч 30-40, — все это, свершившись, оборачивается через два-три месяца смертельной тоской, ноющим напоминанием о могильной точке. Гуляющая на юге молодая столичная публика с их легкими деньгами правительственной номенклатуры раздражает, очереди за продуктами бесят, а еще больше бесит одиночество и безделье. И после очередного такого стариковского письма Мальцев с самого севера Ямальского полуострова, оттуда, где Обская губа — сорок два километра ледяных торосов и заструг, где до Ледовитого океана — рукой подать, послал в Крым короткую телеграмму: «Собирай инструмент. Мальцев.»

...За перегородкой вагона-конторы, где жил Мальцев, раздались шаги — то явилась на работу секретарша начальника, и оба они — Мальцев и Яшка пришли в себя. Мальцев вызвал начальника отдела кадров экспедиции и, хоть знал наверняка, что нет у Старика в живых никого из детей и близких родственников — всех война повымела, Мальцев распорядился дать в деревню Красную Воронежской области телеграмму о том, что сего числа помер Ермол Ермолаевич Курсаков и если есть в селе у покойного родственники, тело-де может быть выслано для захоронения.

Потом Мальцев занялся своими делами — слетал на вертолете на буровую, где инструмент в скважину чуть не обронили эти чертовы бурильщики, что прилетают сюда из Башкирии на пятнадцатисуточную вахту, а потом летят домой на 15 суток, отдыхать. Рабочих не хватает на севере, смертельно не хватает, особенно — квалифицированных бурильщиков, да и жилья для них — нет квартир для их семей, школ для их детей, продуктов. А нефть нужна государству — хоть лопни, но дай! Вот и возят бурильщиков самолетами со всей страны в Сибирь на пятнадцатисуточную тундровую вахту, платят им двойные оклады, и они живут эти 15 суток прямо на буровой, в вагончиках-«балках», спят так посменно на одних и тех же нарах, не раздеваясь, жрут оленину или тушенку в консервах, и от такого образа жизни им на все наплевать — вот и ценный бурильный инструмент чуть было в скважину не обронили, хорошо там механик свой был, а не залетный — предупредил аварию... Потом съездил Мальцев на трассу зимника, где застряли два трубовоза — посмотреть можно ли их без подъемного крана из болота вытащить. Потом слетал в ненецкий поселок зверосовхоза — третий день как взрывник экспедиции ушел туда и запил там, наверно, с ненецкими молоденькими поблядушками, а топить печки в вагончиках уже нечем — уголь смерзся на складе так, что ничем его не возьмешь, даже ломом, взрывать нужно. Взрывника, остолопа пятидесятилетнего, Мальцев нашел в дупель пьяным в чуме одной из этих раскосых немытых красавиц, взрывник спал на оленьих шкурах, рядом с ним спали собаки... Но что бы ни делал в тот день Мальцев, чем бы ни занимался — не было в нем в этот день привычной веселости, с которой каждый день и ругал, если нужно, рабочих, и шутил, и хвалил за работу, понимая, что на таком морозе в этой взлохмаченной пургой бескрайней тундре нельзя без шуток и теплого слова. Даже забывая о смерти Старика, чувствовал себя непривычно грустно и удивлялся этому, и только потом соображал почему: «Так ведь Старик умер...»

Телеграммы из села Красного ждали два дня, телеграммы не было. Гроб с покойником сначала лежал на улице, если можно назвать улицей вытоптанное в снегу пространство между «балками», накрытыми общей крышей, наподобие ангара. Сорокаградусный мороз сделал свое дело, и даже собаки не подходили к гробу, но все же на всякий случай, от полярных волков подальше гроб подняли и положили на крышу «балка». Там я и увидел его, когда прилетел в эту Ново-Портовскую экспедицию...

— Будем хоронить здесь, — сказал Мальцев на утренней разнарядке -ежеутреннем коротком совещании по распределению работы на день.

— В мерзлоте?! — удивился его заместитель по хозяйственной части. — Это же могилу нужно метра на полтора копать, чтобы летом гроб не поплыл. А меньше, чем полтора-два метра нельзя — будет как с зэками в сталинских курортах...

«Сталинскими курортами» сибиряки называют сегодня лагерные зоны, которые вы можете в избытке увидеть, если поедете поездом «Москва-Салехард». Сразу после Инты поезд сворачивает на северо-восток и на протяжении пятисот километров по обе стороны железной дороги стоят остова сгнивших лагерных бараков и накренившиеся столбы поржавевшей колючей проволоки. Эти зоны обезлюдели лет тридцать назад, а до этого, с 37-го по 57-ой здесь, в этих сталинских курортах с простыми названиями «Лагерь N 501», «Лагерь N 502» и т.д. погибли в болотах и замерзли на каторжной работе, прокладывая эту железную дорогу, сотни тысяч людей. Их трупы и по сей день всплывают летом в болотах...

— А как быть? — спросил Мальцев своего зама по хозчасти. — Неужели не выкопаем в мерзлоте могилу в полтора-два метра?

— Сомнительно, — покачал головой завхоз. — Но попробуем. Значит, четыре человека — на могилу. Затем...

И с тех пор ровно девять дней каждая разнарядка начиналась со слов:

— Четыре человека — на могилу...

...Они пришли к Мальцеву на третий день. Они положили перед ним три сломанных лома и семь черенков лопат.

— Двадцать сантиметров, — сказали они. — Двадцать сантиметров за три дня. Начальник, мы больше не можем. Давай нам другую работу...

У них не было злости к покойнику. Они вставали в семь утра, шли в вагончик-столовую, ели тощую оленину — оленина редко бывает жирной, прикидывали сколько сегодняшний олень имел на спидометре к моменту, когда пустили его под нож, выпивали по две кружки горячего кофе и уходили к могиле. Они сами выбрали для нее место — чуть приподнятый над ровным блюдом тундры бугор, откуда видны были чумы ненецких рыбаков у пристани и уходящее к горизонту замерзшее поле Обской губы. Они сделали это привычно, по русски, отдавая покойнику дань уважения, чтобы видна ему была вся эта занесенная снегом тундра. Теперь этот бугор стал для них пыткой: продуваемый всеми ветрами, иссеченный постоянной пургой и поземкой, от которой не скрыться, ни отвернуться.

— Взорвать бы! — сказал кто-то. — Шурфы пробурить и заложить взрывчатку...

— Ну и что выйдет? — спросил второй. — Яма. Человека в могиле нужно хоронить, а не в яме.

Они помнили его с того самого дня, когда получив радиограмму из Салехарда, Мальцев специально за Стариком послал в Салехард самолет. То было начало июля — время, когда в тундре на лыжах уже не пройти, и на тракторе не проехать. Даже мощные армейские тягачи увязали по кабину в оттаявшем болотном месиве. Только на главной трассе, связывающей палатки экспедиции с пристанью, еще держался укатанный за зиму снег. Мальцев вызвал изнывающих от безделья пилотов.

— В Салехарде, в аэропорту сидит золотой старик, — он показал им его радиограмму: «Восьмой день нет самолетов в вашу сторону. Курсаков».

— Весь из золота? — засмеялся молодой командир самолета.

— Весь, — убежденно ответил Мальцев.

— Тогда попробуем...

Окуная ноги в жидкую грязь, пилоты прошли к своему «Антону», который сиротливо ждал, когда высохнет грязь на взлетной полосе и его переобуют с лыж на колеса. Они завели двигатель и взлетели по этой узкой, два метра в ширину полоске снежного наста, который буквально на глазах истлевал под солнцем. Назавтра, когда солнце распекло так, что от этой полоски осталось одно воспоминание — точнее, двухметровая лужа над корочкой льда, самолет вернулся. Поглазеть на его посадку сбежались все. «Антон» нырнул к сопке, и его лыжи легли точно на эту, шириной в два метра лужу. И когда уже угас мотор, из самолета вышел аккуратный старичок с голубыми смеющимися глазами. В руке у него был небольшой, но увесистый фибровый чемоданчик, набитый дефицитным слесарным инструментом — сверлами, резцами.

Через неделю к причалу Нового Порта пришел по Оби

первый караван судов. О том, как происходит разгрузка этих грузовых судов на Севере, нужно, конечно, писать отдельный рассказ. Люди забывают о сне, и сон забывает приходить к людям. И ночь не приходит, и круглые сутки в молочной тарелке неба жировым пятном мается на горизонте солнце. Груз — фермы буровых станков, вагоны для жилья, кирпич, лес, горючее, теплая одежда, стулья, ящики с консервами, сахаром, солью... — все это громоздкое снаряжение переправляется со стоящих в двадцати километрах от берега барж и судов на плоскодонные лихтера, катера и лодки и по мелководью движется к берегу. Причал крохотный, ему не принять сразу весь груз, поэтому часть груза с лихтеров, и катеров и лодок переходит прямо на руки и плечи людей, которые стоят у берега по грудь в ледяной воде. И вся эта так называемая «перепауска» — не что иное, как скрип разгрузочных кранов, визг лебедок, надрывный гул тракторов и тягачей. А работа каждого механизма — от ручной лебедки до тысячесильного электротрактора — была на плечах механической мастерской, где самым крупным спецом, ювелиром и мастером был Старик. Любую деталь — от крохотной до пудовой — он вытачивал, высверливал, выпиливал сам, потому что это только на Западе любая механическая мастерская завалена запчастями к машинам, а в СССР запчасти к машинам, тракторам, бульдозерам — дороже золота, их просто нет. Но Старик снял с Мальцева заботу о механизмах. Трактор, остановившийся из-за лопнувшей, треснувшей, не выдержавшей перегрузок детали стоял без дела от силы три часа. За эти три часа Старик высверливал и вытачивал любую новую деталь, и вновь оживший трактор с ревом уходил к берегу, на разгрузку. А когда у молодых токарей ломались сверла, Старик доставал из своего фибрового чемоданчика новое сверло и говорил:

— Только береги — это единственный на весь Ямал...

Он учил молодежь секретам своего мастерства охотно, но инструмент, который собирал по штуке в Крыму, берег пуще глаза, и каждый резец был у него «единственный на весь Ямал» и каждые плоскогубцы — «одни на весь полуостров». Это скоро вошло в поговорку. В столовой, передавая друг другу ложку, рабочие шутили: «Только смотри — это одна на весь полуостров!». То были беззлобные шутки, потому что, когда речь заходила где-нибудь о Старике, о нем говорили: «Ну, золотой старик — единственный на весь Ямал!»...

...А теперь они долбили для него могилу и, отвоевав у вечной мерзлоты двадцать сантиметров, пришли к Мальцеву. У них не было злости к покойнику, но не осталось и нервов для этой каторжной работы.

— Хорошо, — сказал им Мальцев. — Я заменю вас другими...

И утром следующего дня на могилу пришли другие рабочие. Это были нервные люди. Работа без видимых результатов выводила их из себя. Они набрасывались на мерзлоту рывками, бешенным ритмом, они штурмовали ее, как на фронте, психическими атаками, но из-под разгоряченных кайл и ломов — только крохотные фонтанчики льда, только фаянсовые осколки породы. Мерзлота, слежавшаяся за века до твердости гранита, не уступала, не поддавалась этим рабочим. И уже не было им дела до стариковских заслуг, и уже слышала тундра нехорошие слова в его адрес...

Но, промерзнув на восьмибальном ветру, охрипшие от мата и раздраженные собственным бессилием, они приходили на базу, шли к теплу, и, грея руки у жарких батарей парового отопления, стыдились сказанного несколько минут назад. Стыдились потому, что тепло это, которым так дорожат на Севере, было от начала и до конца придумано и сработано руками Старика. Да, едва кончилась разгрузка судов, едва отоспались, наконец, после полутора месяцев бессонницы, и сентябрь первым ледком затянул болота и выковал на Оби забереги — тонкую хрустящую кромку ледяного прибрежного припая, Мальцев пригласил к себе в «балок» Старика, вытащил бог знает в какой командировке припасенную бутылку молдавского вина «Пино» и рассказал старику, что еще до войны в первых геологических партиях на Кольском полуострове геологи соединяли деревянные «балки»-вагончики в один ряд, снежными кирпичами обкладывали со всех сторон, только для дверей и труб оставляли проемы, и поливали всё это снежное сооружение водой. И так ледяным панцирем закрывались на зиму от ветра, буранов, берегли в нем драгоценное тепло.

— Но здесь погода хорошим снегом не балует, да и ни к чему он. У нас есть лес, доски, — сказал Старику Мальцев. — Мы тоже выстроим прибывшие вагончики одной улицей, стена к стене, обошьем досками, накроем общей крышей. Как думаешь, будет теплей?

— Понятное дело, — ответил Старик, еще не видя куда гнет начальник, потому что, хоть в плотницком деле тоже разбирался прекрасно, но не станет же Мальцев снимать его с механизмов, чтобы крышу и стены ладить — это любой рабочий может.

— А вот нельзя ли нам по этому случаю, раз уж мы как бы микрогородок строим, это самое, понимаешь... паровое отопление засобачить, а?

— Ишь ты! — усмехнулся Старик. — Засобачить! Это ж котел нужно иметь — не хвост собачий. И трубы опять же, и батареи...

— Трубы есть, труб навалом, бурильные, — мягко наседал Мальцев. — Батареи, сам знаешь, можно самодельные сделать, а вот котел... У нас, понимаешь, в Самотлорской экспедиции один механик выискался когда-то — из емкостей газовых, черт поперечный, котел засобачил.

— Ну? — сказал Старик. — Из ёмкостей? Как же это он так?

И забеспокоился, и засуетился, и вина не допил. Встал, спешно так попрощался и ушел к себе в балок, что-то под нос бормоча. И знал Мальцев, что Старик теперь ночей спать не будет — все прикидывать станет и терзаться от ревности к сметке того механика.

Но Старик через час вернулся.

— Ну, будет тебе котел. Засобачу я тебе котел...

И долго растолковывал Мальцеву, как и из чего можно сделать змеевик, как ёмкости сварить, как топку устроить.

Он закончил эту хитроумную работу в пятницу, он сварил тогда последние трубы парового отопления и, наверное, впервые за последние полтора месяца уснул спокойно. Уснул и не проснулся... Горячая вода хлынула по трубам парового отопления в понедельник — он не дождался её тепла...

...Отогревшись у самодельных батарей парового отопления, пройдя по широкому теплому коридору меж вагончиков, где по вечерам теперь можно даже кино смотреть и танцы устраивать, рабочие вновь выходили на иссеченный ветрами бугор, снова кайлой и ломом долбили вечную мерзлоту. Но земля Ямала не знала русских могил и не хотела знать их. Она отказывалась принимать покойника, как отказывается покориться живым, и нужно иметь стальные нервы, чтобы пересилить ее сопротивление.

И тогда к Мальцеву пришел Яшка Карой.

— Снимите меня с машины, — сказал он. — Снимите меня с машины, пока я не сделаю могилу Старику.

Мальцев прищурился. Есть у него такая привычка — щуриться и постукивать карандашом по столу. Он знал историю Яшки Карого и Старика, как знал её каждый в экспедиции, но говорить о ней с общего молчаливого решения было запрещено.

Это случилось месяц назад, но Яшка запомнил это на всю жизнь. Пуржило. Не так, чтобы очень — баллов шесть, не больше. Тридцать четыре градуса мороза плюс по два градуса на каждый балл ветра — сорок шесть градусов, вполне терпимая погода для Ямала. Они выехали с утра — Яшка Карой и Старик. Яшка вез трубы для дальней буровой в тундре и заодно прихватил с собой Старика, потому что на буровой барахлил дизель. Дорогу Яшка знал прекрасно — раз пять уже ездил. В пути он рассказывал Старику, как в прошлый его приезд на эту буровую туда приехали ненцы-рыбаки, просто так прикатили на своих олешках и собаках — поглазеть, как русские их землю бурят, а заодно у бурильщиков сменять рыбу на сгущенку и хлеб. И как он, Яшка, за бутылку питьевого спирта мешок рыбы выменял, отменной рыбы — муксун и нельму.

— Так что если ненцев встретим, с рыбкой вернемся! — и Яшка похлопал себя по оттопыренному карману меховой куртки.

Кроме этой бутылки питьевого спирта, был у них с собой кусок хлеба и зубная паста — Старик её в карман сунул на случай, если ему придется долго с дизелем возиться и заночевать на буровой.

В полдень, когда вместо солнца уже положено взойти над зимней тундрой луне, луна не вышла. То есть, она, конечно, вышла и плавала там себе в недосягаемом для бурана космическом пространстве, но здесь её не было видно. Здесь вообще дальше смотрового стекла кабины вездехода ничего видно не было — только хриплый свист ветра, поднявшего с тундры сухой снежный песок и швыряющего им во все стороны. В лунную ночь светится тундра, светится холодным голубым сиянием снега, и видно тогда почти как днем. Но если нет луны — космический мрак накрывает торосы и заструги, сливает в густой черноте очертания замерзшей речушки, по которой тракторами проложена дорога на буровую — да разве это дорога? Просто неясный след, забитые снегом лунки от гусениц тракторов и тягачей. Теперь буран смешал всё — дорогу с бездорожьем, следы с застругами, день с ночью. Они еще брели, светом фар ощупывая каждый метр, а потом решили повернуть назад, чтобы по своим следам вернуться на базу экспедиции. Но и свой след потеряли, и к вечеру, часам к восьми, Бог знает в который раз сползая с какой-то ледяной сопки, вездеход пошел юзом, прицеп с трубами перевернулся, и они застряли прочно, насовсем. Они съели этот единственный кусок хлеба, выпили по глотку спирта и уснули -голова к голове, плечо к плечу. Яшка оставил мотор включенным, чтобы не остывала кабина, а Старик, чтобы не угореть от газов, просачивающихся в кабину из движка, чуть приопустил со своей стороны стекло дверцы кабины. Он проснулся с обмороженным ухом, и Яшка долго оттирал его, пока не пришла к уху новая кровь...

К вечеру второго дня они съели зубную пасту, а Яшка допил бутылку спирта — буран не унимался.

На третий день Старик кончил рассказывать Яшке свою биографию, а Яшка — все известные ему анекдоты и историю своей короткой женитьбы, которая тоже была — сплошной анекдот. Пару лет назад, в Шаимской экспедиции он получил на первомайские праздники три выходных дня подряд. Делать в тайге было совершенно нечего, и он с приятелем прилетел погужевать в Тюмень. Они шли по центральной тюменской улице — они уже приняли по бутылке красного на аэровокзале — и теперь раздумывали, с какого ресторана начать гулять всерьез. И тут они увидели в окне парикмахерской, за стеклянной витриной молоденькую блондинку в белом халатике. Даже под этим белым халатиком ее грудь выпирала так, как два спелых арбуза выпирают из мешка. От одного вида этой выдающейся груди у Яшки остановилось дыхание и даже как-то нехорошо повело в животе. «Женюсь... — сказал он приятелю. — Бля буду, женюсь! Живой не уйду отсюда!». Они зашли в парикмахерскую, Яшка решительно сел в кресло к этой блондинке и сказал: «Значит так. Побрить и постричь как на свадьбу. Потому что или я сегодня женюсь, или я не встану с этого кресла!» Короче, через пятнадцать минут она согласилась выйти за него замуж, и все два дня они гуляли по кабакам и ресторанам, как сумасшедшие. Потом Яшка привез её в экспедицию, а через месяц узнал, что, пока он работает в тундре на своем вездеходе, её большая, теплая, белая грудь гостеприимно согревала любого, кто входил в их «балок». Тогда Яшка посадил её в самолет и отправил обратно в Тюмень, и вся экспедиция переживала это как одно общее горе...

Короче, на третий день пребывания Яшки и Старика в тундре, в кабине заблудившегося вездехода, они рассказали друг другу свои биографии и все известные им анекдоты.

А на четвертый день у Яшки начались галюцинации. Он вставал в кабине, он бился головой о стекло, порываясь куда-то бежать. Молодой, здоровый — он не мог выдержать этой сидячей пытки.

— Идем! — звал он Старика. — Пойдем пешком! Мы дойдем — здесь всего двенадцать километров до базы!

Старик силой удерживал его в кабине, но Яшка был крупней и здоровей Старика, однажды он вырвался, выскочил из кабины и побежал в пургу. Старик едва догнал его — Яшка споткнулся на бегу о торос и упал. Старик тут же упал на него, подмял под себя и изо всей силы стукнул Яшку кулаком по лицу. Яшка пришел в себя и, плача, побрел назад, к вездеходу...

Их нашли на шестой день — обнявшихся и спящих. Вертолет обнаружил их в семи километрах от реки, и пилоты тут же взяли курс на Салехард, потому что и в вертолете Яшка всё порывался бежать куда-то... Они пролежали в больнице полторы недели, на третий день Старик встал с постели и был у Яшки вместо сиделки, даже кормил его бульоном из ложечки...

— Снимите меня с машины, — сказал Яшка Мальцеву — И дайте мне бочку солярки...

Мальцев понял его и перестал постукивать карандашом по столу.

Назавтра Яшка стал разводить костры на бугре, на том клочке мерзлоты, где должна быть могила — два метра на метр. Он насыпал слой угля, поливал его соляркой, поджигал и не давал остыть оттаявшему тонкому слою мерзлоты, бил землю кайлой.

Он работал на горящих еще углях, прибив к подметкам унтов алюминий консервных банок.

На десятый день после смерти Старика состоялись его похороны. Вся экспедиция шла за гробом. Они поднялись на бугор, исхлестанный ветрами, прокопченный соляркой и пропитанный человеческим потом. Отсюда были видны ненецкие чумы у пристани, уходящее к горизонту всё в белых и зеленых застругах и торосах поле Обской губы и этот поселок экспедиции, которому отдал Старик последнее тепло своей старости и мастерство своих золотых рук. Они опустили гроб в глубокую могилу, засыпали её комьями вечной мерзлоты и установили над могилой столб с широкой горизонтальной табличкой — с именем и фамилией Старика.

Но если смотреть издали, с Оби, то этот столб с горизонтальной табличкой кажется православным кладбищенским крестом, и по этому поводу у Мальцева произошла короткая стычка с секретарем партийной организации экспедиции.

— Надо бы на столб звезду прибить, — сказал секретарь. — А то нехорошо получается — как будто мы тут религиозной пропагандой занимаемся — крест над тундрой поставили.

— Пусть стоит... — сказал Мальцев.

— А я говорю: надо звезду прибить!

— А я говорю: Старик православный был, а не партийный. Тебе понятно?

Они долго смотрели друг другу в глаза — оба члена КПСС, но один геолог, а другой — партийный работник. Потом секретарь парторганизации вышел из «балка»-конторы, хлопнув дверью, а Мальцев еще долго постукивал карандашом по стеклу на своем письменном столе.

С тех пор и стоит крест над бугром, над Обской губой — единственный крест на весь Ямальский полуостров.

«Комсомольская правда», январь 1966 г.

СИЛА ИСКУССТВА

Быль

«Я никуда не пойду, я вернусь домой!»— тихо говорила она с глазами, полными слез.

«Почему? Что за дурь?! — возмущался он, нетерпеливо поглядывая на бесшумно струящиеся вниз ступеньки пустого эскалатора. Все пассажиры самолета уже давно прошли мимо них вниз, в зал таможенного контроля, и только они торчали тут вдвоем в неоновой пустоте длинного коридора. — Пошли! И, пожалуйста, прекрати эти истерики!»

«Я никуда не пойду, — повторила она. — Мне там нечего делать. Я вернусь домой!»

«Но мы же прилетели сюда ради тебя! Я что — не был в Канаде? Я был тут сотни раз! Пожалуйста, прекрати эту чушь! Нас там человек ждет! Он уже не знает что думать!»

«Мне это все равно. Послушай, как ты со мной разговариваешь!»

«Как я с тобой разговариваю?»

«Ты даже не слышишь, как ты со мной разговариваешь! Оставь! Оставь меня, я вернусь домой.»

«Как ты вернешься? Это был последний рейс. Посмотри в окно — уже ночь, самолет уже укатили на стоянку. Следующий рейс только утром! Ты что — будешь ночевать тут?»

«Буду. Какая тебе разница?»

«Ты не можешь здесь ночевать. Здесь граница между Америкой и Канадой.»

«Ну и что? Мне все равно. Я останусь тут.»

«Господи, что за жизнь! Послушай! Я прошу тебя: пожалуйста, давай пройдем таможню, а утром первым же рейсом ты улетишь домой. Договорились?»

Она молчала. Она смотрела ему в глаза и молчала.

«Пошли!» — он тронул коляску с их дорожными сумками и ступил на ступеньку эскалатора, уверенный, что она следует за ним.

Она стояла, не двигаясь, и смотрела, как он, не оборачиваясь, удаляется от нее в пустую штольню этого слепящего холодной чистотой эскалатора. За стеклянными стенами аэровокзала была чужая, канадская ночь с уже почти истаявшими во тьме огоньками их самолета, укатившего в черную даль. Неужели он так и не обернется? Неужели он бросит ее одну — тут, в этой пустоте между Америкой и Канадой, ночью и — навсегда!

Он не обернулся. Там, внизу, он сошел с последней ступеньки эскалатора и, не повернувшись, исчез в коридоре с надписью «Custom». Какой странный эскалатор — только вниз. А вверх нет ни лестницы, ни ступенек транспортера, ничего. И, значит, он не вернется.

У нее закололо сердце. Это была такая боль, словно он, уходя, защемил это сердце безжалостно хлопнувшей дверью.

Она прислонилась спиной к холодной стене и медленно опустилась на пол. Закрыв глаза, сжав зубы и задержав дыхание, пережидала эту тянущую сердечную боль. Боже мой, это конец, конец! Она для него — ничто, просто никчемная вещь, которую можно оставить в аэропорту, бросить и уйти без оглядки. Как же ей жить? И зачем? В этой черноте боли, ночи, сквозняка вдоль пола и холодного безразличия аэропортовского неона — зачем ей жить?

Но, кажется, он возвращается. Тяжелые и торопливые шаги вверх по эскалатору. Шумное дыхание. Конечно, в его возрасте это нелегко — ступеньки катят вниз, а ему приходится бежать по этим ступенькам вверх. Но не нужно обманывать себя — он возвращается вовсе не потому, что беспокоится о ней. Просто ему неудобно выйти из аэропорта одному, когда он всем своим канадским друзьям уже сказал, что прилетает с женой. С молодой женой!..

«Что с тобой?»

Да, это его голос, и в этом голосе — сквозь запыхавшееся дыхание — слышны, кажется, и нотки тревоги. Впрочем, может быть, она ошибается...

Он присел перед ней на корточки:

«Что с тобой? Тебе плохо?»

Она открыла глаза, чтоб увидеть его лицо. Нет, он не любит ее, в его глазах только досада.

«Тебе плохо? Вызвать врача? А? Тебе вызвать врача?» Она медленно покачала головой. Врач тут не поможет. Если он не любит ее, то какие уж тут врачи? И вообще, почему у других есть все — счастье, дети, интересные профессии, бизнес, комфортабельная жизнь. А у нее — только вот этот пожилой мужчина, который в любую минуту может перестать ее видеть, слышать и знать, может повернуться и уйти в ночь, в Канаду, в другую жизнь. Так какие уж тут к черту врачи, от этого нет лекарств!

Господи, зачем он ее поднимает? Впрочем, ладно, она и вправду не может сидеть тут всю ночь — одна, между США и Канадой, в пустом коридоре со сквозняком по полу, да еще когда вот так зажало сердце.

«Пожалуйста! — сказал он снова Там уже закрывают таможню! Мы не можем тут оставаться...»

Хорошо, она пройдет эту чертову таможню, если это так нужно. А потом сядет в зале ожидания, дождется утра и улетит домой, в Кливленд. А там...

Боже, что за бесконечные коридоры в этой Канаде — пустые, стерильно-чистые и совершенно беззвучные. Огромный зал с десятком стеклянных будок — тоже пустой, только в одной будке сидит какая-то женщина в форме и при их приближении поднимает глаза.

«Your pasposts, please.»

Он подает ей их паспорта, два синих американских паспорта.

«Вы надолго в Канаду?»

«На три дня.»

«Цель вашего визита?»

«У моего друга тут персональная выставка. Он художник. Он пригласил нас посмотреть ее. Он ждет нас там, на выходе.»

«Вы привезли алкоголь, табачные изделия?»

«Только бутылку «Столичной».»

«А что в этой сумке?»

«Мой «лаптоп», компьютер. Я работаю с компьютерами.»

«Хорошо. Проходите. Добро пожаловать в Канаду.»

«Спасибо», — он сунул их паспорта в карман пиджака, взял одной рукой ручку тележки, а другой приобнял жену и повел к выходу.

Но она отстранилась:

«Пожалуйста, оставь меня. Теперь я могу тут остаться. А ты можешь идти к своим друзьям. Иди, они тебя ждут.»

«Так! Опять! — воскликнул он и даже закрыл глаза, изображая страдание. Ты можешь все-таки сказать, что случилось?»

«Зачем? Разве тебя это интересует? Ты не смотришь в мою сторону, ты не разговариваешь со мной, за три часа в самолете ты не сказал мне ни слова! Я не могу так жить! И не хочу!»

«Я же сидел в другом ряду!»

«Вот именно! Ты даже не хочешь сидеть со мной рядом! Самолет был почти пустой, а ты сел от меня отдельно!»

«Но так было просторней, удобней!»

«Кому?»— воскликнула она с болью в голосе.

«Do you need any help?» — спросила у них таможенница из своего стеклянного стакана.

«Нет, спасибо, — сказал он поспешно и взял ее за локоть. — Пошли отсюда! Это таможня! Не устраивай тут «Девять дней одного года»!»

Она не знала про какие «девять дней» он говорит, он вдруг сообразил, что ее и на свете-то не было, когда в России шел этот фильм, но почему-то она все-таки тронулась с места и пошла за ним к выходу из аэровокзала.

Невысокий худощавый мужчина в желтой кожаной куртке и светлых потертых джинсах суетливо метнулся к ним с улицы через совершено пустой зал ожидания:

«Наконец-то! Что случилось? Я уже был в справочной. По списку пассажиров -вы прилетели, а вас все нет и нет!»

«Знакомьтесь. Это Виктор, а это моя жена Света.»

«Очень приятно.»

«Мне тоже.»

«Нам сюда, через дорогу. Машина здесь. Так что случилось?»

«Ничего особенного. Нас задержали на таможне. Сказали, что с такими молодыми женами в Канаду не пускают. Пришлось дать взятку.»

«Чем?»

‹Билетом на твою выставку.»

Она нахмурилась, припоминая: разве он давал той таможеннице билет на выставку? Нет, это он так шутит. Но как он может шутить в такой ситуации?! Да еще на такую больную тему! Впрочем, именно он и может — ведь она для него ничто, вещь, с которой не о чем разговаривать, которую можно бросить в самолете, оставить в аэропорту, забыть...

«Как вам наши канадские дороги? — спросил у нее Виктор вполоборота, ведя свой «Джип-Чероки» по широченному шоссе. — Вы, кажется, первый раз в Торонто, да?»

«Да. Но знаете, у меня так болит голова, что я почти ничего не вижу. Извините меня.»

«Ничего, мы уже почти приехали. Сейчас поужинаем, попьем чаю...»

«Нет, если можно — я приму талинол и сразу лягу. Если вас это не обидит, конечно.»

«Что вы! О чем разговор! Моя жена улетела во Флориду к внукам, и вся наша спальня — ваша.»

К внукам? Господи, у его друзей уже внуки, какой же девчонкой она выглядит в их глазах! И даже не девчонкой, наверно, а девкой, ухватившей пожилого мужика...

Черт возьми, сколько этажей у этого подземного гаража?

И как тут все чисто, добротно, респектабельно — дорогие машины... коридоры в коврах и мраморе... плавательный бассейн за стеклянной стеной... холл и какая-то «парти» в смокингах... зеркальные лифты и ухоженный пожилой спортсмен в махровом халате, с отполированными ногтями... и снова коридоры в коврах... и дубовые двери... и просторная квартира с роскошным видом на ночной Торонто... и спальня, обставленная старинной мебелью, с гигантской кроватью темного дерева. Боже мой, как люди живут! Добротно, красиво, спокойно. А у них? Какая-то случайная мебель, матрасы на полу, и ему это все равно, ему «некогда этим заниматься», и он даже слышать не хочет о двуспальной кровати. «Короли не спят с королевами в одной кровати, они имеют разные спальни.» Боже мой, она не хочет жить, как королева, она хочет жить, как все люди — иметь вот такую просторную квартиру, такую спальню, такую кровать...

«Располагайтесь. Полотенца в этом шкафу, халаты здесь, а тут у нас ванная и джакузи. Может, попьете чаю с дороги?»

«Спасибо. Я лучше лягу. Если вы не обидитесь».

«Что вы! Располагайтесь. Чувствуйте себя, как дома. Спокойной ночи.»

Через десять минут она лежала в этой безбрежной кровати, на самом краю ею, оставив всю остальную спальную площадь для мужа. Лежала на правом боку, чтоб не давить на саднящее сердце. Поджав колени и завернувшись в шелковую чистоту дорогих простыней и одеял, она прислушивалась к звукам за стеной — что они там делают? о чем говорят? и как он мог снова бросить ее — в чужой спальне, на чужой кровати? Неужели он не зайдет и не спросит как она себя чувствует? А если она умирает тут? Если у нее инфаркт, инсульт? Боже,какая необъятная кровать! Просто крепость, ипподром, Красная площадь. И какой плотно-приятный матрац, какие фундаментальные, из красного дерева спинка, рама, ножки, тумбочки. А ведь этот художник тоже эмигрант, на него не просыпались с неба ни эта дорогая мебель, ни его роскошный «Джип», ни квартира в доме с плавательным бассейном...

Она вспомнила, что рассказывал ей муж о Викторе. Что в молодости, в России этот Виктор был каскадером, мастером спорта по прыжкам с парашютом, потом — кинооператором подводных съемок на фильме «Человек-амфибия», потом — оператором документалистом в АПН, а затем эмигрировал с женой и детьми в Израиль, снял там с приятелем документальный фильм «Путь Христа», а в 74-м году снимал для американского телевидения хронику очередной израильско-арабской войны и во время съемок атаки советских «МИГов» на израильский госпиталь чудом остался жив — пули советских «МИГов» в упор изрешетили их машину. Затем, в 75-м, кажется, Виктор с женой переехал из Израиля в Канаду, здесь тоже пробовал снимать кино, и во Флориде даже опускался с кинокамерой в озеро с крокодилами, снял про них десятиминутный фильм, но пробиться в американское кино не смог и стал шоферить на траке, развозить продукты. И однажды был задержан полицией за лихую, что ли, езду, но пока он стоял у машины, разговаривая с полицейским, какой-то грузовик врезался в них, отправив в госпиталь и Виктора, и полицейских. Там, в госпитале, он провалялся в реанимации несколько суток между жизнью и смертью, а когда вышел, наконец, из больницы, купил себе кисти и краски и стал рисовать...

Господи, думала она, чувствуя, что засыпает, вот как умеют люди жить -решительно меняя страны, образ жизни, профессии. Щуплый, неброский мужчина с застенчиво-светлыми глазами на усталом лице прыгал с парашютом, нырял с аквалангом, рисковал жизнью на израильском фронте, снимал под водой крокодилов, шоферил... А она? Неужели у нее не хватит сил разорвать эти путы будней и бросить человека, который ее не любит, которому вообще все безразлично, кроме его компьютеров. Он даже не понимает, что она поехала с ним в эту поездку вовсе не для того, чтобы посмотреть Торонто или его друзей. А для того,чтобы быть с ним — все три дня, только с ним, без его дурацких компьютеров. Но, оказывается, он и сюда притащил какой-то «лаптоп». Нет, хватит, она больше не может жить приставкой к этим «хардвэрам», «софтвэрам» и принтерам! Завтра же утром она улетит в Кливленд, возьмет там два своих чемодана с вещами и уйдет в новую жизнь — сначала к подруге, а потом...

* * *

«Доброе утро. Как вы спали?»

«Замечательно, Виктор, спасибо. Боже мой, какой у вас вид с балкона!»

На самом деле она спала ужасно, и во сне ожидая, когда же он, ее муж, появится в спальне, ляжет в постель и обнимет ее, согреет ее ледяные плечи и ноги. Но он не обнял и не согрел, а лег в темноте на другом краю этой гигантской кровати и уснул, как чужой. Как чужой... А утром встал ни свет, ни заря и, снова как чужой, ушел на кухню к своему компьютеру — «лаптопу»...

Она вышла на балкон, чтобы спрятать от них вновь подступившие слезы и взять себя в руки. Сейчас она скажет им, что ей нужно в аэропорт, домой. Она уже и сумку свою собрала.

«А мы вас ждем, чтобы ехать на выставку. Но вы позавтракайте, конечно. Что вы будете на завтрак?»

Она посмотрела ему в глаза. И вздохнула мысленно. Этот человек прыгал с самолетов, опускался к крокодилам, чудом выжил на войне и в госпитале — как она может сказать ему, что не нужна ей никакая выставка и никакие его картины, что ее жизнь с этим компьютерным крокодилом — это сплошной мрак и затяжной прыжок без всякого парашюта, а после вчерашнего вечера и этой мучительной ночи на огромной и жесткой, как Лобное место, кровати она вообще ничего не видит и видеть не хочет — ни Торонто, ни Канаду, ни...

«Не знаю, — услышала она свой голос. — Мне все равно Я могу сварить себе яйцо. Или сделать тост. А вы уже завтракали?»

«Конечно. Еще час назад.»

Она сварила себе яйцо, поджарила хлеб и согрела чай. И все время краем глаза видела мужа — как он обходит ее, словно заразную больную, не замечает ее состояния или делает вид, что не замечает, и слоняется по этой огромной квартире вдоль резной старинной мебели и стен, на которых, судя по голым крюкам, совсем недавно висели большие тяжелые картины. Но теперь эти картины перекочевали на выставку, даже в дальней комнатке-мастерской нет ничего, кроме пустых рам и шкафа с красками.

К черту! Быстрей бы уже отбыть эту выставку и уехать от этой тошнотворной пустоты и тупика ее жизни. Наспех одеться, наспех накраситься и, сжав зубы и стиснув душу, снова нырнуть в этот надменно-великолепный лифт, в эту отчужденно-просторную машину, в этот снисходительно-благополучный город. Нырнуть, чтобы вынырнуть совсем в другой омут... Господи, зачем ты показываешь ей эту роскошь — эти вереницы тихих чистеньких домов, стриженых газонов, детских площадок и сияющих лаком машин? Зачем ты мучаешь ее видом чужого уюта, тепла, ухоженности и добротной жизни? Ей от этого только хуже, тошнотворней, ей убиться хочется, да, выпасть из этой проклятой машины и разбиться насмерть.

«Это наш центр, Камберлэнд,» — сказал Виктор. В потоке машин он медленно катил по узкой многолюдной улочке с выбежавшими на тротуар зонтиками открытых кафе, и каждая женская фигурка, сидящая там или фланирующая от одной дорогой витрины к другой, кололи ее больную душу шипами своей обеспеченности, стабильности и прочности своего элегантного бытия. Так собранные в букет розы колют случайно оказавшуюся в их компании ромашку или гвоздику — колют до крови, до смерти.

«У вас тут литературный фестиваль,» — сказал Виктору ее муж, когда они проезжали мимо какой-то тумбы с афишами.

«Ага, — подтвердил Виктор. — Приехали Бродский и еще кто-то. Возможно, Толстяк. Он звонил мне неделю назад, сказал, что прилетит со своей Люлей, если ей дадут визу в канадском консульстве. Ты же знаешь Толстяка, да?»

«И Толстяка, и Бродского еще по Питеру знаю, сказал ее муж. — Так он еще не женился на ней? Толстяк, я имею ввиду?»

«А вот он придет на выставку — спросим. Видишь, какие у нас музы по улицам ходят?»

Она искоса глянула на мужа — оказывается, он и светскими сплетнями интересуется и о нью-йоркских писателях может поговорить! Но — не с ней. С ней он и сегодня за весь день не сказал ни слова! А теперь сидит рядом, делая вид, что ее вообще нет, не существует, и что все его внимание занято Виктором, этой улицей, этими канадцами и вон той нелепой девицей в роскошном белом платье-балахоне и нелепых при таком платье высоких черных сапогах. Впрочем, почему же «делая вид»? Разве не ловила она его и раньше на том, как он в упор и откровенно мужицким взглядом зырился на таких вот молоденьких «муз»?

И вдруг она ощутила,что все — с нее хватит, запас ее стойкости исчерпан, сейчас она снова брякнется в слезы. Или выйдет из машины и пешком пойдет в аэропорт.

«Приехали, — сказал Виктор и притормозил у многоэтажного стеклянного куба. — Вы выходите, а я поставлю машину.»

Они вышли. Она шла рядом с мужем, который делал для своего Виктора вид, что ничего не случилось, что все нормально. А у нее в душе были уже только пустота, серость, пелена постылого безразличия к своему собственному отчаянию. Ее жизнь не сложилась, кончилась, и ее нужно стереть — вообще стереть, всю, как стирают резинкой неудачный рисунок...

Он толкнул стеклянную дверь и придержал ее, светски пропуская жену вперед. И в этом коротком жесте ей увиделось такое издевательство, что она остановилась в шаге от этой двери и сделала короткий вдох, как перед прыжком в пропасть. Сейчас она скажет ему нечто такое, для чего и слова не нужны. Или просто оттолкнется взглядом от его бесстрастно отчужденного лица, оттолкнется, как от трамплина, и — уйдет. Молча, без слов — вообще уйдет, навсегда.

Какое-то пятно за открытой дверью отвлекло ее внимание — невольно, как отвлекает нас возникшая в поле зрения стрекоза или бабочка.

Она еще не осознала, что это за пятно, какое оно и что оно значит. Но она ощутила, как оно потянуло ее к себе — так в глухом подземелье тянет нас к себе крохотное пятнышко солнечного света вдали.

Она сделала шаг к этому пятну, потом еще один, и еще...

Наверно, дети, заблудившиеся в темном лесу до жути в душе и дрожи в поджилках, могут, выйдя из леса на солнечную дорогу, ощутить такую радость...

Наверно, человек, тонущий в море рядом с берегом и уже простившийся в панике с жизнью, испытывает такое облегчение, когда вдруг коснется ногой твердой почвы...

Наверно, парашютист, у которого не открылся парашют и который уже камнем летел вниз, зная, что от разрыва сердца он умрет еще до удара о землю, переживает такую немоту восторга, когда вдруг, от его последнего судорожного рывка за кольцо, над ним раскрывается спасательный радужный купол...

Она стояла среди солнечного света, в центре детской игры цветами, шарами, красками. В окружении сиятельных клоунов, радужных жирафов, золотых рыб, летающих фей, призрачных русалок и заколдованных деревьев с огромными ромашками на ветвях. И каждая картина летела на нее, как летит на нас пенно-радужная морская волна во Флориде или сноп света бегущего к станции поезда.

Нет, не надо думать, что она вообще никогда не была на выставках. Она была и в Эрмитаже, и в Пушкинском музее, и в Третьяковке, и в нью-йоркском Метрополитен-музее, и в Кливлендском муниципальном музее искусств. Она видела реалистов, импрессионистов, кубистов и сюрреалистов. Она видела работы маститых художников, классиков палитры и мастеров живописи.

Но тут было нечто совершенно другое.

Тут был простодушный, детский и безыскусный восторг перед творческой удачей Бога — сотворением нашего мира. Каждая картина дышала этим восторгом, лепетала о нем на своем детском языке и, как ребенок, пыталась подражать Богу.

Она разом вобрала в себя этот солнечный пир жизни и, словно прыгнув в стог свежего сена, широко распахнула руки и сказала громко, воскликнула:

«Господи, как мне нравится это все!!!»

И забегала от картины к картине — взапуски, как щенок, выпущенный на пахучий луг и ошалевший от запахов трав, ягод, птиц и прочей Божьей живности.

То останавливаясь перед огромным ярким панно с цветами и вбирая в себя все соки жизни, текущие на нее с этого полотна, то с опаской отходя от черной змеи, завороженной игрой циркового клоуна, то замирая под пролившейся с картины радугой, она совершенно забыла о своем старом муже, своей размолвке-разрыве с ним и даже о художнике, создавшем эту поляну света, игры, Жизни.

Она не видела, как они наблюдают за ней издали и не слышала как подошел к ним двоим лощеный канадец-хозяин галереи и сказал:

«She is so beautiful! Now I understand Russian artists! May be I'll go to Russia to find same queen for myself. What do you think?»

«Sorry, she is the last one, and she is mine,» — сказал ее «вежливый» муж.

Тут она подбежала к нему, взяла под руку и потащила к картинам, шепча на ухо:

«Тебе это нравится? Только честно: нравится? Знаешь, мне очень нравится! Это все такое мое! Я просто чувствую, как снова живу! И я думаю, что вся его биография в этих картинах — и как он с парашютом падал, и как к крокодилам нырял. Точнее — как вынырнул и понял, что такое жизнь. Все тут, правда? Знаешь, я так хочу хоть что-нибудь отсюда...»

«Что?»— спросил он.

«Все! — воскликнула она и снова распахнула руки. И повернулась к нему лицом: — Давай целоваться!»

«Прямо здесь?» — улыбнулся он.

«Ага. Давай?»

Он смотрел ей в глаза и видел в них все, что было на этой выставке — и сиятельных клоунов, и радужных жирафов, и золотых рыб, и летающих фей, и призрачных русалок, и заколдованные деревья с огромными ромашками на ветвях. Но вся эта по-детски безыскусная радость Жизни вдруг обрела в глубине ее глаз совсем новую силу чувственно плотскую. И проливалась из нее, летела из нее, как летит на нас морская волна или сноп света бегущего к станции поезда.

Он сделал короткий вдох, как когда-то в далекой юности, когда впервые прыгнул с парашютной вышки. И поцеловал жену, как юноши целуют любимых —открыто, при картинах, при каких-то случайных посетителях выставки, при художнике и при лощеном канадце-галерейщике.

И той же ночью — той же ночью, господа, я не вру! — на двенадцатом этаже известного в Торонто высотного дома, что на углу Финча и Тэрасдэйл, они сломали ту самую кровать художника — широченную, как ипподром, и крепкую, как Лобное место на Красной площади.

And they lived happely ever after.

К СВЕДЕНИЮ ССОРЯЩИХСЯ СУПРУГОВ
И ЛЮБОВНИКОВ! ВЫСТАВКА КАРТИН
ВИКТОРА БУШУЕВА ПРОИСХОДИТ ПО АДРЕСУ:
SOBOT FINE ART GALLERY, CUMBERLAND
TERRACE AT BAY, TORONTO, ONTARIO.
Tel. (416) 515-9977

Опубликовано в газете «Новое русское слово» Нью-Йорк, октябрь 1994

Рассказы для серьезных детей и несерьезных взрослых

МОЯ КОШКА ДЖИНА ЛОЛЛОБРИДЖИДА

Да, у меня была кошка с именем и фамилией — Джина Лоллобриджида. Слушайте, как было дело.

Я много лет жил в деревне под Москвой в доме творчества «Болшево». Дом творчества — это такой санаторий для писателей, где можно целый день ничего не делать, а когда уже совсем делать нечего, то можно сочинять всякие киносценарии, книжки или пьесы для театра. Но я это шучу, конечно, у меня там была комната в деревянном домике-коттедже, и в этой комнате я с утра стучал на машинке, сочинял кино, а потом, когда уже ничего не сочинялось, я уходил гулять в лес или на речку. И вот однажды зимой, в ноябре, кажется когда уже были сильные морозы и снег, мы пошли с одной артисткой, Тамарой Носовой, — очень смешной артисткой — так вот, мы пошли с ней погулять, подышать воздухом. До леса мы не дошли, замерзли, повернули обратно. Идем по деревенской болшевской улице и видим — на белом снегу кусочек черного угля шевелится. Небольшой такой кусочек, может быть, меньше, чем мой кулак. И — шевелится. Станет на лапки, сделает несколько шагов по накольженному машинами снегу мостовой, поскользнется и — кувырк, падает.

Ах ты, думаю, котенок какой глупый! Тебя же машины задавят! Иди-ка сюда! И — хочу его догнать, сграбастать, но... ничего подобного! Не могу поймать — убегает! На своих крохотуленьких ножках убегает — так бочком, бочком и еще хвостик трубочкой поднял, понимаешь! Я чуть сам не поскользнулся и не шмякнулся носом в мостовую, когда за ним погнался.

А артистка Носова, конечно, смеется надо мной — тоже мне, говорит, котенка догнать не может!

Совсем я на этого котенка разозлился — да ну его, говорю, не нужен он мне, я его согреть хотел, а он... Ну и убегай себе, катись!

И пошел своей дорогой.

Идем мы с Носовой по улице, и я так вкось смотрю — что такое? Догнал нас черный уголек, скользит по льдистой мостовой лапками, а догнал! Ах ты, думаю, и — раз, подхватил его под пузико и за пазуху сунул, под дубленку. А дубленка у меня замечательная была, с длинным нестриженным мехом, как тулуп — ну тепла-ая! Я с ней и на Крайний Север летал, и в Сибирь — нигде не замерзал! И слышу — возится там мой котенок, еще глубже за пазуху прячется, греется. Ладно, думаю, о'кей, грейся. Пришли мы домой в Дом творчества, я и говорю Носовой:

— Том, а Том, тебе нужен котенок?

— Нет, — говорит, — не нужен. У меня дома собака, боксер.

— А что же мне теперь с ним делать? — говорю. — Не могу же я его выбрасывать, я ведь его уже согрел!

— Конечно, — говорит, — раз согрел — не имеешь права выбрасывать! И вообще, — говорит, — запомни: кого согрел, того не имеешь права выбрасывать, нечестно это, понял?

Делать нечего, пошел я с котенком домой, в свою комнату. Думаю, что с мне с ним делать? Сходил на кухню, взял у повара блюдце с молоком, принес в свою комнату, налил котенку, говорю: «Пей». А он не пьет. Я его мордочкой тычу в блюдце с молоком — опять не пьет. Ах ты, думаю, ну что с ним делать, не понимает, что это молоко, наверно. Намочил я палец в молоке и сунул котенку в рот. А ротик-то у него, Боже мой, крохонький! Стал он мне палец облизывать своим красненьким язычком — мне и смешно, и щекотно...

Так и поселился у меня этот котенок, и я назвал его Уголек Через несколько дней он уже сам молоко лакал из блюдца и бегал по всей комнате за бумажкой, которую я перед ним на нитке дергал. Толстенький стал, как колобок, и — я забыл вам сказать — очень красивый. Потому что он не весь черный был, а — оказалось — у него очень аккуратный белый галстучек и все четыре лапки в белых перчаточках, и на лбу — маленькая беленькая звездочка, ну, не звездочка, а такое маленькое беленькое пятнышко, как звездочка. И от этого мордочка сразу казалась такой умненькой, весь котенок в этом белом галстучке и белых перчаточках — такой аккуратный, интеллигентный, что все, кто приходил ко мне в гости, тут же брали его на руки, гладили, рассматривали.

И вот одна гостья — уже не помню кто — так внимательно его рассмотрела, что вдруг говорит:

— А это и не мальчик совсем, а девочка. Кошка это, а не котенок.

Ну, стал я думать, как мне ее назвать. Я сразу решил, что у моей кошки должны быть имя и фамилия. Только какие? Было два варианта: или американская артистка Лиза Минелли, потому что у меня на стенке висел ее портрет, или Джина Лоллобриджида. Но Лиза Минелли не годилась, потому что Лиза это русское имя, прийдет кто-нибудь в гости и обидится, что я ее именем кошку назвал, а во-вторых, все будут думать, что Лиза от слова «лизать» или «лизаться», или даже «подлизываться», а моя кошка совсем даже не была подлизой, а наоборот росла очень грациозной, игривой, задиристой и самостоятельной. Даже скажу вам по секрету, что она очень быстро научилась аккуратно ходить в туалет, и у нас с ней на эту тему почти никогда не было скандалов.

Ну, вот и стал я ее называть Джиной Лоллобриджидой. Всю зиму прожила она у меня в комнате, на улицу выходить боялась, только любила сидеть на окне, смотреть, как воробьи скачут. И много у меня с ней было в ту зиму приключений и забавных историй.

Во-первых, она научилась будить меня рано утром. Вообще-то я терпеть не могу рано вставать, я люблю поздно ложиться и поздно вставать, а вот Джина — как раз наоборот. И стала она меня перевоспитывать. Я ей не разрешал у меня на кровати спать, у нее было свое место — в кресле. И вот она займет с вечера кресло и спит себе, а я слушаю радио или книжку читаю и ложусь, конечно, поздно. И поэтому сплю себе утром до завтрака. А Джина — нет. Она выспится, проснется в шесть утра, залезет рядом со мной на тумбочку, где радио стоит и книжки лежат, усядится и смотрит мне в лицо, ждет, когда я начну просыпаться. Хитрющая была — никак не перехитришь. Только-только я шевельну ресницами, она уже понимает — ага, это я уже не сплю, и — прыг с тумбочки на пол. И в обход мою кровать обегает, и — шарк — щекочет лапками мою высунутую из-под одеяла ногу. Ну, я как заору: «Джина, отстань!». А ей только того и надо, чтобы я проснулся — уж она по всей комнате понеслась, как белка, шарах — на окно, шарах — под койку, шарах — по письменному столу, шарах — по моей кровати. Набегается, сядет возле моей кровати близко-близко и смотрит, хитрющая, ждет — погонюсь я за ней или тапочек в нее брошу, или подушкой запущу. Уж тут радости! Снова, как вьюн, по всей комнате, ну только что не хохочет, не умеют кошки хохотать, а жалко!

Ну, потом я научился так спать, чтоб под утро просыпаться лицом к стенке — чтобы ей моих ресниц не видать было, ага. И что вы думаете? Как она меня будила? А так: лапкой своей, самой подушечкой чуть-чуть коснется моей щеки и тут же уберет лапку. Вот когда говорят «нежно, как кошка лапой», — так это про мою Джину. Я много в жизни нежностей видел, но никто меня никогда так нежно не гладил по щеке рано утром, только два существа — Джина и моя маленькая племянница Ася.

Ну вот, и научила меня Джина рано вставать и зарядку делать. Потому что до завтрака чем мне еще было заняться?

А после завтрака я ей всегда приносил из столовой котлету, или сосиску, или молоко, и садились мы с ней за работу. Я на машинке стучал, а она сквозь окно воробьев считала. Потом, через пару часов, надоест ей воробьев считать и мою машинку слушать, она — прыг на письменный стол, или на плечо мне, или даже на пишущую машинку. Я ее прогоню, а она опять — мол, хватит работать, антракт, давай поиграем во что-нибудь. А во что мне с ней играть? У нее только одна игра была — чтобы я ее ловил, а она от меня убегала. По всей комнате.

Потом стал я ее приучать на улицу выходить. Помню, первый раз открыл двери на улицу, на мороз, и говорю ей: «хватит дома сидеть, иди погуляй по снегу». А она смотрит то на меня, то на дверь. Потом вышла на крыльцо, понюхала снег, потрогала его лапкой и — шмыг домой. Ах, ты, думаю, неженка какая! Взял ее на руки, пошел на улицу и посадил ее в сугроб. Закаляйся! — говорю. Ох, как она обиделась! Хвост задрала трубой и бегом — в дом, спряталась под кровать и целый день там сидела, не хотела со мной общаться, обиделась.

Но все-таки мало-помалу стала она привыкать выходить на улицу. Особенно, когда солнечный день выдавался. Я говорил: «Джина, пойдем погуляем», брал ее на руки и выходил из дома. Отходил от дома на несколько шагов, останавливался на тропе посреди сугробов, ставил ее на снег и ждал, что она делать будет? А она походит вокруг моих ног, понюхает снег, а потом так осторожно пройдется по тропе — сделает шажок и ждет, еще шажок — опять ждет. Мне смешно смотреть на эту трусиху, ка-ак свистну, она — тут же домой наутек. Но день за днем все смелей и смелей становилась моя Джина Лоллобриджида, уже на десять шагов впереди меня идет, потом на двадцать, и скоро я с ней совсем как с собакой гулял — бывало крикну: «Джина, ко мне!» — и она тут же подбегает, трется возле ног и идет рядом, как верная собачонка. И так разохотилась по снегу гулять, что уже стала со мной в догонялки и ловитки на улице играть. Выпустишь ее, а она — шмыг куда-нибудь в кусты за сугробы и ищи ее. Или —

скок, скок по снегу и на дерево какое-нибудь залезет метра на два и смотрит на меня — погонюсь я за ней или нет, полезу в сугроб или не полезу. И однажды так забаловалась, так разыгралась, что уже не на два метра, а на самый верх дерева вскарабкалась. Я ей снизу кричу: «А ну, слезай!» — а она дразнит меня и еще выше лезет. А там ветки тонкие, и я вижу, что ей уже самой страшно, да она на такой тонкой верхушке не может развернуться, а вот и лезет все вверх и вверх.

Стал я ее звать — и по-хорошему, и по-плохому, и шапкой в нее кидал, и снежками пробовал, и дерево тряс — ничего не помогает, влезла моя Джина на самую-самую верхушку дерева, раскачивается там, пищит, а слезть не может. Пошел за стремянкой. А смеркалось. Еле-еле я в котельной у кочегаров какую-то стремянку нашел, но короткую — два метра. Приставил к дереву стремянку, и полез по веткам, но какое там! Джина ведь на самой-самой верхушке, мне туда не добраться — ветки подо мной обломятся. Уселся я посреди дерева, стал ее звать к себе, говорю: «Джинушка, девочка, ну слезай, пожалуйста, иди сюда». А она висит на макушке дерева, ухватилась всеми четырьмя лапками за ветку — и ни вперед, ни назад, боится с места тронуться. Так я и не смог ее уговорить, слез с дерева и с досады хотел идти домой, думаю — пусть посидит там, сама спустится. И вдруг вижу — огромный кот, ну — о-огромадный, сидит под деревом и смотрит на мою Джину.

— Ах ты, — говорю, — негодяй! А ну пошел отсюда!

И снежком в него запустил.

А он отошел на несколько метров и опять сел себе в снег и сидит, ждет, когда я домой уйду. Ну, что мне делать? Стал я этого кота прогонять. Отгоню его от дерева, только домой двинусь, смотрю — опять его глаза из-за кустов светятся. Темно ведь уже, ночь скоро. Ну, я чуть не плачу Зову Джину, а она не слезает, сидит себе там наверху, сжалась в комочек и уже не пищит даже, не мяукает, вообще не отвечает. У меня уже и ноги замерзли, и нос, и вообще — надоела мне эта история, но как я ее брошу, если тут рядом этот котище разгуливает?

Ладно, пошел я домой, включил я в своем доме весь свет и еще настольную лампу на окно поставил и направил свет на дерево, где моя Джина сидела. Чтобы видеть мне через окно, когда этот кот на дерево полезет. И вот представьте себе — всю ночь я возле этого окна просидел, караулил мою Джину Лоллобриджиду, чтобы ее этот кот не обидел. Музыку включил на полную громкость, кофе пил, чтобы не уснуть, и каждый час выходил на улицу звать мою Джину. А она не слезает. Холодно, мороз, снег скрипит под ногами, котище, конечно, ушел давно, но я все равно не спал — а кто его знает, вдруг он вернется? Так и досидел я до рассвета, а на рассвете... Подошел я опять к дереву и говорю:«Джинушка, ну слезай, пожалуйста», и вдруг вижу — ползет моя кошка вниз, пищит, мяукает, а ползет, я ей говорю: «Вот молодец, смелей, прыгай!» — и дубленку свою снимаю и держу на руках, чтобы было ей куда прыгать. А у нее, наверно, лапы так замерзли, что она уже и держаться не может за ветки, прямо кубарем катится по дереву, только сучки трещат, и — бах, прямо мне на руки, в дубленку и сорвалась с ветки!

Прижал я ее к груди, как родную дочку, и — домой!

Дома налил ей молока, а она и не пьет — залезла под теплую батарею и сидит там, молчит, не шевелится даже. Так целый день под теплой батареей и просидела, только к вечеру вышла, попила молока и опять — к теплу. Грелась после такой морозной ночи.

Все-таки не отдал я ее коту в обиду, всю ночь высидел без сна у окна, а уберег свою Джину, и она мне такой же верностью платила. Вот послушайте, как.

Были у меня в ту зиму всякие дела в городе, в Москве — то на киностудию поехать, то к племяннице Асе, ну мало ли дел в Москве? И вот я оставлю утром Джине молоко в блюдце, котлету и колбасу положу в мисочку и говорю, мол, я уезжаю, ты не скучай, вот тебе еда, кушай. Потом заведу свою машину и уезжаю в город, в Москву. А возвращаюсь, конечно, поздно вечером, а иногда и ночью даже. Думаю, как там моя Джина? Заезжаю во двор нашего Дома творчества, ставлю машину в гараж и — бегом домой. Смотрю: моя Джина сидит на подоконнике, выглядывает меня, а захожу в комнату — она прямо ко мне, и трется головой об ноги, и трется, и мурлычет. Включаю свет — что такое? Молоко с утра стоит нетронутое, котлета и сосиска не съедены — ну, не прикасалась кошка к еде целый день, и все тут! Ты, говорю, почему, не ела тут ничего без меня? А она мурлычет, головой об ноги трется, и пока я ее не возьму на руки, пока не поглажу, не скажу всякие теплые слова, мол, Джинушка моя, Лоллобриджидушка, — она не отойдет от меня. И только потом, через пару минут, когда и погладишь ее, и извинишься за то, что целый день меня не было, — и только тогда она спрыгнет с колен на пол, медленно так подойдет к мисочке и не спеша, с достоинством начинает молоко лакать. И вот так она меня приучила пораньше домой приезжать — не ела без меня, и все тут. И соседи мне рассказывали, что когда меня нет, она целый день сидит на подоконнике — ждет. Уж они с ней пробовали и заигрывать, и кормить ее через форточку — она на них ноль внимания. Только слушала шум машин на шоссе и мою машину еще издали узнавала — уж не знаю как, все-таки кошка, у нее слух кошачий! Как услышит мою машину, забегает по подоконнику, на задние лапки становится, чтобы побыстрей мою машину увидеть, и когда видит, что это действительно я — опять садится и ждет спокойно.

Вот такая была моя Джина Лоллобриджида! Верная кошка!

А теперь слушайте, как мы с ней расстались.

Дело к весне шло, и настала мне пора уезжать из России навсегда.

Стал я думать, что мне с Джиной делать, кому отдать

в хорошие руки. Ведь Джина моя выросла, стала такой красивой и грациозной кошкой, что с ней даже в цирке можно было выступать. Вся черная, в белых перчаточках, при белом галстуке-бабочке и на лбу белая звездочка. Много разных артисток просили у меня отдать им Джину. Но я артисткам не доверяю. Позовут их в какой нибудь другой город в кино сниматься — они и бросят мою Джину кому попало. Нет, не доверяю я артисткам, знаю я их!

И тут как раз приходит ко мне наш садовник Степан Федорович, приходит и говорит: «Слыхал я, говорит, ты куда-то уезжаешь и не знаешь, куды тебе твою Джину пристроить». — «Ага, говорю, действительно». — «А чего же ты, говорит, своей Асе ее не отдашь, племяннице?» А я говорю: «Потому что Ася со мной тоже едет, я без нее не могу долго жить». — «Понятно, говорит, так эта вот... я, говорит, дом себе купил неподалеку, так моя жена хочет кошку в доме завести, может она приедет познакомится с твоей Джиной?» Так, думаю, это — дело, это серьезные люди. «А сад, говорю, у вас есть?» — «Есть, говорит, и дом, и сад, ей у нас хорошо будет, ты не сомневайся. Так что, звать мне жену?» — «Нет, говорю, мы с Джиной сами поедем с твоей женой знакомиться. И дом посмотрим, и сад. Если ей у тебя понравится — твоя будет Джина!»

Завел я машину, посадил Джину на заднее сиденье, Степана Федоровича на переднее, и поехали мы смотреть его дом и сад. А там нас хозяйка встречает, молока наливает Джине в блюдце, но Джина не пьет, а сразу — представьте себе — идет весь дом обнюхивать. «Ага! — говорит хозяйка. — Мыши у нас по ночам скребутся, все сухари поели за печкой, вот будет теперь хозяйка в доме, наведет порядок!»

А Джина вышла в сад, а там вишни цветут белыми цветами, пчелы жужжат — хорошо. Мне самому нравится, я бы и сам тут остался. «Ну что? — говорю я своей Джине. — Нравится тебе тут? Будешь тут жить?» Молчит моя кошка, не отвечает, а молчание, как вы знаете, знак согласия. Да я по глазам вижу, что уже хочется и ей свой дом иметь — чтоб и кухня была своя, и столовая, и спальня, и сад, чтобы все, как у людей, а не то что какая-то комнатенка в Доме творчества у писателей!

Ладно, говорю, Джина ты моя Лоллобриджида! Живи тут с миром! А я поеду в эмиграцию, посмотрю, как там люди живут, в других странах...

И — поехал. Только не сразу, не на другой день, конечно. А — осенью, в октябре. И вот перед самым отъездом были у меня дела в Болшево, под Москвой. То ли мне нужно было там сувениры купить, то ли чемодан я искал в дорогу, не помню. Только думаю — дай-ка я заеду посмотрю, как там моя Джина живет, попрощаюсь. И заехал. Спрашиваю у хозяйки: «Здравствуйте, как тут моя Джина поживает?» — «А вон она, — говорит, — в углу с котятами. Нужен вам котенок?»

А я смотрю — действительно, в углу, в старой кошелке три черных уголька-котенка и один беленький, а рядом Джина сидит и облизывает каждого. Посмотрела на меня и опять стала их облизывать, будто и нет ей до меня никакого дела. Но я и не обиделся — вон у нее сколько хлопот, четверо котят! А хозяйка опять спрашивает:

— Вы уже назад приехали? Нужен вам котенок?

— Нет, — говорю. — Я уезжаю. Ненадолго.

— Жалко, — говорит. — Нужно этих в хорошие руки отдать.

— Правильно, — отвечаю. — Только артисткам не отдавайте! Знаю я их!

Так я и уехал. И живу теперь в Америке, в Нью-Йорке и думаю: а у кого там эти котята живут, у хороших ли людей?

ПРО МОИХ ВОРОНЯТ

Как-то весной был в Подмосковье ураган. То есть, вдруг налетел такой сильный ветер, что деревья трещали, провода рвались и на землю падали, и даже с какого-то дома крышу сорвало. Вот какой был ураган!

Я в это время жил под Москвой в Доме творчества писателей, в деревянном коттедже, посреди парка над рекой. И когда налетел ураган, деревья у меня за окном прямо до земли наклонялись, ветер рвал с них молодые листья и даже на речке волны поднялись — такой был сильный ветер! А потом сразу — раз, и тихо стало. Улетел ураган дальше, в другие страны. А я пошел посмотреть, что же он натворил в нашем парке.

Только вышел из коттеджа — слышу в парке вороны кричат. Ну, так кричат — сил нет, как будто что-то ужасное случилось!«Ка-ар! Ка-ар!!» — громко, будто по репродуктору. Пошел я на этот крик, думаю — что там такое случилось? И вот вижу: две вороны ныряют сверху к земле, к одному месту и кричат там:«Кар!!» Взлетят от земли и опять к этому же месту спускаются и опять там кричат:«Ка-арр!» Думаю: что там такое? Подхожу и вижу: два крохотных вороненка сидят в траве, к земле прижались, головками во все стороны испуганно ворочают, а две вороны — папа и мама — подлетают к ним, прямо в лицо им свое«кар!» — требуют, чтобы они с ними взлетели. Я сразу понял, что это ветер выбросил воронят из гнезда, да только, думаю, как же они теперь в гнездо вернутся, они ведь такие крохотные — прямо, как спичечный коробок, куда до гнезда долететь! А тут вижу: и гнездо рядом в траве валяется, и его ветер с дерева сорвал. Совсем беда.

И пока я стоял да смотрел на эту беду, вдруг вижу

вороны мои взрослые отлетели куда-то в сторону и там такой крик подняли — еще громче прежнего! Прямо над самой травой вьются и кричат, вьются и кричат: «Кккар! Кккар!» Я все ближе к воронятам, ближе, и вдруг смотрю — а это из травы кот выглядывает, здоровый такой котяра. Вороны над ним вьются, кричат, хотят клюнуть, а он от них лапой отмахивается и к воронятам крадется. Ах ты, думаю, сукин кот! Нет, не достанутся тебе воронята, ишь чего захотел — маленьних воронят съесть? Дудки!

Взял я этих воронят и отнес в свой коттедж, на веранду. Вороны — папа и мама — до самого коттеджа меня провожали, кричали над головой:«Кар, кар!» Мол, отдай, отдай! А как я им этих воронят отдам, они же не могут их на руки взять и в новое гнездо отнести. Так что зря они на меня кричали, я их воронят от кота спас. Ну, в общем, стали эти воронята у меня на веранде жить. Такая большая веранда, стеклянная, светлая, два дивана там стояли и столик, мы там вечерами чай пили. И вот посадил я там воронят и говорю им:«Будете тут жить. Тут вас никто не обидит»

Закрыл дверь на веранду, и окна закрыл, чтобы кот сюда не забрался, и пошел в общую столовую обедать. Только вышел из коттеджа — опять эти вороны: папа и мама — на меня налетели, опять кричат:«Кар, кар!» Вот, думаю, привязались, сейчас я покормлю ваших воронят, не беспокойтесь. Взял в столовой свою котлету и отнес воронятам, накрошил перед ними и котлету и хлеб и говорю:«Ешьте». А они не понимают. Сидят под диваном, съежились, только красными глазенками хлопают. Ладно, думаю, ничего, проголодаетесь — скушаете. Оставил им эту еду, сам ушел в свою комнату.

До самого ужина я в своей комнате работал, даже забыл про воронят, а когда пошел ужинать, зажег свет на веранде, смотрю — ничего не съели мои воронята, сидят себе, как сиротиночки, под диваном. Думаю, что же это такое, чем же мне их кормить? Ни червей, ни мух у меня нет. Пошел в столовую на кухню к повару: дай мне свежего мяса кусочек, может, воронята свежее мясо будут кушать. Ну, повар дал мне маленький кусочек. А этот маленький кусочек я еще на маленькие кусочки порвал и принес воронятам, положил перед ними и говорю:«Кушайте». А они не едят. Вот, думаю, негодяи — я им свою котлету отдал, даже свежее мясо им принес, а они не едят! Нет уж, думаю, я вас заставлю кушать.

Взял я кусочек мяса в щепотку, а другой рукой пробую воронятам клювы открыть, а они — ни в какую, не открывают клювы — и все тут! Пробую дать им котлету — то же самое. Совсем я разозлился на них. Стал одним пальцем даже так легонько бить их по клювам и ругать при этом:

— А ну-ка, открывайте клювы! Ну-ка, открывайте, негодники! Я кому сказал?!

И вдруг один вороненок ка-ак разозлился, ка-ак открыл клюв,«ка-ар!» — говорит. И даже хотел меня клюнуть.

А я — не тут-то было! Я как увидел, что он клюв открыл — раз! — и бросил ему в клюв кусочек котлеты.

И так я научился этих воронят кормить. Возьму в щепотку кусочек котлеты, или мяса, или хлеба, а другим пальцем бью их по клювам, ругаю всякими словами, чтобы они поскорей разозлились, а как они разозлятся —«Ка-ар!» — тут я им — раз! — я заталкиваю каждому кусочек еды.

Правда, должен честно сказать, пачкуны они были ужасные! В туалет ходить не умели, прямо у меня на веранде пачкали. Не успеют поесть — сразу напачкают, я за ними убирать не успевал. Весь диван перепачкали и вообще у меня из-за них с нашей уборщицей тетей Дорой постоянно были скандалы. Тетя Дора обычно приходила по утрам убирать коттедж. А если я спал допоздна, она меня не будила, сидела себе тихо на веранде, на диванчике, отдыхала, чай пила с конфетами и печеньем и ждала, когда я проснусь. А тут вдруг на веранде мои воронята поселились, весь диван перепачкали — негде тете Доре даже чаю попить и посидеть утречком. Очень она на воронят злилась, я даже боялся, как бы она их на улицу не выбросила — там бы их, конечно, кот в две минуты сцапал. Поэтому я стал веранду на ключ запирать — на всякий случай. А тетя Дора, конечно, еще больше разозлилась, не буду, говорит, я за этими воронятами убирать, это в мои обязанности не входит! Мне, говорит, за это не платят! Мне, говорит, платят, чтобы я за писателями убирала и артистами, а не за воронятами!

— Ах так? — говорю. — Не хотите за моими воронятами убирать, тогда нечего и мои конфеты кушать!

В общем, поссорились мы с тетей Дорой и стал я сам свой коттедж убирать — и за собой и за воронятами. Вот какие хлопоты были. Накормить их нужно — раз, убрать за ними — два, а тут еще эти вороны — папа и мама — проходу мне не давали. Стоит мне выйти из коттеджа — тут же налетают, прямо перед лицом кружат и кричат:«Ка-ар! Ка-ар!!» Требуют своих воронят. А то еще совсем черт знает что выдумали: я иду по тропе между деревьев из коттеджа в столовую, а они летят надо мной с ветки на ветку, кричат, отламывают всякие сухие сучки, ветки и шишки и бросают на меня сверху за то, что я их воронят от кошки спас, что кормлю их целыми днями и даже с уборщицей из-за них поссорился. И так я однажды на них разозлился из-за этого (они мне прямо по голове тяжелой шишкой угодили), что схватил воронят, вынес на крыльцо своего домика, положил на ступеньки и говорю:«Нате, забирайте своих воронят!»

Ой, что тут началось! Вы бы видели! Стали эти вороны к детям своим подлетать, толкают их крыльями, кричат им«Кар! Кар!» и взлетают на соседнее дерево — показывают, мол, летите за нами, летите за нами! Воронята крылышки раскрывают, а полететь не могут, падают. А папа с мамой еще больше кричат и опять к ним подлетают, опять их толкают с крыльца — летите, мол. Вижу: совсем воронят затолкали, те уже и крылышки не раскрывают, лежат в траве, а тут на этот крик опять наш кот пришел и стоит поодаль, наблюдает.

— Ну? — говорю я воронам — папе и маме. — Что будем делать? Или, говорю, вы забираете своих воронят в гнездо или их сейчас кот съест. Решайте!

А что они могут решить, у них же нет рук отнести воронят в гнездо. Пришлось мне опять забрать воронят к себе на веранду — не отдавать же их коту на съедение!

Стал я дальше с ними мучаться. Прожорливые они стали — сколько ни принесешь из столовой, все съедят, а потом напачкают. Прямо беда мне с ними, уже ко мне и гости перестали приходить. А не кормить их тоже не могу — они уже подросли, ходят по веранде и, как увидят, что я из столовой иду, сразу:«Кар! Кар!» Мол, есть хотим. А повар мне больше одной котлеты не дает, и вот вижу я, что нам с ними на троих одной котлеты мало. Решил их простым хлебом кормить. А они хлеба не хотят, им, видишь ли, мясо подавай! А где я его возьму? За мясом нужно в Москву в магазин ехать.

В общем, так я с этими воронятами завозился и замучался, что уже вообще про всех своих знакомых забыл. И вот сижу я как-то на веранде перед моими воронятами, бью их пальцем по клюву, хочу хлебом накормить, а они, конечно, клювы не раскрывают, не хотят простой хлеб есть. А я ругаю их всякими нехорошими словами, даже повторять тут стыдно.

И вдруг слышу — кто-то хохочет у меня за спиной. Поворачиваюсь: Боже мой, Аня! Моя знакомая приехала ко мне в гости из Москвы, стоит у меня за спиной, шоколадное мороженое на палочке облизывает и слушает, как я воронят ругаю.

Стыдно мне стало — ужасно! Говорю ей:

— Что ты хохочешь? Лучше дай им кусочек шоколада от своего мороженого, а то они хлеб не хотят есть!

Она отломила шоколадную корочку от мороженого, и тут как раз один вороненок на меня разозлился и говорит:

«Ка-ар!» А я — раз и сунул ему в горлышко кусочек шоколада. Он — бум, и уснул в ту же минуту — голову прямо на бок уронил, глаза закрыл — я думал, он умер! И так я на эту свою знакомую рассердился! «Ты, говорю, отравила моего вороненка своим шоколадом!» Чуть мы с ней всерьез не поссорились из-за этих воронят, но — слава Богу! — вороненок через минуту проснулся, просто этот шоколад такой питательный и сытный, что он сразу уснул. Со мной, между прочим, тоже так бывает: стоит мне что-нибудь сытное съесть, я почти в ту же минуту засыпаю, ничего с собой не могу поделать...

Короче говоря, сколько у меня хлопот было с этими воронятами — не могу передать! И от кошки их стереги, и корми по три раза на день, и убирай за ними веранду, и еще родители-вороны проходу мне не дают, не могу из коттеджа никуда выйти, налетают на меня, кричат, сухие ветки и шишки бросают сверху.

Надоела мне эта жизнь, прямо вам скажу. Думаю, хватит с меня! Открыл однажды дверь с веранды на улицу и говорю своим воронятам:

— Все! Хватит с меня! Идите на все четыре стороны! Вы уже вон какие здоровые вымахали! Идите и сами себе корм добывайте! Нечего тут тунеядцами жить! Ну-ка, марш! Марш на улицу, в парк!

А они не идут. Сидят возле двери, снизу так на меня смотрят, а в парк не идут.

— Ну, ваше дело, — говорю. — Я вас больше сторожить не намерен. Вот дверь открыта, где хотите — там живите. А я спать пошел.

И пошел спать, действительно.

А утром — в самую рань, в пять часов утра, наверно, едва солнце взошло, слышу у меня за окном:«Ка-ар!» Нет, думаю, не встану, хватит с меня этих вороньих карканий. А за окном опять:«Ка-ар! Ка-ар!» И так требовательно, и голос незнакомый — не тех ворон, папы и мамы, а какой-то тонкий, молодой: «Ка-а-ар!» Ладно, думаю, придется встать. Встал, выглянул в окно. А у меня прямо под окном была цветочная клумба, я там ромашки разводил и настурции. И вот я вижу — в моей клумбе посреди ромашек сидит один из моих воронят.

— Чего тебе? — говорю.

А он меня увидел и сразу так радостно:

— Ка-а-ар!

И вдруг открывает крылья и взлетает мне на окно, на раму. И смотрит на меня сверху своим черно-красным глазочком, и опять:

— Ка-а-ар!

И с оконной рамы на ветку дерева перелетает, и опять на меня оглядывается — «Ка-а-ар!» — мол, видишь, я уже летаю, я просто тебя разбудил, чтобы спасибо сказать за все, что ты для нас сделал. Честное слово — именно так я его понял в то солнечное утро, да и как иначе можно было это понять? Мы с ним посмотрели друг другу в глаза, поняли друг друга, и у меня даже теплый комочек под горло подкатил — вот, думаю, ничего в мире зря не пропадает, никакое доброе дело, даже маленький вороненок придумал, как мне спасибо сказать за то, что я его с братом от кошки спас и выкормил.

— Ладно, — говорю я ему. — Не стоит благодарности. Лети с богом!

И вижу — он с ветки на другую ветку перелетает, а там его уже второй вороненок ждет, и вот они оба полетели по парку, с дерева на дерево, с дерево на дерево и издали мне еще на прощание так весело кричали «Ка-ар! Ка-ар!» — что я сам не удержался и крикнул им тоже вдогонку:

— Ка-а-ар!!

И засмеялся, счастливый.

МОИ ЛЮБИМЫЕ СОБАКИ

У меня никогда не было собаки. Хотя собак я люблю больше всех других зверей и животных. Потому что с собакой можно разговаривать, как с лучшим другом. Собаки все понимают. С ними можно дружить, играть, ходить на охоту и даже петь песни на два голоса. Честное слово! Я знаю одну собаку, она живет в Вашингтоне и зовут ее Ричи — так она умеет петь все песни Людмилы Зыкиной. Какую песню не начинаешь петь, — она подпевает, и как точно, знаете! А еще одну собаку я знал в Советском Союзе — она, наоборот, совершенно не терпела музыки и особенно ненавидела почему-то «Гимн Советского Союза». Каждое утро, ровно в шесть утра, когда где-нибудь в нашем доме радио начинало играть «Гимн Советского Союза», Яшка — так звали эту собаку — начинал выть совершенно невыносимым голосом. Он выл так громко и так тоскливо, что его хозяева боялись как бы их не арестовали за то, что их собака не любит «Гимн Советского Союза». Поэтому они прятали Яшку в спальню, на кухню, в туалет, — лишь бы он не слышал, что где-то играют «Гимн Советского Союза». Но Яшка все равно слышал — у него был настоящий собачий слух. Причем, когда играла какая-нибудь другая музыка, он не реагировал, молчал, но стоило где-то зазвучать первым тактам «Гимна Советского Союза» — Яшка начинал выть так, что слышал весь дом. Вот какие бывают музыкальные собаки! Что-то его в этом гимне не устраивало, наверно...

Но я не собираюсь рассказывать вам обо всех собаках, которых я знал. Их слишком много. Я хочу рассказать только о моих самых любимых собаках.

Вообще, некоторые дети собак боятся. Например, моя

племянница Ася, которая сейчас живет в Израиле и которой я посвящаю эти рассказы, — она всегда боялась собак. Особенно — больших. Как увидит большую собаку, остановится, сожмется, хнычет и просится на руки. Но я должен вам сказать, что бояться больших собак — это большая ошибка. Честное слово. Я тоже в детстве боялся больших собак, и вот какая из этого вышла история.

Мне было шесть лет, когда меня приняли в школу. И я очень гордился этим и не разрешил ни бабушке, ни маме провожать меня до школы. Я сам, сказал я им, буду в школу ходить! И — пошел. Прямо с первого дня — надел ранец и пошел в школу. Пешком. Правда, идти было недалеко — всего три квартала. Ну вот, иду я по тротуару, весь такой гордый и самостоятельный, размахиваю какой-то палочкой, и вдруг вижу — прямо мне навстречу идет большая собака. Может быть, сейчас бы я решил, что это не очень большая собака, а так себе — средняя. Но тогда! Я ведь был маленький — шесть лет, и мне эта собака показалась громадной, потому что она была выше меня ростом. И она шла мне навстречу по тротуару, одна, без хозяина. И я струсил. Испугался, сжался весь. Я даже глаза ее до сих пор помню — обыкновенные и, по-моему даже добрые глаза, но я тогда почему-то подумал, что лучше мне с этой собакой не встречаться. И вот я решил, что лучше-ка я перейду на другую сторону улицы. И я — пошел. Прямо поперек мостовой. И как раз в эту минуту по улице шел грузовик, и я просто чудом не попал под колеса, но зато со всей силы стукнулся головой о борт машины. А там как раз торчал какой-то железный крючок, и вот я стукнулся головой прямо об этот крючок и — хорошо, что я был маленького роста — удар пришелся выше виска, почти по макушке. Как я орал! Ведь кровь хлынула на мою новую белую рубашку, на мой новый ранец, и вообще я думал, что у меня теперь в голове на всю жизнь останется большая дырка. Я лежал на мостовой, орал благим матом, держался за голову, а надо мной стояла большая собака, из-за которой я боялся встать. Хорошо, что подбежали прохожие, подняли меня и отнесли домой.

И вот с тех пор я перестал бояться больших собак. Потому что лучше идти навстречу самой большой собаке, чем попасть под грузовик, так я решил. И что вы думаете? Я оказался прав! Сначала я боялся подходить к большим собакам совсем близко, а только не уступал им дороги и все, а когда они меня обнюхивали, я внутри все равно весь сжимался от страха, но потом я увидел, что чем больше собака, тем она добрей к детям, тем меньше ее нужно бояться, оказывается! И я так осмелел, что вообще перестал бояться всех собак и уже смело подходил к самой страшной собаке. Внутри немножко страшно, а я все равно иду прямо к собаке, и говорю ей сразу: «Здорово! Как дела? Как ты себя чувствуешь? Давай поиграем!». И тут же начинаю чесать ей под подбородком. Они, знаете, как любят, когда им под подбородком шею чешут! Самое большое удовольствие.

Ну вот, в детстве я дружил с самыми разными собаками, но все-таки любимой собаки у меня не было. А первая любимая собака появилась у меня, когда я перешел в девятый класс и переехал с Украины на Кавказ в город Баку. Там я сразу подружился с одной собакой, по имени Тэжо. Вот это была собака! Огромный эрдельтерьер рыже-каштановой масти с седой бородой и двумя медалями за разминирование колхозных полей. Дело в том, что в молодости Тэжо был служебной собакой в городе Москве, и он был специалистом в поиске мин, которые еще после войны остались на полях, и вот он нашел столько таких мин, что получил за это две специальные медали! А потом, когда срок его службы кончился, его отдали одним людям, и они привезли Тэжо в Баку

И вот в Баку я с ним и познакомился

Это был замечательный пес!

Даже не знаю, с чего начать о нем рассказывать..

Ну, во-первых, он все понимал. Абсолютно. Например,

его хозяйка Татьяна Алексеевна устраивала даже целые спектакли — показывала, что Тэжо понимает человеческую речь. И делала она это так. Они — Татьяна Алексеевна, ее сын Слава и Тэжо — жили в квартире из двух комнат с верандой. И у Тэжо было свое место во второй комнате под роялем. Он там всегда лежал, целыми днями. Наверно, потому, что это было самое прохладное место в квартире — ведь Тэжо имел очень густую теплую шерсть, а в Баку ведь так жарко! Ну вот, лежит, значит, Тэжо себе во второй комнате, а мы — Татьяна Алексеевна, Слава, я и еще два-три наших со Славой одноклассника сидим в первой комнате, чай пьем или просто болтаем. И вот Татьяна Алексеевна говорит:

— А хотите, я вам покажу, как Тэжо человеческую речь понимает?

— Хотим, — говорим мы. — Конечно.

— А вот смотрите, — говорит, — я даже его имени называть не буду, а вы увидите, как он будет себя вести.

И после этого она начинает говорить так:

— А знаете, ребята, как я нашу собаку люблю! У нас замечательная собака. Придешь домой с работы усталая, замотанная, а он навстречу тебе выбегает, ласкается, головой трется, улыбается...

И вот, знаете, стоило ей заговорить об этом, как из другой комнаты приходит Тэжо — хотя ведь его никто не звал! — садится перед Татьяной Алексеевной, смотрит на нее, слушает и улыбается. Да, да, честное слово — так приоткроет рот, то есть пасть, и улыбается, честное слово. А Татьяна Алексеевна продолжает:

— Одно только плохо — ужасно он кошек не любит. Вот идешь с ним по улице, гуляешь и вдруг — где-то там вдали он кошку увидел. Все — совершенно глупым становится пес, рвется из рук, рычит, я его, конечно, удержать не могу, срывается с поводка и бегом за кошкой. За это я его, прямо скажу, не люблю!

Вы бы видели, как Тэжо реагировал на эти слова!

Он опускал голову низко-низко, обижался, вставал и уходил в другую комнату — понуро, на согнутых ногах. Там он вздыхал, залезал под рояль, ложился и вздыхал до тех пор, пока Татьяна Алексеевна не начинала его опять хвалить. Она говорила:

— Но все равно, я его очень люблю! Он у нас такой добрый, ласковый, все понимает, и с ним всегда уютно дома. Вот вы, мальчишки, вечно где-то носитесь, пропадаете, а я сижу с нашей собакой дома и мне не так одиноко, мы с ним тут и музыку слушаем, и радио...

И вот представьте себе — ведь она его опять даже по имени не позвала, она ведь только с нами разговаривала, а не с ним, а он приходит из второй комнаты, садится перед Татьяной Алексеевной, смотрит на нее, слушает, как его хвалят, и — улыбается. Вот какая была собака! Я очень любил ходить с ним гулять на Бакинский бульвар, к морю. Там, на берегу моря я читал Тэжо свои первые стихи.

Тут я должен сказать, что в те годы я был очень влюбчивым. Я влюблялся в самых красивых девочек с нашей улицы и в соседней школе — когда я учился, школы были раздельные, мальчики учились отдельно, девочки отдельно. Так вот я влюблялся во всех красивых девочек соседней школы, но они не обращали на меня никакого внимания. Потому что я был маленького роста, рыжий и веснушчатый, а девочки в девятом — десятом классе любят только высоких брюнетов или, в крайнем случае, блондинов. Поэтому мне ничего другого не оставалось, как писать всякие грустные стихи и на берегу моря под шум волн читать их чужой собаке по кличке Тэжо.

Но зато как хорошо Гэжо понимал мои стихи, как прекрасно он чувствовал мое настроение и мою душу! Я прожил длинную жизнь, я читал потом свои стихи самым любимым женщинам, я читал их со сцены в переполненных залах, но никогда я не видел таких добрых, таких сочувствующих, таких всепонимающих глаз, какие были у этой собаки там, на берегу Каспийского моря, когда я читал ему свои самые первые стихи о любви!

И вот после всех этих стихов, после всего того, что Тэжо знал обо мне — а он знал обо мне буквально все, потому что, во-первых, как вы уже знаете, он понимал человеческую речь, а во-вторых, я ему про себя все-все рассказывал и даже читал ему все свои стихи, так вот после всего этого произошла такая история, что я чуть было не обиделся на него на всю жизнь.

А было вот что. Однажды я заболел. Простудился, наверно, потому что целый день гулял под дождем и сочинял стихи о несчастной любви. В школу не пошел с утра — представляете себе? — а пошел на бульвар сочинять стихи и промок под дождем. А домой идти не хотел, чтобы бабушка не ругалась, что я весь мокрый. Я решил пойти к Татьяне Алексеевне и моему школьному другу Славе. Прихожу, а их дома нет. Но я знаю, что они ключ от квартиры всегда под ковриком оставляют, поэтому я спокойно беру этот ключ, открываю квартиру и вхожу. Тэжо увидел меня, подошел, поздоровался, мы с ним поговорили немного, ну, точнее, я ему сказал, что я себя плохо чувствую, простудился, наверное, всего знобит. Поэтому я вскипятил чайник, попил чаю с бубликами, лег на диван и уснул. Просыпаюсь — уже шесть часов вечера. На улице темно, зимой дело было, пора мне домой бежать, а то там уже паника, наверно, я с утра в школу ушел и весь день дома не был. Ну вот, вскочил я с дивана, смотрю — ни Татьяны Алексеевны, ни Славика дома еще нет. Ну, я им записку пишу: «так и так, был у вас, ждал, не дождался, ухожу домой. Эдик». После этого иду себе к двери, вставляю ключ в скважину и хочу дверь открыть. И что вы думаете? В этот момент ко мне подходит Тэжо, так спокойно берет пастью мою руку, которой я дверь хочу открыть, и держит эту руку, не дает ключ повернуть в двери. Понимаете? Не кусает, не лает — ничего, только не дает дверь открыть и все. Я прямо обалдел, я говорю: «Тэжо, ты что? С ума сошел?! Это же я! Я же не вор какой-то! Я тут ничего не взял. Ты же меня знаешь. Я тебе столько стихов прочитал! Пусти, мне нужно домой идти!» И только хочу ключ в двери повернуть, — чувствую, он мне зубами руку прижимает, в глаза смотрит и так тихо-тихо рычит — мол, я тебе по хорошему говорю, даже не думай уйти, пока хозяева домой не придут. Ну? Представляете? Вот какая была умная собака — впустить меня в квартиру впустила, а вот выйти — даже мне, которого он так хорошо знал, все равно выйти из квартиры без разрешения хозяев Тэжо не позволил.

И я просидел целый час, пока Татьяна Алексеевна не пришла с работы. Конечно, я на него обиделся тогда, но потом понял, что он был прав — без разрешения хозяев я, конечно же, не должен был в их квартиру входить.

А другую мою любимую собаку звали Майкл. Я с ним познакомился на иранской границе. Вы знаете, что такое иранская граница? Там сейчас война идет и всякие события происходят, но тогда, двадцать лет назад, там войны не было, но все равно собаки охраняли границу, помогали шпионов ловить и всяких нарушителей.

И вот я приехал в этот район писать фельетон о всяких жуликах, которые даже в пограничных колхозах воруют всякое народное добро. Встретил меня секретарь местного райкома партии — это такой самый главный начальник в этом месте, и фамилия его была Ибрагимов, так вот встретил он меня на станции и поселил в замечательном домике в саду прямо при райкоме партии. Вот я думаю сейчас, как вам, иностранцам, объяснить, что такое райком партии, и не могу придумать. Но в общем вам это и знать не надо, слава Богу, просто имейте в виду, что в Советском Союзе это самые главные организации, а секретари этих организаций — самые главные начальники.

И вот живу я в замечательном тихом уютном домике в саду при райкоме партии, собираю всякие документы и материалы для своего фельетона и целыми днями пишу что-то или на веранде или в комнате. И однажды, когда я писал что-то в комнате, вдруг открывается дверь у меня за спиной и — я прямо онемел — огромная овчарка, ну такая здоровая, я таких овчарок никогда не видел — ни раньше, ни потом — так вот, огромная овчарка величиной, ну, с теленка входит молча в комнату, подходит к моему письменному столу и, даже не поднимаясь на задние лапы, смотрит, что я такое пишу. Представляете, какая это была здоровая собака, если ее морда была выше моего письменного стола! Так вот, посмотрел он, что я пишу — уж не знаю прочитал или не прочитал, он мне так и не сказал, — но только после этого он посмотрел мне в глаза и пошел из комнаты, а по дороге опять оглядывается и опять мне в глаза смотрит. Думаю, куда это он меня приглашает? А вы же знаете, что я с детства решил не бояться больших собак И вот я встаю и иду за ним. Выходим мы в сад, а он садится на траву и опять мне в глаза смотрит и ждет. Ну, думаю, раз такое дело, пора нам с ним познакомиться так, как я со всеми собаками знакомлюсь. Я подхожу к нему и говорю: «Здорово, тебя как зовут? Меня вот Эдуардом зовут А тебя?» И начинаю гладить его и чесать ему под подбородком. И что вы думаете? Мы с ним сразу подружились и до такой степени, что вы себе не представляете — мы с ним уже через несколько минут начали в ловитки играть, бороться, рычать друг на друга понарошку, как настоящие друзья. А вы знаете, какой это был сильный пес?! Просто могучий! Он поднимался на задних лапах, клал мне передние лапы на плечи и толкал меня этими лапами так сильно, что я падал на землю. Но при этом я его тоже хватал за шкирку и тащил падать за собой. И так мы с ним боролись в траве, друг друга опрокидывали, рычали понарошку, чтобы еще больше запугать друг друга, и я на него тоже рычал, честное слово! И ему это очень нравилось! А потом он от меня убегал, и я его ловил, или наоборот, — я от него убегал, а он меня ловил. В общем, весело было!

И вдруг где-то вдали скрипнула калитка, и я смотрю: Мой новый друг — юрк в дырку в заборе и пропал, убежал. Думаю, что такое? Почему он меня бросил ни с того, ни с сего? Оказывается, это его хозяин пришел, секретарь райкома партии Ибрагимов. Он, оказывается, за забором жил, и увидел, что его собака у меня во дворе. Вот он и пришел. Сели мы с ним чай пить, он мне рассказал про свою собаку, сказал, что это лучшая собака на всей иранской границе, ему эту собаку пограничники подарили, и зовут эту собаку Майкл.

Но, наверно, этому Майклу было весело на границе жить, там с ним молодые солдаты всегда играли, а тут он живет себе один, как волк, в саду у своего хозяина, вот ему и скучно, вот он и нашел себе товарища, меня, то есть. И каждое утро, как только его хозяин уезжал на работу, Майкл приходил ко мне через дырку в заборе, и мы с ним играли в траве, бесились и дурачились до полного изнеможения. Помню, мы уже так уставали от беготни и борьбы, что лежали в траве, дышали еле-еле, высунув языки, и даже не было сил подняться.

Но как только появлялась на улице машина его хозяина, Майкл тут же вскакивал и уходил к себе во двор через дырку в заборе. Не любил он своего хозяина, это я ясно видел. Никогда они там не играли ни в какие игры, никогда этот Ибрагимов не разговаривал со своей собакой, не делился с ним никакими своими делами, и вообще не было у них ничего общего. Не дружили они, вот и все. А я с Майклом сразу подружился. Может быть, еще и потому, что он прочитал у меня на столе фельетон, который я про его хозяина писал. Конечно, вы скажете, что собаки читать не умеют, что я это все выдумываю, но это ваше дело — хотите верьте, хотите нет, только я-то помню, как он тогда подошел к моему письменному столу, посмотрел, что я там писал про его хозяина, а после этого сразу предложил мне свою дружбу и позвал во двор играть с ним и дружить.

Ну вот, а через неделю как то вечером накануне моего отъезда приходит ко мне этот секретарь райкома Ибрагимов, приносит вино и всякие другие угощения и говорит:

— Слушай, Эдуард. Ты, я вижу, про меня пишешь фельетон, будешь меня ругать в газете, так?

Я молчу. Врать не хочется, а заранее говорить, что будет в газете написано не положено. Но после того, как я целую неделю покопался во всяких документах и поговорил со всякими людьми, я уже точно знал, что самый главный вор и жулик в этом районе — это именно секретарь райкома Ибрагимов, он и сам ворует и других заставляет для него воровать. И я думаю, что Майкл это тоже понимал и чувствовал, и за это не любил своего хозяина. Ну вот, а теперь этот Ибрагимов ко мне пришел, и он ведь тоже не дурак, он понимает, что я уже разобрался, что самый главный жулик в районе — именно он, Ибрагимов. И вот он понимает, что я обо всем этом в газете напишу, разоблачу его. И поэтому он мне говорит:

— Слушай, я вижу тебе моя собака нравится. Давай так договоримся: я тебе подарю мою собаку, а ты мне — свой фельетон, не будешь обо мне в газете писать, а?

Представляете мое состояние? Я всю жизнь мечтал иметь собаку, я прямо умирал от зависти ко всем, у кого есть собака, а тут мне предлагают настоящую служебную овчарку и какую! Лучшую собаку на всей иранской границе! Майкла, с которым я уже подружился и который любит меня больше, чем своего хозяина! И вот именно эту собаку мне предлагают!

Если бы он мне деньги предложил за то, чтобы я не критиковал его в газете, я бы, конечно, ужасно возмутился! Если бы он мне какие угодно подарки сделал, я бы ничего не взял! Но собаку...

А он говорит:

— Ты сразу не отвечай. Ты подумай. До утра. А утром решишь. Все равно ты утром уезжаешь, время есть. Спокойной ночи. — И ушел.

Представляете, какая у меня была «спокойная» ночь! Я до утра не спал, помню, лежал у окна, смотрел на звезды и разговаривал со звездами и сам с собой — брать мне собаку или не брать. Конечно, нехорошо брать взятки, очень нехорошо, но — с другой стороны, разве Майклу хорошо жить с нелюбимым хозяином, который с ним даже не разговаривает? Разве Майклу приятно жить с жуликом, который главный вор в районе? Ведь Майкл — ученая собака, он всю жизнь ловил всяких жуликов, воров и нарушителей, а теперь его отдали жить к самому главному жулику — разве это справедливо? Но с третьей стороны как же я могу у такого жулика взятку взять?

Короче, не спал я до самого утра. А утром, когда Ибрагимов пришел ко мне с Майклом, я сказал ему:

— Извини меня Майкл! Не могу я тебя взять. Очень хочу, прямо сердце кровью обливается за тебя, но — не могу. Потому что я ведь тоже на службе, как же я могу свою службу нарушить? Я ведь, как и ты, если нашел жулика, не могу его отпустить, пусть в меня даже из винтовки стреляют, а я буду его держать, такая у меня служба. Как у тебя, понимаешь? Поэтому будь здоров, не обижайся!

Обнял я Майкла, почесал ему под подбородком в последний раз, взял свой чемоданчик с готовым фельетоном и уехал в свою редакцию.

И вот уже двадцать лет прошло с тех пор, а я все не знаю — правильно я сделал или неправильно. С одной стороны, как будто бы правильно: мой фельетон напечатали в газете, этого жулика Ибрагимова сняли с работы, но... Но вместо него другого жулика на это место там назначили — раз.

Фельетон мой скоро все забыли, я и сам его через неделю забыл — это два.

А Майкла... вот уже двадцать лет прошло с тех пор, а Майкла этого я до сих пор помню — уже я не только из этого района уехал, уже из Советского Союза в Америку переехал, а все помню этого Майкла и все думаю — а может быть, нужно мне было взять эту собаку, был бы у меня теперь хоть один настоящий друг и товарищ...

ЙАЛКА — МУЗЫКАЛЬНЫЙ ОСЕЛ

Это случилось высоко-высоко в горах, на Памире. Я поехал туда с кинооператором снимать свое первое в жизни кино — про гляциологов. Кто такие гляциологи? Это такие ученые, которые всю жизнь лазают по горам и изучают, почему в горах летом снег не тает, а наоборот, даже ледняки образуются.

Честно говоря, меня это тоже с детства интересовало — а почему летом в горах не тает? Вот я и решил снять кино про этих ученых-гляциологов и заодно выяснить этот интересный вопрос. Позвонил я в Академию Наук СССР, узнал, где самая интересная экспедиция в то лето работает — оказалось, что на Памире, возле города Фергана — взяли мы с моим другом-кинооператором командировку на Московском телевидении и — поехали в Фергану! Точнее полетели. Самолетом. Потому что от Москвы до Ферганы поездом ехать — это, наверно, семь суток или восемь — ужасно долго. А самолетом — всего несколько часов, и вот мы уже прямо в горах, в зеленом-зеленом городе Фергане, где люди ездят на ишаках и ослах, как во время транспортной забастовки в Нью-Йорке все ездили на велосипедах. Еще там по всем улицам прорыты эдакие канавы-арыки, и по этим арыкам все время течет вода — чтобы, во-первых, и люди и ишаки могли эту воду пить и чтобы, во-вторых, не так жарко было жить им всем в этом городе. Кроме того, там еще много всякого смешного и интересного, в этой Фергане. Например, все девушки мажут брови и переносицу черной краской «сурьмой» и получается, что у них одна сплошная черная полоса идет через лоб над глазами, и это считается красиво. Еще там прямо на улице пекут хлеб, который называется «чурек», и делается это так:

на тротуаре стоит печка-жаровня с круглой дыркой сверху, рядом с этой печкой сидит на земле какая-то тетка или старуха — ноги распахнула, юбку задрала и прямо на ляжках отбивает тесто, чтобы получилась лепешка. Потом эту отбитую на ляжках лепешку она забрасывает в печку-жаровню, там эта лепешка прилепляется к круглой горячей стенке и через две-три минуты вы получаете свежую, горячую лепешку-чурек, такую вкусную, что, хотя ее отбивали на не очень чистых ляжках прямо на тротуаре, — все равно вы ее съедаете за милую душу!

Ну, в общем походили мы с моим другом-кинооператором по Фергане, познакомились с чернобровыми девушками, попили зеленый чай в чайхане и отправились в горы, к гляциологам. Сначала в машине по горной дороге, а потом, когда дорога кончилась — пешком.

И вот там в горах я познакомился с удивительно музыкальным ослом по имени Йалка. И случилось это так.

Эти гляциологи, как я уже сказал, работали высоко-высоко в горах — приблизительно на такой высоте, на какой самолеты летают над Нью-Йорком — пять километров над уровнем моря. Конечно, туда никакие машины подняться не могут, и даже на мотоцикле или велосипеде туда не подъедешь, и даже на лошади туда не поднимешься — лошади на такую высоту подниматься боятся. А у этих гляциологов столько было всякого их научного оборудования, приборов и снаряжения, и еще еды с собой запас на целое лето, что в рюкзаках на плечах это тоже в горы не поднимешь. Вот они и купили в Фергане штук двадцать ослов, нагрузили на них свое снаряжение и таким образом поднимали весь груз в горы. И я должен сказать, что именно в это лето я понял, какие ослы замечательные животные. Если бы я был поэтом, я бы, наверное, написал целую поэму об ослах. Потому что до этого я, как и многие незнающие люди, думал про ослов плохо — мол, осел — это глупое и упрямое животное. Ведь говорят же — упрямый, как осел. Или когда хотят сказать, что кто-то глупый, тоже говорят — глупый, как осел.

А я вам хочу сказать, что это — клевета и неправда!

Конечно, ослы — упрямая публика, тут я не спорю, но я знаю и очень многих упрямых людей, я не могу сказать, что быть упрямым это плохо. Почему-то, когда говорят: «Мы, евреи, — упрямый народ», — это не звучит плохо, а когда говорят: «Упрямый, как осел», то думают, что это плохо. А если сказать: упрямый, как еврей?

Короче, я могу сказать, что когда мы поднимались караваном на ледник Медвежий, на высоту пять тысяч метров над уровнем моря, то только ослы точно знали, куда опасно поставить ногу на горной тропе, а куда не опасно. Мы шли по таким диким тропам, что дух захватывало. Лишний шаг в сторону и — у-ух! Загремишь в пропасть! Иногда приходилось идти по снежным карнизам, которые свешивались с горы над пропастью, и кто мог угадать — что там под снегом: камень, крепкий лед или уже просто снег, сквозь который провалишься в пропасть? У нас, кроме ослов, были две лошади, которым мы сначала больше доверяли, чем ослам, и поэтому они шли впереди отряда, но потом обе эти лошади не угадали, где можно пройти и — рухнули в пропасть, мы их целый день веревками вытаскивали, еле вытащили. А вот ослы — они всегда точно знали, куда можно идти и куда нет, они прямо под снегом чуяли опасность и останавливались, как вкопанные. А иногда нам приходилось вброд переходить горные речки — такие быстрые и такие холодные, что нас заранее предупредили — выше колена в такие речки заходить нельзя, течением с ног собьет. А как ты угадаешь, в каком месте эту речку перейти, чтобы тебя с ног не сбило? А вот ослы — они угадывали. И мы держались за них и свободно через речки переходили, даже самые бурные.

В общем, очень я с тех пор ослов уважаю, и вам советую.

А теперь пора вас познакомить с моим другом Йалкой — музыкальным ослом. Ведь вот уж что я никогда не думал — это, что ослы бывают с музыкальным слухом. Но слушайте.

Случилось так, что однажды мне нужно было из одного лагеря гляциологов попасть в другой лагерь. Потому что эти ученые-гляциологи поставили свои палатки по всему огромному леднику Медвежий и изучали этот ледник в разных местах — где он тает, а где не тает, сколько за день с него стаивает миллиметров и сколько за ночь новых миллиметров льда нарастает и какой толщины лед в одном месте, а какой он толщины в другом месте, ну и так далее. Много у них было работы, лазали они по этому леднику, как муравьи по белой скатерти, а мы всю их работу для кино снимали. И вот мне нужно было добраться от одних ученых к другим — через три горы, две пропасти и одну речку. И я решил так: зачем это я пешком пойду, когда вот на лужайке наши ослы пасутся, травку щиплют и от комаров хвостами отмахиваются. Сяду-ка я лучше на осла, как я видел в Фергане люди ездят, и поеду себе.

Сказано — сделано. Взял я в руки какую-то сухую ветку, которая под ногами валялась, подошел к первому попавшемуся, самому ближнему ослу, сел ему на спину и говорю.

— Ялла! Чу! — с Богом, мол! Поехали!

И что вы думаете? Повез меня осел, но, правда, не совсем в ту сторону, куда мне надо было. Но для чего у меня ветка в руках? Я его — раз по левому уху, мол — поворачивай направо, он и повернул и повез меня куда мне надо — на запад, к пику Победы

Солнце светит, горы вокруг нас сияют снежными вершинами, где-то неподалеку журчит горная речка, и от всего этого настроение у меня стало просто замечательное. Осел меня везет, солнце меня греет, кинооператор для меня кино снимает – что еще нужно для полного счастья? И такое у меня стало замечательное настроение, что я вдруг взял и запел! Честное слово — запел в полный голос!

Тут я должен признаться, что петь я совершенно не умею. Нет у меня никакого музыкального слуха, даже ни на йоту Почему так бывает, я не знаю, но вот у моей племянницы Аси, которая живет в Израиле и играет на скрипке, — у нее абсолютно музыкальный слух, а у меня никакого слуха нет и никогда не было. Поэтому петь я всегда стесняюсь, только, бывало, рот открою — мне тут же любой встречный-поперечный говорил: «Ну ты даешь! Тебе что, медведь на ухо наступил?» В общем, не давали мне петь. А тут, в горах — никого в округе на сто километров, пой себе — кто тебя слышит? Горы, солнце и осел. Вот я и запел то, что само запелось:

Солнце светит в вышине надо мной
Горы сияют снежными вершинами!
Горная речка журчит подо мно-ой!
Еду я на осле-е-е!
Как хорошо мне на свете жить!
Умный осел везет меня вперед!
Кинооператор снимает мне кино!
Что еще нужно для счастья?
Еду я на осле-е!

Вот такая замечательная песня сама собой у меня сочинилась, как у какого-нибудь акына Джамбула, и я пей ее в полный голос и никого не стеснялся. Еду я на осле и пою себе! Красота! А потом устал петь и замолчал. Думаю, что бы еще такое сочинить замечательное? И вдруг мой осел — раз, и останавливается и на землю ложится. Да что же это такое, думаю, осел вроде совершенно здоровый, с чего он вдруг вздумал привал устраивать? А ну-ка вставай, говорю! Нечего валяться! Вставай, кому сказано?!

А он — ни в какую, лежит себе и все. Стал я его веткой по бокам хлестать, тяну его за уши — не помогает, за хвост его дергаю, пробую поднять — никакого впечатления! Лежит себе и все. Упрямый!

Ну? Что мне делать? Бросить его тут и дальше пешком идти? Не могу, ведь осел не мой, государственный, спросят у меня — ты куда осла дел? Что я скажу? Назад с ним возвращаться — так он и назад не идет, лежит себе и все. Ну? Что бы вы на моем месте сделали?

А я вот что сделал. Я себе лег радом с ним и думаю — посмотрим, кто кого перележит! В конце концов, я ведь тоже упрямый. Особенно, если перележать кого-то надо, это я — пожалуйста. Я однажды в Одессе десять суток спал без передышки, но это уже другая история. А тут я лег рядом с ослом, полежал немножко и запел:

Солнце светит в вышине надо мной!
Горы сияют снежными вершинами!
Горная речка журчит подо мной!
Я лежу рядом с ослом!

И вдруг — как только я запел эту песню — мой осел встал и пошел вперед, еле я успел вскочить ему на спину. И от радости, что он меня дальше везет, я продолжал петь:

Как хорошо мне на свете жить!
Умный осел везет меня вперед!
Кинооператор снимает мне кино!
Что еще нужно для счастья?

Тут я остановился, чтобы подумать — что же еще, действительно, нужно для полного счастья и про что мне еще спеть? Но стоило мне перестать петь, мой осел опять стал на месте, как вкопанный, и уже собирался ложиться на землю, даже передние ноги подогнул, чтобы лечь, но я снова запел:

Ой, как хорошо мне на свете жить!
Все у меня есть для полного счастья!
Даже ученые изучают ледняки,
Чтобы я мог снимать их в кино
И ездить по горам на умном осле,
Для которого надо петь без остановки,
Иначе он на землю ложится!
Вот и еду я на осле-е!

Да, дорогие мои, мой осел оказался самым музыкальным существом на всем белом свете! Потому что никто не мог выдержать мое пение, даже моя любимая племянница Ася морщила свой нос, когда я начинал при ней петь что-нибудь, а тут на Памире, высоко-высоко в горах я встретил осла, который не только полюбил мое пение, но еще и так меня заслушался, что вез меня без остановки — лишь бы я ему пел. А стоило мне замолчать на минуту, он тут же останавливался и готовился лежачую забастовку устраивать. Поэтому пришлось мне петь ему в тот день без передышки! Представляете, сколько я ему пел — три горы мы переехали, две пропасти и одну речку. Целый день я ему пел, охрип даже! К вечеру приехали мы в лагерь гляциологов, а я уже шепотом пою и еле на ногах держусь от усталости. Вот, оказывается, как можно от пения устать!

А гляциологи мне говорят: ты, говорят, почему от усталости шатаешься, ты же не пешком шел, а на осле ехал. А я им шепотом и говорю: лучше бы я, говорю, пешком шел, я бы меньше устал. А про то, что я пел всю дорогу для своего осла, я им не сказал, конечно, постеснялся, и ушел спать в палатку.

Утром просыпаюсь, выглядываю из палатки, смотрю — мой осел стоит рядышком, травку щиплет и косит на меня своим большим, как чернослив, глазом. Ждет. Э-э, нет, думаю, дудки, не дождешься ты меня, я обратно лучше пешком пойду, чем петь тебе всю дорогу.

Пошел я на речку, умылся холодной водой, выпил чаю у костра, поговорил с гляциологами, когда мы приедем их для кино снимать и — двинулся в обратную дорогу. Пешком, конечно. Осла я гляциологам оставил, говорю: пусть он у вас остается, пасется здесь на воле у речки.

Но только успел я от их палаток отойти, смотрю — а мой осел уже за мной бежит, догнал меня и идет рядом. Я ему говорю: пошел отсюда! Марш обратно! Не буду я петь тебе больше! Отстань от меня!

А он не отстает, идет за мной и все. Упрямый!

Нужно ли говорить, что через какое-то время я вздохнул, уселся ему на спину и поехал. И пел ему, конечно, опять всю дорогу. Так мы с ним и вернулись в лагерь к гляциологам — он меня через горы и речки везет, а я ему песни пою. И так ему понравилось мое пение, что он все время возле моей палатки пасся и будил меня по утрам. Подойдет утром к палатке и как закричит:

— И-а! И-а! И-а!

И до тех пор кричит, пока я не выйду и не спою ему что-нибудь. А гляциологи еще его подзуживали:

— Йалка! Йалка! Что-то заспался наш киношник! Ну-ка, пойди его разбуди, пусть споет!

С тех пор я точно знаю, что ослы могут быть очень музыкальные и с большим поэтическим вкусом. За это я моего осла Йалку даже в кино снял, и вместе с моими друзьями-гляциологами его в Москве по московскому телевидению показывали.

Но хотя я провел с этими гляциологами на Памире целый месяц и снял про них кино, я так и не узнал, почему летом в горах снег не тает. Я думаю, что сами эти ученые-гляциологи тоже этого не знают. Ведь если бы они узнали точный ответ на этот вопрос, — что бы они дальше делали? За что бы им дальше зарплату платили? А? Поэтому, я уверен, они и сегодня лазают там на Памире, изучают ледники, и работает у них в отряде мой музыкальный друг, осел по имени Йалка. Вот только кто ему сегодня песни поет? Ведь я-то в эмиграции...

СОННЫЕ ИСТОРИИ

Я люблю спать. Я очень люблю спать. Я так люблю спать, что, наверное, я — Самый Большой Соня на Свете. Я могу спать где угодно, когда угодно, на чем угодно и даже с кем угодно. Например, один раз на Памире я спал со скорпионом. Скорпион залез ко мне в палатку, но я в темноте не разобрался, что это скорпион, что он может укусить меня и убить, и поэтому я себе спал, ни о чем не думал, и только утром, когда музыкальный осел Йалка разбудил меня своим дурацким криком «И-а!! И-а!!», я увидел, что рядом со мной спит самый настоящий скорпион.

Вы скажете, что это, мол, ерунда. Что, мол, такое может случиться с любым человеком. Любой человек может однажды утром проснуться и увидеть, что рядом с ним спит скорпион или еще кто-нибудь пострашней. Хорошо, я не спорю. Но кто может похвастаться, что он спал в рыбной ухе из осетрины? Ага, никто!

Тогда слушайте. Дело было на самом Крайнем Севере Советского Союза, на Ямальском полуострове возле города Салехард. Там было так холодно, что никакими градусниками уже нельзя было измерить температуру мороза. Поэтому температуру мы там определяли плевками. Честное слово. Это очень простой способ, сейчас я вас научу. Например, если вы плюнете на землю и этот плевок по дороге замерзает и ударяется о землю, как кусочек льда, то это значит, что сейчас минус сорок пять градусов мороза или даже больше. А если ваш плевок по дороге к земле не успевает замерзнуть — то, значит, еще совсем тепло, всего каких-нибудь минус 35 или 40. Местные жители — ненцы, ездят там на оленях и в теплых шубах из оленьего меха, и эти шубы называются «малицы». На речке Оби, которая зимой вся замерзает и становится, как огромное ледяное поле, они взрывают лед, делают в нем большие дырки, забрасывают сети и вытаскивают целые тонны самой замечательной и вкусной рыбы — нельму, осетрину, муксуна. И на таком морозе, когда даже слюна на лету замерзает, эта рыба в один момент становится мороженой, а потом ее на тракторе с прицепом везут на местный аэродром, грузят в самолеты и отвозят прямо в Москву, в Кремль, советскому правительству. Потому что это самая вкусная в мире закуска к водке — свежемороженая нельма, осетрина или муксун, но они там не ловят столько рыбы, чтобы накормить всю советскую страну, поэтому вся советская страна кушает нототению и хека в томатном соусе, а правительство кушает муксуна и осетрину.

Ну вот, посмотрел я на эту северную жизнь, покатался на оленях, выпил с местными рыбаками-ненцами спирт со строганинкой из муксуна (это когда рыбу тонкими ломтиками настрогают) и решил, что пора мне в Москву, на материк возвращаться. А чем возвращаться? Пассажирские самолеты туда только раз в неделю прилетают, и то нерегулярно, поэтому пошел я к летчикам, которые рыбу возят на самолетах, и говорю: возьмите меня с собой в Москву, я уже по Москве соскучился. А они говорят: у нас, говорят, нет в самолете места, у нас весь самолет рыбой завален. Где, говорят, ты там сядешь? А я говорю, что я не сяду, а лягу. Я, говорю, на рыбе буду спать, потому что я — Самый Большой Соня на Свете и могу спать где угодно, на чем угодно и даже с кем угодно.

Ну, тогда они согласились. Залезай, говорят, в самолет, но смотри, у нас отопления нету. Чтобы нам рыбу не размораживать, мы не топим в самолете, так что там температура, как на улице, — минус сорок. Как бы ты не замерз. Ничего говорю, не замерзну. Залез я в самолет, а там действительно огромные мешки с мороженой рыбой стоят друг к дружке тесно-тесно, и из них замороженные рыбьи пасти выглядывают с такими большими стеклянными глазами и заиндевевшими усами-плавниками. Мне даже страшно стало. Но я ничего, храбрюсь, возле самой кабины летчиков постелил на этих рыбьих мордах свою дубленку, укрылся летной меховой курткой, поджал под себя ноги в валенках и — уснул. Летим мы час. Летим мы два часа — я сплю. И снится мне замечательный сон. Как будто я плаваю в горячей ухе, с ружьем для подводной охоты, а вокруг меня огромные вареные осетрины проплывают и нельмы. А я стреляю в них из подводного ружья, насаживаю их себе на поясной ремень и дальше охочусь. И так я разохотился, что даже вспотел, даже жарко мне стало в этой ухе плавать. И от этой жары я проснулся. Смотрю — что такое? Я действительно в ухе сплю. Рыба подо мной вся разморозилась, целый мешок рыбы разморозился и сварился — прямо пар идет и пахнет вареной рыбой. Вус? Вэн? Что такое, думаю? А оказывается, это летчики меня пожалели и, чтобы я не замерз, включили отопление прямо у меня под головой. Там как раз была такая дырка для подачи в самолет горячего воздуха от мотора, и вот весь этот ужасно горячий воздух сразу попадал на мороженую рыбу у меня под головой, и эта рыба, конечно, тут же становилась парная или вареная, но я себе продолжал спать, как ни в чем не бывало, и практически целый час спáл в самой настоящей ухе!

Поэтому вы со мной не спорьте, я точно знаю, что я Самый Большой Соня на Свете и могу заснуть в любом месте при любых обстоятельствах, где бы и с кем я ни спал! Например, когда я служил в советской армии, я умел спать в строю. Скажем, если наша рота шла строем и пела песню «Не плачь, девчонка, пройдут дожди, солдат вернется, ты только жди!», я засыпал на втором куплете, я шел себе и спал под эту песню и просыпался уже возле казармы, когда действительно надо было идти спать. И я помню, что в этой советской армии со мной произошла моя самая замечательная сонная история. Сейчас я вам расскажу

Дело в том, что солдаты в советской армии всегда голодные. Сколько бы ты ни съел в столовой каши с селедкой, — через час опять хочешь кушать. Кто был в советской армии, тот не даст мне соврать — целый день там ходишь и думаешь, а где бы что-нибудь съесть? Особенно это бывает с солдатами, которые служат первый год. Они никак не могут привыкнуть, что их кормят на 32 копейки в день одной селедкой с картошкой или овсяной кашей. А что еще можно купить из еды для солдата, если ему полагается в день на питание только 32 копейки? Ну вот, поэтому первый год, пока привыкнешь не кушать, очень хочется кушать, и многим солдатам из нашего полка родители присылали деньги, чтобы мы в местном ларьке покупали еще какую-нибудь еду. А что было в нашем ларьке? Там были только белые батоны хлеба по восемнадцать копеек и банки со сгущенным молоком. И вот я и другие солдаты покупали в этом ларьке батоны и сгущенку, но днем у нас было столько воинских занятий — и политучеба, и строевая подготовка, и артиллерийские учения — что совершенно некогда было покушать да и офицеры нам не разрешали свою еду кушать, они говорили, что советская армия может сама своих солдат прокормить и нечего клянчить у родителей, чтобы они советских солдат подкармливали. Короче говоря, днем нам кушать эту сгущенку не удавалось. Поэтому мы ее кушали ночью. И выглядело это так: как только наступал отбой и старшина гасил в нашей казарме свет и уходил, каждый тихонько доставал из-под подушки припрятанные заранее батоны и банки со сгущенкой, ножом ковырял в банке две дырочки и начинал сосать. Представьте себе такую большую казарму. Как зал, в ней рядами, как солдаты в строю, стоят двухэтажные солдатские койки, и на каждой койке в темноте, укрывшись еще с головой простыней, лежат молодые советские солдаты и сосут из банок сгущенку. Как телята в стойле. Или как дети в детском садике. И звук стоит такой, как будто сто человек целуются. А на самом деле никто не целуется, а просто все высасывают сгущеночку из банок.

А иногда старшина возвращался, чтобы проверить порядок, и, услышав его шаги, мы тут же затихали. Притворялись, будто спим. Он походит-походит между коек, послушает, как мы дышим, как спим, и уйдет, довольный. А мы тогда вынимаем свои банки из-под подушки и досасываем.

И вот однажды, когда старшина опять пришел нас еще раз проверить перед сном, я, как и все другие солдаты, успел сунуть свою банку со сгущенкой, которую только что открыл, под подушку и, как все, притворился, что я сплю. Но только все притворялись, что спят, а я-то действительно уснул. А утром, на рассвете была военная тревога. Прибежал наш старшина и как заорет:

— Рота, па-а-адъем! Боевая тревога! В шеренгу по-одному — становись!

Ну, мы, как горох, посыпались из своих коек — кто сапоги натягивает, кто брюки, кто гимнастерку, потому что через тридцать секунд надо уже совершенно одетым в строю стоять. Один я не могу от кровати отлипнуть. Потому что за ночь вся сгущенка из моей банки вытекла и растеклась по простыне, матрацу и одеялу, а я так и спал в этой сгущенке, не проснулся. А к утру вся эта сгущенка засохла, как клей, и приклеила меня к простыне, а простыню к матрасу и подушке. И вот представьте себе, пожалуйста, такую историю: старшина кричит: «Подъем! Боевая тревога!» — все солдаты уже в строю стоят одетые, а я один вожусь на кровати, ничего не понимаю спросонок, почему я не могу от кровати отлипнуть, а потом как дернулся и прямо вместе с прилипшей простыней и подушкой рухнул со второго этажа кровати на пол, и следом за мной банка из-под сгущенки — бац тоже на пол с кровати, прилипла к простыне и катится за мной по всей казарме, гремя и подпрыгивая. Я весь в простынях бегу в строй становиться, а банка — за мной.

Ну, тут солдаты как расхохочутся! А старшина как разозлится!

— Ах ты, говорит, такой-сякой-нерусский! Над советской боевой тревогой издеваешься! Я тебя за это под трибунал отдам! Ты у меня из гауптвахты не выйдешь!

Ну, и так далее.

Так что видите, какой я соня — я и в рыбной ухе спал, и в сгущенном молоке, и на ходу в солдатском строю.

И теперь я вам еще скажу, что мне принадлежит рекорд по долготе сна. Потому что один раз я так заспался, что ровно десять суток спал себе без перерыва. Не верите? Хорошо, я вам сейчас докажу, у меня свидетели есть.

Сейчас в Америку приехало, может быть, двадцать тысяч моих свидетелей. Из Одессы. Потому что случилось это со мной в городе Одессе, на одесской киностудии. Там по моему сценарию снимали фильм «Море нашей надежды». Про героических моряков-одесситов, которые потушили в океане пожар на иностранном судне и спасли огромный корабль, который никто уже не мог спасти. Я эту историю не выдумал, эта история была по-правде, когда команда корабля черноморского пароходства «Мытищи» действительно спасла югославское судно «Требинье». Сорок дней они в открытом океане гасили загоревшийся хлопок на югославском пароходе, с которого уже убежала югославская команда. А моряки-одесситы погасили пожар и спасли пароход.

И вот, когда на Одесской киностудии заканчивали делать это кино, они прислали мне телеграмму в Москву, чтобы я прилетел посмотреть, как у них получается. До этого они целое лето плавали по Черному морю на отдельном корабле, устраивали на нем понарошку пожар для кино, веселились и загорали и меня не звали. А когда накатались на 300 тысяч рублей и посмотрели какая у них получается картина, — тут сразу мне телеграмму.

Я приезжаю, прихожу на киностудию, они ведут меня в зал и показывают что за кино они наснимали за это лето.

И я вижу — кошмар! Тихий ужас! Весь сценарий перековеркали, кто что делает из артистов, непонятно, какой-то артист в огонь двадцать раз вбегает, а ни разу не выбегает обратно, может, он там сгорел, но тогда, каким образом он опять живой и в другом месте матросами командует? В общем, не кино, а какая-то ужасная каша, и теперь они все на меня смотрят и спрашивают: как нам из этой каши опять кино сделать?

А я говорю: откуда я знаю как? Вы, говорю, эту кашу варили без меня, вы и расхлебывайте. А они говорят: мы эту кашу варили по вашему сценарию, так что расхлебывайте с нами вместе. А я говорю: вы не по сценарию кино снимали, а по книге о вкусной и здоровой пище, у вас, говорю, не пожар там на пароходе снят, а костер для шашлыков.

Короче, так я с ними поссорился и так я за эту кинокартину огорчился, что ушел в гостиницу «Куряж» и лег себе спать от огорчения. Сегодня в Нью-Йорке двадцать тысяч человек могут вам сказать, что гостиница Одесской киностудии «Куряж» находится возле самого моря в Аркадии, на Пролетарском проспекте, прямо через дорогу от проходной киностудии. И там, на втором этаже, в маленькой комнате с балконом я лег в тот день спать, и было это летом, когда цвела акация и в открытое окно с моря прилетал свежий йодистый запах морских водорослей и мидий. На таком воздухе даже без всякого огорчения можно проспать хоть трое суток подряд, не правда ли, господа одесситы? Ну а в моем положении, когда по моему сценарию сняли такое отвратительное кино — я как лег спать, так ровно десять суток проспал без всякого желания хоть когда-нибудь в жизни проснуться и еще раз кино делать! И до того я доспался, скажу вам честно, что на десятый день увидел и почувствовал, что у меня, как у грудного ребенка, уже слюни текут на подушку. Тут я, правду вам сказать, испугался. Думаю, неужели так можно доспаться, что совсем грудным ребенком становишься?

А если я еще два-три дня посплю, так меня, может, и вовсе не будет?

Пришлось мне встать и идти на киностудию кино переделывать. Но так или иначе, я еще никогда не слышал, чтобы кто-нибудь проспал больше, чем я, — целых десять суток. Поэтому я считаю, что сегодня я — Самый Большой Соня на Белом Свете и чемпион по долготе сна. Потому что я могу спать где угодно, сколько угодно и даже с кем угодно — в любых обстоятельствах.

Кроме!

Тут я должен признаться, что у меня есть одно слабое место. Я не могу спать, когда рядом храпят. Да, я — чемпион по сну и Самый Большой Соня на Белом Свете — не могу уснуть, если рядом храпят — это правда. А выяснилось это таким образом. Однажды зимой я прилетел в Якутию посмотреть, как они там добывают якутские алмазы. Наверно, я когда-нибудь напишу про это отдельный рассказ — про якутские алмазы, а сейчас я вам расскажу только, как после рабочего дня я пришел в местную гостиницу и лег у себя в номере спать. А номер этот был двухместный, то есть там стояла вторая кровать для второго жильца, которого, когда я ложился спать, еще не было. Но через час я просыпаюсь от ужасного храпа. Смотрю — Боже мой, крышка мне, на соседней койке лежит здоровый мужик в унтах, в меховом костюме, спит и храпит с такой силой, что граненые стаканы на столе дрожат. И я вижу, что мне его не разбудить, конечно, никакими силами.

Вообще-то я знаю, как с храпунами бороться. Есть много способов. Например, нужно им посвистеть. Некоторые из них, когда слышат во сне свист, так удивляются, что перестают храпеть. А другим нужно в носу бумажкой пощекотать, чтоб они чихнули. Тогда они тоже перестают храпеть. А третьих нужно просто вежливо попросить перевернуться со спины на бочок. В общем, много есть способов.

Но тут сразу было ясно, что никакие способы не

помогут — этот дядька был такой здоровый, как великан. Однако я все-таки попробовал ему посвистеть и, конечно, безрезультатно. Он так храпел, что не только стаканы на столе дрожали, но даже бутылки из-под спирта по полу раскатывались. И когда я его потормошил за плечо, чтобы он на бок перевернулся, — он ноль внимания, и когда я ему в носу бумажкой щекотал, он эту бумажку обратно выдувал и она у меня в руках дрожала, как парус на ветру, а он все равно не просыпался. Ну, что мне делать? Выдумал я тогда еще один способ его разбудить, последний. Взял я и поджег эту бумажку и поднес ему ко рту — думаю, пусть он испугается, зато проснется. И что вы думаете? Этот дядька был такой пьяный, он, наверно, три бутылки спирта перед сном выпил, потому что когда я поднес ему ко рту горящую спичку, а он как дохнет, то это дыхание ка-ак загорится — настоящим голубым огнем, как горит чистый спирт! Прямо у него такое было огненное дыхание, как у дракона! А он все равно не проснулся. Спит себе и храпит и изо рта спирт огнем вылетает!

Ну? Что мне делать?

Пошел я вниз, к администратору, упросил его дать мне раскладушку, разложил эту раскладушку в коридоре на втором этаже гостиницы, постелил на эту раскладушку свой матрас и одеяло и лег спать. Только собираюсь уснуть, слышу из-за двери, возле которой я поставил раскладушку, тоже храпят. И как! Почище моего великана Наверно, там не три бутылки спирта выпили перед сном, а четыре!

Встал я со своей раскладушки, пошел по коридору искать себе тихое место. А ведь дело было зимой, в Якутии, морозы еще хуже, чем на Ямальском полу–острове, и снизу из уличной двери в коридор гостиницы залетал ужасный мороз и ветер, особенно, когда кто-то входил или выходил. И вот, представьте себе, на таком морозе я таскаю по коридору свою раскладушку от двери к двери и слушаю — где же тут не храпят? Только найду такое место, только поставлю сюда раскладушку и прилягу, укроюсь и согреюсь, слышу — Боже мой! опять храпят!

Так я всю ночь протаскал свою раскладушку по гостинице, не уснул ни на минуту. Но должен вам сказать, что я на этих храпунов не обижался. Они ведь пьяные были, а с пьяных что возьмешь?

Но вот был в моей жизни один храпун, которого я никогда не забуду и никогда не прощу! Потому что это был совершенно трезвый и зловредный храпун, который храпел просто так, мне назло! И даже это был не храпун, а храпунша! Да, это была такая ужасная храпунша, что я до сегодняшнего дня помню ее наглые глаза и каждый ее противный храп.

Звали эту храпуншу Чита. Я не знаю, за что ей дали такое замечательное имя знаменитой обезьяны из кинофильма «Тарзан», одно могу сказать — это была не обезьяна, и такое замечательное имя эта храпунша не заслужила. Да, это была не обезьяна, это была собака. И это была не простая собака, а собака знаменитого советского Героя социалистического труда, Народного артиста СССР, основоположника советского социалистического реализма в кино и неореализма в мировом кино кинорежиссера Марка Семеновича Донского.

И если сам Марк Семенович Донской — человек очень весёлый, смешной и совершенно не задается тем, что он Герой труда и основоположник социалистического реализма, то Чита — как раз наоборот. Эта старая карликовая мопса, черная, с ногами враскорячку приезжала в наш Дом творчества «Болшево» на машине с шофером и с Марком Семеновичем Донским и его женой, как будто она, Чита — Герой труда, Народная артистка, основоположник социалистического реализма, Секретарь Союза кинематографистов и художественный руководитель Детской киностудии имени Максима Горького. Впереди всех — впереди Донского, его жены и шофера — эта Чита шла в зеленый коттедж над речкой Яузой и занимала там отдельную комнату. Вторую комнату занимали Марк Донской и его жена, а в третьей комнате жил я. Считалось, правда, что две комнаты занимают Донские — по одной на каждого, чтобы они могли там порознь сочинять очередной сценарий про Ленина, Шаляпина или еще кого-нибудь, но я-то хорошо знаю, что в одной комнате жила Чита, во второй — Донской, а жена Донского целыми днями вязала на веранде — на той самой веранде, где у меня жили однажды мои воронята.

И вот эта Чита занимала целую комнату с окном на речку Яузу и круглый год валялась на диване или на коврике в коридоре, никогда никому не уступала дорогу, а по ночам так храпела, что даже я — чемпион по сну и Самый Большой Соня на Свете — в соседней комнате слышал этот ужасный храп и не мог уснуть. Она храпела так громко и так противно, как никакой пьяница не может храпеть. И самое обидное — я же знал, что она храпит нарочно, мне назло, потому что по утрам она смотрела на меня своими злыми старыми глазами и как будто говорила: ну, я тебя все равно выживу из этого дома! Я тебе не дам спать! Я ведь слышу, как ты там ворочаешься за стеной и не спишь! Вот я еще похраплю тебе назло, а ты мне ничего не сделаешь, потому что я — Чита Донского, Героя труда и Секретаря Союза кинематографистов.

Вот такая была зловредная собака-храпунша в моей жизни.

Одна среди всех моих знакомых собак вреднющая.

Если бы не она, я бы считал себя Абсолютным Чемпионом по Сну и Самым Большим Соней на Свете, потому что, как я вам уже говорил, я могу спать где угодно, когда угодно и с кем угодно, за исключением храпунов и особенно — храпунш собачьего происхождения.

ШУРКА — ДВАЖДЫ ЭМИГРАНТ СОВЕТСКОГО СОЮЗА

Каждый раз, когда я приезжаю в гости к белому королевскому пуделю Шурику, я даю себе слово написать о нем рассказ. Не потому, что он королевский или уж очень какой-то особенно умный, а потому что у него удивительная судьба: он дважды эмигрировал из Советского Союза.

Я знаю много эмигрантов — и детей и взрослых, — и каждый любит рассказывать, как он переживал, когда эмигрировал, как его обыскивали на таможне, где он жил в Вене, и так далее. И почти все говорят, что такое пережить можно только раз в Жизни. А вот пудель Шурка пережил эмиграцию дважды, и за это я называю его Шурка — дважды эмигрант Советского Союза.

А теперь слушайте, как все это получилось.

Пуделю Шурику было шесть лет, когда его хозяйка собралась эмигрировать. Жил Шурик в Москве, в хорошей квартире, ни про какую Америку ничего не слышал и никуда дальше подмосковной дачи уезжать не мечтал. Он очень любил свою хозяйку, и мужа ее любил, своего хозяина. И хозяйка Шурика очень любила. Может быть, она и мужа своего тоже любила, я не знаю, но, наверно, пуделя Шурку она любила больше. Потому что, когда она собиралась в эмиграцию, она оставила в Москве и мужа, и квартиру, и любимый автомобиль «Жигули», и всех-всех друзей, а взяла с собой только белого королевского пуделя Шурку И Шурка вместе с ней проходил досмотр на Шереметьевской таможне, видел, как пограничники гоняют его хозяйку с тяжеленными чемоданами от одного стола к другому, как обыскивают и отнимают у нее какие-то вещи, как даже кольцо с руки сняли — он весь изнервничался, глядя на это, он был готов по первому знаку ринуться защищать ее, но она только говорила: «Тихо, Шура, не нервничай, тихо. Сидеть!» И Шурка терпеливо сидел. Он отсидел 16 часов в таможенном зале, изнывая от жажды, но ни ему, ни его хозяйке не разрешали даже выйти воды попить...

И вот прилетают Шурка с хозяйкой в Вену, идут в ХИАС на площадь Брамса, а там им говорят, что собак в Америку не пускают. Там даже такое объявление висит, я сам видел, что ХИАС ни собак, ни кошек, ни птиц в Америку не перевозит. И все эмигранты рассказывают разные ужасные истории про то, как приходится всех собак, кошек и птиц бросать в Италии, потому что животных, мол, в Америку не впускают, там своих достаточно. Это, конечно, не совсем правда, я знаю нескольких собак, которых хозяевам удалось привезти в Америку, но еще больше я знаю собак, которые действительно остались в Италии и бродят там по улицам Остии и Ладисполи целыми компаниями. И когда я приезжаю сейчас в гости к дважды эмигранту Шурику, я всегда вспоминаю другого королевского пуделя — черного пуделя Джека, с которым дружил в Ладисполи. Этот Джек тоже приехал в Италию из Советского Союза, прожил с хозяевами в Ладисполи несколько месяцев, а потом остался один. Бросили его хозяева в Италии, а сами сели на хиасский автобус на центральной площади Ладисполи, у фонтана и уехали или в Америку, или Канаду, или даже в Австралию. А Джек думал, что они на время уехали, может быть, — на Круглый рынок или на Американо. Ведь они приказали не заходить с ними в автобус, а сидеть у фонтана, вот он сидел, ждал их возвращения. Сутки сидел, двое, трое суток — целую неделю сидел черный пудель у фонтана, встречал каждый хиасский автобус из Рима и ждал своих хозяев, а их все не было и не было. Разные бродячие собаки приходили к нему и звали побродить вместе с ними, но Джек был не бродячим псом, а домашним, он верил людям, а не собакам, а потому никуда от фонтана не отходил целую неделю. Худой и голодный, с потерянными глазами, он дремал на автобусной остановке и все заглядывал в глаза отъезжающим эмигрантам и обнюхивал их чемоданы, он уже наизусть выучил расписание хиасских автобусов, но все же боялся отойти от фонтана — вдруг да появятся хозяева... Через неделю его впервые погрызли бродячие собаки. За что — не знаю, может быть — просто из презрения к слабому, ведь слабых всегда бьют — и на Западе, и на Востоке, и у людей, и у собак, хотя, на мой взгляд, это совсем некрасиво — бить слабого за то, что он слабый, тем более если этот слабый вовсе не слабый, а просто — преданный. Но мое мнение никого не интересует — ни людей, ни собак, что с этим поделаешь? Короче говоря, погрызли Джека бродячие собаки, прокусили ему ухо и ногу за то, что он из-за своей преданности стал слабым и не хочет с ними по помойкам ходить. И на следующий день тоже погрызли, и на третий день тоже...

И вот тут Джек не выдержал. Ночью, когда автобуса из Рима все равно нет, он дополз-доковылял до ближайших мусорных ящиков и, стесняясь, чтобы никто не видел, что он — королевский пудель! — в помойке копается, съел все, что нашел — и капусту, и яблоки, и кислое молоко из гнилых бумажных пакетов. И стал Джек бродячей собакой, да еще какой. Худой, сильный, шерсть заблестела, он бегал теперь по Ладисполи во главе целой своры бродячих эмигрантских и итальянских собак. Но куда бы ни уводила его ночная бродячая собачья жизнь, он каждое утро, ровно в семь часов прибегал к фонтану на центральной площади в Ладисполи, вертелся в толпе эмигрантов у хиасского автобуса и не понимал, почему этот автобус только увозит и увозит людей, когда же он начнет их привозить и привезет, наконец, его хозяев.

Многим эмигрантам он очень нравился, некоторые даже хотели его приручить — хотя бы на время, пока они живут в Италии, и я тоже звал Джека пожить со мной, но гордый королевский пудель Джек ни к кому в дом не шел, а предпочитал бродячую жизнь, чтобы ранним утром бежать на площадь, к фонтану, встречать своих хозяев. Так он и остался в моей памяти — веселый и голодный, никем не прирученный и преданный — он, наверно, и сегодня торчит там в Ладисполи на площади, у фонтана, ждет своих хозяев, которые, по-моему, совсем не достойны такой собачьей верности...

Ну вот, а у белого пуделя Шурика оказалась совсем другая хозяйка. Она еще в Вене наслушалась рассказов о брошенных собаках, испугалась за своего Шурика и стала звонить в Москву своему бывшему мужу, чтобы отправить Шурку обратно. И представьте себе — отправила! Купила Шурке билет на самолет, все деньги, какие у нее были, отдала за этот билет — целых 250 долларов, и специальную клетку ему купила, потому что без клетки одиноких собак в самолет не пускают, и повезла Шурку назад, в венский аэропорт. И там они стали прощаться — хозяйка ревет и Шурка плачет. Понимает, что это — прощанье. Потом сделали Шурке снотворный укол, уложили в клетку, и улетел он в Москву. А хозяйка проводила Шурку и... заболела с горя. Целую неделю провалялась в гостинице у мадам Бетины с высокой температурой, не пила, не ела — совсем как Джек в Ладисполи. А Шурка по ней в Москве тосковал — хоть и дома опять, а без хозяйки — плохо.

Так шло время — месяц, другой, третий... Я где-то читал, что разлука уносит любовь. Мол, все можно забыть в разлуке — даже любимых. И сам знаю эмигрантов, которые до того эмигрировали из своего прошлого, что родную маму забыли и даже писем ей не пишут, а не то чтоб сюда ее забрать. Но в Шуркиной истории все не так. Не забыла его хозяйка, не выбросила из сердца. Приехала в Америку и стала выяснять, как же ей Шурку из Москвы выписать. Еще и работы не было, и с жильем было неясно, а она все свое эмигрантское барахло продаст, и любые деньги заплатит, лишь бы ей привезли из Москвы ее собаку. А ведь очень красивая женщина, мужа бросила, а вот пуделя не сумела бросить — аж в Канаде нашла-таки человека, который летает в Москву по разным своим делам. И уговорила этого канадца привезти ей Шурку.

И вот представляете — прилетает этот канадец в Москву, в командировку, идет к Шуркиному хозяину, показывает ему письмо от хозяйки, вдвоем они оформляют Шурке все медицинские документы, делают ему новые прививки, получают разрешение на выезд, покупают ему билет на самолет из Москвы до Нью-Йорка, и Шурка второй раз в своей жизни эмигрирует из Советского Союза.

Тут нужно хотя бы несколько слов сказать об этом благородном канадце. Я очень хочу, чтобы этот канадец стал когда-нибудь героем моей книжки и чтобы мои читатели его полюбили так, как он любил Шуркину хозяйку за то, что она не бросила в Москве свою собаку. Он с нее никаких денег не взял за то, что привез ей Шурку; более того — по дороге, в Брюсселе, когда самолет сделал там остановку на несколько часов, чтоб горючим заправиться, этот благородный канадец отвез Шурку в специальную собачью парикмахерскую, и там, в этой парикмахерской Шурку выкупали в шампуне, высушили, специальными щетками расчесали ему белую королевскую шерсть, и Шурка прилетел в Нью-Йорк, ну, прямо по-королевски.

И вы бы видели, что произошло в нью-йоркском аэропорту Кеннеди!

Они не виделись целый год. Целый год прошел с той минуты, как они прощались в Вене. И теперь в Нью-Йорке хозяйка стоит в аэропорту, красивая и нервная, ждет Шурку и его проводника-канадца. И выходит Шурка из самолета, он-то не знает, куда его везут и зачем, вокруг него все запахи чужие, незнакомые, и усталое от полета через океан собачье сердце стучит от страха перед новым миром, и вдруг среди этих чужих запахов он еще издали унюхивает что-то родное — свою хозяйку!

Никакой поводок не удержал Шурку, никакие таможенники не смогли остановить — ринулся Шурка на этот запах со всех ног, перескочил через таможенный турникет, сшиб кого-то из пассажиров, и — прямо к ней, к хозяйке. А она уже и сама бежит к нему по аэровокзалу, плачет от счастья, и так они сталкиваются друг с другом с разбегу, что падают оба на пол и начинают целоваться, совсем, как люди. Плачут от радости и целуются, а вокруг стоит толпа пассажиров, ничего не понимают, но все улыбаются. И канадец постоял, постоял, посмотрел на эту сцену и еще больше полюбил Шуркину хозяйку за такую преданность, и, я думаю, женился бы на ней, да только вспомнил, что у него в Канаде жена и дети. А преданность, как вы видите из Шуркиной истории, выше и сильней какой-то там любви или увлечения...

ЭВАКУАЦИЯ

Давным-давно, когда была война, мама увезла нас в Сибирь, подальше от фронта. Нас, это меня и мою младшую сестренку. Мне было тогда четыре года, сестре восемь месяцев, а маме — двадцать три года, совсем молоденькая у нас была мама. Мы жили до войны в Баку, папа был инженер-строитель, и у нас была замечательная квартира в самом центре Баку.

Но война подходила все ближе и ближе, и мама решила спасать нас, своих детей. Она взяла на руки мою маленькую сестренку, один чемодан с пеленками и меня, и вот мы поехали через всю-всю Россию в далекую Сибирь.

Папа поехал нас в Сибири устраивать. У папы было две странности. Во-первых, в раннем детстве, когда ему было три года, он играл ножницами и случайно выколол себе левый глаз. То есть не весь глаз целиком, а как раз хрусталик. Издали это было совершенно незаметно, глаз остался целым, но если посмотреть ближе, то в центре глаза был виден малюсенький черный треугольничек, как раз посередине хрусталика. Папа этим глазом ничего не видел, и поэтому его не взяли на фронт. А его второй и самой главной странностью была любовь к диапозитивам. Диапозитивы — это такие цветные картинки на стекле, которые можно пускать на стенку через проектор. Сейчас их делают на пленке и называют «слайды», а раньше их делали на стекле, и у папы было, наверно, тысяч пять таких диапозитивов или даже больше. Целых два огромных чемодана! И папа решил спасти свои диапозитивы. Он не взял никаких вещей, а только два огромных чемодана с диапозитивами. И так мы поехали в эвакуацию.

И по дороге папу обокрали. Это было очень смешно. Мы ехали поездом, в общем вагоне, где все видят, у кого сколько вещей и чемоданов. И я думаю, что вор по всему поезду долго высматривал, у кого из пассажиров самые большие чемоданы Самые большие и самые тяжелые чемоданы были, конечно, у моего папы. Кто мог подумать, что в этих огромных кожаных чемоданах, тяжелых, как сундуки, человек везет в эвакуацию не какие-нибудь ценные вещи, а цветные стеклянные диапозитивы, или, как говорила моя мама, «стекляшки»!

И вот ночью, когда все спали, папа услышал, как кто-то осторожно стаскивает у него с ноги сапог. Папа спал на второй полке, не разуваясь, потому что у него были очень хорошие сапоги, и он боялся как бы их не украли. И вдруг он посреди ночи слышит, как кто-то дергает с него сапог — не сильно, а чуть-чуть. Сдернет немножко и уйдет, потом вернется и опять чуть-чуть сдернет. Ну мой папа тоже был не дурак — он притворился, что не слышит, что крепко-крепко спит, а сам не спал, а думал так: если я сейчас вскочу, вор скажет, что я все выдумал, что никакие сапоги он не дергал. Поэтому, думал папа, надо дать вору сдернуть с меня сапоги и тут же вскочить и схватить его, что называется, с поличным.

Теперь представьте себе такую картину: мой папа лежит и притворяется, что крепко спит. А вор в это время потихоньку стаскивает с него сапоги, уже один сапог снял до половины и второй до половины. Ну, думает папа, сейчас он снимет с меня оба сапога и я ка-ак вскочу босиком и ка-а-ак схвачу вора за шиворот!

И в это время... В это время поезд подошел к станции, и вор потихоньку взял два папиных чемодана и потащил их к выходу. Папа все ждал, когда вор с него сапоги украдет, а вор в это время уже спустился из вагона с папиными чемоданами, и только тогда какая-то соседка толкнула папу в бок и сказала, что у нас украли чемоданы. Тут папа вскочил с полки, а бежать-то не может — сапоги на нем болтаются, наполовину стянутые. Пока он прыгал и натягивал эти замечательные хромовые сапоги, вор с чемоданами уже перебежал через платформу, нырнул под другой поезд, который стоял рядом, и был таков.

А папа выскочил из вагона и стал бегать по платформам, искать этого вора в ночной темноте, но когда он увидел вдали какого-то человека с двумя чемоданами в руках и погнался за ним, наш поезд тронулся, и мама стала кричать моему папе, что она из-за его стекляшек не будет высаживаться на этой станции, что если ему стекляшки дороже детей, то пусть остается на этой станции навсегда.

Ну, папа прыгнул на ходу в поезд, и мы поехали дальше, в Сибирь, но всю жизнь, до глубокой старости папа не мог забыть эту сибирскую станцию Заклуга, на которой у него украли два чемодана диапозитивов. А я очень живо представлял себе, как этот бедный вор тащил в темноте два тяжеленных чемодана, обливался потом и мечтал, как он разбогатеет, когда ,наконец убежит от папы с этими чемоданами и откроет их! И вот, наконец, он убегает за какие-то склады, прячется там, торопливо сбивает с чемоданов замки, открывает крышку первого чемодана и сует в чемодан жадные руки. Что это? Какие-то стекляшки! Он еще ничего не понимает, он чиркает спичками, чтобы рассмотреть, что это за стеклышки, и видит, что на них нарисованы картинки из детских сказок: Золушка, Маленький Мук, Конек-Горбунок и Дюймовочка. Тут он высыпает эти стеклышки из чемодана на землю, думая, что, может быть, хоть что-нибудь ценное есть на дне чемодана, но там, конечно, ничего нет. Тогда он открывает второй чемодан. Ну, уж во втором чемодане, думает он, должно что-то быть, не станет же, думает вор, нормальный человек тащить в эвакуацию два чемодана стекла! И что же он видит во втором чемодане? Все те же детские стеклышки!

Я думаю, что вор еще долго пытался найти что-нибудь ценное в папиных чемоданах. Наверно, он даже разрезал дно и крышку, надеясь, что в них спрятаны какие-нибудь ценные камни или золото, а мол, стеклышки папа вез просто так, для маскировки. А когда он понял, что все-таки, кроме стеклышек, в чемоданах действительно ничего нет, вот тут, я думаю, вор сел над этими чемоданами и заплакал, ругая моего папу последними словами.

А в ночном поезде, который шел по Сибири, в темном вагоне на второй полке плакал мой папа, ругая вора.

— Лучше бы он снял с меня сапоги! — говорил папа. — Лучше бы он отнял у меня последние деньги! Ведь я собирал эти диапозитивы с самого детства, когда дядя Исаак приехал из Америки и купил мне волшебный фонарь в одесском магазине «Вассерман и К°»...

Но долго моему папе плакать не пришлось. Я не знаю, арестовали ли когда-нибудь вора, который украл чемоданы, а моего папу арестовали на следующий день после этой истории. Военный патруль искал в поездах шпионов и тех, кто прячется от службы в армии, и они арестовали моего папу, потому что самый важный документ о том, что он не видит одним глазом и освобожден от службы в армии, папа, конечно же, держал в одном из украденных чемоданов. И вот теперь украли и стеклышки, и документ, и папу арестовали и отправили в госпиталь на проверку. Там семь месяцев проверяли, видит его глаз или не видит, а мы с мамой поехали дальше, в Сибирь, теперь уже без папы.

Я не помню все это путешествие, но помню, что в городе Улан-Удэ рыжий, в военной форме дядя Лева, хирург военного госпиталя, не пустил нас к себе домой, и посреди сибирской зимы мы втроем оказались просто на улице: моя молодая красивая мама с восьмимесячной дочкой на руке, с чемоданом в другой руке, и со мной, четырехлетним мальчиком, который держался за полу ее легкого бакинского пальто. Я помню, мы шли по каким-то замороженным, ледяным улицам назад к вокзалу, я ревел от холода и отморозил ноги, мама дышала на мою сестренку, чтобы хоть как-то ее согреть, и вместе с дыханием падали на мою сестренку горячие мамины слезы.

Но я не хочу,чтобы у вас после этого рассказа было грустное настроение, поэтому я расскажу вам сейчас одну веселую историю про нашу эвакуацию, даже две истории: про быка и про конфету.

Мы с мамой поселились в деревне под городом Иркутском. Мама там устроилась на работу счетоводом, а одна женщина пустила нас жить на веранду своего домика. Эта веранда все равно зимой пустовала, никто там не жил, потому что там не топили. Это была летняя веранда, там было одно большое окно, тонкие деревянные стенки из досок и тонкая дверь из дикта. И вот на этой летней веранде моя мама поставила «печку» — железную бочку с маленькой дверцей и длинной трубой, которая тянулась от этой печки через всю комнату в окно, в форточку.

И вот мы втроем — я, мама и моя сестренка — стали жить на этой веранде и спать на одной кровати, которую тоже сконструировала наша мама из старых досок и какого-то матраса. Конечно, проще всех было моей сестренке, которой тогда было восемь месяцев, потом девять, потом — десять и так далее. Она себе сидела на кровати, укрытая всеми одеялами, болела золотухой, бронхитом и другими детскими болезнями, раскачивалась взад-вперед и говорила только два слова: «Ко лебом». На ее языке это значило: «Молоко с хлебом». Я и сейчас хорошо помню, как она сидит на этой кровати, маленькая, рыжая, с золотухой на голове, раскачивается взад-вперед и просит: «Ко лебом! Ко лебом!»

Немножко трудней было моей маме — она всю ночь топила эту печку, утром колола на дворе замерзшие осиновые и березовые дрова, приносила их в комнату и поручала мне топить печку днем, оставляла нам с сестрой литр молока и кусок хлеба, который ей выдавали на работе, и уходила на службу. Там она сидела в теплой конторе, считала на счетах и писала какие-то бухгалтерские отчеты, а вечером, когда темнело, приходила домой.

И совсем трудно было, конечно, мне. Мне было трудней

всех. Потому что я никуда не мог выйти из нашей веранды, я должен был целый день топить печку и слушать, как моя голодная сестра просит: «Ко лебом» — то самое молоко с хлебом, которое мы с ней съели и выпили еще утром.

Сегодня, когда кто-нибудь рассказывает мне о своих трудностях или когда у меня у самого плохое настроение, я говорю себе — а вспомни-ка «Ко лебом», вспомни, каково было твоей маме в эвакуации — одной с двумя детьми и литром молока и куском хлеба в день на троих...

Впрочем... иногда мы ели картошку. Это был большой праздник, когда маме в конторе выдавали картошку. Тут уже у нас был целый пир — представляете, кортошка и хлеб! Что еще нужно для счастья? Но скоро в деревне картошка кончилась и пир наш кончился. Сельские ребята-подростки ходили в поле, лопатами разбивали замерзшую землю и выискивали недобранную картошку, и однажды я упросил маму отпустить меня с ними. Мне было уже пять лет, у меня был детский совок еще старых, довоенных времен — совок для игры в песочек, и вот с этим совком я пошел с ребятами на поле — вечером, тайком, чтоб не видел сторож. Был сильный мороз и ветер, совок стучал о мерзлую землю, я плакал и злился и все-таки наковырял штук восемь мороженых картофелин. О, из них получились самые замечательные оладьи в моей жизни! без масла — откуда тогда масло! — просто зажаренные на сковороде пополам с мамиными слезами — это были самые вкусные оладьи, потому что я сам, своим совком накопал эту картошку. Ведь всегда нам вкусно то, что добудешь сам, своим совком...

А в другой раз я пошел с ребятами в лес, за хворостом. А в лесу бродило деревенское стадо — коров отпустили в лес, чтоб они себе сами под снегом траву искали. И они находили: там, где солнце припекало на пригорках, там снег стаивал и коровы находили прошлогоднюю траву и ели. А вместе с коровами пасся бык. И ребята от нечего делать этого быка раздразнили, и бык рассвирепел и погнался за нами. Старшие ребята — врассыпную, а я — самый маленький, побежал по прямой к дому, и бык выбрал меня. Он бежал за мной, нагнув голову с рогами, а я бежал от него без оглядки. Как я успел добежать первым до нашей веранды, — не помню. Помню только, что дверь мне некогда было открывать, я, как кошка, сиганул через окно, через форточку, и в ту же минуту бык со всего маху выбил рогами окно и всей мордой оказался у нас в комнате, на нашей веранде. Представляете, такая картина: мы с сестренкой забились на кровать у стены, а прямо перед нами бычья морда, с рогами и красными от бешенства глазами, и он еще дергает головой так, что вся веранда трясется, а вытащить голову из окна не может, застрял, рога мешают. Ну, потом соседи позвали маму из конторы, мама позвала пастуха, и пастух за рога повернул бычью морду так, чтобы вытолкать его из окна...

Так мы жили-поживали в ту зиму, и вдруг перед самым Новым годом маму послали в город Иркутск. Я не хотел ее отпускать, я боялся оставаться один с сестрой на целых два дня, и мама тоже боялась оставлять нас одних на двое суток, но что было делать маме, если ей приказали ехать? И вот, я помню, она уехала рано-рано утром, оставила нам с сестрой целый кувшин молока, буханку замечательного черного, мокрого, как глина, хлеба и целую поленницу нарубленных дров и — уехала на маленьком грузовичке. Я не помню, как я провел тот день. Наверно, я по-взрослому разделил хлеб и молоко на два дня, но когда мне надоело слушать нытье моей голодной сестры «ко лебом, ко лебом», я наверно, отдал ей завтрашнюю порцию и сам, конечно, съел свою завтрашнюю порцию. Сытые, мы с сестрой уснули, и к вечеру наша печка погасла, а мы спали, и наверное, вконец замерзли бы ночью, если бы вдруг не вернулась наша мама. Она потом говорила, что просто сердцем чувствовала, что ей надо срочно вернуться, и уговорила шофера ехать ночью по тайге обратно из Иркутска в село, отдала ему все свои карточки на продукты на целый месяц, лишь бы он ее обратно привез в тот же день. И вот она приезжает и видит· наша печка давно погасла, а мы с сестрой, полузамерзшие, спим себе на кровати Еле-еле мама нас тогда разбудила и отогрела и так она радовалась, что еще застала нас в живых, что совершенно меня не наказала за то, что я уснул, а наоборот, сказала, что привезла нам с сестрой подарки — две настоящие конфеты

Сегодня конфетой никого не удивишь. Сегодня каждый может пойти в магазин и купить конфет А вот тогда, во время войны, ничего сладкого в магазине не продавали, ни конфет, ни сахара, и только на базаре можно было за очень большие деньги купить самодельные конфеты: длинные, сваренные из сахарина и какой-то пастилы и завернутые в цветную бумагу, они похожи на макароны с распущенными цветными концами. И вот две такие замечательные конфеты мама привезла нам с сестрой в подарок

Для меня это был самый настоящий праздник! Потому что, я вам честно скажу, в детстве я был очень большой сластена. Еще когда мы жили в Баку и не было никакой войны, мама, папа и все мои родственники просто закармливали меня всякими сладостями

И вот представьте себе, что вот такой мальчик-сластена уезжает с мамой в эвакуацию в голодную и холодную Сибирь, ест один раз в день кусок хлеба с молоком и картофельные, жаренные без масла оладьи из мерзлой картошки, и вдруг этому мальчику привозят из города самую настоящую, целую и сладкую конфету (и в придачу — совсем забыл вам сказать — настоящие кожаные ботинки на лето). Вы представляете, какой это был праздник и как быстро я эту конфету слопал! А моя сестренка попробовала конфету и.. выплюнула Потому что конфета была сладкая, а она никогда еще в жизни ничего сладкого не ела. Ей сладкое было непривычно, невкусно И тут моя мама заплакала. Она смотрела, как ее дочка не ест конфеты, потому что не знает, что такое сладкое, не знает, что в мире бывает какая-нибудь другая еда, кроме молока с хлебом, — мама смотрела на это и плакала.

А я, конечно, съел эту вторую конфету. И утром, когда мама ушла на работу, я надел новенькие ботинки, хотя мама сказала, что эти ботинки на лето. Но я не мог удержаться, я надел новенькие ботинки: черные, со шнурочками, завязал шнурочки и пошел гулять по улице, по морозу и снегу — хвастаться перед ребятами. В снегу я промочил эти ботинки насквозь и поставил их на печку сушиться, чтоб мама не заметила, что я в них гулял. И, конечно, ботинки сморщились, но мама меня не ругала. Она еще поплакала о том, что моя сестренка не знает вкуса сладкого и отпустила меня копать с ребятами мороженую картошку...

САМЫЙ ЛУЧШИЙ РАССКАЗ

Самый лучший рассказ этой серии написал не я. Мне его прислали по почте из Калифорнии, и когда я открыл конверт и стал читать, я не только смеялся от удовольствия, но у меня весь день настроение было просто замечательное. Я даже знакомым хвастался: смотрите, какое замечательное письмо я получил из Калифорнии! Почему оно замечательное? Потому что меня в этом письме очень хвалили. А я вам честно скажу — нет человека, которому не нравится, когда его хвалят. И я тоже это люблю. И мне хочется написать еще что-нибудь такое, чтобы меня опять похвалили. И вот получается такой интересный круг: стоит одному читателю потратить немного времени и послать хорошее письмо писателю, как писатель уже пишет новый рассказ, и тогда другие читатели пишут письма писателю, и тогда писатель опять пишет новый рассказ, и так каждый из них приносит друг другу хорошее настроение и радость жить в этом мире.

Я это все говорю не для того, чтобы кто-нибудь опять написал мне хорошее письмо (хотя почему бы и нет?), а чтобы показать, как важно быть добрым друг к другу и не стесняться сказать другому человеку что-нибудь хорошее.

Ну вот, теперь я хочу дать слово своему читателю, пожилому человеку из Калифорнии, который прислал мне самый смешной и трогательный рассказ. Зовут его Жорж Думбадзе. И вот что он мне написал.

«Глубокоуважаемый Земляк и журналист с Большим сердцем! Прошу у Вас разрешения посвятить эти страницы Вашей дорогой племяннице Асе.

Начинаю с птиц.

Как-то у нас в Калифорнии в городе Сепулведа, где я живу, случилось очень сильное землетрясение. Вся посуда на кухне была разбита книги и вазочки валялись на полу, штукатурка отвалилась от стен и потолка и засыпала все полы. Когда мы с женой оправились от паники, первое, что спросила жена, было «А как наша канарейка Пичи?!» Я побежал в спальню, где висела клетка с нашей желтой птичкой, и — о ужас, клетка валялась на полу! Я поднял клетку и увидел, что Пичи жива, но стоит на одной ноге На следующий день жена увидела, что Пичи все еще стоит на одной ноге, и попросила меня отвезти птичку к канареечному доктору Доктор оказался очень красивой дамой, и я ей сказал, что землетрясение сломало ножку моей канарейке. Доктор взяла лупу в одну руку, а в другую — мою канарейку Пичи, повернула ее вниз головой, и стала внимательно осматривать ее ножки А потом сказала

«Нет, сэр, землетрясение у вашей канарейки ногу не сломало У нее просто подагра»

«Подагра?! — удивился я. — Да вы что? У нас в России только великие князья и высший свет страдали этой болезнью — из-за икры и шампанского!»

«Правильно, — сказала доктор — Но я вижу по клетке, что вы даете вашей Пичи аристократическую пищу А вы замените теперь ее рацион обыкновенными семенами»

Конечно, я выполнил этот приказ, и через две недели действительно простая пища вылечила птичку А кроме Пичи, у меня живут еще два воробья Когда-то я нашел их в траве — двух крошечных птенцов Принес домой и выходил их, кормя так же, как вы своих воронят, часами через пипетку. Им теперь обоим по восемь с лишним лет Но это не все. Еще приютились у нас два котенка, черный и белый. Выросли и сделались расистами — белый ненавидит черного, а черный — белого Так что один спит в моей спальне, а другой — в спальне у жены И имя белого кота Наполеон, а черной кошки — Жозефина

А теперь самое главное — о собаках

Как-то жена мне сказала: «Жорж, у нас семья неполная». Я удивился: «Как так? У нас есть дочь, две племянницы и племянник и все — с семьями. Ты что, говорю, хочешь теперь на старости лет сына русского происхождения — будущего президента Америки?» — «Нет, — говорит жена, — я хочу собаку. А поскольку, говорит, я из Бостона, то купи мне бостонского бульдога!» Ну, что делать? Пошел я в городской собачник и попросил дать мне бостонского бульдога. «Простите, — сказал мне собачий менеджер, — но бостонского бульдога у нас нет, а есть английский бульдог по имени Сюрприз». Подвел меня к клетке, и я вижу — сидит там не бульдог, а сам премьер-министр Черчилль, точнее сходства невозможно придумать, только сигары не хватает. Я решил, что купить такую замечательную собаку мне будет не по карману, она, наверно, стоит 75 или даже 100 долларов. Но собачий заведующий мне сказал: «Откуда вы взяли такие суммы? Этот бульдог стоит пять долларов, и если вы его купите, то я еще дам впридачу вот эту цепочку-поводок, которая в два раза дороже, чем сам Сюрприз».

Конечно, я купил этого пса, и по дороге домой он, сидя рядом со мной на переднем сиденье автомобиля, положил свою тяжелую голову на мою ногу, и смотрел на меня снизу своими круглыми глазами, и как будто говорил «спасибо за то, что ты меня приютил».

Когда жена увидела эту покупку, она не поверила, что такая собака стоит всего 5 долларов, и сказала: «Да, это сюрприз в самом деле — такая чудная собака!» А я должен был срочно ехать на работу, поэтому отдал жене цепочку-поводок и поручил ей заботиться о Сюрпризе, пока я вернусь с работы. А работа у меня такая, что домой я приезжаю поздно. Вот и в тот день я вернулся домой в 12 часов ночи. Вошел в дом и слышу голоса жены и дочери из кухни: «Жорж! Папа! Убери эту сумасшедшую собаку! Она нас весь день продержала на кухне! Она, наверное, решила, что это только твой дом, а мы тут какие-то чужие грабители, и она нас тут стережет!»

Увидев меня, Сюрприз подбежал ко мне, стал радостно лизать мне руки и вилять коротким хвостом. Я надел на него цепочку и вывел гулять. Бульдог сразу потащил меня вперед, обнюхивая тротуар и издавая при этом такие звуки, как машина для чистки ковров. Наконец, он добрался до первого телеграфного столба и задрал ногу, но не так, как это делают все собаки, а еще выше, совсем вертикально, как при голосовании поднимают руку. Но от такого маха ногой он не устоял на своих остальных трех, опрокинулся на спину и — в мгновение ока я стал мокрым от пояса до ботинок. Пес лежал на спине, я смотрел на него и думал, что мне никогда не приходилось видеть таких метких стрелков, даже в армии. Глаза у Сюрприза были печальными. По моему, он просил ими прощения. Я махнул рукой и повел его домой. Дома жена увидела, в каком я виде, и тут же решила, что пса надо отдать назад, в собачий приют.

Утром с тяжелым сердцем я повез Сюрприза назад. Менеджер собачьего приюта встретил меня и спросил, что случилось. Я доложил о вчерашнем происшествии и спросил, что теперь с этой собакой будет, если я оставлю ее здесь, в питомнике. Ответ был короток: «Вы были его последний шанс, завтра Сюрприз будет на живодерне». Я спросил, а почему у этого пса такие странности? И менеджер мне сказал: «Сэр! Вы приехали из старой России. Неужели вы не видели там принцев и князей редкого происхождения с разного рода странностями? У этой собаки столько королевских кровей и смесей, что она стала немного дегенератом...»

Между тем, пока я разговаривал с менеджером, Сюрприз прижимался ко мне и, подняв морду, смотрел на меня умоляющими глазами, как будто говорил: «Ради Бога, друг мой человеческий, не погуби меня!»

Конечно, я забрал Сюрприза домой.

Дома я сказал жене: «Если ты хочешь, чтобы пса убили, — твое дело, но я не могу обрекать его на гибель». И скоро моя жена и дочь полюбили этого пса. И что вы думаете?

Теперь у нас четыре поколения Сюрпризов. Все они — чемпионы на собачьих выставках, они сделали меня известным человеком в обществе, и теперь мы вчетвером — я, жена, дочь и ее муж — водим их гулять. Представляете, какая это картина, когда четыре бульдога — все в отца — ложатся у телеграфного столба, задрав ноги?..

Рассказывая Вам о птицах, я забыл сказать, что кормлю в своем саду множество диких птиц, высыпая им каждое утро семена на землю. Гам стоит в воздухе, они слетаются ко мне отовсюду, стоит мне выйти из дому с кормом в руках.

И вот недавно я по опыту узнал, что за все, что мы делаем в этом мире, есть большая награда. Да, недавно я был смертельно болен, перенес две операции и был готов отдать душу Господу. Ко мне приходили священнослужители — мой православный священник, католический и баптистский пасторы, и все молились за меня. Однажды пришел очень симпатичный молодой человек с маленькой аккуратной бородкой, он взял меня за руку и сказал: «Жорж, вы очень больны. Я знаю, что вы христианин, но, если вы не возражаете, я, раввин, тоже помолюсь о вашем здоровье». Я пожал ему руку и ответил: «Дорогой раввин, я не такой дурак, чтобы в эту минуту отказываться от лишней небесной страховки». Он рассмеялся, сказал, что лучшего ответа еще не получал, а затем очень душевно попросил Господа помочь мне. Потом сел в ногах моей кровати, и мы с ним долго беседовали. Я рассказал ему о том, что пишу сейчас для Вашей Аси истории о своих птицах и собаках. И вот привожу Вам слова этого раввина дословно: «Дорогой Жорж, вам 84 года, и знаете почему? Потому что Господь Бог призвал к себе вашего Ангела Хранителя Георгия и приказал ему следующее: «Ангел Жорж, там внизу, в Саполведа, в Калифорнии живет хороший парень, он старик сейчас и очень болен. Ты подержи его еще немного на земле. Очень уж он помогает мне по охране моих маленьких творений». Ангел ответил:

«Благословен Господь сердца и правды». И вот я вышел из госпиталя, поправляюсь и забочусь опять о Божьих творениях.

Не знаю, как долго Он во мне нуждается, но забота обо всем, что живет, есть моя жизнь. Я никогда не кладу полено в огонь камина, предварительно не потряся его над газетой. Сотни букашек падают на газету, и я выношу их во двор, на траву — пусть живут! Ведь нет ничего маленького и ничего большого в глазах Творца...

Простите за долгое письмо, — я целую ручку Вашей дорогой племяннице Асе, привет ей от старого Георгия Думбадзе, русского американца».

Вот такое письмо получил я из Калифорнии. Я не приписал к нему ни слова. Я прочел его, перепечатал, и каждое его слово вошло мне в душу, и пока я печатал, я все думал, — а кого я обидел? Кому отказал в поддержке? Кому не помог? Ведь нет ничего маленького и ничего большого в глазах Творца...

ПРИКЛЮЧЕНИЯ МАЛЕНЬКОЙ СКРИПКИ

Когда моя племянница Ася уезжала из СССР в эмиграцию, таможенники не разрешили ей взять с собой любимую скрипку. Я уже писал об этом немножко в рассказе «Как Ася уезжала в эмиграцию», но там я не написал об одной истории, которая с этой скрипкой приключилась. Тогда это был очень большой секрет и писать об этой истории было еще нельзя. А сегодня можно.

Я вам хочу рассказать о приключениях скрипки-четвертушки. Четвертушкой ее называют потому, что она в четыре раза меньше обыкновенной скрипки, на ней учатся играть самые маленькие дети. Сделать такую скрипку очень трудно, особенно, чтобы звук у нее был не какой-нибудь, а такой же хороший, как у большой скрипки. Представляете, скрипка малюсенькая, а играть на ней можно все, что играют взрослые скрипачи на взрослых скрипках!

И вот у Аси в Москве была такая скрипка, сделанная еще триста лет назад в Италии одним знаменитым мастером. На этой скрипке Ася уже в шесть с половиной лет играла Концерт Вивальди ля минор. Посудите сами: можно ли было оставить в Москве такую скрипку? Конечно, нет. Да и кому ее оставлять? Соседям, которые играть на ней не умеют? Или КГБ на память?

В общем, сидим мы дома перед самым отъездом в эмиграцию и горюем. Вдруг приходит мой друг, немецкий режиссер Матти Гешонек, который в это время учился в Москве, и говорит:

— Слушай, одолжи восемьдесят рублей, мне нужно в Прагу лететь очень срочно.

— Пожалуйста, — говорю, — а зачем тебе в Прагу лететь, если не секрет, конечно?

— Нет, не секрет, меня там Мария ждет. Она туда на два дня приехала, чтобы со мной увидеться.

Ну, мне сразу все ясно стало. Дело в том, что Матти и Мария давно любят друг друга. Раньше они оба жили в Восточном Берлине, Мария была известной певицей, но за то, что она подписала несколько писем-протестов в защиту честных писателей, ее заставили уехать из Восточной Германии. И Мария — в Западной. А они, как я уже сказал, очень друг друга любили, и они стали назначать друг другу свидания то в Праге, то в Варшаве, куда Матти мог полететь по своему паспорту. И вот он приходит ко мне и говорит:

— Дай мне восемьдесят рублей в долг и давай Асину скрипку. Я ее отдам Марии, а она отправит ее вам, когда вы будете в Израиле или в Америке.

Ну, тут мы очень обрадовались, а я спросил:

— А ты не боишься, что тебя на таможне проверят и найдут скрипку?

А он говорит: нет, не боюсь. Нас, немецких студентов, на таможне не очень внимательно проверяют, а я на всякий случай, говорит, еще и пьяным притворюсь, чтобы они меня вообще за своего приняли.

И вот он взял Асину скрипочку, положил в футляр и спрятал в мешок, где у него лежала гитара, с которой он никогда не расставался. Я ему дал деньги, и он укатил в Шереметьево, на аэродром.

День проходит, два, три, четыре — пора бы уже Матти вернуться из Праги, а его все нет. Я уже стал волноваться, думаю — а вдруг его арестовали на границе за то, что он детскую скрипочку вез...

И вдруг — звонок в дверь, приходит какой-то человек — глазки прозрачные, пиджак темный, галстук узенький. Познакомились, и он спрашивает:

— Когда вы в последний раз видели Матти Гешонека?

Ну, думаю, все, пропал Матти, арестовали, наверно, вместе со скрипочкой.

— Не помню, говорю, вы, наверно, лучше знаете. И вообще, говорю, вы у него спросите.

— Ага, – говорит он неопределенно. — Мы спросим. А письма вы от него получаете?

— Откуда? — говорю я удивленно.

— Ну, мало ли... Из Западной Германии, например.

Ой, как я обрадовался! Ага, думаю, значит, не арестовали, а просто сбежал мой Матти к своей Марии, вот молодец, вот что такое настоящая любовь!

Ну, а этот, в штатском, покрутился еще, посмотрел на наши вещи, уже в ящики упакованные, и говорит:

— А вы куда собрались?

— А мы, говорю, в эмиграцию собрались.

— А-а! — говорит. — А я-то хотел у вас подписку взять, что, если вы от этого Гешонека письмо получите, вы его нам передадите. А вы, наверно, с ним уже сами увидитесь, там, на Западе.

— Ага, — говорю, — наверно, увидимся.

— Ну, ладно, — говорит, — счастливо!

Через несколько дней я действительно узнал, что бежал наш Матти из Праги в Западную Германию со своей Марией. Как она его вывезла — не знаю. Или в машине спрятала, или еще как-то — ума не приложу...

Ладно, думаю, сбежал — так сбежал, но почему он нам писем не пишет? Что нашей скрипкой, где она? Уж, думаю, если Мария могла своего Матти, у которого рост сто восемьдесят семь сантиметров, увезти через границу, то маленькую скрипочку они тоже, наверное, как-нибудь вывезли.

И что вы думаете? Ничего подобного! Приезжаю я в Италию, тут же пишу этой Марии письмо в Западную Германию, и сообщаю ей Асин адрес в Израиле. Чтобы они ей скрипочку выслали. Да только не тут-то было! Через две-три недели приходит от Аси письмо из Израиля, и она пишет, что дядя Матти звонил ей по телефону из Гамбурга и сказал, что скрипка осталась в Праге у одного знакомого музыканта. Матти боялся взять эту скрипочку, потому что если бы его арестовали, то и скрипку бы арестовали, а так, он говорит, этот чешский музыкант скоро полетит в Данию и там передаст скрипку раввину главной датской синагоги.

Ну, хорошо, думаю, а как же потом эта скрипочка из Дании в Израиль прилетит? И не присвоит ли ее по дороге кто-нибудь?

Написал я про все это еще одно письмо Матти в Западную Германию. А он мне не отвечает. Месяц проходит, два проходит, целый год прошел — нет писем от Матти. Ну, думаю, пропала скрипка! Играет на ней какая-нибудь чешская девочка или какой-нибудь датский мальчик...

И что вы думаете? Так оно и было. Уже потом я узнал подробности путешествия Асиной скрипки. В Праге играла на ней маленькая-маленькая девочка Илона, дочка того музыканта, который должен был эту скрипку в Данию отвезти. Целых полгода она играла или даже больше — пока ее папа получал разрешение ехать в Данию с концертом. А потом он приходит к своей дочке и говорит:

— Придется тебе расстаться с этой скрипочкой, пора ей в Данию уезжать.

Илона — в плач, не хочу, говорит, такую замечательную скрипочку отдавать, у нее звук очень хороший. А папа ей говорит: это нечестно, это же не твоя скрипка, она из Советского Союза убежала, чтобы найти в Израиле свою хозяйку, девочку Асю.

Тут Илона успокоилась, отдала скрипку, они ее спрятали на дно чемодана, и — полетел музыкант в Данию.

И вот приехала скрипка в центральную датскую синагогу, к главному раввину. Открыл он футляр, увидел скрипку и думает: зачем ей просто так лежать в синагоге, ждать, пока найдут адрес какой-то израильской девочки Аси. Пусть на этой скрипке пока какой-нибудь другой ребенок играет. И стал на этой скрипке играть датский мальчик Оле-Хаим, сын кантора.

А чешский музыкант между тем написал письмо Матти Гешонеку и сообщил ему, что скрипка уже в Дании, но Матти в это время был в Африке — снимал кино про слонов и носорогов для германского телевидения. Поэтому письмо музыканта лежало без всякого ответа еще несколько месяцев, и все это время датский мальчик Оле-Хаим разучивал на Асиной скрипке ноты и гаммы.

Вернулся, наконец, Матти из Африки, увидел старое-старое письмо и послал срочную телеграмму в Данию. Мол, так и так, отправьте, пожалуйста, скрипку ее хозяйке Асе в Израиль, в город Тель-Авив, в консерваторию. Получил эту телеграмму датский раввин, приходит к мальчику Оле-Хаиму, чтобы забрать скрипку, а мальчик ка-ак расплачется, не хочу, говорит, отдавать эту скрипку.

Раввин ему говорит:

— Дорогой Оле-Хаим! Эта скрипка не простая, она из Советского Союза убежала, чтобы найти свою хозяйку, которая теперь живет в Израиле. Представляешь, она в Чехословакии подпольно жила, чешскую девочку музыке научила, а потом сюда в Данию приехала и тебя тоже научила на ней играть — и все это для того, чтобы мы помогли скрипке найти ее хозяйку в Израиле!

Подумал мальчик Оле-Хаим и говорит:

— Хорошо, — говорит, — пусть эта скрипка едет в Израиль, но я хочу напоследок сыграть на ней что-нибудь для той девочки.

Вот какой оказался толковый мальчик Оле-Хаим!

Взял он скрипку, поставил перед собой магнитофон и сыграл для Аси то, что умел, то, чему его эта скрипка научила. А потом еще сказал несколько слов на иврите, передал Асе привет и свой адрес.

А через месяц в Израиле, в городе Тель-Авиве, приходит в консерваторию какой-то иностранный дядя в ермолке и с маленьким футляром под мышкой и спрашивает, где тут занимается девочка Ася из Москвы. Ну, ему показали — говорят, вон в том классе. Подошел он к двери, слышит — а там кто-то на скрипке гаммы играет. Открыл он дверь: стоит возле учителя черноглазая девочка, играет на скрипке-половинке. Увидела она чужого дядю с футляром под мышкой и остановилась, глаз с футляра не сводит: узнала свою московскую скрипку.

А приезжий дядя достал скрипку и протянул Асе.

— Ну, — говорит, — я сейчас проверю — твоя ли это скрипка или не твоя. Если сумеешь сыграть какой-нибудь скрипичный концерт на этой скрипке, значит, действительно, она твоя, и стоило ей столько по всем странам путешествовать, чтобы к тебе добраться!

А Ася уже прижала скрипку подбородком к плечику и вдруг засмеялась:

— Ой, какая она стала маленькая!

А учитель тоже засмеялся:

— Это не скрипка стала маленькая, а ты стала большая!

Тронула Ася струны смычком, заиграла.

А приезжий иностранец стоял и слушал. Он уже понял, что не ошибся, что не зря эта скрипочка скиталась в поисках своей хозяйки.

ПРО ТАРАКАНА ШУРУПИКА, МЫШКУ СУСАННУ И ПОПУГАЯ КОСТЮ-ОДЕССИТА

Недавно я получил вот такое письмо: «Здравствуйте, Эдуард Тополь. Прочла в газете ваши рассказы и очень посочувствовала вам, что вы, любя животных, лишены радости общаться с ними».

Я очень обиделся. Кто сказал этой тете, что я лишен радости общения с животными? Ну и что, что я в эмиграции? Разве в эмиграции нет зверей или всяких других животных, с которыми можно общаться, а точнее, говоря нормальным русским языком, — дружить?

И вот я решил рассказать о тех, с кем я подружился с самых первых дней эмиграции.

Дело было так.

Когда я приехал в Нью-Йорк, поселили меня, как и других эмигрантов, в огромном отеле в Бруклине. Мне дали комнату под самой крышей, на двадцать первом этаже, и это была даже не нормальная комната, а какая-то голубятня — маленькая комнатушка в башенке, у которой все стены и потолок прогревались солнцем. Короче, жара там была такая, что, когда я первый раз открыл дверь в свою комнату, я прямо отскочил в коридор — такая жара там стояла.

Поэтому я поставил в комнату свой чемодан и ушел гулять — я решил, что к ночи, когда солнце спрячется, комната остынет, и я смогу в ней хотя бы ночевать. И вот я гулял по Нью-Йорку, по набережной Гудзона, по грязным и не очень грязным тротуарам, и очень мне этот Нью-Йорк не нравился. Во-первых, жара ужасная, духота, во-вторых, я по английски ничего не понимаю, и в-третьих, как быть с работой? Кому тут нужен писатель, который по-английски писать не умеет?

И вот злой и голодный прихожу я поздно вечером в гостиницу, поднимаюсь на свой двадцать первый этаж, открываю комнату, включаю свет и — батюшки, что же я вижу!

По столу, по стенам, по моей сумке с вещами ползают тараканы — прямо сотни тараканов, тысячи!

Тут со мной просто истерика случилась, нервный припадок — стал я этих тараканов бить. Честное слово! Так я распсиховался, так обиделся, что схватил свою тапочку и стал бить тараканов почем зря — и на стене, и на столе, и на подоконнике. А потом упал на кровать и заплакал. От злости. Думаю — зачем я в эту Америку приехал? С тараканами жить?

И так уснул.

Утром проснулся и пошел искать себе работу. Как раз меня НАЙАНА послала в тот день в большой книжный магазин «Харпер энд Роу» — сказали, что там есть для меня замечательное место — грузчиком. О'кей, — грузчиком так грузчиком, я человек не гордый. Пришел в этот «Харпер энд Роу», вижу, действительно, в самом центре Манхэттена замечательный книжный магазин и даже издательство, в двадцать этажей, где печатают разные книжки. Ну, думаю, это как раз для меня: сначала буду книжки таскать, а потом как-нибудь познакомлюсь с хорошим редактором и свою книжку напечатаю. И вот иду я к директору магазина, говорю: здравствуйте, гуд афтернун, меня к вам НАЙАНА послала грузчиком работать. А мне говорят: здравствуйте, гуд афтернун, хау ар ю, ду ю спик спаниш? Я очень удивился — при чем тут «спаниш», как я могу по-испански разговаривать, если я по-английски еле-еле? Нет, говорю, ай кант спик спаниш, ай спик инглиш э литл бит. А они говорят: икскьюз ми, извините то есть, нам нужен грузчик, который на двух языках разговаривает: на английском и на испанском.

Короче, не взяли меня на работу грузчиком в магазин «Харпер энд Роу». Что было делать? Купил я булку в магазине, йогурт и помидоры и пошел в свою гостиницу. Сижу в своей жаркой комнате, ем помидоры с булкой, йогуртом запиваю. Тут, вижу, из-под кровати таракан выползает. Осторожно так выползает, как на разведку. Остановился и смотрит на меня своими тараканьими глазками. Я и говорю ему:

— Ну что, говорю, Шурупик, ду ю спик спаниш?

Почему я его Шурупиком назвал, сам не знаю, а только он на эту кличку сразу отозвался — пошевелил усиками, как будто носом шмыгнул, и пополз к крошкам от булки, которые я на пол просыпал .

Так мы с ним и подружились, и он стал моим самым первым другом, которого я повстречал в Америке. Таракан Шурупик.

Что бы со мной ни случилось, — на работу ли меня не взяли, в сабвее ли я заблудился, писем долго нет из Израиля от моей племянницы Аси или в НАЙАНЕ меня обидели, — я уже не унывал, не отчаивался, как раньше, а знал — теперь я уже не одинок, есть у меня друг в гостинице, который ждет меня — не дождется, таракан Шурупик.

Я приносил ему самую вкусную еду — печенье, булки, макароны, но больше всего мы с ним любили овсяные хлопья. Я в Советском Союзе очень любил овсяную кашу, которая там называется «Геркулес», и здесь я тоже нашел свою любимую овсянку — она по-американски называется «оутс» И тут я выяснил, что у нас с Шурупиком совершенно одинаковые вкусы: он так полюбил эти овсяные хлопья, что, если бы я не закрывал банку с оутсом, он бы там поселился, наверно.

Во всяком случае, прихожу я как-то домой, открываю дверь, смотрю — а у меня на подоконнике, где стоит обычно банка с овсянкой, — просто пир горой! Мой Шурупик созвал друзей со всей, наверно, гостиницы и угощает их моей овсянкой. А все потому, что я забыл банку закрыть как полагается. Вот они и устроили народное тараканье гулянье на моем подоконнике, как на Пятой авеню. Черные тараканы, рыжие, маленькие какие-то букашки — кого только нет! А Шурупик у них самый главный, сидит верхом на банке, усами размахивает и как будто приглашает:

— Налетай, братва, всех угощаю!

Посмотрел я на это дело и говорю:

— Эх ты, Шурупик, Шурупик, добрая душа! Другой бы какой-нибудь таракан на твоем месте один эту овсянку ел, втихомолку, а ты, наоборот, всех друзей позвал — и знакомых и незнакомых. Молодец! Сразу видно — американец! Ладно, — говорю, гуляйте, я ведь теперь тоже американец — добрый и щедрый Тем более, говорю, Шурупик, что это наш прощальный вечер, завтра должен я съезжать из гостиницы, больше меня тут НАЙАНА не держит.

Сел на кровать и стал смотреть, как тараканы мою овсянку едят. Но то ли их электричество напугало, то ли мой голос не понравился, только разбежались они кто куда, один мой Шурупик остался. Сидит на подоконнике, смотрит на меня пристальным взглядом и усами шевелит, как будто спрашивает: неужели ты меня, лучшего друга, бросишь в этой гостинице?

— Нет, — говорю, — Шурупик, дорогой мой друг, как я могу тебя бросить, разве друзей бросают?

Посадил я его в банку из-под овсянки, сложил чемодан, взял свою пишущую машинку и пошел по Нью-Йорку искать себе пристанище. У одних знакомых прожил два дня, у других — три, у третьих — целую неделю. Вижу, нигде моему Шурупику не нравится, сидит себе в банке, не вылезает, как будто говорит: пора, мол, нам свою квартиру иметь, самостоятельно жить, а не у чужих людей. У них, мол, своих тараканов хватает.

Ладно, чего не сделаешь для лучшего друга, нашел я квартиру на Вашингтон Хайтс, возле самого Гудзона — светлая, просторная, чистая квартира. Принес свои вещи, открыл коробку из-под овсянки и говорю: — Ну вот, Шурупик, будем мы с тобой в этой квартире жить. Нравится?

Смотрю — вылез мой Шурупик из банки, осмотрелся по сторонам, пошевелил усами и — пополз на кухню, обследовать. Сначала всю кухню обследовал, потом гостиную, потом спальню и выбрал себе место в самом углу за газовой плитой.

Вот так поселились мы с Шурупиком на новом месте, и длинными вечерами я с ним подолгу разговаривал на самые разные темы. О жизни об эмиграции, об Америке. Поговоришь, бывало, отведешь душу, «Голос Америки» послушаешь и ложишься спать.

Хорошо мы жили, душевно. А потом стал я замечать, что скучно Шурупику Оставлю я ему крошки на столе, а утром смотрю — он уже из соседних квартир друзей пригласил на эти крошки, опять пир устраивает на весь дом. Ну, мне не жалко, разве я стану для лучшего друга какие-то там крошки жалеть! Но только обидно, конечно, — он у меня единственный друг, а я у него — не один. Целые толпы его друзей-тараканов ходят ко мне с вечера до утра, а некоторые даже — стал я замечать — просто поселились с Шурупиком на кухне. Чужие тараканы, не мои, заняли кухню и так отвлекают Шурупика по разным делам, что мне с ним и поговорить нельзя, занят он, все новых и новых тараканов расселяет по углам, за холодильником, за газовой плитой, за кухонным шкафчиком. Даже стало страшно заходить на кухню.

Рассердился я тогда, выпил водки для храбрости и захожу на кухню, говорю громовым голосом:

— А ну-ка, братцы-тараканы, марш отседова! Дайте мне с моим другом Шурупиком наедине поговорить! Выходи, Шурупик, на мужской разговор!

Вижу: выползает мой Шурупик из-за плиты, смотрит на меня и ждет — что я ему еще скажу. А я и говорю:

— Ты меня уважаешь? Нет, говорю, ты меня не уважаешь! Понавел сюда гостей, а меня — лучшего друга! — бросил.

Молчит мой Шурупик, стыдно ему стало.

— Ага, — говорю, — стыдно стало? Правда глаза колет?

И вдруг — вижу: пошевелил мой Шурупик усами, как будто носом шмыгнул, и побежал куда-то за кухонный шкафчик. Думаю, зачем он туда побежал, интересно? Неужели просто струсил от такого мужского разговора?

Но тут из-за кухонного шкафчика выглядывает эдакая остренькая мордочка с глазками-бусинками. Кто бы вы думали? Мышка! Маленькая-маленькая, и смотрит на меня — испугаюсь я или не испугаюсь? А я тоже смотрю — испугается она меня или не испугается? Долго так смотрели мы друг на друга, прямо друг другу в глаза — знакомились. А потом она шукш-шукш — просеменила в угол к пакету с мусором, схватила какую-то там крошку и — назад, за шкафчик.

Открыл я холодильник, достал кусочек сыра, отломил краешек и положил на пол возле шкафчика. Потому что мышки больше всего на свете любят сыр. Особенно голландский. Ну, в Америке с голландским сыром нет проблем, даже швейцарский можно запросто купить в любом магазине, так что моя новая подруга мышка Сусанна теперь каждый вечер имела замечательный десерт, как какая-нибудь итальянка. Все итальянцы после любой еды любят сырами закусывать. Вот и моя мышка Сусанна перешла на итальянский рацион.

Стали мы теперь втроем дружить. я, таракан Шурупик и мышка Сусанна. Сидим по вечерам, балагурим — я чай пью, Шурупик по стенкам ползает, вечернюю гимнастику делает, а мышка Сусанна возле моих ног сыром угощается Скушает все, встанет на задние лапки, передними умоется перед сном и — до свиданья, за свой шкафчик. И очень я был Шурупику благодарен за то, что он меня с Сусанной познакомил.

А скоро у нас еще один жилец появился — попугай Костя-одессит. Об этом попугае вообще нужно отдельный рассказ писать, но пока я вам коротко скажу: мне его соседи-итальянцы подарили. Старенький попугай, грудка уже голая почти, перышки выпали, и никаких слов он не говорил, кроме «кхе-кхе эсса». Может быть, по-итальянски это что-нибудь другое значит, но я решил, что это он по Одессе скучает, потому что иногда у него получалось: «Эх, Одесса!» Вот я и решил, что он в молодости жил, наверное, в Одессе, а потом улетел в дальние страны, но всю жизнь вспоминает: «Эх, Одесса!» И я назвал его Костя-одессит.

И так славно мы жили-поживали теплой компанией, как вдруг нежданно-негаданно со мной беда приключилась. Влюбился я с первого взгляда. В одну замечательную тетю. Красивую — ой! И пригласил ее к себе в гости.

И вот, представляете, приходит она в мою квартиру, и что же видит? На кухне толпы тараканов живут, как у себя дома. Главный над ними Шурупик — как хочет командует, по ночам целые парады устраивает, сам на кухонном столе сидит, как на трибуне мавзолея, а внизу — тараканьи войска маршируют, и маленькие букашки за большими тараканами бегут, как солдаты за танками. А в углу, возле ящика с мусором, мышка Сусанна совершенно спокойно сидит себе на задних лапках, сыр кушает и смотрит на мою гостью своими черными глазками. А на холодильнике клетка с Костей-одесситом, он кряхтит перед сном: «Эх, Одесса!»

Представляете, какое это произвело впечатление на тетю, в которую я влюбился?! Она от возмущения даже покраснела вся, даже заплакала:

— Как же, — говорит, — ты можешь в такой грязи жить?! С мышами, с тараканами! Все, — говорит, — ухожу от тебя! Или я, или — тараканы! Выбирай!

Ну? Что мне делать? Ужасное положение С одной стороны — друзья, а с другой — такая красивая тетя. Как быть? Пробовал я ее уговаривать — мол, чем тебе мои тараканы мешают? Что тебе моя мышка Сусанна? Я, говорю, тебе буду отдельный сыр покупать, а мышке отдельный. Ни-че-го не помогает! Заупрямилась — и все тут. Или, говорит, я, или — тараканы. Ты, говорит, знаешь, как меня зовут? Знаю, говорю, Эмилия. Вот, говорит, а Эмилия в переводе с греческого — Божественная. Ну, как же, говорит, я, Божественная женщина, могу с мышами и тараканами жить? Ну, говорит, ты сам подумай!

И действительно, я подумал, ерунда получается, логично — Божественная женщина как может жить с тараканами? Вздохнул я глубоко-глубоко, взял своего попугая Костю-одессита и отнес к соседям. Извините, говорю, он по ночам так кряхтит и так по своей Одессе скучает, что моя Божественная женщина слышать этого не может. Потом позвал мышку Сусанну, накормил ее последний раз лучшим швейцарским сыром и говорю: «Прощай, дорогая Сусанна, придется тебе новую квартиру искать, потому что теперь моя Божественная женщина наведет в квартире такую чистоту, что я уже никаких крошек не смогу тебе на кухне оставить. Она очень строгая и будет за мной в оба глаза следить. А ты же видела, какие у нее глаза — я от этих глаз просто голову теряю».

Ничего мне Сусанна не сказала, а просто повернулась гордо и ушла.

Теперь пришла очередь тараканов. Пошел я в магазин, купил несколько бутылок спрея от тараканов, вернулся домой, посадил Шурупика в старый спичечный коробок, в котором я из Советского союза пуговицы привез, а потом закрыл все окна и распечатал все бутылки спрея. Открыл краники и — наутек. Думаю, пусть все тараканы сами из квартиры разбегаются, а мы с Шурупиком на пару убежали. Не мог же я, действительно, своего самого первого американского друга бросить на погибель вместе с другими тараканами!

Через несколько часов вернулись мы с Шурупиком домой, он в спичечном коробке сидит, а я всю квартиру подмел, полы вымыл и позвонил своей Божественной женщине. Все, говорю, выполнил я твою волю, приезжай в гости.

И вот приехала она, поцеловала меня — молодец, говорит, умница! Больше на пол не сори, тараканов не разводи, тогда я буду у тебя жить.

Ну, что мне делать? Не сорю теперь, сыр возле кухонного шкафчика на полу не оставляю и не кормлю попугая. А только целыми днями ухаживаю за своей Божественной.

Но иногда поздно вечером, когда уснет моя Божественная, я тихо-тихо ухожу на кухню, включаю «Голос Америки», открываю спичечный коробок и сидим мы с Шурупиком вдвоем, как бывало. Чай пьем, по душам разговариваем.

Только вы, пожалуйста, не говорите об этом ни-ко-му! Пусть это будет наш секрет. А то скажет кто-нибудь моей Божественной женщине, она тогда у меня и Шурупика отнимет.

САМЫЕ-САМЫЕ СЕВЕРНЫЕ ИСТОРИИ

Трехлетняя Кати, пятилетний Джонатан и семилетняя Эмили живут в Шотландии.

А трехлетняя Александра живет в Штате Мичиган, США.

А я живу в Нью-Йорке.

Кати, Джонатан, Эмили и Александра говорят по-английски, а я говорю по-английски очень плохо, хотя я уже совсем-совсем взрослый.

Даже Александра и Кати говорят по-английски куда лучше меня, хотя им всего по три года, а мне — аж 44!

Правда, я неплохо говорю по-русски, но не Кати, ни Джонатан, ни Эмили, ни Александра по-русски ничего не понимают.

Как же мне быть, если я хочу в ними подружиться? Очень мне с ними дружить хочется!

Особенно — потому, что дети это самые-самые лучшие друзья. Дети даже если обижаются, то потом быстро забывают и прощают. И с ними снова можно играть во всякие веселые и интересные игры.

А вот если взрослые обижаются или ссорятся, — они это очень долго помнят и уже никогда не прощают. Я это по себе знаю.

Поэтому иметь дело со взрослыми очень скучно — все время нужно думать как бы их не обидеть.

Короче, я предпочитаю дружить с детьми.

Ну вот, думал я думал — как же мне с этими детьми подружиться и решил: а напишу-ка я для них маленькие рассказы, расскажу им такие истории, которые никакие-никакие дети не знают ни в Шотландии, ни в Америке, ни Африке, ни в Австралии! Короче — нигде-нигде!

Может быть, думаю я, за эти истории Кати, Джонатан, Эмили и Александра захотят со мной подружиться?

Но какие же это такие истории, которые никто-никто не знает, а я один знаю?

А вот какие.

На самом-самом Севере Земли живут самые-самые северные люди на свете. Эти люди называются ненцы. Почему они так называются, я не знаю, но как-то же им надо называться, правда? Одни люди называются американцы, потому что они живут в Америке. Другие называются шотландцы, потому что живут в Шотландии. А третьи называются русские, потому что живут в России. А эти самые-самые северные люди называются ненцы, хотя живут они на земле, которая называется Я-мал.

Ямал на их ненецком языке означает — «конец Земли».

И действительно в этом месте Земля кончается, я сам видел.

Дальше, на севере от этой земли уже никакие люди не живут, дальше на север от этой земли живут только белые медведи и моржи. Белые медведи живут на льдинах, моржи живут в Ледовитом океане, а ненцы живут совсем по соседству -на земле, которая называется Ямал, то есть конец Земли.

Зимой там так холодно, что когда плюнешь на землю, то плевок на лету замерзает и тут же от земли отскакивает, как кусочек льда.

И это значит, что на улице минус 50 градусов по Цельсию!

Конечно, плевать неприлично, но если ты вышел на улицу без термометра, то как еще ты можешь узнать температуру?

Поэтому проще всего тихонько, чтоб никто не видел, сплюнуть и посмотреть, что будет.

Но тут начинаются и другие чудеса.

Во-первых, никаких улиц там нет. А просто — гладкая засыпанная снегом земля, которая называется тундра.

И домов там тоже никаких нет, а только маленькие-маленькие домики, которые и домиками назвать нельзя — такие они маленькие. Поэтому эти маленькие домики называют чумами.

Но самое главное чудо на этой земле — другое. Самое главное чудо на этой земле то, что зимой там не бывает солнца. Совсем не бывает солнца! Целых шесть месяцев! Только луна светит и звезды. Прямо самая-самая настоящая ночь, только такая длинная — полгода можно спать и никакое солнце тебя не разбудит. И, например, медведи так и делают — медведи зарываются в снег и спят себе всю зиму — вот какие медведи лентяи!

Зато летом солнце там светит все-все время подряд — и днем и ночью! И так сильно светит и греет, что весь-весь снег тает на этой земле, все медведи просыпаются от жары, и трава зеленеет, а птицы и днем и ночью летают и песни поют без остановки!

Очень весело жить летом на этой земле!

Ненцы ездят на оленях, рыбы плещутся в реках, лисицы на уток охотятся, гуси в небе стаями кружат.

И летом на этой земле происходят самые-самые интересные приключения — и с людьми, и со зверьми.

Например, с Мышонком произошла однажды такая история

КАК МЫШОНОК СО ВСЕМ МИРОМ РАЗГОВАРИВАЛ

Была у Мышонка норка на самом изгибе реки.

Весной вышло, наконец, Солнце в небо и стало всю землю греть.

Грело день, грело ночь, потом еще день и еще одну ночь. И так все вокруг нагрелось, что не только снег начал таять, но даже замерзшая река нагрелась. И стал на реке лед таять, и поплыли по реке Льдины.

Услышал Мышонок, как Льдины по реке плывут, друг

на друга наскакивают и аж трещат от этих ударов, словно кто-то из ружья стреляет

Испугался Мышонок, что эти Льдины ударятся о берег и его норку разрушат. Вылез Мышонок из норки и сказал:

«Эх, льдины! Плывите подальше! Гнездышка моего не заденьте!»

Но тут Льдины заговорили, сказали:

«Эй, Мышонок! Ты что там разговорился! Мы — Льдины! Уж если мы понеслись по реке — мы никого не спрашиваем: задевать нам чьи-то гнезда или не задевать!»

Тут Мышонок сказал:

«Эй вы, Льдины! Что вы о себе там воображаете! Вот выбросит вас водой на берег, тут вас Солнце и растопит Пользы от вас никакой не бывает!»

Тут Солнце заговорило, сказало:

«Эй, Мышонок! Ты что там разговорился?! До того, как я лед и льдины растапливаю, — тебе, собственно говоря, какое дело?»

Тут Мышонок сказал:

«Эй, Солнце! Что ты там о себе воображаешь? Вот придут Облака с океана и закроют тебя! И пользы от тебя никакой не будет!»

Тут Облака заговорили, сказали:

«Эй, Мышонок! Ты что там разговорился? До того, что мы приходим и Солнце закрываем, тебе, собственно говоря, какое дело?»

Тут Мышонок сказал

«Эй, Облака! Что вы там о себе воображаете? Вот подует ветер, отнесет вас на Горы, и Горы вас на куски порвут! Пользы от вас не бывает!»

Тут Горы заговорили, сказали·

«Эй, Мышонок! Ты что там разговорился? До того, что мы делаем с Облаками, тебе, собственно говоря, какое дело?!»

Тут Мышонок сказал

«Эй, Горы! Что вы там о себе воображаете? Любая птица выше вас летает и любой зверь может залезть к вам на самую вершину! Даже вонючая Куница может на вас написать!»

Тут Куница заговорила, сказала:

«Эй, Мышонок! Ты что там разговорился? До того, где я писаю, тебе, собственно говоря, какое дело?»

Тут Мышонок сказал:

«Эй, Куница! Ты что там о себе воображаешь? Вот придет ненец-Охотник, убьет тебя из ружья и сделает из тебя шапку или сапоги!»

Тут ненец-Охотник заговорил, сказал:

«Эй, Мышонок! Ты что там разговорился? До того, куда мое ружье стреляет, тебе, собственно говоря, какое дело?! Вот возьму сейчас ружье и в тебя выстрелю!»

Но Мышонок — юрк в норку и был таков, спрятался.

И с тех пор живет под землей, не высовывается.

Птицы по небу летают, Льдины плывут по реке, Солнце греет землю, Куницы бегают по тундре, Охотник ходит с ружьем — все ищут Мышонка, хотят сказать ему еще какое-нибудь слово.

Но хитрый Мышонок сидит себе в норке и ни с кем больше не разговаривает. Потому что все равно все случилось именно так, как он говорил: вода выбросила Льдины на берег, и Льдины растаяли, Горы порвали Облака на куски, а Охотник догнал в горах Куницу, убил ее из ружья и сделал себе из нее шапку на зиму.

Так о чем теперь с ними Мышонку разговаривать, если он заранее знал, что он — прав!

КАК МОРЖИ С БЕЛЫМИ МЕДВЕДЯМИ ПОССОРИЛИСЬ

Белые Медведи живут на льдинах, но очень любят купаться в море. Потому что летом даже на самом-самом Севере очень жарко — солнце светит все лето, и днем и ночью. Вот Белые Медведи и спасаются от жары в море.

Но стоит Белому Мишке спрыгнуть со льдины в море и начать купаться, как тут же подплывают к нему Моржи и начинают его бить — выгоняют из моря назад, на льдину.

А между тем сами Моржи тоже не любят все время в море плавать. Потому что на самом-самом Севере море всегда холодное — даже летом. Вот Моржи и вылезают из воды на льдины, греются на солнышке.

Но стоит какому-нибудь Моржу выбраться из воды на льдину, стоит ему разлечься под солнышком и подставить солнышку свой черный бок, как тут же прибегают Белые Медведи и начинают его бить — выгоняют со льдины назад, в море.

Что ж это такое? Почему Белые Медведи с Моржами не дружат?

А вот почему.

Давным-давно все было наоборот. Белые Медведи дружили с Моржами. Вместе купались в море, вместе летом грелись на солнышке, и вместе всю длинную зиму ждали — когда же солнышко появится.

Потому что зимой на самом-самом Севере солнышко вообще не светит, и все время темно и холодно — и днем и ночью, целых шесть месяцев. И все люди и звери ждут солнышко с нетерпением.

И вот однажды Белые Медведи и Моржи тоже ждали, когда же солнышко выглянет, наконец. Ждали-ждали и заспорили, — а где это солнышко на зиму прячется?

Медведи говорили: «Зимой солнышко далеко-далеко в горах лежит в берлоге, а весной из-за гор выглядывает и потихоньку поднимается по горным вершинам в небо».

А Моржи говорили: «Ничего подобного! Солнышко осенью в море закатывается, уходит на зиму глубоко-глубоко под воду и там остывает до весны. А весной опять из моря выходит».

Спорили, спорили, даже поругались.

Белые Медведи говорят: «В горах, в берлоге зимует солнышко».

А Моржи говорят: «Ничего подобного! В море зимует солнышко»,

«Ах, так?! — говорят Белые Медведи. — Хорошо! Мы вам, Моржам, докажем, что мы правы! Вот пойдем в горы и найдем там солнышко!»

«Ах, так?! — говорят Моржи. — Хорошо! Мы вам, Белым Медведям, докажем, что мы правы! Вот уплывем в море, нырнем на самое дно и найдем там солнышко!»

И с тех пор Моржи плавают в море, ищут под водой солнышко.

А Белые Медведи даже зимой не спят, как любые другие нормальные медведи, например — черные или бурые. Черные и Бурые Медведи всю зиму спят в своих берлогах, а Белые Медведи не спят. Белые Медведи ходят по ледяным горам и ищут солнышко.

И даже летом, когда солнышко светит с неба для всех, Белые Медведи продолжают с Моржами ссориться.

Стоит Моржам выбраться из воды на льдины, чтобы хоть немножко погреться, как тут же прибегают Белые Медведи, сталкивают Моржей в море и кричат: «Плывите, плывите, ищите на дне солнышко!»

А когда Белые Медведи от жары хотят в море искупаться, к ним тут же подплывают Моржи, выталкивают их из воды на льдины и кричат: «Идите, идите! Ищите в горах солнышко!»

Вот почему поссорились Белые Медведи с Моржами и живут теперь врозь — Белые Медведи на льдинах, а Моржи — в море.

КАК НА САМОМ-САМОМ СЕВЕРЕ ЛИСИЦЫ НА УТОК ОХОТЯТСЯ

Летом на Самом-Самом Севере солнце греет так сильно, что весь снег тает и получается много-много озер.

И на эти озера прилетают утки. Много-много уток, целые тысячи. Или даже еще больше.

А лисицы очень любят уток есть. Вкусное у уток мясо. И особенно любят есть уток маленькие лисята, которые рождаются весной. К лету эти лисята становятся уже большие и все время просят у своих мам-лисиц какой-нибудь вкусной еды.

Вот и бегают мамы-лисицы по тундре, ищут еду для своих детей. И видят, что на озерах уток — видимо-невидимо. Видят-то видят, да как поймать? Утки плавают по озерам, а лисицы плавать не умеют.

Как тут быть лисицам? Ведь дома дети скулят — ждут какую-нибудь вкусную еду. И вот однажды сидела на берегу озера Умная Лисица, смотрела на уток, которые по озеру плавали, и думала: как же мне, Умной Лисице, хотя бы одну утку поймать?

И вдруг видит, как одна Уточка-Невеста — перышки коричневые, лапки красные, шейка белая, головка сизая — как заплыла эта уточка в камыши и стала песни петь: «Кря-уф-кря! Кря-уф-кря!» А на эту песню со всего озера стали другие утки прилетать, Женихи. Поет песню Уточка-Красавица-Невеста, а Утки-Женихи прилетают на эту песню и сватаются: не выйдет ли Уточка-Красавица — перышки коричневые, шейка белая, лапки красные, головка сизая — за них замуж.

Увидела это Умная Лисица, пошла на другой конец озера, залезла возле берега в воду, в камыши, только черный носик торчит, чтоб дышать. Потом подняла лапки из воды к носику и стала петь, совсем как Уточка-Невеста: «Кря-уф-кря! Кря-уф-кря!».

Услыхали эту песню Утки-Женихи и со всего озера полетели на эту песню. Думают, что там еще одна Уточка-Невеста сидит. Но нигде не видят Уточку-Невесту, а песню ее слышат. Стали Утки-Женихи искать ее в камышах. Вот тут-то Умная Лисица цапнула одного из них, который был поближе, и бегом на берег — несет своим лисятам вкусную добычу.

Так Умная Лисица научилась на уток охотиться.

А когда выросли ее дети совсем большими, она и их научила, как на уток охотиться. Чтобы они и своим детям могли вкусную добычу приносить.

Поэтому когда вы, дети, будете на Самом-Самом Севере и услышите на озере в камышах такую песню: «Кря-уф-кря! Кря-уф-кря!», вы не думайте, что там обязательно Уточка-Невеста сидит. Очень может быть, что там вовсе не Уточка-Невеста сидит, а Умная Лисица на уток охотится.

И вообще я вам советую, когда вы вырастете, невесту себе не по песне выбирать. Ясно? А то мало ли кто Уточкой-Красавицей-Невестой прикинется! А потом вдруг окажется, что это вовсе не Уточка, а самая настоящая Хитрая Лисица! Вот!

Содержание

ЧАСТЬ ПЕРВАЯ. ДЮЖИНА РАЗНЫХ ИСТОРИЙ

ЧАСТЬ ВТОРАЯ. РАССКАЗЫ ДЛЯ СЕРЬЕЗНЫХ ДЕТЕЙ И НЕСЕРЬЕЗНЫХ ВЗРОСЛЫХ

Литературно-художественное издание

ТОПОЛЬ ЭДУАРД

Собрание сочинений

Убийца на экспорт

Дюжина разных историй

Рассказы для серьезных детей и несерьезных взрослых

Подписано в печать с готовых диапозитивов 31.01.96. Формат $84 \times 108^{1}/_{32}$. Бумага типографская. Гарнитура Таймс. Печать высокая с ФПФ. Усл. печ. л. 30,24. Доп. тираж 10 000 экз. Заказ 77.

Издательство ТКО «АСТ». Лицензия ЛР № 060519. 143900, Московская обл., г. Балашиха, ул. Фадеева, 8.

При участии ТОО «Харвест». Лицензия ЛВ № 729. 220034, Минск, ул. В. Хоружей, 21-102.

Минский ордена Трудового Красного Знамени полиграфкомбинат МППО им. Я. Коласа. 220005, Минск, ул. Красная, 23.

Качество печати соответствует качеству предоставленных издательством диапозитивов.